ARTAMÈNE
OU
LE GRAND CYRUS

Viennent de paraître
dans la même collection

MADELEINE ET GEORGES DE SCUDÉRY

ARTAMÈNE
OU
LE GRAND CYRUS

Présentation, notes, synopsis, index,
glossaire, chronologie et bibliographie
par
Claude BOURQUI
et
Alexandre GEFEN

avec la collaboration de
Barbara SELMECI

GF Flammarion

PRÉSENTATION

> La chimérique philosophie [de Des-
> cartes] réussit quelque temps parce que
> les romans étaient alors à la mode. *Cyrus*
> et *Clélie* valaient beaucoup mieux, car ils
> n'induisaient personne en erreur.
>
> Voltaire, *Le Siècle de Louis XIV.*

Grandeur et décadence d'un chef-d'œuvre

« Son frère entassait des Bruegel, des Guide, des
Poussin, des Raphaël, des Corrège. Elle entassait les
tomes du *Grand Cyrus* : 13 095 pages remplies d'enlèvements, de naufrages, de morts feintes, de sosies, de
duels et de reconnaissances [1] », écrit Pascal Quignard
dans une vie imaginaire de Madeleine de Scudéry
(1608-1701), où l'empathie poétique tente de faire
revivre l'auteur d'une œuvre qui, après avoir représenté
un temps le meilleur du pays de la « Romanie » – le territoire du roman –, connut une éclipse de trois siècles.

De fait, rouvrir *Artamène ou le Grand Cyrus*, qui
relate la manière dont Cyrus, « le plus grand prince du
monde, après avoir été le plus malheureux de tous les

---

1. Pascal Quignard, « Des plaques blanches sur fond jaune »,
Petits Traités, t. II, Gallimard, « Folio », 1997, p. 590.

amants, se vit le plus heureux de tous les hommes, car
il se vit possesseur de la plus grande beauté de l'Asie,
de la plus vertueuse personne de la terre » (p. 217)
– autrement dit la princesse Mandane, enlevée au héros
dans les premières pages du roman –, c'est, par-delà
les controverses qui s'attachèrent à une romancière
qui fut considérée à tort ou à raison comme la « Reine
des Précieuses », se remémorer une figure légendaire
de notre imaginaire collectif. La jeune orpheline au
physique ingrat, née au Havre en 1607, qui conquit,
par la grâce de sa conversation, la « chambre bleue »
de l'hôtel de Rambouillet, alors animée par les joutes
littéraires de Voiture et les polémiques de Chapelain ;
l'animatrice des « Samedis », réunions mondaines du
Marais où l'on s'adonnait aux plaisirs de la poésie
galante, des jeux de rôles prenant pour thème l'*Astrée*
ou des subtiles analyses du cœur humain, au milieu
des troubles de la Fronde et des arrestations suivant la
chute de Fouquet ; l'inventrice enjouée, dans cet autre
« roman fleuve » qu'est *Clélie, histoire romaine* (1654-
1660), de la célèbre « Carte de Tendre » ; la chaste amie
de Paul Pellisson, historiographe de Louis XIV après
avoir été protégé de Fouquet, aimé pendant quarante
ans à demi-mot dans des billets quotidiens, mais toujours repoussé au nom d'un célibat érigé en valeur
éthique (« Je veux un amant, sans vouloir un mari »,
nous dira Sapho dans le *Grand Cyrus*, p. 514) ; la très
vieille dame, sourde et impotente, qui, après avoir été la
complice de Mme de Maintenon, la protégée de Chris-
tine de Suède, finira ses jours dans une gloire quasi pos-
thume, visitée de tous les étrangers de passage comme
on visite un monument, sont autant d'images qui se
superposent pour décrire celle que ses contemporains
italiens surnommèrent « l'Universelle ».

   « Sapho de notre siècle, qui ne ressemble à celle de
la Grèce que par l'esprit et qui n'a pas moins de vertu
que de savoir » pour le père Bouhours [1], impressionné

---

1. *Pensées ingénieuses des Anciens et des Modernes*, Paris, Mabre-
Cramoisy, 1689.

comme ses contemporains par l'ampleur de son talent
polygraphique (du « roman de longue haleine » à la
nouvelle, de la poésie encomiastique aux recueils de
conversations), Madeleine de Scudéry est l'incarna-
tion de la première femme de lettres moderne, comme
l'attestent la reconnaissance que lui accorda l'institution littéraire (elle faillit être la première femme à
entrer à l'Académie française) et les tirages imposants
de ses romans.

C'est sans doute d'abord au titre de cette réputation, s'étendant progressivement à l'Europe entière,
que la grande dame de la littérature française du
XVIIᵉ siècle a subi les attaques de ceux qui assimilèrent
les ambitions intellectuelles féminines à leur caricature
moliéresque, celle des *Précieuses ridicules* (1659) ou celle
des *Femmes savantes* (1672) [1]. Mais les piques de Boileau, qui dans *L'Art poétique* nous déconseille « d'aller
d'un Cyrus nous faire un Artamène » (chant III, v. 100),
et qui, dans *Le Dialogue des héros de roman*, qualifie
Madeleine-Sapho de « plus folle de toutes [2] », celles de
Furetière, se gaussant de « la Pucelle du Marais [3] »
– vexations et opprobres divers au travers desquels
sont mis en jeu, à la fois, l'accès féminin à l'institution
littéraire et un débat de civilisation sur les valeurs
galantes – ne sont rien en proportion de l'anathème

1. Une telle assimilation, du reste, est fausse et injuste : l'« Histoire de Sapho », qu'on lira dans ce volume, propose, par le biais du
personnage de Damophile qui « s'était mis dans la tête d'imiter
Sapho », une satire impitoyable du savoir féminin non ajusté aux
exigences de la politesse mondaine : « on peut assurer que, comme
il n'y a rien de plus aimable, ni de plus charmant qu'une femme qui
s'est donné la peine d'orner son esprit de mille agréables connaissances quand elle en sait bien user, il n'y a rien aussi de si ridicule,
ni de si ennuyeux, qu'une femme sottement savante » (p. 465 de
notre édition).
2. Nicolas Boileau, « Les héros de roman. Dialogue à la manière
de Lucien », in *Œuvres complètes*, éd. A. Adam, Gallimard, 1966,
p. 471.
3. *Nouvelle allégorique ou Histoire des derniers troubles arrivés au
royaume d'éloquence* (1658), éd. E. Van Ginneken, Genève, Droz,
1967, p. 34.

qui, reléguant aux oubliettes tout un âge de notre littérature, a frappé le roman de la première moitié du
XVIIᵉ siècle, dont Madeleine fut, avec Gomberville
(1599-1674) et La Calprenède (1609-1663), la plus
illustre représentante. Malgré l'admiration que lui
vouaient La Fontaine et Leibniz, en dépit de sa survie
aux marges de l'histoire du genre (à l'étranger et dans
les bibliothèques féminines), *Artamène ou le Grand
Cyrus* (1649-1653) a été victime de l'inflexion déter-
minante de l'histoire des sensibilités, qui, en l'espace
de quelques années, fit tomber en obsolescence le
« grand » roman baroque, au profit d'un nouveau
mode de narration promu par le biais du genre conquérant de la nouvelle.

En effet, l'immense célébrité des grands romans
scudériens, dont la parution échelonnée mettait la
patience de Mme de Lafayette à l'épreuve [1] et dont la
lecture faisait veiller la femme de Samuel Pepys
jusqu'à minuit [2], au grand désespoir de son mari, s'est
trouvée, sur le plan esthétique, ruinée par une réputation de longueur et d'illisibilité. Romans d'avant le
roman tel que nous le concevons, d'avant *La Princesse
de Clèves* de Mme de Lafayette (1678), *Artamène* et
Clélie se sont trouvés condamnés parce qu'ils appa-
raissaient comme dévoyés, eu égard aux nouvelles
conceptions de la mesure et de la vraisemblance. La
critique contemporaine a tenté de rendre compte de
ce basculement des goûts, pour aller chercher l'explication du refus de l'invraisemblance romanesque dans
une humanisation et une intériorisation progressives

---

1. Lettre à Ménage à propos de la *Clélie* (citée par N. Aronson,
Madeleine de Scudéry ou le Voyage au pays de Tendre, Fayard, 1986,
p. 48).
2. *Diary of Samuel Pepys*, éd. R.C. Latham et W. Matthews, Lon-
dres, Bell and Sons, 1970, t. I, p. 312 ; trad. fr. : *Journal de Samuel
Pepys (1660-1669)*, Mercure de France, 2001, p. 45. Voir également
t. VII, p. 122 (trad. fr., p. 241-242) : « À midi, j'ai trouvé ma femme
encore de méchante humeur parce qu'hier soir en voiture, je l'avais
arrêtée au milieu de ses interminables histoires tirées du *Grand
Cyrus*, qu'elle s'obstinait à me raconter. »

des idéaux (Thomas Pavel) [1], dans la substitution d'une
idéologie bourgeoise aux valeurs aristocratiques
qu'assumait auparavant le roman héroïque, ou encore
dans l'influence du rationalisme sur les représentations du monde. Sans doute faut-il aussi relativiser le
caractère radical de cette mutation [2] : ainsi, *La Princesse de Clèves* a été rattachée par ses contemporains à
une tradition précieuse dont on a voulu voir l'apogée
dans *Le Grand Cyrus* et la *Clélie*, alors qu'à l'inverse
« L'Histoire des amants infortunés », qu'on lira dans
les pages qui suivent, offre quatre nouvelles qui n'ont
rien à envier en termes de concentration, de naturel
du récit et d'intériorisation des événements à la poétique de Mme de Lafayette.

Que l'on cherche à relativiser ou, tout au contraire,
à assumer au nom d'une *autre* esthétique du roman les
traits les plus déconcertants de la poétique du *Grand
Cyrus* (dilatation de l'intrigue sur des milliers de
pages, redondance des situations et des motifs, multi-
plicité des histoires insérées, abondance de personnages), il n'en demeure pas moins que l'œuvre a
conservé sa réputation d'illisibilité pour la postérité. Si
Artamène figure dans la bibliothèque du jeune Rous-
seau, qui tente de défendre contre ses détracteurs un
roman qui « enchantait tant d'honnêtes lecteurs [3] », il
n'évoque plus, pour Honoré de Balzac, que « les argu-
ties minutieuses des femmes de *Cyrus* et de *L'Astrée* »
(*Mémoires de deux jeunes mariées*, 1841). La critique
des professeurs est à l'avenant : Laharpe, dans son
influent *Lycée ou Cours de littérature ancienne et moderne*

---

1. *La Pensée du roman*, Gallimard, « NRF Essais », 2003, 1re partie : « La transcendance de la norme ».
2. On trouvera un bilan sur ce singulier phénomène d'histoire littéraire, ainsi que sur les interprétations qui lui ont été données, dans
l'article de C. Esmein, « Le *tournant historique* comme construction
théorique : l'exemple du "tournant" de 1660 dans l'histoire du roman »,
Fabula LHT (Littérature, histoire, théorie), « Théorie et histoire littéraire », juin 2005 (URL : http ://www.fabula.org/lht/0/Esmein.html).
3. « Lettre à M. Grimm », in *Œuvres complètes*, Gallimard, « Bibliothèque de la Pléiade », 1995, t. V, p. 266.

de 1799, félicite Boileau d'« avoir livré au ridicule les
extravagantes productions [1] » romanesques de Mlle de
Scudéry, Jules Lemaître fait des « dissertations amoureuses et morales de la *Clélie* ou du *Grand Cyrus* » un
repoussoir [2] et Brunetière se moque des *Trois Contes*
en assimilant l'érudition historique de Flaubert à celle
de Mlle de Scudéry, auteur d'« un ou deux des plus
insupportables romans qu'il y ait au monde [3] ».

Il faudra, pour que le discrédit soit définitivement
levé et que les romans scudériens retrouvent un intérêt
critique durable, l'attention soutenue que notre époque
accorde à la littérature féminine, que ce soit pour souligner l'acuité de la réflexion menée par Madeleine sur
la condition de femme écrivain [4], ou pour déceler le
désir féminin à la recherche de son espace propre [5], en
une quête éperdue dont Pascal Quignard tentera de se
faire l'interprète :

> Qu'est ce qu'un roman pour Madeleine de Scudéry ?
> Un lieu utopique où les femmes règnent, où tous les
> hommes sont des chastes et des somnambules qui vantent
> leur gloire et se soumettent aux mille et trois épreuves que
> leur animosité édicte. Cette peur des hommes et la haine
> qu'ils inspirent aux femmes sont plus modernes que les
> fables ou les tragédies que rédigeaient Jean de La Fontaine
> ou Racine [6].

---

1. Voir *La Critique littéraire de Laharpe à Proust* (cd-rom), Éditions Bibliopolis, 1998, p. 3234 : « Je n'ai pas lu non plus, du moins
jusqu'au bout, la *Clélie* ni le *Cyrus*, dont Boileau s'est tant moqué et
avec tant de raison. »

2. *Impressions de théâtre* (1887), in *La Critique littéraire de Laharpe
à Proust, ibid.*, p. 92.

3. *Nouvelles Questions de critique* (1890), in *La Critique littéraire de
Laharpe à Proust, ibid.*, p. 41.

4. Voir N. Grande, *Stratégies de romancières. De Clélie à La Princesse de Clèves (1654-1678)*, Champion, 1999, et R. Kroll, *Femme
poète. Madeleine de Scudéry und die « poésie précieuse »*, Tübingen,
Max Niemeyer, 1996.

5. Voir J. Dejean, *Sapho : les fictions du désir (1546-1937)*, trad.
F. Lecercle, Hachette, 1994.

6. *Petits Traités, op. cit.*, p. 591.

Enfin et surtout, avec l'extension et l'éclatement, par les travaux de critique poéticienne ou historique, du territoire du roman, et la redécouverte des pratiques de composition ou de lecture dissimulées par le modèle de livre, de lecteur et de lecture imposé pendant deux siècles par le roman dit « moderne », les préjugés à l'égard du *Grand Cyrus* ont désormais perdu toute pertinence. Le plus long roman de la littérature française, et sans doute l'un de ses plus ambitieux, est en passe de retrouver un lectorat appréciant à leur juste valeur complexité structurelle [1], édifices intertextuels [2] et virtuosité formelle.

Un auteur introuvable

La première, et non la moindre, des difficultés auxquelles *Le Grand Cyrus* confronte le lecteur, c'est celle son auteur. L'examen de la page de titre de toutes les éditions du XVIIᵉ siècle n'atteste que du nom de Georges de Scudéry. L'absence de Madeleine est d'autant plus frappante que les contemporains sont unanimes à reconnaître l'importance prise par cette dernière dans la conception et la réalisation du projet.

Certes, un tel effacement ne surprend guère, si l'on connaît les réticences auxquelles est sujette, jusqu'au milieu du XVIIᵉ siècle, la publication d'œuvres féminines [3]. De surcroît, lorsque l'auteur affiche des prétentions nobiliaires, comme n'hésitaient pas à le faire les Scudéry, fort sourcilleux sur la qualité mal assurée de leur ascendance, donner matière aux imprimeurs

---

1. Voir R. Godenne, *Les Romans de Mademoiselle de Scudéry*, Genève, Droz, 1983, et G. Molinié, *Du roman grec au roman baroque. Un art majeur du genre narratif en France sous Louis XIII*, Publications de l'université de Toulouse, 1982.

2. Voir G. Penzkofer, « *L'Art du mensonge* ». *Erzählen als barocke Lügenkunst in den Romanen von Mademoiselle de Scudéry*, Tübingen, Gunter Narr Verlag, 1998.

3. Pour un éclairage général sur cette question, on se reportera à N. Grande, *Stratégies de romancières…, op. cit.*

et libraires ne va pas de soi [1] (souvenons-nous du cas de Mme de Lafayette, dont aucune des œuvres narratives n'a paru sous son nom). Enfin, il importe de rappeler qu'une des valeurs essentielles de l'idéologie mondaine, à laquelle adhère sans réserve l'animatrice des « Samedis », est celle de « négligence », dont Myriam Maître nous rappelle les conséquences pour la production littéraire : « Il faut, si on écrit, s'en défendre toujours, cacher résolument ses affres et ses ambitions, ne pas sembler attacher d'importance au destin de ses ouvrages et surtout ne pas y attacher son nom [2]. » Dès lors, quand on dispose d'un frère, dont la réputation, acquise par une longue et prestigieuse carrière de poète et de dramaturge, est naturellement appelée au fronton des ouvrages, l'exhibition de la qualité d'auteur est un *accessit* auquel on n'éprouve guère de peine à renoncer. Il en ira de même, au reste, pour *La Clélie*, dont la publication (1654-1660) prendra immédiatement le relais de celle du *Grand Cyrus* : les seules œuvres d'importance qui paraîtront sous le nom de Madeleine sont certains des volumes de *Conversations* publiés entre 1680 et 1692.

Il n'en reste pas moins que les contemporains, par une volonté inédite de restitution de la vérité « auctoriale », se sont plu à relever systématiquement la distorsion causée par cet effacement. Jusqu'à le faire savoir par voie de publication, à l'instar du savant Pierre Daniel Huet, qui affirme, dans son *Traité sur l'origine des romans* (1670), paru en préface de la *Zaïde* de Mme de Lafayette :

---

1. L'argument, bien connu, selon lequel publier est en quelque sorte déroger, est repris explicitement par le personnage de Sapho : « Je vous dirai encore une fois qu'il n'y a rien de plus incommode que d'être bel esprit ou d'être traité comme l'étant, quand on a le cœur noble et qu'on a quelque naissance », car « tous les jeunes gens de la cour traitent ceux qui se mêlent d'écrire, comme ils traitent des artisans » (p. 475 et 476 de notre édition).

2. *Les Précieuses. Naissance des femmes de lettres en France au* XVIIe *siècle*, Champion, 1999, p. 399.

L'on n'y vit pas sans étonnement ceux [les romans]
qu'une fille autant illustre par sa modestie que par son
mérite avait mis au goût du jour sous un nom emprunté,
se privant si généreusement de la gloire qui lui était due,
et ne cherchant sa récompense que dans sa vertu : comme
si, lorsqu'elle travaillait ainsi à la gloire de notre nation,
elle eût voulu épargner cette honte à notre sexe. Mais
enfin le temps lui a rendu la justice qu'elle s'était refusée
et nous a appris que *L'Illustre Bassa*, *Le Grand Cyrus* et
Clélie sont les ouvrages de Mademoiselle de Scudéry [1].

Finalement, le rétablissement dont a bénéficié Madeleine aboutira à un spectaculaire renversement.
Georges, décédé au moment où la gloire, immense,
de sa sœur prend son essor, sera relégué au second
plan, puis, avec l'avènement de la critique littéraire
moderne au XIXe siècle, verra sa participation à l'œuvre
qu'il a signée de son nom presque totalement occultée,
quand elle ne sera pas niée : explicitement ou implicitement, érudits second Empire et critiques littéraires
féministes contemporains jugeront que des ouvrages
aussi bavards ne peuvent être œuvre mâle.

Or il faut bien reconnaître que les indices restent
maigres, qui permettraient de se prononcer ferme-
ment sur la véritable répartition du travail et des res-
ponsabilités entre frère et sœur. Toutes les formules
imaginées jusqu'ici ne reposent que sur des hypo-
thèses, au pire des préjugés. Ainsi l'idée, avancée par
Victor Cousin [2], de reconnaître la plume de Georges
derrière les récits et tableaux militaires, qui semblent
s'inspirer de détails de célèbres batailles contemporaines (le siège de Cume serait par exemple celui de
Dunkerque) en s'appuyant sur des documents auxquels l'ancien capitaine, rangé aux côtés du Grand
Condé, aurait seul eu accès. De telles attributions – à
l'homme la science des armes et des stratégies, la

1. Éd. critique par C. Esmein, in *Poétiques du roman*, Champion,
2004, p. 534.
2. *La Société française au XVIIe siècle d'après « Le Grand Cyrus » de
Mlle de Scudéry*, Didier, 1858, *passim*.

direction des opérations ; à la femme la conversation et la rêverie amoureuse, le patient tissage de l'intrigue et le labeur de la rédaction – relèvent autant de préjugés sexistes que d'informations vérifiables.

Et même dans le cas de figure, improbable, où la participation de Georges serait réduite à la portion congrue, ce serait pécher par anachronisme que de lui contester la dénomination d'auteur. Est « auteur » celui qui s'engage pour le livre, qui s'en porte garant à la face du public. Lourde responsabilité qui implique nécessairement la haute main sur l'ouvrage confié aux presses, autrement dit, à tout le moins, la supervision de son *inventio*. D'autant que, pas plus que Georges le signataire, Madeleine ne peut prétendre à l'intégralité de la composition du texte. En effet, si l'on refuse l'explication ironique rapportée par Tallemant des Réaux, selon laquelle « la Providence paraissait en ce que Dieu avait fait suer de l'encre à Mlle de Scudéry [1] », il faut bien admettre que *Le Grand Cyrus*, compte tenu du rythme de sa publication (quasiment deux volumes de plus de mille pages par an), n'a pu matériellement être rédigé sans la coopération d'une véritable équipe. Formulée de manière catégorique par Joan Dejean [2], cette hypothèse ne peut cependant être affinée au niveau des détails. S'il n'est pas inimaginable que la rédaction ait été sous-traitée (des études stylistiques et statistiques font encore défaut, qui pourraient le confirmer ou l'infirmer), il apparaît probable que les enquêtes historiques et philologiques nécessaires à certains développements ont bénéficié, à tout le moins, du soutien ferme de connaisseurs, avec lesquels frère et/ou sœur ont établi une étroite colla-

---

1. *Historiettes*, éd. A. Adam, Gallimard, « Bibliothèque de la Pléiade », 1961, t. II, p. 689.
2. « Les vastes romans de Mlle de Scudéry sont la production de salon la plus élaborée du XVIIᵉ siècle : ils ne peuvent avoir été achevés sans la collaboration d'écrivains ayant la responsabilité de questions spécifiques » (*Tender Geographies. Women and the Origin of the Novel in France*, New York, Columbia University Press, 1991, p. 73 ; nous traduisons).

boration [1]. D'autres passages du texte, ressortissant aux genres dits mondains, impliquaient quant à eux par essence la collaboration et l'échange. Ainsi en va-t-il des conversations, des portraits, des lettres.

Surtout, l'autonomie des différentes « histoires » insérées dans le texte, qui ont pour effet essentiel de différer le dénouement ou d'étoffer la matière narrative, le recours fréquent à des résumés ou à des gloses des noms de personnages permettant de ne jamais perdre le fil (« vous savez aussi bien que moi... »), les très nombreuses prétéritions ou récapitulations (« pour abréger mon discours, je ne vous dirai point/je vous dirai juste que... ») qui semblent autant de bifurcations et développements programmés, puis abandonnés faute de temps ou d'intérêt, suggèrent une composition par agrégation et expansion successive d'épisodes plus ou moins directement rattachés à l'intrigue. Cette narration « à tiroirs », pour reprendre une formule de René Godenne, où chaque option ou péripétie possible était, peut-on imaginer, soumise par la régisseuse Madeleine à l'appel à contribution d'un auteur délégué ou à une séance de rédaction commune, témoigne d'une procédure de composition bien particulière où le génie « auctorial » s'est d'abord défini par la parfaite maîtrise du tissage textuel – puisque l'assemblage final est d'une cohésion sans défaut (on a pu notamment démontrer que le récit ne commettait presque aucune erreur sur le nom et les relations qui nouent les quatre cents personnages).

Tout invite donc à concevoir la composition du *Grand Cyrus* sur le modèle des ateliers d'écriture dont

---

1. On a pu avancer que les scènes de batailles navales, ainsi que nombre de références à l'histoire de l'Antiquité, sont redevables à l'expertise de Daniel Huet, éminent helléniste et féru d'histoire militaire ancienne (voir J. Dejean, *Tender Geographies..., op. cit.*, p. 73). L'annotation des extraits du roman proposés dans les pages suivantes offre un éclairage sur la masse de textes consultés, impliquant souvent une connaissance des langues anciennes, à laquelle ne pouvait prétendre Madeleine.

le manuscrit des *Chroniques du Samedi* [1], recueil d'une partie des productions littéraires du salon scudérien entre les années 1653 et 1654 – madrigaux, billets, saynètes et fictions allégoriques plus ou moins élaborées, conversations retranscrites ou annotées par plusieurs mains –, nous laisse deviner le fonctionnement : la création littéraire et l'art en général y sont considérés comme des objets voués à la transaction et à l'échange, ainsi que le confirme, du reste, la représentation qu'en donne, à plusieurs reprises, le texte même du *Grand Cyrus* [2]. Dans le contexte de ce qu'on est dès lors légitimé à appeler une création collective, l'« auteur » s'affirme comme une entité multiple et composite intégrant pêle-mêle les fonctions disparates du signataire et du garant, du concepteur et du superviseur, de l'archiviste et du rédacteur, mais aussi de la « présidence du salon où le roman fut rédigé » (Joan Dejean). Un des défis posés à la critique est de parvenir à lire *Le Grand Cyrus* en rendant justice à la polyphonie et l'ouverture nées de ce travail d'assemblage et de collaboration.

Matières du Grand Cyrus

À un mode de genèse du texte étranger à notre représentation de l'auctorialité s'adjoint un autre facteur d'illisibilité, tout aussi majeur : l'inadéquation de notre conception moderne de la *mimèsis* à comprendre le « réalisme » du *Grand Cyrus*.

Dès la seconde moitié du XIXᵉ siècle, les pionniers de notre modernité critique, confondus devant l'abondance de matière qu'offre le texte – de sept mille à treize mille pages selon les éditions, plus de quatre

---

1. Éd. critique par D. Denis, M. Maître et A. Niderst, Champion, 2002.
2. Par exemple, dans les extraits présentés au sein de ce volume, la distribution des portraits peints de Sapho (p. 519) ou la circulation des poèmes de cette dernière (p. 527-528).

cents personnages, cent quatre-vingts noms de lieux, une trentaine d'histoires distinctes –, se sont efforcés de trouver une explication à cette profusion. Dans l'idée que l'immensité textuelle est nécessairement au service de l'enregistrement détaillé de la réalité (l'exemple des monumentaux *Mémoires* de Saint-Simon a sans doute ici joué son rôle), ils n'ont voulu y reconnaître qu'une documentation à large échelle sur la société mondaine (*Le Grand Cyrus* « n'est point un monument, mais un document », pour reprendre une formule de Taine) [1], une « gazette », selon un terme récurrent dans la critique. Une telle interprétation justifiait une recherche éperdue des indices permettant de faire apparaître derrière chaque personnage un individu de la réalité auquel on fait tomber le masque. Enquête exaltante pour des érudits détectives, dont la réussite suprême a consisté en l'élaboration d'un système d'équivalence, faisant coïncider terme à terme noms de personnages et noms de lieux avec des référents de la réalité contemporaine [2]. Faut-il justifier le bien-fondé d'une telle recherche ? On produira alors pour preuve une « clé » (document attesté d'époque, livrant la liste des coïncidences) et, si cette clé demeure introuvable, on se contentera de postuler son existence [3].

Certes, les contemporains, déchiffreurs passionnés, rompus à la pratique allégorique dont l'interprétation des textes sacrés fournissait le modèle, étaient plus

---

1. *Histoire de la littérature anglaise* (1864), in *La Critique littéraire de Laharpe à Proust, op. cit.*, p. 312.

2. C'est ce qu'ont proposé Victor Cousin (*op. cit.*), puis, plus récemment, Alain Niderst (*Madeleine de Scudéry, Paul Pellisson et leur monde*, PUF, 1976). Sur le plan historiographique même, la fragilité d'un tel système a été dénoncée à plusieurs reprises, entre autres par R. Godenne (*Les Romans de Mademoiselle de Scudéry, op. cit.*, p. 83-96, et « Pour une seconde remise en cause des clés supposées des romans de Mademoiselle de Scudéry », in M. Bombart et M. Escola, *Lectures à clés*, numéro spécial de *Littératures classiques* 54, 2005, p. 247-256).

3. Ainsi la « clé » de Cousin, qu'il est le seul à avoir vue, n'a jamais été retrouvée.

enclins que nous à chercher un sens dissimulé derrière
chaque détail d'un univers fictionnel et, partant, à
prendre plaisir aux jeux d'un référent qui s'offre et se
dérobe, au gré des interprétations autorisées par de
partielles révélations, tantôt récusées par les dénéga-
tions de l'auteur, tantôt confirmées par les réactions
contrastées des individus se reconnaissant dans la fiction. Les portraits, en particulier, dont la vogue ne se
limite pas au roman, étaient l'occasion de jeux de dési-
gnations partielles et subtiles de familiers ou de grands
qu'il s'agissait de flatter. Mais ces pratiques ludiques
et jamais univoques n'ont pas la raideur d'un système,
encore moins la légitimité d'une herméneutique qui
permettrait à la critique moderne de rendre compte
du texte de manière équilibrée [1], et surtout pas
l'envergure d'un procédé de composition d'une œuvre
comportant plusieurs milliers de pages.

Au reste, le principe d'explication du texte par
référence à des *realia* entre souvent en concurrence
avec les données fournies par le matériau historique
livresque, qui constitue, bien plus sûrement, la matière
principale du *Grand Cyrus*. Il suffit de passer en revue
l'annotation des textes proposée dans ce volume pour
constater que nombre de lieux textuels, qu'il est
d'usage d'expliquer par la référence à des personnes
et à des événements contemporains (jusqu'à certains
épisodes de la Fronde), sont en fait purement et simplement fondés dans les multiples sources historiques,
lesquelles ne se limitent pas aux deux principaux
pourvoyeurs que constituent Hérodote et Xénophon.
Strabon, Pausanias, Diodore, Plutarque y sont convo-
qués, mais aussi les philologues anciens et modernes,
qui ont procuré texte, vies et commentaires des
auteurs anciens, de Sapho à Ésope. Des recherches
plus affinées feraient sans doute apparaître quantité
d'autres sources érudites, à commencer par les histo-

---

1. Pour une mise au point sur la question des clés, tant dans la
réalité de ses pratiques historiques que dans les usages qui en ont
été faits dans la critique moderne, voir *Lectures à clés, op. cit.*

riens mineurs Justin et Zonare, mentionnés dans l'avis au lecteur.

Le mode d'utilisation du matériau historique, cependant, ne doit pas non plus prêter à confusion. Depuis Boileau, mais surtout à la suite des investigations érudites du XIXᵉ siècle, il est d'usage de se faire des gorges chaudes ou de se scandaliser de l'approximation et du dévoiement de l'histoire auquel se livrent les Scudéry dans leurs fictions romanesques. On pardonnera aux critiques du second Empire, lecteurs d'Alexandre Dumas, leurs attentes déplacées qui leur faisaient envisager l'évocation de Cyrus, de Solon ou de Sapho au travers du seul prisme du « roman historique ». Il serait en revanche d'une grande injustice qu'après la diversité d'explorations et d'expériences à laquelle a donné lieu la création romanesque au XXᵉ siècle nous demeurions incapables d'agréer une poétique qui entretient un rapport totalement différent du nôtre à la vérité historique.

En effet, pour les Scudéry et leurs contemporains, le discours des historiens n'est pas conçu comme la relation de vérités stables, mais plutôt comme un matériau disponible, en attente de filtrage et de reconnaissance par le roman. Conformément à la dévaluation aristotélicienne de l'histoire dans la *Poétique* [1], les auteurs d'*Artamène* tirent argument des contradictions des récits antiques [2] pour aménager par collage et corrections d'auteur leur propre version de la vie de Cyrus II le Grand, roi de Médie (558-528 av. J.-C.). La romancière et son cercle conservent nombre de circonstances de la geste du conquérant perse telle que Xénophon (*Cyropédie*) et Hérodote (*L'Enquête*) la relatent, mais ils modifient totalement la motivation des entreprises belliqueuses du héros en l'attribuant à

---

1. « La poésie est plus noble et plus philosophique que la chronique : la poésie traite plutôt du général, la chronique du particulier », Aristote, *Poétique*, livre IX, 5b.

2. « [...] dans les choses que j'ai inventées, je ne suis pas si éloigné de tous ces auteurs qu'ils le sont tous l'un de l'autre » (p. 58).

la quête d'une femme aimée, Mandane, dont seul le nom est attesté par les sources historiques. Ils n'hésitent pas, par ailleurs, à interposer des personnages célèbres ayant vécu à d'autres périodes de l'Antiquité grecque (au premier rang desquels Solon, Thalès, Sapho) et vont jusqu'à corriger sans vergogne leurs sources pour infléchir le sens de la vie de Cyrus. Ainsi, alors qu'Hérodote clôt son chapitre consacré à Cyrus par la mort infamante de ce dernier, décapité par ordre de la reine Tomyris, c'est, dans *Artamène*, un autre personnage qui meurt à sa place pour ménager au roman une fin heureuse, avec le commentaire suivant :

> Il s'est même trouvé des historiens célèbres qui n'ont pas été désabusés de cette erreur et qui ont laissé dans leurs histoires cette prétendue mort de Cyrus comme si elle eût été effective, quoique effectivement ce fût le malheureux Spitridate qui eût perdu la vie et qui eût passé pour être cet illustre conquérant [1].

Ce traitement désinvolte de la matière historique correspond, ne l'oublions pas, à l'un des principes de la poétique classique, à laquelle le roman, genre déprécié parce que dépourvu de légitimité théorique, s'efforce de satisfaire. Sélection et réappropriation des sources par ajout, suppression ou permutation sont dès lors des procédés aussi légitimes dans la composition romanesque que dans l'« invention » d'une épopée ou d'une tragédie [2]. Il n'y a pas de raison que les « embellissements » que l'on tolère ou que l'on admire chez Corneille (*Horace*) ou Racine (*Iphigénie*) soient jugés inacceptables lorsqu'ils sont l'œuvre des Scudéry ou de La Calprenède.

Il est vrai qu'à la différence des genres tragique et épique, le roman scudérien, en matière de sources

---

1. Site « Artamène », p. 7291.
2. Pour un développement plus étendu concernant l'influence du modèle épique dans le traitement de la matière historique, voir la notice de l'histoire principale, p. 47-48.

antiques, fournit l'abondance et la diversité – au
risque de la confusion. C'est aussi que l'une de ses
fonctions est d'offrir un savoir de base à destination
des milieux mondains, une forme de *cultural literacy*
(bagage culturel élémentaire dont chaque honnête
homme ou femme se doit de disposer), pour reprendre
une notion devenue étrangère à notre culture, mais
encore bien vivace outre-Atlantique. Il ne faut pas
perdre de vue la dimension éducative d'une œuvre
conçue également comme une sorte d'encyclopédie
du monde antique, dans un contexte où les femmes
n'avaient pas accès à l'éducation classique (dans un
pamphlet, l'abbé Cotin se moque de la méconnais-
sance qu'avait Madeleine du latin) [1] et où les salons
précieux, fréquentés essentiellement par des épouses
de la grande bourgeoisie parisienne, servaient d'abord
à l'acquisition d'une sorte de culture d'imprégnation.
Mlle de Scudéry évoque ainsi, dans sa correspondance, une amie « qui n'eût jamais connu Xénophon
ni Hérodote, si elle n'eût jamais lu le *Cyrus*, et qui, en
le lisant, s'est accoutumée à aimer l'histoire [2] ». Qu'il
s'agisse d'offrir quelques bribes de la philosophie
pythagoricienne (« Comme vous le savez sans doute,
Seigneur, ce philosophe est si grand ami du silence,
qu'il veut que ses disciples étudient cinq ans sans
parler [3] »), de présenter le fabuliste Ésope à l'occasion
d'un « Banquet des sept sages » issu de Plutarque
(Partie IX, Livre 2) ou encore d'évoquer les mœurs
égyptiennes antiques (« Histoire de Sésostris et Timarète », Partie VI, Livre 2), le roman se veut un véritable
vade-mecum des lieux communs de la culture classique, fonction didactique à laquelle l'œuvre doit sans
doute une part essentielle de son succès.

---

1. « Remontrance à Gilles Ménage », cité par N. Aronson, *op. cit.*,
p. 57-58.
2. Cité par Rathery et Burton, *Mlle de Scudéry, sa vie et sa correspondance*, Léon Tachener, Paris, 1873, p. 295.
3. Site « Artamène », p. 3876.

Mais *Le Grand Cyrus* est loin d'être constitué uniquement de matériau historique, même dans un montage complexe et hétérogène. La mise en forme de ce matériau fait appel à un volumineux intertexte romanesque – puisé dans la plupart des formes qui ont précédé le roman scudérien dans l'histoire du genre –, ce qui donne à l'ouvrage un caractère de somme : l'intrigue reprenant et organisant ces données historiques est tissée de structures et d'éléments empruntés aux modèles du roman hellénistique et du roman pastoral, mais aussi à celui du roman de chevalerie [1].

Dès lors, ces emprunts multiples à la mémoire des lettres, historique ou romanesque, interdisent de penser l'intérêt du roman en termes d'originalité textuelle ou de vérité réaliste. Bien au contraire, si l'on reconnaît, à la suite de Jean-Marie Schaeffer, les grands traits du « romanesque » [2] dans l'importance accordée aux affects et aux passions, au manichéisme des protagonistes, au refus de la réalité telle qu'elle se donne et à l'extensibilité d'une aventure qui repousse toujours plus loin la résolution de l'intrigue, l'habile synthèse de Mlle de Scudéry fait d'*Artamène ou le Grand Cyrus* un des archétypes du roman « romanesque » occidental.

Un atelier des valeurs

Ce déni « romanesque » de la réalité est mis au service de la création de valeurs. On apprend à vivre et à penser dans *Le Grand Cyrus*, on y analyse et on y philosophe, en entretenant un espoir d'éducation et d'émulation des esprits et des mœurs. Cette *paideia* constitue le dessein profond de l'ouvrage : *Artamène*

---

1. De plus amples précisions sont fournies dans la notice de « L'histoire principale », p. 45-48.
2. Voir Jean-Marie Schaeffer, « La catégorie du romanesque », in Gilles Declercq et Michel Murat (éd.), *Le Romanesque*, Presses de la Sorbonne Nouvelle, 2004, p. 310 *sq.*

offre l'une des formes les plus riches et les plus élaborées de roman ambitionnant de proposer à ses lecteurs
des modèles et des lois. Certes, le roman ne saurait se
substituer à la philosophie. Comme le suggère la mise
en scène des malheurs familiaux de Solon, législateur
d'Athènes, qui constate que, si la philosophie « donne
des lois et des préceptes pour la conduite des républiques et des États », elle « se trouve faible en des
occasions moins éclatantes [1] », c'est à la fiction romanesque d'appréhender le domaine des sentiments,
espace premier de construction de l'univers social
selon Madeleine de Scudéry.

Même si elles sont moins nombreuses que dans la
Clélie, les « conversations » du roman sont la première
marque d'une telle finalité : ces entretiens ritualisés de
la réunion mondaine, où les personnages échangent à
tour de rôle leurs points de vue dans une quête de
consensus, constituent autant de débats. Les protagonistes du roman s'y donnent souvent la fonction d'une
assemblée ou d'un tribunal : on se propose, en prenant en compte diverses facettes, de discuter un problème de morale amoureuse formulé en question :
« Peut-on aimer deux fois la même personne ? »
« Comment réagir face à la passion de quelqu'un que
l'on n'aime pas ? » « Quand doit-on se déclarer ? »
« L'amour et la vieillesse sont-ils incompatibles ? »
Parfois enjouées, parfois graves, ces conversations
sont souvent riches d'enjeux métatextuels : elles nous
renseignent, par exemple, sur le statut que Madeleine
de Scudéry et son groupe assignaient à la fiction
romanesque. « Est-il nécessaire de connaître l'amour
pour savoir en parler ? » se demandent les amis de
Sapho, partagés entre Phaon, persuadé, après lecture
des poèmes de celle-ci, qu'elle est amoureuse en
secret, et ceux qui affirment que, puisque « [Sapho]
parle admirablement de guerre sans y avoir été, elle
peut aussi parler admirablement d'amour sans en
avoir eu » (p. 532) : entamé par un amoureux inquiet,

---

1. Site « Artamène », Partie II, Livre 3, p. 1278.

le débat soulève un authentique problème de théorie
littéraire.

L'échange de vues se fonde souvent sur des exemples,
prélevés dans l'histoire antique ou construits *ad hoc*.
Parmi les nombreux dispositifs fictionnels servant à
exemplifier les options morales possibles et à nourrir le
débat, le cas le plus élaboré est celui mis en jeu dans
« L'histoire des amants infortunés » : quatre récits
d'amours malheureuses invitant à prononcer un « arrêt »,
c'est-à-dire à juger lequel est le plus à plaindre, de celui
qui est séparé de sa maîtresse, de celui qui l'a perdue par
la mort, de celui qui l'aime sans contrepartie ou de celui
qui est jaloux (c'est Martésie, suivante de Mandane, qui
prononce le « jugement », mais son avis est ensuite
approuvé tour à tour par chacun des auditeurs pris
comme jurés). De tels débats [1], remarquons-le, relèvent
à la fois de l'analyse morale et de l'esthétique littéraire :
dans la mesure où chacun des amants a cherché à
convaincre du caractère supérieurement insupportable
du mal qui l'atteint, son récit a été jugé à l'aune de
l'empathie qu'il a su susciter auprès de ses auditeurs.

Si la qualité esthétique est indissociable de l'expérience morale, c'est sans doute parce que la réflexion
par « modélisation » de situations s'enrichit des processus d'identification propres à la lecture (à l'« im-
mersion fictionnelle », selon le concept élaboré par
Jean-Marie Schaeffer) [2]. Autrement dit, le débat intel-
lectuel doit s'incarner en des histoires qui ne sauraient
rester des expériences de pensée ou des exemples abstraits. « Il y a longtemps que je me suis déclarée hautement contre certaines machines cartésiennes, sans
employer pourtant contre ce philosophe que mon
chien, ma guenon et mon perroquet » ira jusqu'à dire
à la fin de sa vie Madeleine [3]. Penser par cas conduit

---

1. On en trouve un autre exemple dans l'histoire du « Banquet
des sept sages », Partie IX, Livre 2.

2. Voir Jean-Marie Schaeffer, *Pourquoi la fiction ?*, Seuil, 1999,
passim.

3. Lettre à Huet de 1689 (voir Rathery et Bouteron, *Mlle de Scudéry, sa vie et sa correspondance, op. cit.*, p. 312).

dès lors à penser par récit. Sans aller jusqu'à substituer l'intuition à la spéculation, les valeurs et les solutions proposées par le roman sont indissociables des
contextes qui les suscitent et des émotions qui les
accompagnent, ne serait-ce que parce que l'anthropo-
logie scudérienne a pour fondement la question des
relations amoureuses.

Par conséquent, s'il offre bien un savoir élaboré sur
le sentiment amoureux, sur les passions en général et
sur l'usage qui peut en être fait en société, *Artamène ou
le Grand Cyrus* n'en reste pas moins un roman, c'est-
à-dire une structure où les fables s'incarnent dans des
actions et où les connaissances les plus essentielles restent inscrites dans des tissus de relation et dans des
corps, aussi abstraits soient-ils. On retrouve ici, sur un
autre plan, la distinction établie avec fermeté par
Sapho entre une femme qui « sait le monde » et une
« femme savante », « car ces deux caractères sont si
différents qu'ils ne se ressemblent point » (p. 503).
Tout savoir est, selon les propos que les Scudéry attri-
buent à la poétesse de Lesbos, un savoir d'usage et
d'action : « Ce n'est pas que celle qu'on n'appellera
point savante ne puisse savoir autant et plus de choses
que celle à qui on donnera ce terrible nom, mais c'est
qu'elle se sait mieux servir de son esprit et qu'elle sait
cacher adroitement ce que l'autre montre mal à
propos ». Il est d'ailleurs frappant de constater que,
tout autant que le tyran Pisistrate, Ésope, dont on cite
les « ingénieuses fables, qui cachent une morale si
solide et si sérieuse, sous des inventions naïves et
enjouées [1] » devient, dans *Le Grand Cyrus*, un personnage de roman dont nous suivons les amours et les
interrogations sur les lois des sentiments : la vérité de
la fable, c'est la vie amoureuse de celui qui l'écrit.

Dans sa souplesse et sa complexité, cette philosophie littéraire participe d'un projet civilisateur qui,
depuis l'humanisme, a confié aux Belles-Lettres la
tâche d'instituer l'homme dans le monde social. La

---

1. Site « Artamène », Partie IV, Livre 1, p. 2158.

préciosité qui s'efforcera, selon un terme inventé par
Mme de Rambouillet et repris par Mlle de Scudéry,
de « débrutaliser [1] », c'est-à-dire de sublimer la nudité
des pulsions par une politesse ritualisée dont le groupe
élabore les règles en commun (« il y a des lois pour
l'amour et des juges qui ne connaissent que des choses
qui regardent cette passion », explique Sapho p. 586),
n'en est que le prolongement. Nécessité de dépasser
l'héroïsme viril par un idéal galant, espoir de trouver
des solutions honnêtes aux conflits amoureux, définition d'un amour idéal ou, au moins, des moyens de
dépasser l'intransitivité de la passion (« l'amour, cette
passion capricieuse, qui ne se satisfait que par elle-
même [2] »), évaluation des cas de conscience auxquels
l'« honnête homme » est parfois confronté : les projets
et interrogations qui animent le récit participent tous
de ce processus de civilisation des mœurs. Le roman,
ainsi, subsume le fait d'armes glorieux au débat précieux, l'action guerrière à l'intrigue galante (la « noble
passion » de l'amour est « la source des actions les plus
héroïques », proclame l'avertissement « Au lecteur »,
p. 57), en même temps qu'il « sentimentalise » le roman
héroïque, au grand dam de nombre de ses lecteurs
masculins, qui se plaignirent, comme Boileau, de la
féminisation et de la « psychologisation » du « plus
grand conquérant de la terre » :

> Au lieu de représenter comme elle devait, dans la per-
> sonne de Cyrus, un roi promis par les prophètes, tel qu'il
> est exprimé dans la Bible, ou comme le peint Hérodote, le
> plus grand conquérant que l'on eût encore vu, ou enfin tel
> qu'il est figuré dans Xénophon, qui a fait aussi bien
> qu'elle un roman de la vie de ce prince ; au lieu, dis-je,

---

1. Voir R. Kroll « Poésie précieuse/poésie des précieuses : questions de genre et de *gender* », in D. Denis et A.-E. Spica (dir.),
Madeleine de Scudéry : une femme de lettres au XVIIᵉ siècle, actes du
colloque international de Paris, Arras, Artois Presses Université,
2002. Pour la critique allemande, l'usage du préfixe « de » est la
marque linguistique de la « manière dont Madeleine de Scudéry se
joue de l'autorité, des hiérarchies et des polarités » (p. 175).

2. Site « Artamène », Partie I, Livre 2, p. 231.

> d'en faire un modèle de toute perfection, elle composa un
> Artamène, plus fou que tous les Céladons et tous les Syl-
> vandres, qui n'est occupé que du seul soin de sa Man-
> dane, qui ne sait du matin au soir que lamenter, gémir, et
> filer le parfait amour [1].

En clouant au pilori la « folie » émotive de Cyrus,
Boileau met le doigt sur l'essentiel : derrière l'aspira-
tion du roman à inscrire toute réponse dans une problématique amoureuse, on peut reconnaître non seulement un projet anthropologique, mais également un
trouble, une inquiétude ontologique, manifestée par
une angoisse proprement baroque à l'égard de l'équivoque des signes. À la différence des personnages de
« l'immortel Héliodore » ou du « grand Urfé », la maîtrise de soi, pour leurs congénères du *Grand Cyrus*,
est un éternel combat de l'être contre sa propre instabilité – à l'exemple de l'inconstante Lysidice qui avoue
à Thrasyle « ne pouv[oir] répondre le matin de quelle
humeur elle sera le soir [2] ». À cette fragilité de la
volonté vient s'ajouter l'adversité de la fortune dont les
soubresauts font cahoter le récit dans une vaste déro-
bade des valeurs et des référents. Roman ouvert par la
peinture d'un incendie gigantesque où seul le feu
« permettait de distinguer toutes choses » (p. 61), *Le
Grand Cyrus* est un voyage tourmenté à travers un
monde instable d'identités défaillantes : on s'occupe à
trouver le sens d'énigmes (celui « qui ne flatte non plus
les rois que les bergers », « ne parle point et conseille »
et se « multiplie par sa ruine », c'est le miroir, révèle
« L'énigme à la princesse de Corinthe », que personne
ne parvient à déchiffrer) [3], à déterminer l'identité de la
femme peinte dans un portrait ; on cherche à dévoiler
l'auteur d'une lettre ou d'un poème perdu, et l'on
médite mélancoliquement sur l'écoulement des flots :

1. « Les héros de roman », in *Œuvres complètes, op. cit.*, p. 444-445.
2. Site « Artamène », Partie VII, Livre 3, p. 5043.
3. *Ibid.*, Partie IX, Livre 2, p. 6196 *sq.*

[...] passant de l'espérance à la crainte, il s'entretenait lui-
même sans entretenir personne, et il vint à rêver si profondément qu'il s'appuya sur le bord de la barque et se
mit à regarder attentivement ce bouillonnement d'écume
qui paraît toujours à la proue des vaisseaux et des barques
qui vont avec rapidité (p. 546).

Le thème dominant reste celui d'amours inquiétées
par des rêves mélancoliques (la mélancolie est, depuis
la Renaissance, le revers d'une médaille dont la
jalousie est l'avers) ou des présages obscurs, ou encore
celui d'une jalousie définie à la fois comme aveuglement et comme délire interprétatif. « La jalousie est
d'une nature si capricieuse, si bizarre et si maligne
qu'elle agrandit tous les objets, comme ces faux
miroirs qu'ont inventé les mathématiques » (p. 231-
232) : elle en vient à conduire au malheur Otane, le
rival d'Aglatidas, qui « souffrait pourtant tous les supplices d'un jaloux et plus même qu'un jaloux ordinaire
ne peut souffrir », puisque

s'il voyait de loin un paysan un peu propre traverser un
bois qu'il avait, il croyait que c'était peut-être Aglatidas
déguisé. S'il voyait parler les femmes d'Amestris à
quelques gens qu'il ne connaissait point, il voulait savoir
ce qu'on leur disait et s'imaginait qu'on leur avait donné
des lettres d'Aglatidas pour leur maîtresse. Afin qu'elle ne
pût gagner par des présents celles qu'il mettait auprès
d'elle, il fit faire un rôle [une liste] fort exact de toutes ses
pierreries et le garda toujours lui-même, les revoyant de
temps en temps pour voir si tout y était [1].

Par-delà la névrose passionnelle propre au personnage, démasquer les déguisements, conserver la maîtrise de la communication, imposer la transparence
des cœurs sont des procédures communes à la jalousie
et à l'entreprise de codification galante du roman.
Attitude dont une conversation, recueillie en 1686
dans *La Morale du monde* et intitulée « De l'incer-

---

1. *Ibid.*, Partie IV, Livre 2, p. 2361.

titude », résumera les enjeux en des termes presque pascaliens. Mlle de Scudéry y fait débattre les « Décisifs » et les « Incertains » jusqu'à convenir, contre le « château de cartes » cartésien qui « hasarde l'éternité sur un simple doute », que, si la « Foi » et les « Lois naturelles » sont des choses certaines, « toute la physique sans exception est lieu d'incertitude [1] », tout autant que le champ des goûts humains et des opinions. En refusant la solution cartésienne, Madeleine de Scudéry est conduite à prendre acte « qu'il y a grand nombre de choses sur lesquelles chacun peut prendre tels sentiments qu'il lui plaît et que les lois et la raison soumettent à la volonté pure et simple [2] » : les lois générales de la morale ne forment qu'un vaste cadre sans prise sur la variabilité et la complexité du cœur. Quelque trente-cinq ans plus tôt, la réponse du *Grand Cyrus*, qui renvoyait l'amour à son mystère premier (« de sa nature l'amour est mystérieux [3] »), s'avérait déjà aux antipodes de l'idéal de supériorité de l'esprit affirmé par Descartes dans le traité des *Passions de l'âme* (œuvre strictement contemporaine de la rédaction du roman et dont on sait qu'elle fut l'objet de lectures et de débats durant les « Samedis ») – tout en aspirant peut-être à une identique quête de refondation face aux profonds bouleversements de l'*épistémé* qui se manifestent au cours du XVIIᵉ siècle. Confronté à la versatilité du microcosme et du macrocosme, l'être humain ne peut, par conséquent, trouver espoir de régulation que dans ces dispositifs de rationalité collective, de connaissance par simulation et de maîtrise par imitation que sont les romans. Devenu lecteur, il doit se contenter de rêver d'un monde irénique gouverné par l'amour – au sein d'une « une île déserte où nous allions vivre ensemble et où je ne puisse rien aimer que le bruit des fontaines, le chant

1. *Choix de conversations de Mlle de Scudéry*, éd. par P.J. Wolfe, Ravenne, Longo Editore, 1977, p. 118.
    2. *Ibid.*
    3. Site « Artamène », Partie V, Livre 3, p. 3321.

des oiseaux et l'émail des prairies », comme le proposera Phaon à Sapho (p. 579-580).

Peut-être faut-il, pour conclure, faire sien le jugement de Chateaubriand, pour lequel « tout ce système d'amour, quintessencié par Mlle de Scudéry, se vint perdre dans la Fronde, gourme du siècle de Louis XIV [1] », peut-être, comme Pascal Quignard, faut-il laisser Madeleine au milieu « des fleurs d'orangers ou des fleurs de jasmin, qu'elle trouvait les plus douces choses du monde ». Peut-être doit-on se contenter de faire du *Grand Cyrus* l'exemple caractérisé des difficultés des classements de l'histoire littéraire et des problèmes épistémologiques posés par ses conceptualisations. Mais peut-être encore peut-on apprendre des questions morales posées par la somme romanesque des Scudéry, être troublé par la sourde inquiétude qui en émane, et refaire avec *Le Grand Cyrus* le double pari, abandonné avec le roman réaliste, mais rappelé par nos éthiques contemporaines, d'un gouvernement de nos vies par des modèles idéaux et d'un savoir du roman producteur de valeurs ou, au moins, médiateur des conflits sociaux. À l'exemple de l'amour secret et intellectualisé de Paul Pellisson et de « l'amazone Sappho, qui possédait presque tout le domaine de la Romanie [2] », qui se découvre et se formule par le truchement d'un voyage chimérique de treize mille quatre-vingt-quinze pages dans l'édition originale, et se cristallise en silence dans ce qui est, peut-être, la plus belle page du roman :

> Ces deux personnes qui, en commençant cette conversation, ne savaient que se dire et qui avaient dans le cœur mille sentiments qu'ils croyaient qu'ils ne se diraient jamais, se dirent, à la fin, toutes choses, et firent un échange si sincère de leurs plus secrètes pensées qu'on peut dire que tout ce qui était dans l'esprit de Sapho passa

---

1. François René de Chateaubriand, *Vie de Rancé*, Livre I, GF-Flammarion, 1991, p. 30.
2. Furetière, *Nouvelle allégorique, op. cit.*, p. 53.

dans celui de Phaon et que tout ce qui était dans celui de Phaon passa dans celui de Sapho. [...] Jamais l'on n'a vu deux cœurs si unis, et jamais l'amour n'a joint ensemble tant de pureté et tant d'ardeur. Ils se disaient toutes leurs pensées, ils les entendaient même sans se les dire, ils voyaient dans leurs yeux tous les mouvements de leurs cœurs, et ils y voyaient des sentiments si tendres que, plus ils se connaissaient, plus ils s'aimaient (p. 562-563).

Claude BOURQUI
et Alexandre GEFEN.

NOTE SUR L'ÉDITION

Notre édition d'*Artamène ou le Grand Cyrus* (1649-1653) de Madeleine et Georges de Scudéry propose un choix d'extraits de l'œuvre originale. Elle revêt une dimension particulière, dans la mesure où elle est coordonnée avec le site Internet « Artamène » (http://www.artamene.org), qui offre l'intégralité du roman. La lecture et l'utilisation du présent volume n'impliquent pas pour autant l'accès à la « toile ». Le choix des extraits, leur disposition, les notes et les commentaires qui les accompagnent ont été réalisés en veillant à préserver l'autonomie du livre.

Les extraits du roman réunis dans ce volume consistent en trois grandes unités, correspondant à :

– une sélection de morceaux choisis de l'histoire de Cyrus et Mandane, qui constitue la trame principale du roman (« Histoire principale : Cyrus et Mandane », p. 60-218) ;

– une histoire, tirée de la Partie III, Livre 1 de l'édition originale, présentée dans son intégralité (« Histoire des amants infortunés », p. 228-432) ;

– une histoire, tirée de la Partie X, Livre 2 de l'édition originale, présentée avec quelques coupes (« Histoire de Sapho », p. 444-587).

Ce choix a été effectué de façon à procurer une expérience de lecture cohérente qui, tout en demeurant partielle, n'en est pas moins représentative de l'œuvre originale, par la diversité des passages proposés. De même, le volume est muni d'un appareil critique qui en assure la parfaite intelligibilité indépendamment de l'accès à l'œuvre intégrale : pour faciliter le repérage dans l'abondance et la complexité structurelle du *Grand Cyrus*, le lecteur trouvera à la fin de ce volume un synopsis, un index des personnages et un glossaire auquel renvoient les termes suivis d'un astérisque.

La perspective d'un accès spontané et sans limites à la totalité du roman, tel que l'offre le site Internet, constitue cependant un avantage certain pour la présentation des extraits choisis. Notre lecteur est souvent invité à se reporter à la version en ligne, en particulier dans les notes de bas de page, lorsque nous renvoyons à d'autres passages du *Grand Cyrus*. Ces renvois sont particulièrement justifiés par la récurrence des motifs, propre à l'esthétique du roman baroque, et par les apparitions épisodiques de nombreux personnages dont les aventures sont développées en d'autres lieux.

Les références au site, indiquées entre crochets, sont précisées selon deux modalités, adoptées en fonction de la dimension du passage auquel il est fait référence :

– par l'indication de la page, selon la pagination propre au site, appliquée à l'intégralité du texte et distincte de celle des éditions originales ;

– par les intertitres structurant les résumés du roman disponibles sur le site. Ces résumés constituent en effet le mode d'accès par défaut du texte lorsqu'on en sélectionne une « Partie », puis un « Livre », sur la barre de menu de gauche. Les paragraphes qui apparaissent alors constituent un résumé de premier niveau qui, par un simple clic, fait apparaître un résumé de second niveau, d'une plus grande précision, lequel, par un autre clic, fait apparaître le texte du roman.

Le texte qu'on pourra lire dans les pages qui suivent a été établi sur la base de la dernière édition du roman (Paris, Courbé, 1656), comprenant dix tomes (ou parties) et sept mille quatre cent quarante-trois pages. Dans la mesure où cette édition de référence est également celle reproduite sur le site « Artamène » et que, dès lors, le lecteur désireux d'accéder à l'original peut à tout moment s'y reporter, nous avons pris le parti de donner du texte une version privilégiant le confort du lecteur moderne plutôt que de reproduire scrupuleusement les particularités formelles de l'original.

C'est ainsi que l'orthographe a été conformée aux normes modernes, y compris en ce qui concerne les noms propres, lorsque ceux-ci disposent d'un équivalent déjà imposé par une tradition graphique, par exemple : Alcée (édition de 1656 : Alcé), Tomyris (Thomiris), Cyaxare (Ciaxare), Assyrie (Assirie), Ialyse (Ialise), etc. Nous avons toutefois conservé la graphie d'origine dans les cas où la divergence s'étend à la prononciation : Sardis (terme moderne : Sardes) ; Aglatidas (selon les traductions modernes de Xénophon : Aglaïtadas) ; Pittacus (Pittacos).

C'est sur ce principe également que nous avons respecté les usages en vigueur au XVIIe siècle en matière d'accord du participe passé : l'adoption des règles modernes aurait entraîné, dans certains cas, l'ajout ou la suppression d'une syllabe. En revanche, nous avons pris la liberté de procéder à l'élision systématique du « es » au sein des très nombreuses occurrences de la préposition « jusques à », transformée en « jusqu'à ».

Le texte, qui se présente dans les éditions du XVIIe siècle comme un bloc continu étendu à l'échelle d'un livre, a été « aéré » par l'introduction régulière de paragraphes.

Enfin, la ponctuation que nous proposons est une ponctuation totalement reconstruite en tenant compte des exigences qu'impose la lecture intime et silencieuse pour laquelle est conçu ce volume. L'usage du point, de la virgule, du point-virgule et des deux points a été profondément modifié de façon à correspondre aux usages familiers des lecteurs. De même, la présentation du discours rapporté a été adaptée aux normes typographiques modernes. Cette ponctuation diffère donc très nettement de la ponctuation des éditions du *Grand Cyrus* parues au XVIIe siècle, conçue pour satisfaire aux critères de la lecture à haute voix. Pour qui souhaite retrouver les signes originaux, il suffira de se reporter au site « Artamène », dont le texte est conforme, sur le plan de la ponctuation comme sur celui de la graphie, à l'édition de 1656.

REMERCIEMENTS

La rédaction de ce volume ainsi que la conception et le développement du site « Artamène » ont été réalisés dans le cadre d'un projet financé par le Fonds national suisse de la recherche scientifique (université de Neuchâtel).

Les auteurs tiennent à remercier Delphine Denis et Camille Esmein, dont les conseils et remarques avisés ont nourri leur réflexion.

ARTAMÈNE
OU LE GRAND CYRUS

L'HISTOIRE PRINCIPALE :
CYRUS ET MANDANE

NOTICE

La composition d'*Artamène ou le Grand Cyrus* obéit, sur le plan narratif, au principe qu'avait établi *L'Astrée* (1607-1627) d'Honoré d'Urfé et qu'avaient repris nombre de romans des années 1630-1640 : celui d'un équilibre entre, d'un côté, une histoire principale, dont le développement occupe, par tranches régulières, l'œuvre dans toute son étendue et, de l'autre, un certain nombre d'histoires secondes, d'ampleur mineure, d'importance accessoire, et d'intérêt marginal – mais non insignifiant – à l'égard de cette histoire principale. On se tient ainsi à mi-distance entre deux pôles. Le premier est représenté par l'archétype que constitue le *Décaméron* de Boccace (1349-1351) : l'histoire principale se réduit à une simple péripétie cadre, offrant prétexte à la narration des histoires secondes ; le deuxième correspond au modèle instauré par le fort répandu *Don Quichotte* (1605-1620) de Cervantès : les histoires secondes font office d'appoint occasionnel à une histoire principale largement prédominante en termes de volume et de signification.

Histoire principale et histoires secondes, deux composantes d'importance quantitative équivalente, se répartissent d'une manière que les Scudéry ont voulue régulière, selon une « économie du roman », pour reprendre le terme des contemporains, qui n'est pas sans rappeler le rigoureux ordonnancement du recueil boccacien : chacun des trente livres qui subdivisent le roman, au rythme de trois par partie ou tome, contient une histoire, encadrée par le développement de l'histoire principale, mais mise en évidence par des procédés paratextuels (titre et séparation typographique). La rigueur du principe est même renforcée par une pratique généralisée dans le roman baroque : les histoires secondes sont systématiquement ramenées à un niveau diégétique inférieur – toutes sont narrées par un personnage de l'histoire principale s'exprimant devant un auditoire constitué de ses pairs. Par ce biais, l'histoire principale ne connaît pas de concurrente [1] et, du même coup, agrège toutes les autres histoires ainsi subordonnées.

Encore faut-il bien clarifier ce qu'on entend par « histoire seconde ». Le seul critère du niveau diégétique est lui-même trompeur. Il est difficile de placer sur le même plan les deux groupes d'histoires narrées par les personnages de l'histoire principale : les récits rétrospectifs, nécessités par le début *in medias res* qu'impose le modèle du roman hellénistique [2], et la série des histoires non constitutives de l'histoire « cadre », procédant, à l'égard de cette dernière, d'un principe d'extension ou d'un principe d'addition [3]. La frontière se situerait donc plutôt entre une histoire cadre pourvue de ses récits rétrospectifs et une série d'autres histoires adventices. Même si, dans ce cas, l'opposition ne saurait encore être radicale (René Godenne relève l'habileté des Scudéry à fondre tout le système) [4], on fait ainsi nettement la part de deux sources distinctes d'intérêt narratif : les aventures de Cyrus et Mandane, d'un côté, et, de l'autre, celles de per-

---

1. Dans *L'Astrée* d'Honoré d'Urfé, en revanche, l'histoire de Diane et de Silvandre, de même niveau que celle de Céladon et d'Astrée, avait pu prendre des proportions presque aussi volumineuses que cette dernière.

2. Au reste, certains de ces récits rétrospectifs, moins amples, ne sont pas érigés explicitement au rang d'« histoire », et ne se distinguent dès lors pas clairement au sein du texte de premier niveau.

3. Par « extension », nous entendons un développement d'intrigue prolongeant la narration principale par le biais de personnages communs ; par « addition », un développement d'intrigue sans rapport avec la narration principale et recourant à des personnages distincts.

4. *Les Romans de Mademoiselle de Scudéry*, Genève, Droz, 1983, p. 98-108. On trouvera dans ces pages une description de la construction narrative alternative à celle que nous proposons, mettant l'accent sur la distinction entre les histoires dites « intégrées » et les « ajoutées ».

sonnages mineurs de l'histoire principale, voire quasiment
étrangers à cette dernière [1].

Nous avons par conséquent pris le parti, dans ce volume,
de dissocier ces deux composantes, en présentant, de manière
séparée, deux histoires secondes (celle des « Amants infortunés » et celle de « Sapho ») précédées d'un regroupement
d'extraits de l'histoire principale. En raison des contraintes
imposées par le fractionnement qu'appelle le principe
anthologique, toute autre option aurait abouti à un déséqui-
libre en déplaçant l'accent sur l'un ou l'autre des éléments.

On trouvera donc, dans le premier des trois extraits que
nous proposons, une version, abrégée et détachée de ses histoires secondes, de l'histoire principale de Cyrus et Mandane. Débutant là où *Le Grand Cyrus* débute, elle renonce
aux récits rétrospectifs pour s'arrêter sur certains épisodes
que nous avons jugés caractéristiques, et se clôt par la scène
de mariage qui conclut le roman. Dans sa forme réduite,
cette version offre néanmoins un aperçu aussi représentatif
que possible de l'histoire principale, de sa conformité au
modèle du roman dit « héroïque », mais également de ses
singularités.

Dès les premières lignes de ce texte, qui coïncident avec
l'*incipit* du roman, est mise en place la dynamique d'intrigue
qu'ont célébrée ou dénoncée les commentateurs de tout
temps : la quête qu'entreprend Cyrus pour retrouver Mandane et l'arracher des mains de l'un de ses ravisseurs (la
princesse sera enlevée quatre fois au cours de l'histoire par
quatre soupirants différents). La scène spectaculaire et mystérieuse qui, à l'exemple de l'ouverture des *Éthiopiques*
d'Héliodore, occupe les pages initiales, établit clairement
l'enjeu de la narration qui va s'étendre sur les dix tomes :
l'incendie de Sinope apparaît très rapidement au lecteur,
dont le point de vue épouse celui de Cyrus, comme le signe
de la perte de Mandane, et se mue bientôt en décor pour les
exploits d'un héros ayant repéré celui qu'il croit être le ravisseur. L'épisode historique (ou pseudo-historique, en l'occurrence) [2] ne prend sens qu'au travers de la poursuite de la

---

1. On trouvera, à la fin du volume, un synopsis offrant une vue
d'ensemble des histoires contenues dans *Le Grand Cyrus*.
2. La ville de Sinope, mentionnée à plusieurs reprises par Hérodote dans son développement consacré à Cyrus, n'a cependant
jamais été conquise par ce dernier, ni incendiée.

femme aimée. L'action amoureuse informe l'action héroïque :
le chef militaire engage ses troupes dans la lutte contre
l'incendie – et contre les ennemis qui tentent de s'opposer à
l'exécution de cette noble tâche –, sans jamais perdre de vue
son objectif premier : retrouver Mandane et la délivrer.
Cyrus fait partie de ces héros de roman pour lesquels « il
semble que [l']amour dépende de leur vaillance, que la
conquête des cœurs soit l'ouvrage de leurs mains [1] ».

On a beau jeu de démontrer le caractère élémentaire
d'une intrigue définie par la poursuite d'un objectif affirmé
d'entrée de jeu et de manière univoque : « Cyrus par-
viendra-t-il à délivrer Mandane et à se faire aimer d'elle ? »
Le déroulement des événements à venir n'est voilé d'aucun
mystère, la seule attente consiste dans le suspens du prochain obstacle à s'interposer. Et ce roman « jeu de l'oie »
s'étend sur des milliers de pages au gré des surprises, des
avantages et des pénalités que les auteurs octroient au héros.
La structure apparaît rapidement comme répétitive, cons-
truite qu'elle est sur une chaîne d'échos et de similitudes
caractéristique de l'esthétique qui fonde le roman de la première moitié du XVIIe siècle [2]. C'est bien le refus d'entrer
dans ce jeu, dépourvu des attraits de l'originalité, qui a
motivé le rejet critique dont ont longtemps pâti les monu-
ments scudériens [3].

Faire au *Grand Cyrus* le reproche de son défaut d'originalité relève toutefois du procès d'intention. En effet, l'intrigue
que choisissent les Scudéry pour leur histoire principale ne
connaît guère d'antécédents. Aussi triviale que puisse
paraître la trame proposée, force est de constater qu'elle
n'avait guère été utilisée auparavant. Dans *L'Astrée*, Céladon, certes, est tout entier tendu vers la reconquête d'Astrée
dont un malentendu a provoqué la jalousie. Mais l'entreprise est d'ordre sentimental uniquement ; elle ne dépend à
aucun titre de hauts faits, elle n'implique pas d'affronter
vaillamment les obstacles. Polexandre, le héros de Gomber-

---

1. M. de Pure, *La Précieuse ou le Mystère des ruelles* (1658), in
C. Esmein, *Poétiques du roman*, Champion, 2004, p. 276. Tout le
passage reproduit une conversation sur la convention du héros parfait de roman.

2. Voir les analyses de G. Molinié, *Du roman grec au roman
baroque*, Publications de l'université de Toulouse-Le Mirail, 1982,
1re partie, chap. II et III.

3. Voir la Présentation, p. 11-12.

ville, poursuit lui aussi son Alcidiane, mais l'inaccessibilité de celle-ci ne doit rien à l'opposition de rivaux auxquels il s'agit de se mesurer. L'Orondate de la *Cassandre* (1642) de La Calprenède enchaîne les exploits pour accéder à sa Statira bien-aimée ; mais il n'est pas, comme Cyrus, un conquérant du format des Alexandre ou des Tamerlan. Seul Cyrus associe étroitement, essentiellement, entreprise militaire et entreprise amoureuse. En fait, il apparaît que l'histoire du souverain perse, telle que la refondent les Scudéry, est à l'échelle du développement précédent du genre romanesque, remarquablement singulière. Si l'on est enclin à lui trouver une impression de « déjà vu », c'est que cette histoire, comme l'a démontré Gerhard Penzkofer [1], constitue une fusion originale de plusieurs grandes traditions romanesques occidentales, lesquelles, en raison de leur prégnance, confèrent une apparence de familiarité à la synthèse qui les rassemble.

Dans ses lignes directrices, le modèle de la « quête » de Cyrus est redevable – même si les Scudéry se gardent bien de le souligner dans leur préface – à l'archétype de ce roman de chevalerie que les contemporains affublent un peu dédaigneusement du qualificatif de « vieux ». La composition fondée sur la répétition des obstacles imposés au héros, dans une enfilade autorisant des développements infinis, correspond au stade final qu'avait atteint le cycle espagnol des *Amadis* (XVe-XVIe siècles), dont les versions en prose française sont imprimées jusque bien avant dans le XVIIe siècle. L'agir du héros scudérien, du reste, laisse apparaître les linéaments courtois qui le structurent. De même que le héros de chevalerie, Cyrus engage toute l'énergie de son être pour délivrer une dame prisonnière qui, de son côté, maintient son soupirant dans la soumission : toute faute conduira au bannissement – et c'est effectivement ce qui se produira lors d'un malentendu qui amènera Mandane à soupçonner d'infidélité son chevalier servant. Les rivaux s'opposent en nombre aux desseins du héros. Il les affronte sur le champ de bataille, en combat singulier. Comme il se doit, il en triomphe invariablement, à mesure qu'ils surgissent et qu'ils ressurgissent sous de nouvelles identités (Philidaspe était

---

1. « *L'Art du mensonge* »…, Tübingen, Gunter Narr Verlag, 1998, chap. III-VI. Pour le rôle exercé par les divers modèles et paradigmes décrits (roman de chevalerie, roman hellénistique, roman pastoral, théorie de l'épopée) dans le développement général du roman au XVIIe siècle, voir C. Esmein, *Poétiques du roman, op. cit.*, p. 23-35.

donc le roi d'Assyrie ! Anaxaris était donc Aryante !) ou par le
tour de passe-passe du narrateur tout-puissant (Mazare
n'était donc pas mort ! Aribée n'avait donc pas succombé
sous l'effondrement des ruines !). Mais le premier obstacle,
provisoirement insurmontable, qui s'oppose à l'accomplissement du héros est la dissimulation de son origine à laquelle
l'ont contraint les circonstances : enfant « supposé » (c'est-à-
dire substitué à un autre), comme Amadis, pour de sombres
raisons de succession au trône, il ne lui reste de choix que
d'évoluer sous le couvert d'un nom d'emprunt (Artamène
cache le Grand Cyrus), entravant le plein développement de
son potentiel « généreux ». Le motif n'avait rien pour surprendre les contemporains. Charles Sorel, dans son roman
parodique du *Berger extravagant* (1627), brocardait déjà ce
topos du récit de chevalerie : « L'enfant est toujours perdu ou
nourri secrètement quelque part, puis, quand il est grand, il
fait tant de beaux exploits qu'il est assez connu [1]. »

Le Grand Cyrus ne saurait pour autant être réduit à un
avatar ultime du roman de chevalerie. À cette structure
d'action se superposent nombre de motifs empruntés au
roman hellénistique et au roman pastoral, modèles parfaitement assumés cette fois, puisque ouvertement déclarés dans
l'« Avis au lecteur » (p. 56). La scène de rencontre des héros
(ainsi que le lieu de cette rencontre, le temple), les nombreuses tempêtes qui occasionnent autant de naufrages, et
surtout l'épreuve que constitue la soumission des amants à la
malfaisance d'une autorité toute-puissante (en l'occurrence,
Tomyris, la souveraine passionnée des Massagettes) n'ont
d'autre source qu'Héliodore et ses épigones. La jalousie de
Mandane, en revanche, renvoie directement à celle d'Astrée,
de même que les diverses chaînes amoureuses à l'égard des-
quelles le couple héros tient lieu d'aboutissement [2].

Mais cette synthèse romanesque est encore passée au filtre
de l'épopée. Au genre « bas » du roman, en quête de légitimité,
la poétique épique fournit le cadre théorique qui confère pres-
tige et reconnaissance. Dès les années 1630, le roman se

---

1. Éd. originale, p. 681. Cité par C. Esmein, *Poétiques du roman,
op. cit.*, p. 32.
2. Par exemple, Istrine est promise au roi d'Assyrie qui aime
Mandane qui aime Cyrus (et en est aimée en retour). Ou encore :
Indathyrse aime Tomyris qui aime Cyrus qui aime Mandane (et en
est aimé en retour).

conçoit comme « épopée en prose » et revendique le qualificatif d'« héroïque », dans un effort de mutation dont les Scudéry sont les principaux promoteurs, entre autres par la préface d'*Ibrahim* (1641). Georges, du reste, n'hésite pas à tracer
le parallèle dans la préface de son *Alaric* (1654), l'épopée qu'il
s'attache à composer durant les années de rédaction du *Grand
Cyrus* : « Le poème épique a beaucoup de rapport, quant à la
constitution, avec ces ingénieuses fables que nous appelons
des romans [1]. » Le héros du roman – divisé en dix parties,
comme l'*Alaric* le sera en dix livres – est un conquérant issu de
l'une des plus hautes lignées de sa nation et auquel ne cèdent
peut-être dans toute l'Antiquité que César et Alexandre. Ses
exploits seront donc d'ordre militaire et tout le roman bruira
du son des trompettes et du piétinement des troupes. Comme
le héros épique, il triomphera de la félonie – ainsi lors du
combat des deux cents qui le verra affronter le traître Artane [2].
La première apparition de Cyrus, déboulant de son couvert
« à la tête de quatre mille hommes » (p. 62) le situe clairement
dans la lignée à la fois des Roland (L'Arioste, *Le Roland
furieux*, 1516) et des Clovis (Desmarets de Saint-Sorlin,
Clovis ou la France chrétienne, 1654). L'amalgame ne présente
au fond rien d'insolite : depuis le XVIe siècle italien et le monument du Tasse (*La Jérusalem délivrée*, 1575), l'épopée a réussi
la fusion de la chevalerie et du modèle antique.

Or le modèle épique infléchit nettement la nature du sujet
et des épisodes proposés : la matière requiert forcément un
substrat historique – de ce point de vue, la traduction française d'Hérodote que Pierre Du Ryer vient de publier en
1645 a certainement joué un rôle décisif dans le choix du
conquérant perse comme héros [3]. Le roman du *Grand
Cyrus* s'inscrit en ce sens dans une série qui, à la suite de
l'*Ibrahim*, fait se succéder en quelques années les *Cassandre*
(1642) et *Cléopâtre* (1647) de La Calprenède, *Bérénice*

---

1. Éd. R. Galli Pellegrini, Didier, 1998, p. 95.

2. « Histoire d'Artamène : Guerre contre le roi de Pont, combat
des deux cents hommes » et « Guerre contre le roi de Pont, le
jugement » [Partie I, Livre 2].

3. *Les Histoires d'Hérodote, mises en français par P. Du Ryer*, Paris,
Sommaville, 1645. De manière semblable, la *Clélie* (1654-1660)
bénéficiera de la traduction de Tite-Live par le même auteur. Les
Scudéry n'étaient pas les seuls à jeter leur dévolu sur Cyrus : en
1647, le roman anonyme *Axiane* l'avait déjà pris pour héros (voir
M. Magendie, *Le Roman français au XVIIe siècle, de l'Astrée au Grand
Cyrus*, Paris, 1932, p. 201-202).

(1648-1649) de Segrais et autres *Mithridate* (1648) de Le
Vayer de Boutigny.

À la différence toutefois que, dans la version scudérienne,
les données historiques sont traitées sur le mode de la vraisemblance, « pierre fondamentale » de l'édifice du roman [1],
au même titre que de celui de la tragédie, genre familier de
Georges le dramaturge. Ce qui implique au premier chef
que la nature des événements narrés ne doit jamais entraver
l'adhésion du lecteur. Car « les actions qui sont vraisemblables, d'autant qu'elles ont quelque ombre de vérité parmi
leur mensonge, sont plus propres à émouvoir à compassion
que celles où ce mensonge se fait voir à découvert [2] ». Dès
lors, le poète est légitimé à opérer sélections et modifications
au sein des données fournies par l'histoire. Il « n'est pas
l'esclave de l'historien et, bien loin de le suivre toujours, il
est de son devoir de le quitter fort souvent et d'inventer plus
qu'il n'imite [3] ». Et, dans ce subtil mélange de fiction et de
vérité, c'est finalement la fiction qui obtient le dernier mot,
« car, après tout, c'est une fable que je compose et non pas
une histoire que j'écris » (p. 58).

Rien ne s'oppose donc à la relecture de l'histoire qui
attribue pour motivation aux conquêtes de Cyrus la libération et la séduction de Mandane : « quelque passion que j'aie
pour la gloire, et quelque ambitieuse que soit mon âme, je
n'aurais pas porté le feu par toute l'Asie, je n'aurais pas renversé tant de provinces, ni conquis tant de royaumes, si
l'amour que j'ai pour elle n'avait donné un fondement raisonnable à toutes les guerres que j'ai faites [4] ». La quête
amoureuse, si elle se nourrit de l'absence, ne suffit pas
cependant à constituer une authentique relation. De fait,
Mandane et son soupirant n'ont guère l'occasion de se fréquenter au cours des milliers de pages sur lesquelles s'étend
le roman : une première rencontre au temple, quelques
visites, quelques échanges prometteurs entre la fille du souverain et celui qui n'est encore qu'Artamène, puis la séparation
et l'interminable quête – l'amour, il est vrai, ne se conçoit que
dans l'attente et dans la poursuite infinie d'un équilibre,
comme nous l'apprendra l'« Histoire de Sapho ».

---

1. Préface d'*Ibrahim*, in C. Esmein, *Poétiques du roman, op. cit.*,
p. 139.

2. Préface d'*Alaric, ibid.*, p. 97.

3. *Ibid.*, p. 105.

4. Site « Artamène », p. 3501.

Cyrus, certes, s'affirmera comme un amant indéfectible-
ment adonné au service de sa dame : « En effet, quand je
saurais d'une certitude infaillible qu'elle aurait cessé de
m'aimer, je ne pourrais cesser d'avoir de l'amour pour elle,
sans cesser de vivre, ni souffrir qu'un autre la possédât, sans
faire tout ce que je pourrais pour l'en empêcher, quand
même il faudrait exposer mille et mille fois ma vie, que je ne
préfère jamais à ma gloire ni à mon amour » (p. 188). Reste
que cet amour de « courtoisie » et de distance ne propose
aucune solution, par le biais de la fiction, à l'épineux problème de la cohabitation des sexes. Cyrus a beau respecter,
faisant sa cour, les prescriptions les plus rigoureuses du
code galant, la relation élémentaire qu'il entretient avec
Mandane ne semble guère correspondre aux attentes du
public mondain de la future « Reine de Tendre », fort sourcilleux en matière de mixité et d'égalité des sexes.

Il ne faut pas se méprendre sur le rôle et la signification de
cette relation : les amours de Cyrus et de Mandane dessi-
nent la matrice originelle dont les innombrables autres cas
amoureux (dont ceux des « amants infortunés », voir
p. 228 *sq.*) s'efforceront d'explorer parallèlement les variations, les déviances, les possibles. Cyrus lui-même écoutera,
comparera et parfois sera directement confronté à certaines
de ces « extravagances ». Celle, par exemple, de Tomyris,
l'amante passionnée au point de perdre de vue ce qu'elle
doit à sa « gloire », au point d'être incapable de réaliser
l'action magnanime – sur le modèle de la « clémence d'Au-
guste » (Pierre Corneille, *Cinna*, 1643) – qu'appellent les circonstances. En effet, le personnage historique de la reine des
Massagettes fait l'objet d'une réorientation nécessitée par la
transformation du violent Cyrus hérodotien en héros irrépro-
chable. L'action célèbre par laquelle, après avoir fait décapiter
le cadavre du conquérant envahisseur de son royaume, elle en
plongea la tête dans un vase rempli de sang, était perçue par
les contemporains comme un geste héroïque, accordant à son
auteur le statut de « femme forte », à l'égal de Judith, Cléopâtre, Lucrèce et Clélie [1]. Dans *Le Grand Cyrus*, en revanche,

---

1. Voir, à ce propos, l'ouvrage richement illustré de B. Baumgärtel et S. Neysters, *Die Galerie der starken Frauen*, Münich, Klinkhardt und Bielmann, 1995. Tomyris avait été prise pour sujet de
représentations picturales célèbres (tableau de Rubens au Louvre).
Voir également la gravure de Chauveau contenue dans *La Femme
héroïque* (1645) de Du Bosc.

la vaillante amazone devient une opposante à l'amour du ser-
viteur chevaleresque de Mandane, sur le patron de la malé-
fique Arsacé des *Éthiopiques* et sur celui de Fauste ou de
Phèdre : comme les deux reines amoureuses, Tomyris, loin de
renoncer magnanimement à sa passion dévoyée au profit du
couple héros, n'hésite pas à recourir à la calomnie pour tenter
de perdre l'homme amoureux d'une autre.

De même qu'on ne saurait prendre l'amour de Cyrus
autrement que comme point de fuite de la perspective
amoureuse, on ne saurait non plus s'étonner du caractère
hyperbolique que revêt l'héroïsme du personnage. La
somme de qualités mentales, physiques et morales cumu-
lées, l'absence complète de défaut confèrent à Cyrus une
invincibilité de principe, qui est aussi celle de ses congénères
du roman « héroïque » : jamais le héros ne sera vaincu en
combat régulier, jamais la défaite du chef de guerre ne
pourra être mise sur le compte d'une erreur d'appréciation.
Est-il fait prisonnier ? c'est à la suite d'une trahison ou d'un
concours de circonstances malheureux. Les hauts faits se
confinent d'ailleurs dans l'abstrait : Cyrus abat des milliers
de soldats anonymes, mais ne tue aucun de ses rivaux. Ces
derniers rentrent dans le rang, avouent leur impuissance ou
sont éliminés par l'opération d'autres forces destructrices.
Le héros est même protégé par des doubles (des dou-
blures ?), des sosies (la comédie homonyme de Rotrou,
parue en 1637, était encore bien présente dans les esprits) :
le cadavre de Spitridate subit à la place du sien l'opprobre
que Tomyris lui a réservé. De manière générale, la face noire
de la réalité est projetée sur le double : le roi d'Assyrie, noble
et vaillant lui aussi, est un anti-Cyrus, de même que, dans
l'« Histoire de Sapho », Thémistogène est un anti-Phaon.

Manifestement, les dieux sont du côté de Cyrus-Artamène, même si, contrairement à ce qu'il en est dans l'épopée, leur présence n'est jamais manifestée autrement que
par les oracles. Mais leur pouvoir est délégué à la toute-puissante Fortune, qui détient la maîtrise complète du destin du
héros et qui ne se prive pas de faire alterner à son gré les
divers accidents dont elle dispose. Régulièrement, Cyrus
constate, commente et déplore, selon un autre *topos* du
roman baroque [1], son rôle de jouet de la fortune : « Le destin

---

1. Voir G. Molinié, *Du roman grec au roman baroque*, *op. cit.*,
p. 311-358.

capricieux qui règle mes aventures ne me montre jamais
aucun bien, que pour m'en rendre la privation plus sensible : je ne connais la douceur que pour mieux goûter
l'amertume et je n'apprends que je suis aimé que lorsque,
par l'excès de mes infortunes, je suis contraint de haïr la vie
et de souhaiter la mort » (p. 87). Comme un héros de
théâtre, il apostrophe à de fréquentes reprises l'impitoyable
puissance qui tient son sort entre ses mains : « Ô destins !
rigoureux destins ! déterminez-vous sur ma fortune, rendez-
moi absolument heureux ou absolument misérable, et ne me
tenez pas toujours entre la crainte et l'espérance, entre la vie
et la mort » (p. 91).

La vie intérieure de Cyrus est ainsi fréquemment représentée – jusqu'au discours rapporté des pensées, très forma-
lisées, du personnage. Cet accès privilégié à l'intimité du
héros est un impératif de la *mimèsis* romanesque : les exploits
et les destins surhumains des protagonistes principaux
appellent en compensation une humanisation par le biais de
la parole. « Il faut faire juger par leurs discours quelles sont
leurs inclinations ; autrement l'on est en droit de dire à ces
héros muets ce beau mot de l'Antiquité : "Parle, afin que je
te voie" [1]. » C'est à cette condition seule que l'on peut s'attacher au héros : « Que sais-je si dans ces événements la fortune n'a point fait autant que lui ? si sa valeur n'est point
une valeur brutale ? s'il a souffert en honnête homme les
malheurs qui lui sont arrivés ? ce n'est point par les choses
du dehors, ce n'est point par les caprices du destin que je
veux juger de lui ; c'est par les mouvements de son âme et
par les choses qu'il dit [2]. »

Il faut bien voir que le héros scudérien est un être *bifrons*,
alternant continuellement chacune de ses deux facettes : un
habitus héroïque qui le fait confronter à des obstacles que,
tôt ou tard, il vainc irrésistiblement ; et une vie intérieure
réduite à l'expression d'un florilège des sentiments suscités
par ces obstacles. Il en va de même, après tout, qu'au
théâtre : là où les stances, par convention, reproduisent la
douce musique secrète du personnage, les monologues romanesques au discours rapporté, par une autre convention,
font entendre la voix mélodieuse de l'intimité, en contrepoint à l'agir débridé dans le monde.

---

1. Georges de Scudéry, préface d'*Ibrahim*, *op. cit.*, p. 143.
2. *Ibid.*, p. 142.

Mais l'avantage procuré par cette ouverture sur la vie intérieure de Cyrus et sur celle de certains de ses pairs est finalement restreint. Certes, le lecteur voit ce qu'aucun autre personnage n'est en mesure de voir ; mais, en contrepartie, il est souvent confiné au point de vue et au champ de vision du héros. Les premières pages du roman l'illustrent parfaitement : dès le moment où Artamène est introduit, la narration adopte son point de vue pour raconter la traversée de l'incendie et la recherche de Mandane. Le lecteur parcourt la scène dans le sillage du héros, retrouve l'espoir, le perd à nouveau en même temps que lui : Sinope a-t-elle été ravagée par l'incendie ? c'est donc que Mandane est morte ; une personne de qualité est-elle signalée au sommet de la tour préservée par le feu ? peut-être est-ce la princesse qui a survécu aux flammes. On apprend alors que la personne rescapée n'est autre que le rival, le roi d'Assyrie, et que celui-ci, de plus, s'est fait ravir Mandane à son tour : nouveau désespoir. Une galère en fuite apparaît soudain à l'horizon : raison légitime d'espérer avec Cyrus. Et ainsi de suite… Jusqu'à la nouvelle, qui atteindra au même instant lecteur et héros : Mandane est morte noyée dans le naufrage du vaisseau. Cette diffusion filtrée et dosée de l'information permet une relance continuelle d'un intérêt narratif fondé moins sur le suspens que sur le rebond par surprise.

Au reste, personnage et lecteur, par la perception fragmentaire qu'ils partagent, ne disposent pas toujours des informations leur permettant de donner une explication à ce qui arrive. « Que les apparences sont trompeuses, disait-il, et qu'il y a de témérité à juger des sentiments d'autrui, à moins que d'en être pleinement informé ! » (p. 86). Ces lacunes sont comblées par de fréquents récits rétrospectifs. Parfois ce sont les lettres, témoignages figés et partiels, qui assument cette fonction. À d'autres occasions, l'incertitude dans laquelle sont maintenus personnage et lecteur produit des effets d'un genre inconnu dans le roman de chevalerie ou dans le roman hellénistique. Lancé à la poursuite de Mandane, Cyrus, aventuré dans le lit d'un ruisseau, en perd bientôt la trace. Il aperçoit soudain sa bien-aimée, assise dans une prairie ; le temps de la rejoindre, elle a inexplicablement disparu. Il faudra que, bien plus tard, le récit de Martésie fournisse l'explication merveilleuse de ce phénomène surnaturel : la pierre héliotrope avait rendu Mandane et ses ravisseurs invisibles.

Éprouve-t-on le besoin de savoir ce qui se passe ailleurs, hors du champ de vision et de connaissance du héros ? On changera alors de point de vue restreint, en passant cette fois à celui d'un autre personnage. Le récit manifeste alors une oscillation entre divers angles de vision (ainsi s'expliquent les fréquentes transitions par « cependant ») : le narrateur, dans la position des dieux de l'épopée qui dominent le champ des batailles humaines, descend braquer son regard chez chacun des protagonistes à tour de rôle, dans chacun des camps. Quitte, parfois, à reprendre la même scène sous deux points de vue distincts [1].

Le lecteur d'*Artamène* est donc appelé, en suivant l'histoire de Cyrus et Mandane, à adopter une attitude différente de celle qui lui est familière. Le roman ne lui fournira pas ce que le genre promet à son public depuis la fin du XVIIe siècle : l'accès *immédiat* au monde, que ce soit par la brièveté et l'efficacité de la narration ou par l'exactitude de l'observation. Au contraire, l'appréhension correcte de l'œuvre implique une forme d'abandon, semblable à celui que requiert la lecture à haute voix, mode de consommation majoritaire de ce genre de textes. Il faut accepter d'être baladé de point de vue en point de vue, d'être cahoté d'impasses en relances et, surtout, comme on l'a déjà dit, de voir si longtemps différer une fin qui n'apporte aucune révélation, qui se limite à une simple marque de clôture – Cyrus finira par épouser Mandane, personne n'en doute dès la première page. La lecture du *Grand Cyrus*, incontestablement, implique qu'on renonce complètement à l'impatience, qu'on accepte que l'intérêt ne réside pas tant dans la destination à atteindre que dans le chemin parcouru. Les extraits présentés dans les pages qui suivent n'offriront, il est vrai,

---

1. La scène dans laquelle Artamène, sans s'en rendre compte, vient en aide au ravisseur de sa bien-aimée [Partie II, Livre 1, « Suite de l'histoire d'Artamène : retour d'Artamène auprès de Cyaxare », puis « L'homme seul contre douze assaillants »], est racontée une seconde fois, d'après le point de vue de Martésie, suivante de Mandane [Partie II, Livre 2, « Histoire de Mandane : enlèvement par le roi d'Assyrie », puis « Artamène, auxiliaire à son insu de Philidaspe »]. De même, dans le présent volume, l'épisode qui raconte comment Cyrus, poursuivant Mandane, la repère dans un champ de l'autre côté de la rivière, puis constate son inexplicable disparition (p. 112-113), est repris et complété à partir des informations dont dispose Martésie (p. 139-141).

qu'un bref parcours le long de ce chemin. Pour retrouver le vrai rythme de la progression, pour goûter toutes les vertus de l'itinéraire, on ne peut qu'inviter le lecteur à reprendre l'histoire intégralement, de la première à la dernière ligne.

AU LECTEUR

Le héros que vous allez voir n'est pas un de ces
héros imaginaires, qui ne sont que le beau songe d'un
homme éveillé [1] et qui n'ont jamais été en l'être des
choses. C'est un héros effectif, mais un des plus
grands dont l'histoire conserve le souvenir et dont elle
ait jamais consacré la mémoire immortelle à la glorieuse éternité. C'est un prince que l'on a proposé
pour exemple à tous les princes, ce qui fait bien
connaître quelle était la vertu de Cyrus, puisqu'un
Grec a pu se résoudre de louer tant un Persan, de faire
tant d'honneur à une nation qui était ennemie irrécon-
ciliable de la sienne et contre laquelle Xénophon avait
fait lui-même de si belles actions [2]. Enfin, lecteur, c'est
un homme dont les oracles avaient parlé comme d'un

---

1. L'expression « songe d'un homme éveillé », que l'on retrouve
p. 115, désigne ce que nous appelerions de nos jours une chimère.
Trois ans auparavant, en 1646, elle avait servi de titre à une
comédie d'un certain Brosse (éd. critique par G. Forestier, STFM,
1984). Les Scudéry font vraisemblablement allusion ici aux romans
de Gomberville (*Polexandre*, 1637 ; *Carithée*, 1642), fort appréciés
dans les années 1630-1640, qui recouraient abondamment au merveilleux (avec son lot de géants, de monstres, de sortilèges).
2. Le Grec Xénophon, auteur de la *Cyropédie*, l'un des deux
textes de l'Antiquité offrant une version étendue de l'histoire de
Cyrus, avait lui-même participé aux guerres médiques en tant que
mercenaire dans le conflit opposant Cyrus le Jeune (voir note 1, p. 56)
et Artaxerxès II.

dieu, tant ils en avaient promis de merveilles, et dont
les prophètes ont plutôt fait des panégyriques que des
prédictions, tant ils en ont avantageusement parlé et
tant ils ont élevé la gloire de cet invincible conquérant.

Je vous dis tout ceci, lecteur, pour vous faire voir
que, si j'ai nommé mon livre *Le Grand Cyrus*, la vanité
ne m'a pas fait prendre ce superbe titre ; que, par ce
mot de « grand », je n'ai rien entendu qui me regarde,
comme il vous est aisé de le connaître, puisque effectivement ce prince dont j'ai fait mon héros a été le plus
grand prince du monde et que l'histoire l'a nommé
« grand », comme moi, et pour ses hautes vertus, et
pour le distinguer de l'autre Cyrus, qu'elle a appelé le
moindre [1]. Au reste, lecteur, je me suis si bien trouvé
des règles que j'ai suivies dans mon *Illustre Bassa* [2],
que je n'ai pas jugé que je les dusse changer en com-
posant ce second roman, de sorte que, pour ne redire
pas deux fois les mêmes choses, c'est à la préface de ce
premier que je vous renvoie, si vous voulez voir l'ordre
que je suis en travaillant sur ces matières. Je vous dirai
donc seulement que j'ai pris et que je prendrai toujours pour mes uniques modèles l'immortel Héliodore
et le grand Urfé [3]. Ce sont les seuls maîtres que j'imite
et les seuls qu'il faut imiter, car quiconque s'écartera
de leur route s'égarera certainement, puisqu'il n'en est

---

1. Ce second Cyrus, généralement dénommé Cyrus le Jeune, a
vécu au Vᵉ siècle avant J.-C. Il est resté célèbre pour le conflit auquel
Xénophon a participé.

2. Il s'agit du roman *Ibrahim ou l'Illustre Bassa*, publié sous le
nom de Georges de Scudéry en 1641. Sa préface constitue un jalon
important de la réflexion théorique sur le genre romanesque au
XVIIᵉ siècle. On en trouvera des extraits dans H. Coulet, *Le Roman
jusqu'à la Révolution*, Armand Colin, 1967, t. II, p. 44-49, ainsi
qu'une version intégrale dans G. Berger, *Pour et contre le roman.
Anthologie du discours théorique sur la fiction narrative en prose du
XVIIᵉ siècle*, Tübingen, Biblio 17, 1996, p. 79-88, et dans C. Esmein,
Poétiques du roman, *op. cit.*, p. 137-150.

3. Avec *L'Astrée* (1607-1620) d'Honoré d'Urfé et les *Éthiopiques*
d'Héliodore (IIIᵉ siècle apr. J.-C.), les Scudéry invoquent pour
modèles deux romans que leurs contemporains plaçaient parmi les
réussites universelles du genre. Pour un examen détaillé de l'influence
de ces illustres précédents sur *Le Grand Cyrus*, on se reportera à
G. Penzkofer, « *L'Art du mensonge* »…, *op. cit.*, chap. V et VI.

point d'autre qui soit bonne, que la leur, au contraire, est assurée et qu'elle mène infailliblement où l'on veut aller : je veux dire, lecteur, à la gloire.

Comme Xénophon a fait de Cyrus l'exemple des rois, j'ai tâché de ne lui faire rien dire ni rien faire qui fût indigne d'un homme si accompli et d'un prince si élevé ; que, si je lui ai donné beaucoup d'amour, l'histoire ne lui en a guère moins donné que moi, la [1] lui ayant fait témoigner même après la mort de sa femme, puisque, pour faire voir combien il en était touché, il ordonna un deuil public d'un an par tout son empire [2]. Et puis, lorsque l'amour est innocente, comme la sienne l'était, cette noble passion est plutôt une vertu qu'une faiblesse, puisqu'elle porte l'âme aux grandes choses et qu'elle est la source des actions les plus héroïques [3].

J'ai engagé dans mon ouvrage presque toutes les personnes illustres qui vivaient au siècle de mon héros et vous verrez, tant dans ces deux parties que dans toutes les autres jusqu'à la conclusion, que je suis quasi partout Hérodote, Xénophon, Justin, Zonare et Diodore Sicilien [4]. Vous pourrez, dis-je, voir qu'encore

---

1. Le pronom se rapporte à l'« amour », de genre féminin dans cette occurrence.

2. Ce deuil public est attesté par Hérodote (II, 1), mais la durée n'en est pas précisée ; de plus, l'épouse en question n'est pas la fille de Cyaxare (que celle-ci s'appelle Mandane ou non).

3. Sur le rôle de l'amour, voir notice, p. 48-49.

4. *L'Histoire* (ou *L'Enquête*) d'Hérodote (Vᵉ siècle av. J.-C.) et la *Cyropédie* de Xénophon (début du IVᵉ siècle av. J.-C.) constituent, aujourd'hui encore, les deux sources d'information principales sur Cyrus. Les Scudéry s'en sont abondamment servis pour la composition de leur roman. Justin (II-IIIᵉ siècle apr. J.-C.) est un historien latin, à qui est attribué un *Abrégé des histoires philippiques de Trogue Pompée* (une histoire de la Grèce ancienne). Zonare, moine byzantin du XIIᵉ siècle après J.-C., et le Grec Diodore de Sicile (Iᵉʳ siècle av. J.-C.) ont compilé des histoires universelles. Ces trois derniers auteurs faisaient figure d'autorités dans le domaine de l'histoire de la Grèce ancienne. Il n'est pas possible, en l'état des recherches actuelles, de déterminer si les Scudéry les invoquent à titre d'alibi ou s'ils en ont véritablement fait usage. Tous ces textes, à l'exception de celui de Justin, étaient disponibles dans des versions françaises, datant généralement du siècle précédent. Hérodote, en particulier, venait d'être traduit, en 1645, par Pierre Du Ryer.

qu'une fable ne soit pas une histoire et qu'il suffise à
celui qui la compose de s'attacher au vraisemblable
sans s'attacher toujours au vrai, néanmoins, dans les
choses que j'ai inventées, je ne suis pas si éloigné de
tous ces auteurs qu'ils le sont tous l'un de l'autre [1].
Car, par exemple, Hérodote décrit la guerre des
Scythes, dont Xénophon ne parle point, et Xénophon
parle de celle d'Arménie, dont Hérodote ne dit pas un
mot. Ils renversent de même l'ordre des guerres dont
ils conviennent ensemble, car celle de Lydie précède
celle d'Assyrie dans Hérodote, et celle d'Assyrie précède celle de Lydie dans Xénophon. L'un parle de la
conquête de l'Égypte [2], l'autre n'en fait mention
aucune, l'un fait exposer Cyrus en naissant [3], l'autre
oublie une circonstance si remarquable, l'un met l'histoire de Panthée [4], l'autre n'en parle en façon du
monde, l'un le fait mourir encore assez jeune, l'autre
fort vieux, l'un dans une bataille, l'autre dans son lit,
toutes choses directement opposées. Ainsi j'ai suivi
tantôt l'un et tantôt l'autre, selon qu'ils ont été plus ou
moins propres à mon dessein et quelquefois, suivant
leur exemple, j'ai dit ce qu'ils n'ont dit ni l'un ni
l'autre, car, après tout, c'est une fable que je compose
et non pas une histoire que j'écris [5]. Que si cette raison

---

1. Sur la question de l'utilisation de l'histoire dans *Le Grand
Cyrus*, voir la notice, p. 48.

2. Hérodote (II). Ces informations fourniront, dans *Le Grand
Cyrus*, la matière de l'« Histoire de Sésostris et Timarète »
[Partie VI, Livre 2].

3. Hérodote (I, 108-113). L'histoire est reprise dans le roman
[Partie I, Livre 2, « Histoire d'Artamène : origines de Cyrus », puis
« Naissance et abandon de Cyrus »].

4. Xénophon (V à VII). Les Scudéry reprennent ces données
dans l'« Histoire de Panthée et d'Abradate » [Partie V, Livre 1] et
dans « Funérailles d'Abradate et suicide de Panthée » [Partie VI,
Livre 1].

5. Par « fable », il faut entendre un récit dont la matière, provenant, pour l'essentiel, de l'imagination de l'auteur, n'a pas de prétention à la véracité. En d'autres termes, une fiction. L'« histoire »
désigne ici, à l'opposé, un récit qui, se fondant sur d'autres récits
historiques qui font autorité, affiche une prétention de véracité.
L'auteur de l'avis au lecteur insiste donc sur le fait qu'il se comporte
en romancier et non en historien.

ne satisfait pas pleinement les scrupuleux, ils n'ont qu'à s'imaginer, pour se mettre l'esprit en repos, que mon ouvrage est tiré d'un vieux manuscrit grec d'Hégésippe [1], qui est dans la Bibliothèque Vaticane, mais si précieux et si rare qu'il n'a jamais été imprimé et ne le sera jamais. Voilà, lecteur, tout ce que j'avais à vous dire.

---

1. Il existe au moins trois auteurs qui, dans l'Antiquité, portent le nom d'Hégésippe. Mais l'Hégésippe auquel il est fait référence ici est sans doute l'historien que les contemporains des Scudéry tantôt distinguent, tantôt identifient à Flavius Josèphe (auteur de référence sur les événements de Judée à l'époque du Christ) et qui apparaît, dès cette époque, comme plus ou moins imaginaire.

L'HISTOIRE PRINCIPALE :
CYRUS ET MANDANE

PARTIE I, LIVRE 1 [1]

L'embrasement de la ville de Sinope [2] était si grand
que tout le ciel, toute la mer, toute la plaine et le haut

---

1. Ce premier extrait correspond aux pages 1-52 de l'édition en
ligne proposée par le site « Artamène ».
2. Conformément au modèle des *Éthiopiques*, le roman débute *in
medias res* par une scène à grand spectacle. Les lecteurs de l'édition
intégrale du roman devront attendre, pour jouir de la pleine intelligence de la situation, les trois récits rétrospectifs des Parties I et II du
roman [Partie I, Livre 2 : « Histoire d'Artamène » ; Partie II, Livre 1 :
« Suite de l'histoire d'Artamène » ; Partie II, Livre 2 : « Histoire de
Mandane »], qui restitueront progressivement les informations man-
quantes. Ils apprendront que Sinope, ville de Cappadoce, est le siège
du trône de Cyaxare, oncle de Cyrus, auprès de qui ce dernier
combat sous le pseudonyme d'Artamène, dans la guerre qui l'oppose
au roi de Pont. La cause du conflit est l'enlèvement de Mandane, fille
de Cyaxare, par ce roi voisin, à qui la main de la princesse a été
refusée. Or Cyrus lui-même est amoureux de Mandane, qu'il a vue
pour la première fois à Sinope. Il est même parvenu à la délivrer.
Mais, pendant son absence, Mandane a été à nouveau enlevée, cette
fois par le roi d'Assyrie, *alias* Philidaspe. Cyrus-Artamène poursuit
ce rival jusqu'à Babylone, vainc ses armées, puis se lance dans une
poursuite qui le ramène à Sinope. C'est à ce moment qu'il découvre
le spectacle de l'embrasement de la ville.
L'incendie de Sinope n'est pas attesté par les sources historiques :
il n'en est fait aucune mention ni chez Hérodote, ni chez Xénophon.

de toutes les montagnes les plus reculées en recevaient une impression de lumière qui, malgré l'obscurité de la nuit, permettait de distinguer toutes choses. Jamais objet ne fut si terrible que celui-là : l'on voyait tout à la fois vingt galères qui brûlaient dans le port et qui, au milieu de l'eau dont elles étaient si proches, ne laissaient pas de pousser des flammes ondoyantes jusqu'aux nues. Ces flammes, étant agitées par un vent assez impétueux, se courbaient quelquefois vers la plus grande partie de la ville, qu'elles avaient déjà toute embrasée et de laquelle elles n'avaient presque plus fait qu'un grand bûcher. L'on les voyait passer d'un lieu à l'autre en un moment et, par une funeste communication, il n'y avait quasi pas un endroit en toute cette déplorable ville qui n'éprouvât leur fureur. Tous les cordages et toutes les voiles des vaisseaux et des galères, se détachant toutes embrasées, s'élevaient affreusement en l'air et retombaient en étincelles sur toutes les maisons voisines. Quelques-unes de ces maisons, étant déjà consumées, cédaient à la violence de cet impitoyable vainqueur et tombaient en un instant dans les rues et dans les places dont elles avaient été l'ornement. Cette effroyable multitude de flammes, qui s'élevaient de tant de divers endroits, et qui avaient plus ou moins de force selon la matière qui les entretenait, semblaient faire un combat entre elles, à cause du vent qui les agitait et qui, quelquefois les confondant et les séparant, semblait faire voir en effet qu'elles se disputaient la gloire de détruire cette belle ville. Parmi ces flammes éclatantes, l'on voyait encore des tourbillons de fumée qui, par leur sombre couleur, ajoutaient quelque chose de plus terrible à un si épouvantable objet, et l'abondance des étincelles, dont nous avons déjà parlé, retombant à l'entour de cette ville comme une grêle enflammée, faisait sans doute que l'abord en était affreux.

Au milieu de ce grand désordre et tout au plus bas de la ville, il y avait un château, bâti sur la cime d'un grand rocher qui s'avançait dans la mer, que ces flammes n'avaient encore pu dévorer et vers lequel toutefois elles semblaient s'élancer à chaque moment, parce que le vent les y poussait avec violence. Il paraissait que l'embrasement devait avoir commencé par le port, puisque toutes les maisons qui le bordaient étaient les plus allumées et les plus proches de leur entière ruine, si toutefois il était permis de mettre quelque différence en un lieu où l'on voyait éclater* partout le feu et la flamme. Parmi ces feux et parmi ces flammes, l'on voyait pourtant encore quelques temples et quelques maisons, qui faisaient un peu plus de résistance que les autres et qui laissaient encore assez voir de la beauté de leur structure pour donner de la compassion de leur inévitable ruine. Enfin, ce terrible élément détruisait toutes choses ou faisait voir ce qu'il n'avait pas encore détruit si proche de l'être qu'il était difficile de n'être pas saisi d'horreur et de pitié par une vue si extraordinaire et si funeste.

Ce fut par cet épouvantable objet que l'amoureux Artamène, après être sorti d'un vallon tournoyant [1] et couvert de bois, à la tête de quatre mille hommes, fut étrangement* surpris. Aussi en parut-il si étonné* qu'il s'arrêta tout d'un coup et, sans savoir si ce qu'il voyait était véritable, et sans pouvoir même exprimer son étonnement par ses paroles, il regarda cette ville, il regarda le port, il jeta les yeux sur cette mer, qui paraissait toute embrasée par la réflexion qu'elle recevait des nues que ce feu avait toutes illuminées, il regarda la plaine et les montagnes, il tourna ses yeux vers le ciel et, sans pouvoir ni parler, ni marcher, il semblait demander à toutes ces choses si ce qu'il voyait était effectif ou si ce n'était point une illusion. Hidaspe, Chrysante, Aglatidas, Araspe, et Phéraulas [2],

_____

1. Méandre d'une rivière, lieu idéal pour mettre à couvert des troupes.

2. Les noms de ces compagnons d'armes de Cyrus-Artamène sont tirés de la *Cyropédie* de Xénophon (Hystaspe, Chrysantas, Aglaïtadas, Araspas, Phéraulas). Ces cinq personnages accompagneront le héros tout au long du roman. Certains d'entre eux seront les protagonistes d'histoires insérées [voir « Histoire d'Aglatidas et d'Amestris », Partie I, Livre 3 et Partie IV, Livre 2] ; d'autres – Chrysante et Phéraulas – assumeront le rôle important de narrateurs des récits rétrospectifs de l'« Histoire d'Artamène » [Partie I, Livre 2 et Partie II, Livre 1]. Rappelons qu'un Index des personnages figure p. 599-607.

qui étaient les plus proches de lui, regardaient cet embrasement et n'osaient regarder Artamène qui, poussant enfin son cheval sur une petite éminence où ils le suivirent, vit et connut si distinctement que cette ville qui brûlait était celle-là même qu'il pensait venir surprendre cette nuit, par une intelligence* qu'il y avait, afin d'en tirer sa princesse que le roi d'Assyrie y tenait captive, que, tout d'un coup, s'emportant avec une violence extrême : « Quoi, injustes dieux, s'écriat-il, il est donc bien vrai que vous avez consenti à la perte de la plus belle princesse qui fut jamais ? et que, dans le même temps que je croyais sa liberté infaillible, vous me faites voir sa perte indubitable ? »

En disant cela, il s'avança encore un peu davantage et, n'étant suivi que de Chrysante et de Phéraulas : « Hélas, mes amis, leur dit-il en commençant de galoper et commandant que tout le suivît, quel pitoyable destin est le mien et à quel effroyable spectacle m'at-on amené ? Allons, du moins, allons mourir dans les mêmes flammes qui ont fait périr notre illustre princesse. Peut-être, poursuivait-il en lui-même, que ces flammes que je vois viennent d'achever de réduire en cendre mon adorable Mandane. Mais que dis-je, peut-être ? Non, non, ne mettons point notre malheur en doute, il est déjà arrivé et les dieux n'ont pas permis un si grand embrasement pour la sauver. S'ils eussent voulu ne la perdre pas, ils auraient soulevé les vagues de la mer pour éteindre ces cruelles flammes et ne l'auraient pas mise en un si grand danger. Mais hélas ! s'écriait-il, injuste rival, n'as-tu point songé à ta conservation plutôt qu'à la sienne et n'as-tu point causé sa perte par ta lâcheté ? Si je voyais ma princesse, ajoutait-il en se tournant vers Chrysante, entre les mains d'un prince, à la tête de cent mille hommes, et que ce prince la voulût sacrifier à mes yeux, je ne serais pas si désespéré, j'aurais un ennemi que je pourrais du moins attaquer, si je ne le pouvais vaincre. Mais ici, je n'ai rien à faire qu'à m'aller jeter dans ces mêmes flammes qui ont déjà consumé ma princesse. » En disant cela, il s'avançait encore davantage

et, après avoir été quelque temps sans parler : « Ah ciel !
s'écriait-il tout d'un coup, voyant qu'il n'y avait que
Chrysante qui le pût entendre, ne serais-je point la
cause de la mort de ma princesse ? n'est-ce point pour
l'amour de moi qu'elle a elle-même embrasé cette ville,
plutôt que de manquer de fidélité au malheureux
Artamène ? Ah dieux ! s'il est ainsi, je suis digne de mon
infortune et je mérite tous les maux que je ressens. »

Chrysante, voyant qu'il avait cessé de parler, s'approcha de lui pour tâcher de lui donner quelque légère
consolation, mais Artamène, marchant toujours et le
regardant d'une manière capable de donner de la
compassion aux personnes les plus insensibles : « Non,
non, lui dit-il, Chrysante, ce malheur n'est pas de
ceux dont l'on peut être consolé et je n'ai qu'une voie
à prendre, que je suivrai sans doute bientôt. Oui,
Chrysante, j'aurai du moins cette funeste consolation
que ce même feu qui a peut-être brûlé ma maîtresse et
mon rival, qui a confondu l'innocence et le crime et
qui m'a privé tout ensemble de l'objet de ma haine et
de celui de mon amour, achèvera encore de me
détruire et mêlera du moins mes cendres avec celles
de mon adorable princesse. » En disant cela, il semblait avoir toutes les marques d'un prochain désespoir
sur le visage, sa voix avait quelque chose de triste et de
funeste, et toutes ses actions témoignaient assez qu'il
se préparait à mourir.

Cependant, la pointe du jour venant à paraître et
l'approche du soleil diminuant quelque chose de
l'horreur de cet embrasement, parce que la mer, la
plaine et les montagnes reprenaient une partie de leurs
couleurs naturelles, la face de cette funeste scène
changea en quelque façon et Phéraulas vit presque en
même temps deux choses qu'il fit remarquer au même
instant à son cher maître : « Seigneur, lui dit-il, ne
voyez-vous pas en mer une galère qui vogue et qui
semble faire beaucoup d'effort pour s'éloigner de
cette malheureuse ville ? Et ne voyez-vous pas encore
comme quoi il semble que l'on ne songe qu'à éteindre
le feu qui s'approche de cette grosse tour qui est sur le

portail du château, et que l'on abandonne tout le reste pour la conserver ! – Je vois l'un et l'autre, répondit Artamène. – Je ne sais, ajouta Chrysante, si ce n'est point une marque assurée que la princesse n'a pas encore péri, puisqu'il peut être qu'elle est dans cette galère ou dans cette tour que les flammes n'ont pas encore embrasée. – Hélas ! s'écria tout d'un coup Artamène, s'il était ainsi, que je serais heureux de pouvoir conserver quelque espoir ! »

Il s'approcha alors beaucoup plus près de la ville et, voyant effectivement qu'il y avait plusieurs personnes qui tâchaient d'empêcher le feu d'approcher de cette tour : « Travaille, s'écria-t-il en redoublant sa course, trop heureux rival, travaille pour le salut de notre princesse et sois assuré, si tu la peux sauver de ce péril, que je te pardonne tous les maux que tu m'as faits. » Ce prince ne demeurait pourtant pas longtemps dans un même sentiment : tantôt il faisait des vœux pour sa maîtresse, tantôt des imprécations contre son rival ; un moment après, regardant cette galère et lui semblant y remarquer des femmes sur la poupe, il s'en réjouissait beaucoup ; puis, venant à songer que, quand ce serait sa maîtresse, elle serait toujours perdue pour lui, il rentrait dans son désespoir ; après, venant à considérer cette tour que la mer et les flammes environnaient de toutes parts, et venant à penser que peut-être sa princesse était enfermée en ce lieu-là, il changeait de sentiments tout d'un coup, et ces mêmes troupes qui étaient venues pour détruire cette ville eurent commandement d'aider à en éteindre le feu.

Artamène donc, ne pouvant se résoudre de retourner sur ses pas, envoya Phéraulas commander aux siens de marcher en diligence et de le suivre. Mais, en approchant de Sinope, l'on sentait un air si chaud et si embrasé et l'on entendait un bruit si épouvantable que tout autre qu'Artamène n'aurait jamais entrepris d'y aller. Le mugissement de la mer, le murmure du vent, le pétillement de la flamme, joint au bruit affreux de la chute des maisons entières qui croulaient de fond en comble, et à toutes les plaintes, et à tous les cris que jetaient les mourants ou ceux que la peur d'une mort prochaine faisait crier, causaient une confusion épouvantable. De tous ces mugissements, dis-je, de tous ces murmures*, de tous ces cris, de toutes ces chutes de maisons et de toutes ces plaintes, il se formait un bruit si lugubre et si éclatant que tous les échos des montagnes, y répondant encore, en formaient une harmonie très funeste, s'il est permis d'appeler harmonie un retentissement si rempli de confusion.

Cela n'empêcha pourtant pas Artamène de se faire entendre, car, étant déjà assez proche de la ville, en un lieu où tous les siens l'avaient joint, il se tourna vers eux et leur dit avec une affection inconcevable : « Imaginez-vous, mes compagnons, que c'est moi qui suis dans cette tour, que c'est moi qui suis dans la nécessité de périr, parmi les eaux ou parmi les flammes, et que c'est à moi enfin à qui vous allez sauver la vie. Ou pour mieux dire encore, imaginez-vous que votre roi, votre princesse, vos femmes, vos pères et vos enfants sont enfermés dans cette tour avec Artamène et y vont périr, afin qu'étant poussés par des sentiments si tendres, vous agissiez avec plus de courage et avec plus de diligence. Il faut, mes compagnons, il faut aujourd'hui faire ce qui n'a peut-être jamais été fait, il faut perdre nos ennemis et les sauver, il faut les combattre d'une main et les secourir de l'autre, et bref, il faut faire toutes choses pour conserver une princesse qui doit être votre reine et qui mérite de l'être de toute la terre. »

À ces mots, Chrysante, Araspe, Aglatidas, et Hidaspe, qui commandaient chacun mille hommes en cette occasion, s'approchèrent d'Artamène pour recevoir ses derniers ordres, et Phéraulas, qui était l'agent de l'entreprise et celui qui avait intelligence* dans Sinope, et auquel Artucas [1] avait promis de livrer une des portes

----

1. Artucas est l'« intelligence » dont l'armée de Cyrus-Artamène dispose dans Sinope. Le récit rétrospectif de la « Suite de l'Histoire d'Artamène » exposera les circonstances de l'établissement de cette collaboration [Partie II, Livre 1, p. 932-933].

de la ville cette même nuit, fut aussi de ce conseil. Et
ce fut lui qui dit qu'il ne fallait pas laisser d'agir de la
même façon que si cette ville n'était pas embrasée et
qu'ainsi, sans chercher d'autres expédients, il fallait
sans doute marcher droit à la porte du temple de
Mars. « Parce, dit-il, que si par hasard cet embrasement n'a pas encore mis toute la ville en confusion,
par tout autre lieu que par celui-là nous pourrions
trouver de la résistance, la coutume étant même, en de
semblables rencontres, de redoubler la garde, de peur
que l'incendie ne soit un artifice des ennemis ; où*, au
contraire, nous sommes assurés de n'en trouver aucune
par cet endroit, car, si Artucas et les siens n'ont pas
encore été dévorés par les flammes, nous les trouverons prêts à nous aider et, s'ils ont péri, apparemment
nous ne trouverons là personne qui s'oppose à notre
passage. »

Cet avis ayant été trouvé raisonnable, ils résolurent
après par quel lieu ils pourraient le plus commodément gagner le pied de la tour. Mais Aglatidas leur fit
remarquer que l'embrasement commençait de diminuer du côté du port, parce que des galères et des
vaisseaux étant plus tôt consumés que des maisons, il
fallait sans doute que le feu s'y éteignît plus tôt
qu'ailleurs, et qu'ainsi il fallait prendre tout le long du
port, afin de n'avoir presque plus à se garantir que
d'un côté, et que, par ce moyen, ils pourraient arriver
avec assez de facilité au pied de la tour. Artamène, qui
souhaitait impatiemment d'y être, ne voulut contredire à rien, de peur de les arrêter davantage, et se mit
à marcher le premier, commandant seulement aux
siens de crier par toute la ville qu'ils ne venaient que
pour sauver la princesse, afin que ce peuple, entendant un nom qui lui était si cher et si précieux, pût
faire moins de résistance et mettre moins d'obstacle à
leur dessein. Ils marchèrent donc et Phéraulas,
conduisant Artamène, qui avait mis pied à terre aussi
bien que tous ses capitaines à la porte du temple de
Mars, ils y trouvèrent celui qu'ils cherchaient qui,
désespéré qu'il était qu'Artamène dût arriver (car la

vue de ce funeste embrasement l'avait beaucoup retardé), commençait de ne songer plus qu'à se mettre à couvert de la violence des flammes. Mais il n'eut pas plus tôt vu ceux qu'il attendait qu'il fit ouvrir la porte, où il était peu accompagné, parce que, malgré lui, une grande partie des siens étaient allés voir en quel état étaient leurs maisons, leurs pères, leurs enfants ou leurs femmes.

Ils n'eurent donc aucune peine à se rendre maîtres de cette porte, mais ils en eurent bien davantage à se garantir du feu qu'ils trouvaient partout. Artamène, en marchant dans ces rues toutes enflammées, fut plusieurs fois exposé à se voir accabler* par la chute des maisons et, si cet objet lui avait semblé terrible par le dehors de la ville, il lui sembla épouvantable par le dedans. Ils marchaient l'épée à la main droite et le bouclier à la gauche, dont ils eurent plus de besoin de se servir pour repousser les charbons ardents, qui tombaient de toutes parts sur leurs têtes, que pour recevoir les traits de leurs ennemis. Ce n'est pas que d'abord* l'arrivée d'Artamène ne redoublât les cris et l'étonnement parmi ce qui restait de personnes vivantes dans cette ville, et que ce héros n'en vît plusieurs qui, étant occupés à éteindre le feu de leurs propres logements ou à sauver leurs familles, quittaient cet office charitable pour tâcher de se rassembler et de faire quelque résistance. Mais ils ne trouvaient dans ce grand désordre ni armes, ni chefs, ni compagnons capables de s'opposer à son passage. L'on voyait en un lieu des gens qui abattaient leurs propres maisons pour sauver celles de leurs voisins ; l'on en voyait d'autres qui jetaient ce qu'ils avaient de plus précieux par les fenêtres pour tâcher d'en sauver au moins quelque chose ; l'on voyait des mères qui, sans se soucier ni de meubles ni de maisons, s'enfuyaient les cheveux déjà à demi brûlés, avec leurs enfants seulement entre les bras ; enfin, l'on voyait des choses si pitoyables et si terribles tout ensemble que, si Artamène n'eût pas été emporté, comme il l'était, par une passion violente, il se fût arrêté à chaque pas pour les secourir, tant ils étaient dignes de compassion et tant il était sensible à leur misère.

Cependant il avançait toujours. Mais, le bruit de sa venue l'ayant pourtant devancé, Aribée, gouverneur de Sinope, qui faisait tous ses efforts pour empêcher que le feu ne gagnât la tour et qui occupait en ce lieu la meilleure partie de ce qui restait de peuple et de soldats dans la ville, ne le sut pas plus tôt qu'il se trouva dans une inquiétude inconcevable et dans une incertitude qu'on ne saurait exprimer, ne sachant s'il devait aller combattre ou s'il devait continuer de faire éteindre ce feu. « Car, disait-il, que servira au roi d'Assyrie que je vainque, s'il est vaincu par les flammes ? Mais que me servira-t-il aussi à moi-même d'éteindre ce feu, ajoutait-il, si je suis pris par Artamène ? moi qui suis son plus grand ennemi, moi qui ai trahi le roi mon maître, moi qui ai servi à l'enlèvement de la princesse sa fille et qui ai fait révolter ses peuples [1]. Ah ! non, non, combattons Artamène, qui est aussi redoutable au roi d'Assyrie que le feu et que les flammes, et songeons à notre conservation, en pensant à celle d'autrui. » En disant cela, il commanda à ceux qui éteignaient le feu et qui, par des machines dont ils se servaient, tâchaient de lui couper chemin en abattant les maisons voisines où il s'était attaché, de prendre des armes s'ils en avaient, d'en aller chercher en diligence s'ils n'en avaient point ou de s'en faire de tout ce qu'ils rencontreraient, et même du feu et des flammes, plutôt que de ne le secourir pas.

Après donc qu'Artamène eut traversé une partie de cette ville embrasée et qu'ayant marché tout le long du port il fut arrivé proche de la tour, il fut bien surpris de voir que personne ne travaillait plus pour éteindre le feu et qu'Aribée s'avançait pour le combattre. « Quoi, s'écria-t-il, je viens pour éteindre ces flammes,

---

1. Les circonstances de la trahison d'Aribée, qui est passé du camp de Cyaxare à celui du roi d'Assyrie, ravisseur de Mandane, seront relatées tout au long des trois récits rétrospectifs (voir p. 60, note 2).

et ce sera moi qui empêcherai qu'on ne les éteigne ?
Ah ! non, non, mes compagnons, il ne le faut pas. » En
disant cela, il commanda à une partie des siens de
songer à faire ce que les autres ne faisaient plus, pendant qu'il combattrait ceux qui semblaient en avoir
envie.

Comme il était en cet état et qu'il s'avançait vers le
gros* à la tête duquel était Aribée, il leva les yeux vers
le haut de la tour [1] et y reconnut le roi d'Assyrie qui,
par une action toute désespérée, semblait n'avoir autre
dessein que de choisir s'il se jetterait dans les flammes
ou dans la mer. Cette vue ayant encore confirmé Artamène dans la croyance que sa maîtresse n'était pas
morte, il redoubla les commandements qu'il avait déjà
faits d'éteindre ce feu et marcha tête baissée vers ses
ennemis, qui venaient à lui avec assez de résolution.
Comme il fut proche d'eux et qu'il reconnut distinctement qui était leur chef : « Aribée, lui cria-t-il, je ne
viens pas aujourd'hui pour te combattre et pour te
punir, et il ne tiendra qu'à toi que je n'obtienne ton
pardon du roi des Mèdes, si tu veux mettre les armes
bas et m'aider à sauver ta princesse et la mienne. »

Mais Aribée, qui croyait son crime trop grand pour
lui pouvoir être jamais pardonné et qui, de plus, avait
appris une chose qu'Artamène ignorait encore, au lieu
de lui répondre, s'élança vers lui l'épée haute et commença un combat au milieu des feux et des flammes,
qui n'était pas moins redoutable par ce qui tombait
d'en haut que pour les coups qui partaient de la main
d'un ennemi invincible, que l'amour, la haine et la
vengeance rendaient encore plus vaillant qu'à l'accoutumée, quoiqu'il fût toujours le plus vaillant homme
du monde. Hidaspe, Artucas, Chrysante, Aglatidas et
Araspe se rangèrent auprès d'Artamène, car, pour
Phéraulas, ce fut lui qui eut ordre de faire continuer
d'éteindre le feu. Ainsi, le roi d'Assyrie voyait tout à la

----

1. Dans l'édition originale de 1649-1653, ce passage est illustré
par une gravure, reproduite sur le site « Artamène » [barre de menu
de gauche, option « Illustrations », puis « Planches »].

fois travailler à son salut et à sa perte, vouloir sauver sa vie et vaincre celui qui l'avait servi [1]. « Encore, disait Artamène en lui-même et en jetant les yeux vers le haut de la tour, où il voyait toujours son rival, si ma princesse regardait ce que je fais pour la sauver, je serais bien moins malheureux ; et si j'étais assuré qu'elle vît ma mort ou ma victoire, je n'aurais presque rien à désirer. »

Cependant la mêlée se commence, et se continue fort chaudement et, sans qu'Artamène cesse de frapper, il ne laisse pas d'avoir soin de voir si Phéraulas fait bien exécuter ses ordres. Enfin, dans cette confusion, il s'attache en un combat particulier contre Aribée, qui fut dangereux et opiniâtré ; car, quoique ce traître eût en tête le plus redoutable des hommes, le désespoir faisait en lui ce que la valeur n'aurait pu faire en un autre. Néanmoins, comme, au contraire, Artamène combattait alors avec espoir et qu'il était persuadé qu'il n'y avait plus que quelques murailles entre sa princesse et lui, il fit des choses prodigieuses. Il tua tout ce qui s'opposa à son passage et blessa Aribée en tant de lieux qu'enfin il se serait sans doute résolu de se rendre, si tout d'un coup une maison enflammée ne fût tombée si près du lieu où ils combattaient qu'Aribée en fut enseveli sous ses ruines, et l'on crut qu'il avait péri par le fer et par le feu pour expier une rébellion criminelle, qui méritait tous les deux ensemble.

Artamène, qui n'avait pu être blessé par son ennemi, pensa* être accablé* en cette rencontre* et se vit tout couvert de flammes, tout environné de charbons et de fumée, et, s'il n'eût mis son bouclier sur sa tête, il était infailliblement perdu. Toute sa cotte

---

1. Comprendre : « vouloir sauver sa vie et vouloir vaincre celui qui l'avait servi ». Les sujets implicites de « sauver » et de « vaincre » sont différents. Celui du premier verbe est « Cyrus-Artamène et ses compagnons », alors que celui du second verbe est « Aribée ». Le roi d'Assyrie observe une situation paradoxale, dans laquelle on (*i.e.* Cyrus) cherche à lui sauver la vie et, en même temps, on (*i.e.* Aribée) veut tuer son sauveur.

d'armes en fut à demi brûlée et peu s'en fallut qu'il ne pérît en cette rencontre*. La chute de cette maison fit qu'il s'éleva en l'air une poussière si épaisse, une fumée si noire et une nuée d'étincelles si brûlantes que l'on fut quelque temps sans pouvoir rien voir de tout ce qui se passait en ce lieu-là. Ce qui surprit Artamène en cette occasion fut que, lorsque cette maison embrasée tomba, Aribée qui, à ce qu'on pouvait juger par son action, avait eu dessein de se rendre, s'était reculé de quatre ou cinq pas, si bien que par là il semblait être allé au-devant de ce qui le devait accabler* et, par un miracle de la fortune, Artamène, qui le touchait de la pointe de son épée, ne se trouva pourtant point engagé sous ces périlleuses ruines.

Après cet accident, tout ce qui le secondait s'étonna* et s'enfuit, et notre héros, faisant crier et leur criant lui-même qu'il venait pour les servir et qu'il ne voulait point leur perte, les obligea enfin à jeter leurs armes et à se fier en la parole d'un vainqueur qu'ils avaient autrefois tant aimé. Ainsi, en fort peu de temps, tout le monde se trouva d'un même parti et Artamène, encourageant les siens et leur montrant, par son exemple, ce qu'il fallait faire pour éteindre le feu, ce peuple fut ravi de voir de charitables ennemis. Ils abattirent des maisons avec des béliers, ils employèrent leurs boucliers à jeter de l'eau sur tout ce qui tombait d'enflammé, de peur que cela n'embrasât ce qui ne l'était pas encore, et enfin ils n'oublièrent rien de tout ce qu'ils jugèrent qui pouvait servir. Tous les chefs firent des miracles en cette journée, mais, entre les autres, Aglatidas semblait avoir eu dessein de chercher plutôt la mort que la victoire [1], tant il s'était courageusement exposé à la fureur des flammes et au désespoir des ennemis.

---

1. Les lecteurs de l'édition intégrale apprendront, dans l'« Histoire d'Aglatidas et d'Amestris » [Partie I, Livre 3] et la « Suite de l'histoire d'Aglatidas et d'Amestris » [Partie IV, Livre 2], les raisons pour lesquelles Aglatidas recherche la mort.

Cependant Artamène, voyant que le feu commençait de diminuer, se réjouissait en lui-même, dans l'espérance qu'il avait de revoir bientôt sa chère princesse. « Elle est, disait-il en son cœur, dans cette tour et, si je ne suis le plus malheureux des hommes, je verrai dans quelques moments cette adorable personne et j'entendrai peut-être sa belle bouche m'appeler son libérateur. Enfin, disait-il encore, je verrai bientôt l'objet de ma haine et de mon amour. » En effet, le feu ayant été éteint de ce côté-là et étant arrivé à la porte de la tour, qui commençait déjà de s'embraser, il envoya s'assurer de toutes les portes de la ville. Mais, comme il voulut faire enfoncer celle de cette tour, ne sachant s'il n'y trouverait point encore quelque résistance, il vit un homme de fort bonne mine qui la lui ouvrit et qui, au lieu de lui en disputer l'entrée, comme il eût fait s'il ne l'eût pas reconnu auparavant du haut des créneaux, lui dit avec beaucoup de respect : « Seigneur, si le nom de Thrasybule [1] n'est pas sorti de votre mémoire, accordez-lui la grâce d'employer votre autorité pour empêcher la perte d'une illustre personne, que le désespoir va sans doute faire périr sur le haut de cette tour, si vous ne m'aidez à la secourir promptement. »

Artamène, qui crut que c'était sa princesse qui était en cette extrémité, ne s'amusa* pas à faire un long compliment au généreux* Thrasybule, qu'il reconnut d'abord à la voix : « Allons, mon ancien vainqueur, dit-il à ce fameux pirate, qui n'avait point déguisé son véritable nom, parce que étant fort commun parmi les Grecs il ne pouvait pas le faire reconnaître, allons secourir cette personne illustre. » Et, en disant ces paroles avec assez de précipitation, il monta l'escalier, suivi d'un grand nombre des siens, mais particulièrement d'Hidaspe, de Chrysante, d'Aglatidas, de Thrasy-

---

1. Le premier récit rétrospectif relate les circonstances de la première rencontre de Cyrus et de Thrasybule [Partie I, Livre 2 : « Histoire d'Artamène : pérégrinations de Cyrus », puis « Approche des vaisseaux pirates »]. Les raisons pour lesquelles ce personnage est devenu pirate seront exposées dans l'« Histoire de Thrasybule et d'Alcionide » [Partie III, Livre 3].

bule et de Phéraulas ; et tous, excepté Thrasybule,
étaient étonnés de ne rencontrer point de soldats dans
cette tour et de n'en voir point dans le reste du château.
Araspe, par les ordres d'Artamène, demeura à la porte
avec ses compagnons, afin de ne s'exposer pas mal à
propos à quelque surprise.

Ce prince donc, impatient de revoir sa maîtresse,
marche le premier et, devançant les autres d'assez
loin, arrive au haut de cette tour. Mais hélas, quel
déplaisir et quel étonnement fut le sien lorsque, au
lieu d'y voir sa princesse, il n'y vit que le roi d'Assyrie,
c'est-à-dire le ravisseur de Mandane, son rival et son
ennemi, mais un ennemi sans armes et accablé de
douleur. Artamène se tourna alors vers Thrasybule,
comme pour lui demander si c'était là cette illustre
personne dont il lui avait voulu parler et, voyant que
tous ceux qui l'avaient suivi, voulaient aussi être sur le
haut de cette tour et, prévoyant que sa conversation
avec le roi d'Assyrie ne serait pas d'un style à être
écoutée de tant de monde, il leur fit signe qu'ils se reti-
rassent, se préparant à demander où était sa princesse,
croyant encore qu'elle pouvait être dans un appartement plus bas ou en quelque autre lieu du château.

Mais il fut bien surpris d'entendre que le roi
d'Assyrie lui dit : « Tu vois, Artamène, tu vois un
prince bien plus malheureux que toi, puisqu'il est la
cause de son malheur et du tien. Mais tu peux voir en
même temps, ajouta-t-il en lui montrant une galère
qui paraissait en mer et qui n'était pas encore fort éloignée, parce qu'elle avait le vent contraire, un autre
ravisseur de notre princesse, bien plus criminel que
moi, puisqu'il m'avait promis une amitié inviolable, et
que je ne t'avais jamais fait espérer nulle part en mon
affection. – Quoi, s'écria alors Artamène, en regardant
cette galère et ne regardant plus son ennemi, la princesse n'est plus en tes mains ? – Non, lui répondit le
roi d'Assyrie en soupirant, le prince Mazare [1], le plus

----

1. Dans le troisième récit rétrospectif, intitulé « Histoire de Mandane » [Partie II, Livre 2], on apprendra de quelle manière Mazare,
confident du roi d'Assyrie, est tombé amoureux de Mandane.

infidèle de tous les hommes, me l'enlève et t'ôte le plus doux fruit de ta victoire. Mais, puisque tu ne peux satisfaire ton amour par la vue de ta princesse, satisfais du moins ta haine par la vengeance que tu peux prendre de ton rival. Tu vois que je ne suis pas en état de t'en empêcher et, si j'avais pu ne suivre pas des yeux cette galère, tant qu'elle paraîtra le long de cette côte, il y aurait déjà longtemps que je me serais jeté dans la mer ou dans les flammes, pour achever mes malheurs et pour ne tomber pas entre les mains de mon ennemi. – Les ennemis d'Artamène, lui répondit ce généreux* affligé, n'ont rien à craindre de lui que lorsqu'ils ont les armes à la main, et l'état où je te vois te met à couvert de ma haine et de mon ressentiment. »

À ces mots, Artamène se sentit si accablé de douleur que jamais personne ne le fut davantage : il voyait sa maîtresse une seconde fois enlevée et ne pouvait la suivre ni la secourir, puisque, tous les vaisseaux et toutes les galères qui étaient dans le port ayant péri par les flammes, il n'était pas en sa puissance de suivre ce dernier ravisseur pour le punir. Il voyait, d'autre côté, son premier rival en son pouvoir, mais il le voyait seul et sans armes, et sans autre dessein que celui de songer à mourir. En ce pitoyable état, désespéré qu'il était par une affliction sans égale comme sans remède, il y avait des moments où sa générosité* n'était assez forte pour l'empêcher de penser à satisfaire en quelque façon sa vengeance par la perte de son rival ; il y en avait d'autres aussi où il n'en voulait qu'à sa propre vie et, dans cette cruelle incertitude de sentiments, ne sachant ce qu'il devait faire, ni même ce qu'il voulait faire, il entendit le roi d'Assyrie qui lui cria : « Tu vois, Artamène, tu vois que la fortune te favorise en toutes choses, que le vent, s'étant renforcé, repousse cette galère vers le rivage et que peut-être bientôt tu reverras ta princesse. »

Artamène, regardant alors vers la mer, vit effectivement que, par la violence d'un vent contraire, cette galère s'était si fort rapprochée que l'on pouvait faci-

lement distinguer des femmes qui paraissaient sur la
poupe et remarquer en même temps qu'avec un prodigieux et vain effort la chiourme faisait ce que les
mariniers appellent passe-vogue [1] pour résister aux
vagues et aux vents et pour s'éloigner de la terre à
force de rames. À cet instant, l'on vit de la joie dans les
yeux d'Artamène ; mais, pour le roi d'Assyrie, l'on ne
vit que de la douleur et du désespoir dans les siens,
sachant bien que, quand le vent repousserait cette
galère dans le port, ce ne serait qu'à l'avantage d'Artamène et que ce ne pouvait être au sien. Il s'imaginait
pourtant quelque espèce de consolation dans l'espérance qu'il concevait de pouvoir punir Mazare. « Ne
me permettras-tu pas, dit-il à Artamène, si les dieux te
redonnent ta princesse, de t'épargner la peine de châ-
tier son ravisseur ? et ne souffriras-tu pas que, pour
faire ce combat, l'on me donne une épée ? que je te
promets de passer un moment après ma victoire au
travers de mon cœur, afin de te laisser jouir en paix
d'un bonheur que je te disputerais toujours, tant que
je serais en vie. – Cette vengeance me doit être
réservée, reprit Artamène, et puisque, par le respect
que je porte au roi d'Assyrie, désarmé et malheureux,
je me prive du plaisir de me venger de lui, il faut du
moins que je me réserve celui de punir Mazare, et de
sa perfidie, et de sa témérité. »

Après cela, ces deux rivaux, sans se souvenir
presque plus de leur haine, se mirent à regarder l'un et
l'autre cette galère et, faisant tantôt des vœux et tantôt
des imprécations, comme s'ils n'eussent eu qu'un
même intérêt, il y avait des moments où l'on eût dit
qu'ils étaient amis, tant cet objet dominant attachait
leurs yeux, leurs esprits, et leurs pensées. Mais enfin,
ils virent que tout d'un coup la mer changea de couleur, que ses vagues s'élevèrent et que, grossissant
encore en un moment, elles portaient tantôt la galère
dans les cieux et tantôt elles l'enfonçaient dans les

---

1. Mobilisation de la chiourme (tous les rameurs disponibles sur
une galère), permettant d'obtenir la puissance maximale.

abîmes. Cette triste vue faisant alors un même effet dans ces cœurs également passionnés, Artamène regarda le roi d'Assyrie avec une douleur inconcevable et le roi d'Assyrie regarda Artamène avec un désespoir que l'on ne saurait exprimer. Ce fut alors que l'égalité de leur malheur suspendit tous leurs autres sentiments et qu'ils éprouvèrent tout ce que l'amour peut faire éprouver de douloureux et de sensible*. Ils voyaient que, si le vent continuait de souffler du côté qu'il était, cette galère se viendrait infailliblement briser contre le pied de la tour où ils étaient, si bien que faisant des vœux tout contraires à ceux qu'ils avaient faits un peu auparavant, ils désiraient que le vent secondât les vœux du ravisseur et qu'il l'éloignât de la terre.

Cependant la tempête se redoubla et, selon le caprice et l'inconstance de la mer, le vent ayant, par des tourbillons qui s'entrechoquaient, été quelque temps en balance, comme s'il n'eût pu déterminer de quel côté il devait se ranger, tout d'un coup il éloigna la galère de la ville et lui fit raser la côte avec tant de vitesse que ces deux rivaux la perdirent de vue en un instant et perdirent avec elle tout ce qui leur restait d'espérance, voyant toujours durer l'orage aussi fort qu'auparavant. Que ne dirent point après cela ces deux illustres malheureux dans la crainte qu'ils avaient, voyant continuer la tempête, que leur princesse ne fît naufrage ? Ils eussent bien voulu pouvoir séparer Mazare de Mandane et ne lui donner point de part aux vœux qu'ils faisaient pour elle ; mais, après tout, ils consentaient au salut du rival, plutôt que de se consentir [1] à la perte de la maîtresse. Ils se la souhaitèrent même plus d'une fois l'un à l'autre, plutôt que de la savoir exposée au danger où elle était ; et plus d'une fois aussi, ils se repentirent de leurs propres souhaits.

Cependant, cet objet qui avait comme suspendu toutes leurs passions et toutes leurs pensées n'étant

---

1. La construction pronominale du verbe « consentir » n'est plus guère d'usage au XVIIe siècle. Elle est propre à la langue du siècle précédent.

plus devant leurs yeux, ils recommencèrent de se regarder comme auparavant, c'est-à-dire comme deux rivaux et comme deux ennemis. Artamène était près de s'en aller et de commander que l'on gardât le roi d'Assyrie, lorsque ce prince lui dit : « Je sais bien que ta naissance est égale à la mienne [1] et je le sais par des voies si différentes et si assurées que je n'en saurais douter ; c'est pourquoi, me confiant en cette générosité* de laquelle j'ai été si souvent le secret admirateur, malgré ma haine, et que j'ai si souvent éprouvée, je veux croire encore que tu ne me refuseras pas une grâce que je te veux demander. – Comme à mon rival, lui répondit Artamène, je te dois refuser toute chose, mais, comme au roi d'Assyrie, je te dois accorder tout ce qui n'offensera point le roi que je sers ou la princesse sa fille ; c'est pourquoi sois assuré que je ne te refuserai rien de tout ce qui ne choquera point ni mon honneur, ni mon amour, et je t'en engage la parole d'un homme qui, comme tu dis, n'est pas de naissance inégale à la tienne, quoiqu'il ne passe pas pour cela dans l'opinion de toute la terre. Demande donc ce que tu voudras, mais consulte auparavant ta propre vertu, pour ne forcer pas la mienne à te refuser malgré elle. »

Le roi d'Assyrie, voyant qu'il avait cessé de parler : « Je sais bien, lui dit-il, que tu peux me remettre entre les mains de Cyaxare et qu'après lui avoir conquis la meilleure partie de mon royaume, il te serait en

---

1. Le roi d'Assyrie est informé de la véritable identité d'Artamène. Il a appris le secret par une maladresse de Phéraulas, narrée dans le récit rétrospectif de l'« Histoire de Mandane » [Partie III, Livre 2 ; voir p. 993]. Les lecteurs de l'édition intégrale, quant à eux, devront attendre quelques dizaines de pages avant de prendre connaissance des raisons qui ont amené le héros à cette dissimulation. Ils apprendront au livre suivant, par le premier récit rétrospectif, que la naissance de Cyrus, héritier du trône de Perse, a été précédée d'une suite de présages qui l'ont fait concevoir comme une menace pour le roi Astyage, son grand-père. Ce dernier a ordonné de tuer l'enfant, qui n'a survécu qu'au prix d'une substitution. Par la suite, Cyrus a été élevé en cachette, avant de partir chercher la gloire dans les armes, sous le nom d'emprunt « Artamène » [Partie I, Livre 2, « Histoire d'Artamène : origines de Cyrus »].

quelque façon avantageux de lui en remettre le roi dans ses fers. Mais tu es trop brave pour vouloir que la fortune t'aide à triompher d'un homme fait comme moi et pour te prévaloir de la captivité d'un rival que tu ne saurais croire qu'homme de cœur, puisqu'il a déjà mesuré son épée avec la tienne. Dans les termes où est ma passion pour la princesse, je ne te cèle pas qu'il faut de nécessité que je meure avant que tu la possèdes. Ne me prive donc pas inutilement de la gloire d'avoir contribué* quelque chose à la punition de notre ennemi commun et à la liberté de la princesse, te promettant après cela, quand même le destin me serait favorable et me ferait retrouver l'illustre Mandane, de ne songer jamais à la persuader à ton préjudice, que* par un combat particulier le sort des armes n'ait décidé de notre fortune. Je vois bien, Artamène, ajouta-t-il, que ce que je veux est difficile, mais si ton âme n'était capable que des choses aisées, tu serais indigne d'être mon rival.

– Il est vrai, reprit Artamène, qu'il ne m'est pas aisé de faire ce que tu désires et qu'il me sera bien plus facile de terminer nos différends, te faisant redonner une épée, que de t'accorder cette liberté que tu me demandes et qui n'est pas peut-être tant en mon pouvoir que tu le crois. – Comme mon amour n'est pas moins forte que la tienne, reprit le roi d'Assyrie, peut-être que le désir de combattre n'est pas moins violent dans mon cœur que dans celui d'Artamène. Mais, comme je ne veux combattre Artamène que pour la possession de la princesse et qu'elle n'est pas en état de pouvoir être le prix du vainqueur, il faut, Artamène, il faut aller après le ravisseur de Mandane et travailler conjointement à sa liberté, y ayant égal intérêt. Ne considères-tu point que, si nous périssions tous deux dans ce combat, Mandane, l'illustre Mandane, demeurerait sans protection et sans défense, entre les mains de notre rival ? »

À ces mots, Artamène s'arrêta un moment, puis, reprenant la parole : « Il ne serait sans doute pas juste, dit-il, d'exposer notre princesse à un semblable malheur, mais il n'est pas équitable non plus que, commandant les armes du roi des Mèdes, je dispose souverainement de la liberté d'un prisonnier comme est le roi d'Assyrie. Tout ce que je puis avec honneur, c'est de lui promettre d'employer tous mes soins et tout mon crédit pour la lui faire rendre, s'il m'est possible, et de n'oublier rien pour cela. Mais, pour lui témoigner, ajouta-t-il, que je ne veux pas m'épargner la peine qui se rencontre à combattre un si redoutable ennemi, ni m'en exempter lâchement en le retenant prisonnier, je veux bien lui engager ma parole de ne prétendre jamais rien à la possession de la princesse, quand même elle serait en ma puissance, quand même le roi des Mèdes y consentirait et quand même elle le voudrait, qu*'auparavant par un combat particulier le sort des armes ne m'ait rendu son vainqueur. – Je ne saurais nier, lui dit le roi d'Assyrie, que vous n'ayez raison d'en user comme vous faites et que je n'aie eu tort de vous faire cette demande ; mais, avouant que vous êtes plus sage que moi, confessez aussi que je suis plus amoureux que vous, puisque je le suis jusqu'à perdre la raison, que vous conservez tout entière. – Je vous disputerai, lui répliqua Artamène, cette dernière qualité bien plus opiniâtrement que l'autre. » Le roi d'Assyrie le supplia alors, sans lui répliquer, de se souvenir que peut-être ne serait-il pas inutile pour la liberté de la princesse et qu'ainsi, par cette seule raison, il le conjurait de travailler pour la sienne.

À ces mots, Artamène se retira, après avoir mis le roi d'Assyrie sous la garde d'Araspe, lui ordonnant de le traiter avec tout le respect et toute la civilité possible, et de le mener à son appartement accoutumé. Le roi d'Assyrie, l'entendant, répondit que ce devait être le sien, mais Artamène ne le voulut pas et, s'en séparant à l'instant même, il s'en alla dans toutes les rues pour tenir le peuple en son devoir et pour faire achever d'éteindre le feu. Il envoya tout le long des côtes, pour voir si l'on n'apprendrait rien de la galère qui avait enlevé sa princesse, et il dépêcha un des siens vers Cyaxare pour l'avertir de ce qui s'était passé. Enfin, il employa tout le reste du jour à donner ses ordres et, le soir étant venu, il se retira dans le même appartement que sa princesse avait occupé, à ce qu'il sut par Thrasybule, auquel Artamène fit toute la civilité que l'extrême inquiétude où il était lui put permettre de lui faire. Il sut qu'étant arrivé [1] seulement depuis un jour dans ce port pour y faire radouber ses vaisseaux, qui avaient été battus de la tempête, le roi d'Assyrie l'y avait fort bien reçu et l'avait obligé de loger dans le château, où il avait vu la princesse de Médie, mais que, la nuit dernière, l'on avait entendu tout d'un coup le bruit que faisaient les vaisseaux embrasés, qui ensuite avaient mis le feu aux maisons voisines ; qu'à ce bruit, le roi d'Assyrie, ayant voulu prendre son épée, ne l'avait plus trouvée à sa place et qu'ayant voulu aller à l'appartement de la princesse, il l'avait trouvé fermé et n'avait trouvé aucun des soldats qui avaient accoutumé de garder le château ; qu'aussitôt il avait appelé quelques-uns des siens, qui avaient ouvert par force cet appartement et qui n'y avaient trouvé personne ; que cependant, ayant voulu faire sortir tous les domestiques et voulu sortir lui-même, il lui avait été impossible à cause de l'embrasement ; et que, depuis cela, il avait toujours été sur le haut de cette tour, à considérer son infortune, résolu à tous les moments de se jeter dans la mer ou dans les flammes.

Thrasybule n'en pouvait pas dire davantage, car il n'y avait encore qu'un jour qu'il était arrivé à Sinope. Il laissa donc Artamène dans cet appartement, après que ce prince l'eut assuré, en s'en séparant, qu'il aurait soin de le faire récompenser par le roi de la perte de ses vaisseaux que le feu avait dévorés, le louant infiniment de sa modération, lui qui, dans un accident tant inopiné, ne s'amusait* point à des regrets

---

1. Le sujet du verbe est «Thrasybule», dans la phrase précédente, et non « le roi d'Assyrie », comme pourrait le laisser entendre la construction. Ce genre d'anacoluthe est admis dans la langue de l'époque.

inutiles et souffrait en homme de cœur une perte si
considérable.

Artamène passa la nuit avec des inquiétudes que
l'on ne saurait concevoir : « Voici, disait-il en lui-
même, le lieu de la persécution de ma princesse et
voici peut-être l'endroit où elle s'est souvenue de moi
avec douleur, et où peut-être elle a regretté le malheureux Artamène. Du moins sais-je bien qu'elle en a
parlé. Car, par quelle autre voie le roi d'Assyrie aurait-
il pu savoir qu'Artamène n'est pas véritablement
Artamène ? Moi qui, dans le temps que je l'ai vu à la
cour de Cappadoce, ne le croyais être que Philidaspe [1], c'est-à-dire un simple chevalier, tel qu'il se
disait, quoique je fusse pour le moins aussi amoureux
que lui et par conséquent aussi difficile à tromper ?
Mais hélas ! adorable princesse, pourquoi faut-il que
je sois dans votre prison, que votre persécuteur soit ici
et que vous n'y soyez pas ? Je tiens un rival que je ne
puis punir, je perds une maîtresse que je ne puis
sauver et sa beauté, qui fait tout mon bonheur et toute
sa gloire, fait aussi toute mon infortune et tout son
malheur. Elle lui donne des adorateurs, mais des adorateurs sans respect et, en quelque lieu qu'elle aille,
elle me donne des rivaux et des ennemis. Ah ! beaux
yeux, s'écriait-il, comme* est-il possible que vous ins-
piriez des sentiments si injustes et si déréglés, vous,
dis-je, qui n'avez jamais porté dans mon cœur que de
la crainte et de la vénération ? Moi qui n'ai presque
jamais osé vous dire que je vous aimais, moi qui ne

---

1. C'est sous ce pseudonyme que le roi d'Assyrie dissimulait sa
véritable identité, quand Cyrus a fait sa connaissance, ainsi que
nous l'apprend le récit rétrospectif de l'« Histoire d'Artamène »
[Partie I, Livre 2, « Histoire d'Artamène : arrivée en Cappadoce »,
puis « Le temple de Mars » et « L'étranger »]. Ce n'est qu'au
moment de l'enlèvement de Mandane que Cyrus apprendra qui
était en réalité son rival [Partie II, Livre 1, « Suite de l'histoire
d'Artamène : retour de Cyrus auprès de Cyaxare », puis « Récit de
l'enlèvement de Mandane »]. Pourquoi le roi d'Assyrie, dont le vrai
nom est Labinet, usait-il de ce pseudonyme ? Le récit rétrospectif
de l'« Histoire de Mandane » le révèle, en relatant les méfaits du personnage à la cour de Babylone [Partie II, Livre 2].

vous ai regardée qu'en tremblant, moi qui vous ai si longtemps adorée en secret et moi, dis-je enfin, qui serais plutôt mort mille fois que de vous faire voir dans mes actions la moindre chose qui vous pût déplaire. Cependant vous avez embrasé des cœurs indignes de vous, et des cœurs qui, sans considérer ce qu'ils vous doivent, n'ont considéré que ce qui leur plaît. Cependant je ne saurais me repentir de ma respectueuse passion et je ne sais si, tout malheureux que je suis, si, tout éloigné que je me trouve de ma princesse, je n'aime pas encore mieux être Artamène que d'être Mazare. Ce n'est pas, poursuivit-il, qu'il ne soit heureux dans son crime, car enfin il la voit, il lui parle et il lui parle de sa passion. Mais sans doute aussi qu'elle lui répond avec mépris et que les mêmes yeux qui sont son plaisir et sa gloire sont aussi sa peine et son châtiment, par les marques de leur colère. En un mot, je pense que j'aime mieux être innocent dans le cœur de ma princesse qu'être seulement à ses pieds comme un criminel. Mais ciel ! ajoutait-il tout d'un coup, qui m'a dit que cette tempête qui s'est élevée, et qui dure encore, ne l'aura pas fait périr ? et de quelles flatteuses* pensées laissai-je entretenir mon espoir dans l'incertitude où j'en suis ? »

Comme il en était là, il entendit un bruit assez grand et Chrysante, étant entré dans sa chambre : « Seigneur, lui dit-il, l'on délivre le roi d'Assyrie ou, pour mieux dire, on l'a déjà délivré. Araspe, ayant entendu quelque bruit dans la chambre du roi prisonnier, où par respect il n'avait pas voulu coucher, l'a ouverte et ne l'y a plus trouvé. À l'instant même nous sommes sortis, nous avons cherché et nous avons vu que, sous une fenêtre qui répond vers une maison brûlée, un amas de ruines et de cendres a comblé le fossé du château en cet endroit et a élevé un grand monceau de ces matières fumantes, à la faveur duquel nous jugeons que ce prince s'est sauvé. »

Artamène, surpris d'une nouvelle si fâcheuse, envoya promptement ses ordres à toutes les portes de Sinope et fut lui-même en personne pour tâcher de retrouver

son prisonnier. Mais, durant qu'il était à un des bouts
de la ville, il sut qu'une troupe de gens armés paraissait à l'autre et qu'ils tâchaient de se rendre maîtres de
la porte. Il y courut aussitôt, mais il y arriva trop tard,
car le roi d'Assyrie était déjà sorti et avait forcé le
corps de garde. Il y avait pourtant encore quelques-
uns des siens, commandés par Aribée, que l'on avait
cru mort et qui s'était retiré de dessous ces ruines qui
l'avaient enseveli, qui, pour donner temps au roi
d'Assyrie de se sauver, rendaient encore avec lui
quelque combat malgré les blessures que ce perfide
avait déjà reçues. Mais Artamène ne l'eut pas plus tôt
reconnu qu'il lui dit : « Traître, tu es donc ressuscité
pour trahir encore une fois ton maître ! Mais si tu
veux échapper de mes mains, il faut que les tiennes
m'ôtent la vie. »

En disant cela, il fut à lui avec une impétuosité si
grande qu'Aribée, quoique courageux, fut contraint
de lâcher le pied. Ce ne fut néanmoins reculer sa
perte que d'un moment, car Artamène le pressa de
telle sorte qu'il ne songea plus qu'à parer les coups
qu'il lui portait, cédant visiblement à la valeur d'un
homme qui ne combattait guère sans vaincre. Il lui
donna donc enfin un si grand coup d'épée à travers
le corps, au défaut de sa cuirasse, qu'il l'abattit à ses
pieds. Là, il avoua avant qu'expirer que, s'étant
retiré de dessous ces ruines, il avait rassemblé tout ce
qu'il avait pu des siens, qu'il avait fait cacher parmi
ces maisons brûlées, et qu'ayant su en quel appartement était le roi d'Assyrie, il avait été au commencement de la nuit monter sur cet amas de cendres et de
bois à demi-consumé faire quelque bruit à la fenêtre
de ce prince, pour l'obliger à y regarder et que, la
chose lui ayant succédé*, il l'avait fait sauver par cette
fenêtre.

À ces mots, cet infidèle perdit la parole et la vie, et
tous ses compagnons, le voyant en cet état, prirent
aussitôt la fuite. Mais Artamène fut contraint de ne
poursuivre pas davantage un prince, que l'obscurité
de la nuit dérobait facilement à ses soins. Comme il

s'en fut retourné au château, il dépêcha vers Cyaxare pour l'avertir de cet accident et s'occupa tout le reste de la nuit à considérer le caprice de sa fortune et de son malheur. Repassant donc tout ce qui lui était arrivé, il s'étonnait quelquefois qu'une vie aussi peu avancée que la sienne eût déjà été sujette à tant d'événements extraordinaires et, se promenant seul dans sa chambre (car il n'avait pu se résoudre de se remettre au lit), il aperçut, sur la table, des tablettes* de feuilles de palmier assez magnifiques. Mais hélas ! quelle surprise fut la sienne, lorsqu'en les ouvrant, il vit qu'il y avait quelque chose qui était écrit de la main de sa princesse. Il les regarde de plus près, il parcourt en un moment toutes ces précieuses lignes et, après s'être fortement confirmé en l'opinion que c'était elle qui les avait tracées, il lut distinctement ces paroles :

La princesse Mandane, au roi d'Assyrie.

Souvenez-vous, seigneur, que vous m'avez dit plus de cent fois que rien ne pouvait résister à Mandane, afin que, vous en souvenant, vous n'accusiez pas le généreux* Mazare d'une infidélité que mes larmes, mes prières et mes plaintes lui ont persuadé de commettre sans qu'il ait autre intérêt en ma liberté que celui que la vertu inspire aux âmes bien nées en faveur des personnes malheureuses. Résolvez-vous donc à lui pardonner un crime qui, à parler raisonnablement, vous est en quelque façon avantageux, puisqu'il vous ôte les moyens d'attirer mon aversion par les témoignages que vous me donnez de votre amour. Sachez donc que je protégerai, dans la cour du roi mon père, celui qui m'a protégée dans la vôtre, et que c'est par le pardon de Mazare que vous pouvez obtenir le vôtre de la princesse de Médie et trouver quelque place en son estime, n'en pouvant jamais avoir en son affection.

MANDANE.

Artamène, achevant de lire ce billet, se repentit de tout ce qu'il avait dit et pensé contre Mazare et, admirant sa générosité*, il faisait autant de vœux pour son salut qu'il en avait fait pour sa perte. « Que les apparences sont trompeuses, disait-il, et qu'il y a de témérité à juger des sentiments d'autrui, à moins que d'en être pleinement informé ! Qui n'eût pas dit que Mazare était le plus criminel des hommes et que l'infidélité qu'il avait eue pour le roi d'Assyrie ne pouvait avoir d'autre cause qu'une injuste amour ? Cependant il se trouve que la pitié et la compassion sont les véritables motifs qui l'ont fait agir et il n'a pas tenu à lui que je ne sois parfaitement heureux. Mais, ajoutait-il, si la tempête a épargné sa galère, comme je le veux espérer, mon bonheur ne me sera pas longtemps différé et je n'aurai bientôt plus d'autre déplaisir que celui de n'avoir rien contribué* à la liberté de ma princesse et d'être arrivé trop tard pour la délivrer. Mais qu'importe, poursuivait-il, par quelles mains le bonheur nous arrive, pourvu que nous le recevions ? Jouissons donc de cette espérance et disposons-nous à être l'ami de Mazare et à le protéger contre le roi d'Assyrie. »

Après un semblable raisonnement, il se mit à relire ce que la princesse de Médie avait écrit et, après l'avoir relu diverses fois, il se mit à regarder s'il n'y avait plus rien dans ces tablettes*. Mais hélas ! il y trouva ce qu'il ne croyait pas y rencontrer. C'était un billet de Mazare au roi d'Assyrie, qui était conçu en ces termes.

Mazare, prince des Saces, au roi d'Assyrie.

Bien loin de vous cacher mon crime, je veux vous le découvrir aussi grand qu'il est. Je ne vous fais pas seulement une infidélité, je trompe encore la personne du monde pour laquelle j'ai le plus de vénération, qui est sans doute la princesse Mandane. Elle croit que je songe à la soulager dans ses malheurs, lorsque je ne pense qu'à diminuer les miens. Enfin, je suis coupable envers elle comme envers vous et je le suis encore envers moi-même, puisque, selon toutes les apparences, je fais un crime inutilement. Mais qu'y

ferais-je ? l'amour m'y force et m'y contraint et je ne me suis
pas rendu sans combattre. Si vous êtes véritablement géné-
reux, vous me plaindrez ; sinon, vous chercherez les voies de
vous venger, sans que je m'en plaigne. Je vous déclare tou-
tefois que je serai assez bien puni par Mandane, puisque
Artamène est assez bien dans son cœur pour en défendre
l'entrée, et à vous et à moi, et à tous les princes de la terre,
et pour me punir de tout ce que je fais malgré que j'en aie,
et contre vous, et contre l'exacte générosité*.

MAZARE.

« Que vois-je, dit alors Artamène, et que ne dois-je
point craindre de voir ? je pense avoir trouvé un ami
et, un moment après, je retrouve un rival ! et un rival
encore, qui peut-être a employé mon nom pour
abuser* ma princesse et pour l'enlever ! Mais, géné-
reuse* princesse, puis-je espérer, pour me consoler,
que je sois aussi bien dans ton cœur que Mazare
témoigne le croire ? Ah ! s'il est ainsi, Fortune, que je
suis heureux et malheureux tout ensemble ! heureux
de posséder un honneur que tous les rois de la terre ne
sauraient jamais mériter, et malheureux d'avoir quelque
droit à un trésor dont la possession m'est défendue.
Le destin capricieux qui règle mes aventures ne me
montre jamais aucun bien, que pour m'en rendre la
privation plus sensible* : je ne connais la douceur que
pour mieux goûter l'amertume et je n'apprends que je
suis aimé que lorsque, par l'excès de mes infortunes,
je suis contraint de haïr la vie et de souhaiter la mort. »
    Comme il en était là, on lui vint dire que l'on n'avait
rien appris de cette galère où était la princesse, le long
du rivage de la mer, ce qui le consola en quelque
façon, dans la peur où il était qu'elle n'eût fait un triste
naufrage, et ce qui l'obligea à souffrir la vue de tous
les chefs qui l'avaient suivi. Hidaspe, Chrysante, Aglatidas, Araspe, Phéraulas et Thrasybule, cet illustre
Grec, entrèrent tous dans sa chambre où, Artamène
ayant entretenu ce dernier en particulier, lui dit qu'il
était bien fâché de ne pouvoir, aussi promptement

qu'il l'eût désiré, lui rendre d'autres vaisseaux, mais que, s'il était vrai qu'il ne courût la mer que pour se mettre en sûreté de ses ennemis, ainsi qu'on le lui avait dit, il l'assurait de lui faire trouver un asile inviolable à la cour du roi des Mèdes et de l'obliger même à le remettre dans son état, aussitôt qu'il aurait retrouvé la princesse sa fille. Thrasybule le remercia fort civilement de cette offre obligeante et l'accepta, ne pouvant faire autre chose en un temps où il n'avait point à choisir ; joint que la valeur et les rares qualités d'Artamène lui avaient donné tant d'amour, dès la première fois qu'il l'avait connu, qu'il était presque consolé de sa disgrâce* par une si heureuse rencontre.

Artamène donc, lui faisant beaucoup d'honneur, sortit avec lui et avec tous ces autres chefs, et fut par les rues de cette ville, où le feu était véritablement éteint, mais où la désolation n'était pas passée. Cette noirceur épouvantable qui paraissait partout, ces poutres à demi brûlées et tous ces bâtiments ruinés inspiraient quelque chose de si lugubre dans l'imagination qu'il eût été difficile de pouvoir rien penser que de triste en un lieu qui paraissait si funeste. L'on y voyait diverses personnes qui, parmi les cendres de leurs maisons, cherchaient leurs trésors fondus et l'on en voyait d'autres qui, poussés par un sentiment plus tendre, cherchaient sous ces ruines à demi consumées les os de leurs parents ou de leurs amis. Artamène, touché par des objets si tristes, consola tous ceux qui se trouvèrent sur son passage et promit aux habitants en général, malgré leur rébellion, d'obliger le roi à faire rebâtir leur ville. Phéraulas présenta alors un homme à Artamène, qui lui donna une lettre de la part du roi d'Assyrie ; il la prit et, l'ayant lue tout bas, il trouva ces paroles, lorsqu'il eut rompu les cachets des tablettes* de cire où elles étaient gravées.

Le roi d'Assyrie, à Artamène.

Je loue cette scrupuleuse vertu qui vous a forcé de n'écouter pas votre générosité*, elle qui aurait sans doute

*été bien aise d'accorder la liberté à un ennemi qui vous la
demandait, si elle eût pu consentir que vous eussiez un
peu manqué à ce que vous deviez au roi des Mèdes. Mais,
comme je suis équitable envers vous, ne soyez pas injuste
envers moi et ne blâmez pas un prince qui ne se serait pas
sauvé, si vous l'aviez laissé sur sa foi, et qui n'a pas cru
faire un crime de s'échapper de ses gardes pour tâcher de
délivrer notre princesse. Pour vous témoigner qu'en rompant ma prison je n'ai pas rompu les conditions de notre
traité, je vous promets tout de nouveau de vous avertir de
toutes choses, de ne faire plus la guerre contre le roi des
Mèdes, de lui envoyer des troupes et, ce qui est le plus difficile à exécuter, je vous promets encore une fois de ne
parler jamais de ma passion à la princesse, quand même
ce serait moi qui la délivrerais, que* votre défaite ne m'en
ait donné la liberté. Faites ce que je ferai et gardez la fidélité à un ennemi, si vous voulez qu'il vous la garde.*

LE ROI D'ASSYRIE.

Artamène lut cette lettre avec joie et avec chagrin*
tout ensemble : il était bien aise de la promesse que le
roi d'Assyrie lui faisait, car enfin la princesse pouvait
aussitôt tomber entre les mains de Labinet qu'entre les
siennes ; mais, d'autre part, il était fâché d'avoir reçu
devant tant de monde une lettre du roi d'Assyrie, qu'il
n'oserait montrer à Cyaxare, pour beaucoup de
choses qu'elle disait. Il n'en fit pourtant pas semblant
et, comme il fut rentré dans sa chambre, choisissant
d'entre des tablettes* de bois de cèdre, de plomb et
d'écorce de philyre [1] les plus magnifiquement enri-
chies (car toute l'Antiquité ne connut jamais papier ni
encre) et prenant un de ces burins que les Anciens
appelaient un style [2], il en écrivit ces mêmes paroles :

---

1. Nom que Madeleine de Scudéry donne, en français, à la plante
appelée *phillyrea*, parfois confondue avec le tilleul.
2. « *Style* signifie au propre un poinçon, avec la pointe duquel les
Anciens écrivaient sur des tablettes de cire [...]. De là *style* au figuré
pour la façon particulière d'exprimer ses pensées ou d'écrire »
(G. Ménage, *Dictionnaire étymologique de la langue française*, éd. 1750).

Artamène, au roi d'Assyrie.

*Je ne manque jamais à ce que j'ai promis, non plus qu'à
ce que je dois : ainsi vous devez être assuré de me voir observer inviolablement toutes les choses dont nous sommes
convenus. Je souhaite seulement que nous soyons bientôt
en état de disputer un prix dont je suis indigne, mais que
personne ne possédera pourtant jamais que par la mort.*

D'ARTAMÈNE.

Ces tablettes étant cachetées, il les donna à cet
homme qui lui avait apporté les autres, qui, s'étant
approché de son oreille, lui dit qu'il avait ordre du roi
d'Assyrie de lui apprendre, en cas qu'il eût quelque
chose à lui mander, qu'il s'était retiré à Ptérie [1], ville
dont Aribée avait été gouverneur aussi bien que de
Sinope, et qu'il avait remise en ses mains. Après cela,
cet homme sortit et Artamène, sortant aussi, continua
de faire le tour de la ville pour s'en aller à un temple,
à une stade [2] de Sinope, qui lui était considérable pour
plus d'une raison, puisque c'était le lieu où il avait
commencé d'aimer [3]. De là, sans savoir précisément
ce qu'il cherchait, ni ce qu'il faisait, il se mit à suivre le
bord de la mer, du côté que la galère qui avait enlevé
sa princesse avait pris sa route. Pendant cette promenade mélancolique, il s'entretenait avec les deux fidèles
compagnons de ses aventures, le sage Chrysante et le
hardi Phéraulas. « Fut-il jamais un temps, leur dit-il, ni
mieux ni plus mal employé que celui que nous avons
passé depuis que nous sommes arrivés à Sinope ? Car
enfin, par le nombre des choses qui m'y sont advenues
en si peu de moments, s'il faut ainsi dire, il est impossible de passer jamais aucun jour avec plus d'occupa-

---

1. Ptérie est l'autre ville importante de Cappadoce.
2. Unité de mesure de la Grèce ancienne, équivalant approximativement à 180 m.
3. La première rencontre de Mandane et de Cyrus a eu lieu lors
d'une cérémonie religieuse. Elle est relatée dans le premier récit
rétrospectif [Partie I, Livre 2, « Histoire d'Artamène : arrivée en
Cappadoce »].

tion ; mais aussi, pour le peu d'utilité que je retire de cet emploi, je ne pense pas que jamais personne ait si mal occupé sa vie. Je m'imagine venir délivrer ma princesse et je la trouve, selon les apparences, dans un danger épouvantable ; si j'en crois la crainte qui saisit mon cœur, je la vois dans les feux et dans les flammes et je la vois même réduite en cendres, aussi bien que la ville où elle était. Après, je la vois ressuscitée ; je travaille à la sauver ; je combats ; j'éteins les flammes qui apparemment la veulent dévorer ; et puis, à la fin, il se trouve que je ne délivre que mon rival, et que je le délivre en un état qui ne me permet pas même de m'en venger avec honneur. Enfin, je vois un autre ravisseur de ma princesse, que je ne puis suivre et, peu après, je me vois sans rival prisonnier, comme sans maîtresse délivrée. Dans le moment qui suit, je change encore d'état : je fais des vœux pour Mazare, dont j'avais désiré la perte et, au même instant, je le hais plus que je ne faisais. Ô destins ! rigoureux destins ! déterminez-vous sur ma fortune, rendez-moi absolument heureux ou absolument misérable, et ne me tenez pas toujours entre la crainte et l'espérance, entre la vie et la mort. – Seigneur, lui dit alors Chrysante, après tant de maux que vous avez soufferts ou évités, vous devez espérer de surmonter toutes choses. – Et après une si longue obstination de la fortune à vous persécuter, ajouta Phéraulas, il est à croire qu'elle se lassera bientôt. »

Cependant le ciel s'était éclairci et, depuis qu'Artamène était hors de la ville, le vent s'était apaisé et la mer paraissait aussi tranquille qu'elle avait été agitée. Ses ondes ne faisaient plus que s'épancher lentement sur le rivage et, par un mouvement réglé, elles semblaient se remettre avec respect dans les bornes que la puissance souveraine qui les gouverne leur a prescrites. Artamène, se réjouissant de cette profonde tranquillité presque avec autant de transport qu'il en eût pu avoir s'il eût été le ravisseur de sa princesse, vit encore assez loin devant lui, au bord de la mer, plusieurs personnes ensemble qui, par leurs actions,

témoignaient avoir de l'étonnement et être fort occupées. Il s'avança alors, poussé d'une curiosité extraordinaire et, changeant de couleur en un instant : « Que
peuvent faire ces gens ? dit-il à Chrysante et à Phéraulas. – Seigneur, lui dirent-ils, peut-être sont-ce des
pêcheurs qui sèchent ou qui démêlent leurs filets sur
le sable. »

Cependant, Artamène s'avançant toujours vers eux,
Phéraulas commença de remarquer le long de la rive
quelque débris d'un naufrage. Il fit pourtant signe à
Chrysante de n'en parler point à leur maître, qui
regardait avec tant d'attention ces hommes qui étaient
au bord de la mer qu'il ne s'aperçut pas encore de ce
que Chrysante et Phéraulas avaient vu. Mais hélas ! à
peine eut-il fait vingt pas que, tournant les yeux vers le
rivage qu'il avait à sa gauche, il vit qu'il était tout couvert de planches rompues, de cordages entremêlés et
de corps privés de vie. Oh, que cette funeste vue
donna de frayeur à Artamène ! Il s'arrête ; il regarde
ces débris ; il regarde ces morts ; il regarde Chrysante et Phéraulas et n'ose plus s'avancer vers ces
gens, qui n'étaient qu'à trente pas de lui, dans la
crainte effroyable qu'il a déjà d'y rencontrer le corps
de sa chère princesse. Phéraulas, le voyant en cet
état, lui dit : « Eh quoi, seigneur, pensez-vous qu'il
n'y ait que cette galère pour laquelle vous craignez,
en toutes les mers du monde ? Et ne savez-vous pas
que les naufrages sont des choses fort ordinaires ?
– C'est pour cette raison que je crains, lui répondit le
malheureux Artamène, et si ces malheurs étaient
plus rares, je ne les craindrais pas tant. »

Cependant, malgré son appréhension, il s'approcha
de ces mariniers qui étaient fort occupés à profiter des
infortunes d'autrui et qui ramassaient tout ce qu'ils
pouvaient de ce débris. Artamène leur demanda ce
qu'ils savaient de cet accident et l'un d'eux lui
répondit qu'il fallait que quelque galère eût péri la dernière nuit, à ce qu'ils en pouvaient juger par ce que la
mer poussait au bord, et à ce qu'ils en avaient pu
apprendre d'un homme bien fait et de bonne mine,

que l'on avait porté dans une cabane de pêcheurs qu'il lui montra à cent pas de là sur le rivage, et qui faisait tout ce qu'il pouvait pour refuser le secours que l'on tâchait de lui donner. Artamène, sans attendre davantage d'éclaircissement, s'y en alla et, entrant dans cette cabane, où tout le monde était occupé à secourir cet homme qui avait pensé* périr et qui souhaitait encore la mort, il vit que c'était Mazare. Il l'avait vu si souvent dans Babylone, à la cour de la reine Nitocris [1], mère du roi d'Assyrie, que d'abord* il reconnut ce ravisseur de Mandane. Il était couché sur un lit, le visage plus mouillé de ses larmes que de l'eau de la mer, et plus changé par son désespoir que par son naufrage. Ce prince affligé tenait les yeux quelquefois élevés vers le ciel, et quelquefois aussi il les abaissait sur une écharpe magnifique qu'il avait entre les mains et qu'Artamène reconnut à l'instant pour être à sa princesse, parce qu'elle la lui avait refusée autrefois.

Cette vue fit un effet si étrange* dans le cœur d'Artamène qu'il en pensa* expirer. Mais, pendant que la douleur lui ôtait l'usage de la voix, il entendit que Mazare, qui semblait presque aller pousser le dernier soupir, faisant un effort pour parler, s'écria aussi haut que sa faiblesse le lui permit : « Ô pitoyables restes de ma belle princesse ! pourquoi ne l'ai-je pas sauvée ou pourquoi, du moins, n'ai-je pas péri avec elle ? Hélas ! que me dites-vous ? Que me montrez-vous, funestes reliques de la malheureuse princesse que j'ai perdue ? Et vous, dieux qui saviez le dessein que j'avais et qui n'ignorez pas tout ce j'ai tâché de faire pour sa conservation, pourquoi ne m'avez-vous pas secondé ? »

Comme il disait cela, Artamène s'étant approché et sa douleur, sa colère, sa rage, son désespoir et son amour ne lui laissant pas la liberté de déterminer s'il

---

1. Ce séjour à la cour de Babylone, qui donne à Cyrus l'occasion de faire la connaissance de Mazare, est relaté dans le premier récit rétrospectif [Partie I, Livre 2, « Histoire d'Artamène : pérégrinations de Cyrus », puis « Séjour à Babylone »].

devait achever de faire mourir ce misérable qui paraissait à demi mort, s'il devait lui reprocher son crime ou
s'informer du moins comment ce malheur était arrivé,
il fut encore quelque temps en cette cruelle irrésolution. Il voulait interroger Mazare, il voulait plaindre sa
princesse, il voulait accuser les dieux, il voulait tuer
son rival, il se voulait tuer lui-même, et ses pleurs et
ses plaintes, voulant et ne pouvant sortir tout à la fois,
firent que Mazare eut le temps d'entendre quelqu'un
de cette maison qui prononça le nom d'Artamène.

Il se tourna alors de son côté, avec autant de précipitation qu'une personne extrêmement faible en pouvait avoir et, le regardant d'une façon très touchante et
très pitoyable : « Est-ce vous, lui dit-il, qui, par l'affection d'une grande princesse, étiez le plus heureux de
tous les hommes et que j'ai rendu le plus infortuné par
sa perte ? – Est-ce toi, lui répondit Artamène, outré de
douleur, qui par ton injustice as désolé* toute la terre,
en la privant de ce qu'elle avait de plus beau et de plus
illustre ? – C'est moi, lui répliqua cet infortuné, les
yeux tout couverts de larmes, qui suis ce criminel que
vous dites, et qui me serais déjà puni, si j'en avais eu
la force. Mais j'espère toutefois que la mort ne sera
pas longtemps à venir. Cependant, comme je la trouve
trop lente, je ne vous serai pas peu obligé, si votre
main devance la sienne. Ceux qui m'ont trouvé au
bord de la mer savent bien que je ne les ai pas priés de
me secourir et que c'est malgré moi que j'ai vécu
depuis la mort de cette illustre princesse.

– Mais est-il bien vrai, reprit Artamène, que ma
princesse soit morte ? L'as-tu vue périr ? As-tu fait
ce que tu as pu pour la sauver ? Ne l'as-tu point
abandonnée ? L'as-tu vue sur la galère ? L'as-tu vue
sur le rivage ? Enfin l'as-tu vue mourante ou morte ?
– Je l'ai vue sur la galère, répondit tristement Mazare ;
je l'ai vue tomber dans la mer ; je m'y suis jeté après
elle ; je l'ai prise par cette écharpe ; je l'ai soutenue
longtemps sur les flots ; mais, ô dieux ! un coup de
mer épouvantable a fait détacher cette malheureuse
écharpe, qui m'est demeurée à la main et tout d'un

coup, cette même vague nous ayant séparés, je n'ai fait que l'entrevoir parmi les ondes, sans pouvoir ni la rejoindre ni la secourir. Ne me demandez plus après cela ce que j'ai fait ni ce que j'ai pensé : j'ai souhaité la mort et je me suis abandonné à la fureur des vagues, sans prendre plus aucun soin de ma vie, et enfin je me suis trouvé évanoui sur le rivage, entre les mains de ceux qui sont dans cette cabane. Voilà, Artamène, tout ce que je puis vous dire et voilà, prince infortuné, lui dit-il en lui présentant cette funeste écharpe qu'il tenait, ce qui vous appartient mieux qu'à moi, qui n'attends plus rien au monde que la gloire de mourir de votre main, si vous me la voulez accorder. »

Mazare prononça ces dernières paroles d'une voix si basse et si faible que chacun crut qu'il s'en allait expirer. Artamène, le voyant en cet état, prit cette écharpe que ce malheureux prince, dans sa faiblesse, avait laissé [1] tomber auprès de lui et, s'éloignant d'un ennemi qui n'était pas en état de satisfaire sa vengeance après avoir satisfait sa curiosité, il sortit de cette maison et s'en alla tout le long du rivage de la mer, suivi de Chrysante et de Phéraulas, pour voir si par hasard il ne trouverait point encore du moins quelque chose qui eût été à sa princesse [2]. Il commanda même à ces pêcheurs qu'il avait laissés au bord de la mer d'aller tous le long des rochers, pour voir s'ils n'y découvriraient rien de ce qu'il craignait et de ce qu'il désirait tout ensemble de trouver.

---

1. Cet accord est conforme à l'usage majoritaire du XVIIᵉ siècle dans le cas de figure du participe suivi d'un infinitif (voir G. Spillebout, *Grammaire de la langue française du XVIIᵉ siècle*, *op. cit.*, p. 399).

2. Mazare est laissé pour mort dans cette cabane de pêcheurs. Mais il réapparaîtra plus tard : Cyrus remarquera, parmi les soldats, un valeureux combattant portant le nom de Téléphane. Il découvrira alors qu'il s'agit de Mazare, repenti, dont les aventures seront narrées dans l'« Histoire de Mazare » [Partie V, Livre 2]. Dans la suite du roman, Mazare, ayant définitivement renoncé à Mandane, s'affirmera comme un des fidèles lieutenants de Cyrus.

Jamais l'on n'a vu personne en un si déplorable état : Chrysante et Phéraulas n'avaient pas la hardiesse de lui parler et lui-même ne savait pas seulement s'ils étaient auprès de lui. Il marchait en regardant le rivage et, s'imaginant que tout ce qu'il voyait était le corps de sa chère princesse, il y courait avec une précipitation extrême et s'y arrêtait après, avec un redoublement de chagrin étrange*. Enfin, après avoir été fort loin inutilement, il se mit sur un rocher qui s'avançait un peu dans la mer, comme pour attendre si les vagues ne lui rendraient point ce qu'elles lui avaient dérobé et, commandant encore une fois, à tous ceux qui avaient commencé de chercher, de continuer leur quête, il ne demeura que Chrysante et Phéraulas auprès de lui qui, quoi qu'il leur pût dire, ne le voulurent point abandonner. Hélas, que ne dit point et que ne pensa point ce malheureux amant en cet endroit !

« Ne suis-je pas, disait-il, le plus infortuné de tous les hommes ? et pourrait-on imaginer un supplice plus épouvantable que celui que je suis obligé de souffrir par la rigueur de ma destinée ? Ah ! belle princesse, fallait-il que les dieux ne fissent que vous montrer à la terre ? Et ne vous avaient-ils rendue la plus adorable personne du monde que pour vous mettre si tôt en état de n'être plus adorée ? Hélas ! cruelles flammes, s'écriait-il en regardant vers la ville, dont on voyait les ruines en éloignement, que j'avais de tort de vous accuser de la perte de ma princesse ! et que je savais peu que ce serait par un élément qui vous est opposé que ce malheur m'arriverait ! Toutes impitoyables que vous étiez, vous m'en eussiez au moins laissé les précieuses cendres, et les miennes eussent pu avoir la gloire d'y être mêlées. Mais, ô rigueur de mon sort ! cette mer inexorable ne me veut pas seulement rendre ma princesse morte et elle se contente de sauver la vie à son ravisseur et à mon rival. Encore la cruelle qu'elle est, si elle la lui eût conservée en état de satisfaire ma haine et ma vengeance, j'aurais quelque légère consolation dans mon infortune ; mais la barbare, en retenant ma princesse, me rend mon rival, seulement pour me dire qu'il l'a vue en un danger presque inévitable, qu'il l'a vue entre les bras de la mort et qu'il l'a vue dans des sentiments pour moi que je n'osais espérer qu'elle eût. Et après cela, il perd la parole et demeure en état de ne pouvoir servir de soulagement à mon désespoir.

– Du moins, répondit Chrysante, vous avez la consolation de savoir qu'il ne l'a pas vue morte et que cet arrêt irrévocable ne vous a pas été prononcé. – Ainsi, ajouta Phéraulas, il vous est permis d'espérer que le même sort de Mazare aura été celui de la princesse, et peut-être même que le sien aura encore été meilleur. Car, comme elle n'aura pas eu le même regret de sa mort qu'il a eu de la sienne, elle aura voulu vivre, au lieu qu'il a voulu mourir, et la douleur n'aura pas fait en elle ce que le naufrage n'aura pu faire. Oui, seigneur, peut-être qu'elle aura vécu et qu'elle vit présentement, sans autre inquiétude que celle de se voir sans vous. – Ah Chrysante ! ah Phéraulas ! s'écria-t-il, cette faible espérance, qui malgré moi occupe encore quelque petite place au fond de mon cœur, est peut-être un de mes plus grands malheurs ; car, si je ne l'avais pas, sachez mes amis, que sans m'amuser* à des cris ni à des plaintes, j'aurais déjà suivi l'illustre Mandane. Ce n'est donc que par ce faible espoir que je vis encore. Mais, quoique l'espérance soit un grand bien dans la vie et qu'elle soit appelée le secours de tous les malheureux, elle est si débile* dans mon esprit qu'elle ne m'empêche pas de souffrir les mêmes douleurs que je souffrirais, si j'avais vu de mes propres yeux la perte de ma princesse. Oui, Chrysante, je la vois dans la mer recevoir comme avec chagrin le secours de son ravisseur ; je vois cette vague impitoyable, qui l'arrache d'entre les mains de celui qui après l'avoir perdue la voulait sauver ; et je vois cette même vague (ô dieux quelle vue et quelle pensée !) la suffoquer et l'engloutir dans l'abîme. »

En disant cela, ses larmes redoublèrent encore et il se mit à baiser cette écharpe qu'il tenait, avec une tendresse extrême. « Ô vous, s'écria-t-il, qui fûtes autrefois l'objet de mes désirs et que je souhaitai comme la plus grande faveur que j'eusse jamais pu prétendre, qui m'eût dit que je vous eusse dû recevoir avec tant de douleur, j'aurais eu bien de la peine à le croire [1]. Je vous désirais alors, pour me donner le courage de vaincre les ennemis du roi et de la princesse, et je vous regarde aujourd'hui afin que vous hâtiez ma mort, en redoublant dans mon esprit désespéré le triste souvenir de Mandane. Mais n'admirez-vous pas, dit-il à Chrysante, le caprice de ma fortune ? J'ai plus reçu de témoignages d'affection de cette chère princesse, par la bouche de mes rivaux, que je n'en avais jamais reçu par la sienne ; et cette vertu sévère avait toujours distribué les grâces qu'elle m'avait faites avec tant de sagesse et tant de retenue que je n'avais jamais osé m'assurer entièrement de ma bonne fortune ; et cependant j'apprends du roi d'Assyrie, d'une lettre de Mazare, et de Mazare lui-même, et de Mazare mourant, que j'avais plus de part en son cœur que je n'y en osais espérer ; et qu'enfin j'étais beaucoup plus heureux que je n'avais pensé l'être. Mais ô dieux ! à quoi me sert ce bonheur ? à quoi me sert cette certitude d'être aimé, si celle qui pouvait faire ma félicité par son élection n'est plus en état d'aimer et si je suis contraint moi-même d'abandonner avec la vie, et toutes mes espérances, et toute ma bonne fortune ? »

Après cela, il fut quelque temps sans parler, tantôt regardant vers la mer, tantôt regardant si ces gens qu'il avait envoyé chercher ne revenaient point, et tantôt regardant cette écharpe qu'il tenait. Mais enfin Chrysante, voyant que le jour allait finir, voulut lui persuader de reprendre le chemin de la ville : « Quand même ce ne serait, lui dit-il, que pour pouvoir renvoyer plus de monde chercher tout le long de la côte. » Cette dernière raison, quoique forte et puissante sur son esprit, ne l'eût néanmoins pas si tôt fait partir du lieu où il était, n'eût

---

1. Comprendre : « Si on m'eût dit que je vous eusse dû recevoir avec tant de douleur, j'aurais bien eu de la peine à le croire. » Cette tournure est fréquemment attestée dans la langue du XVIIᵉ siècle (A. Haase, *Syntaxe française du XVIIᵉ siècle*, Delagrave, 1969, p. 84).

été qu'il vit paraître de loin Thrasybule, Araspe, Aglatidas, Hidaspe et beaucoup d'autres qui, ne l'ayant pas
suivi par respect, pour lui laisser la liberté de ses pensées, venaient le rejoindre, après lui avoir laissé un temps
raisonnable pour les [1] entretenir. Il ne les vit pas plus tôt
qu'il se leva et, regardant Chrysante et Phéraulas : « Le
moyen, leur dit-il, de cacher une partie de ma douleur ?
Et comment pourrai-je faire pour témoigner à tous ceux
qui viennent à nous que je n'en ai qu'autant que la compassion en peut raisonnablement donner ? et que, si je
regrette la princesse, c'est comme fille de Cyaxare et
non pas comme maîtresse d'Artamène [2]. Pour moi, leur
dit-il, mes amis, je ne pense pas le pouvoir faire ; cependant je sais bien que, si Mandane pouvait m'apparaître
en cet instant, ce serait pour me l'ordonner et ce serait
pour me commander de cacher mes larmes afin de
cacher mon affection. Mais, belle princesse, s'écria-t-il,
il faudrait ne vous aimer pas comme je vous aime, et il
faudrait avoir sa raison plus libre que n'est la mienne,
pour vous pouvoir obéir. » [...]

Mandane, en réalité, n'est point morte noyée lors
du naufrage du navire sur lequel l'enlevait Mazare.
On apprendra, à la fin du récit rétrospectif narrant
son « histoire [3] », qu'elle a été recueillie par le vaisseau du roi de Pont, qui, opportunément, naviguait
dans les parages.
   Ainsi, après avoir été enlevée par le roi d'Assyrie
(*alias* Philidaspe) [4], puis par Mazare [5], Mandane est

_____

1. Le pronom se rapporte aux « pensées ».
2. La plupart des compagnons d'armes de Cyrus, en effet, igno-
rent les liens privilégiés de ce dernier avec Mandane, puisque cet
amour est tenu secret, en vertu de la dissimulation dont le héros a
fait son principe.
3. « Histoire de Mandane : enlèvement par le roi de Pont »
[Partie II, Livre 2].
4. Enlèvement raconté dans le récit rétrospectif de la « Suite de
l'histoire d'Artamène » [Partie II, Livre 1].
5. Enlèvement raconté dans le récit rétrospectif de l'« Histoire de
Mandane » [Partie II, Livre 2], dont la conséquence est l'incendie
de Sinope, qui ouvre le roman.

maintenant tombée aux mains du soupirant dont le rejet [1] a provoqué la guerre qui fait rage depuis le début du récit. Ce troisième ravisseur emmène sa captive en Arménie.

Pour pouvoir se lancer à la poursuite du roi de Pont et de sa captive, cependant, Cyrus-Artamène devra tout d'abord vaincre un autre obstacle : Cyaxare, le roi des Mèdes sous les ordres de qui il combat, l'a fait emprisonner [2], après avoir découvert sa correspondance avec le roi d'Assyrie [3], ravisseur de sa fille. Il projettera même de le faire exécuter lorsqu'il découvrira la véritable identité d'Artamène et son amour pour Mandane [4]. Il faudra un soulèvement populaire en faveur du héros pour que celui-ci retrouve la liberté et l'occasion de prouver sa bonne foi [5]. Mais son emprisonnement aura été mis à profit pour les trois récits rétrospectifs relatant l'histoire depuis ses débuts.

L'armée perse, désormais rangée sous les ordres de Cyrus, lancera alors une campagne destinée à délivrer Mandane de l'emprise du roi de Pont. Le roi d'Assyrie qui, entre-temps, aura veillé à innocenter Cyrus auprès de Cyaxare, s'associera à cette entreprise, laissant en suspens leurs anciens différends [6].

Les opérations militaires ramèneront Cyrus et ses alliés d'Arménie en Lydie, royaume d'Asie Mineure dont le souverain Crésus est engagé aux côtés du roi de Pont. La guerre s'achèvera par la prise de Sardis [7], qui sanctionne la défaite du ravisseur de Mandane.

---

1. Cette circonstance est expliquée dans l'« Histoire d'Artamène » [p. 199].

2. Épisode relaté à la fin du premier livre [Partie I, Livre 1, « Colère de Cyaxare et arrestation de Cyrus »].

3. Il s'agit de l'échange de lettres reproduit aux pages 88-90 de cette édition.

4. « Révélation et colère de Cyaxare » [Partie II, Livre 3].

5. « Libération de Cyrus » [Partie III, Livre 1].

6. « Début de la guerre d'Arménie », puis « La guerre se prépare » [Partie III, Livre 2].

7. Le nom usuel de cette ville antique, capitale de la Lydie, est Sardes. Nous avons conservé la dénomination choisie par les Scudéry, en vertu des principes exposés dans la note sur l'édition.

Les troupes vont faire leur entrée dans la ville vaincue. Cyrus et son rival, le roi d'Assyrie, sont désormais sur le point de délivrer Mandane...

PARTIE VI, LIVRE 3 [1]

[...] Pour Cyrus, il était à la tête d'un escadron de cavalerie, à voir sortir la garnison de la citadelle et à voir entrer celle qu'il y avait destinée, attendant avec une impatience étrange* que les choses fussent en état qu'il pût y entrer, pour avoir la gloire de remettre sa chère princesse en liberté et le moyen de lui faire connaître par cette action que sa jalousie avait été mal fondée.

Le roi d'Assyrie, quoique ravi de joie d'espérer de revoir Mandane, n'était pourtant pas sans inquiétude et je ne sais s'il ne craignit point autant de voir l'entrevue de cette princesse et de Cyrus qu'il désirait de voir Mandane, et de la voir en liberté. Pour Mazare, quoiqu'il se fût résolu à ne rien espérer, il ne pouvait pourtant pas toujours soumettre sa passion à sa raison. Aussi ne put-il s'empêcher en cet instant de porter quelque envie au bonheur dont Cyrus allait jouir. Ainsi il n'y avait que l'invincible Cyrus qui pût goûter une joie toute pure. Il était pourtant un peu étonné de ce que le roi de Pont ne paraissait pas encore et ne sortait point de la citadelle, et de ce qu'il n'avait rien demandé devant* que de rendre cette place. Néanmoins il croyait, pour le premier [2], que ce prince disait les derniers adieux à Mandane et que, pour l'autre, il n'avait pas cru que, puisque Crésus était pris et qu'il voulait qu'il rendît la citadelle, qu'il fût ni en pouvoir ni en droit de ne le faire pas. De sorte qu'après que toutes les troupes lydiennes furent

---

1. L'extrait qui suit correspond aux p. 4231-4303 de l'édition en ligne.

2. Comprendre : « pour ce qui est du premier objet d'étonnement » (*i.e.* le fait que le roi de Pont ne paraît pas).

sorties et que toutes les siennes furent entrées, il entra lui-même avec une joie inconcevable, croyant encore que le roi de Pont serait auprès de Mandane et envoyant Hidaspe pour délivrer le prince Artamas [1]. Le roi d'Assyrie, Mazare et Sésostris [2] le suivirent, ce dernier n'ayant pas moins d'impatience de voir si sa chère Timarète était dans cette citadelle que ces trois autres princes en avaient de voir Mandane en liberté.

Chrysante voulut encore alors supplier Cyrus de n'entrer point dans cette forteresse, que* le roi de Pont n'en fût sorti, mais il ne s'arrêta pas à une précaution qu'il croyait qui lui retarderait de quelques moments la vue de sa princesse. De sorte que, poussé d'une impatience proportionnée à son amour et jugeant en effet qu'ayant autant de troupes qu'il en avait dans la citadelle, et autant de gens de guerre devant la porte, il n'y avait rien à craindre ni à hasarder, ni pour lui, ni pour Mandane, il entra avec précipitation, se faisant montrer l'appartement des princesses par un des soldats qui étaient sortis de cette place et qu'il y fit rentrer avec lui ; car, comme il avait ouï dire que la princesse Mandane et la princesse Palmis [3] n'avaient point été séparées dans leur prison, il demanda la chose comme il savait qu'elle était. Ce soldat le mena donc jusqu'à la porte de l'antichambre de ces princesses, qui était commune à la chambre de Mandane et à celle de la princesse de Lydie et, comme il était prêt de lui marquer laquelle des deux chambres était celle de Mandane, la princesse Palmis sortit de la sienne. Mais, au lieu d'en sortir avec de la joie que la liberté a

---

1. Les aventures d'Artamas sont contées dans l'« Histoire de Palmis et de Cléandre » [Partie IV, Livre 1] : Cléandre, enfant inconnu, élevé à la cour de Lydie, s'avère être en fait Artamas, fils du roi de Phrygie. Amoureux de Palmis, fille du roi de Lydie Crésus, il est emprisonné par ce dernier pour mettre un terme à cette relation.

2. Sésostris est un prince égyptien engagé dans l'armée perse. Ses aventures, ainsi que son amour pour Timarète, ont été contés dans une « histoire », insérée au livre précédent [Partie VI, Livre 2].

3. Voir p. 132, note 1.

accoutumé de donner, elle en sortit les yeux couverts de larmes. Elle ne laissa pourtant pas, malgré sa douleur, de parler avec autant de grâce que de générosité* à Cyrus, qu'elle s'était fait montrer par une fenêtre de sa chambre, dès qu'il était entré dans la citadelle.

« Seigneur, lui dit-elle, la princesse Mandane m'a toujours fait espérer que je trouverais en vous toute la faveur qu'on peut trouver en un vainqueur géné-reux* ; c'est pourquoi je ne désespère pas d'obtenir de votre bonté la grâce d'être mise en même prison que le roi mon père, afin que je puisse lui aider à porter ses fers. » Cyrus, charmé de la vertu de la princesse de Lydie, l'assura qu'elle n'était plus captive et que ç'avait été avec beaucoup de douleur qu'il s'était vu contraint de faire la guerre au roi son père. « Mais madame, lui dit-il, vous me pardonnerez bien, si je vous conjure de m'aider à aller achever de rompre les fers de la princesse Mandane. »

Comme Palmis allait répondre, Sésostris vit entrer la princesse Timarète qui, n'ayant plus de gardes à son appartement, venait demander protection à Cyrus. La surprise de cette princesse fut si grande, lorsqu'elle vit Sésostris, qu'elle ne put s'empêcher de faire un grand cri, de sorte que ce prince, s'étant avancé vers elle, lui donna la main avec une joie inconcevable et la présenta à Cyrus, justement comme la princesse Palmis allait lui répondre sur ce qu'il lui avait dit de Mandane. Si bien qu'il fallut malgré lui qu'il reçût le compliment de la princesse d'Égypte, dont la rare* beauté attira les yeux de tous ceux qui l'avaient suivi. Ce prince répondit très civilement à la princesse Timarète, qui lui avait parlé avec autant de grâce que d'esprit, mais ce fut en peu de mots, pour l'impatience qu'il avait de voir Mandane, qu'il croyait ne paraître point à cause de l'injuste jalousie [1] qu'elle avait dans l'âme ; ainsi il avait beaucoup plus d'impatience que d'appréhension. Mais à peine eut-il répondu à Tima-

---

1. Un malentendu, trouvant son origine dans la séparation des amants, a provoqué la jalousie de Mandane [Partie VI, Livre 1].

rète et lui eut-il dit qu'elle devait plus sa liberté à la
valeur de Sésostris qu'à la sienne, qu'étant tout prêt de
presser Palmis de lui faire donc voir Mandane, le
prince Artamas, qu'Hidaspe avait délivré, arriva, aussi
bien que Sosicle et Tégée [1]. Ce prince, ne sachant s'il
devait rendre grâce à Cyrus comme à son libérateur
ou aller droit à sa princesse, s'il se devait réjouir de sa
liberté ou s'affliger de la prison de Crésus, paraissait
en effet si incertain de la civilité qu'il devait rendre ou
à son libérateur ou à sa maîtresse que, Cyrus le remarquant et voulant se hâter de se délivrer de tout ce qui
l'empêchait de voir Mandane, il le prévint* et le présenta à la princesse Palmis, lui disant que ce prince
était aussi digne d'elle qu'elle était digne de lui.

Mais, pendant que Cyrus s'était trouvé engagé,
malgré qu'il en eût, à recevoir ces deux princesses
devant* que d'aller à la chambre de Mandane, le roi
d'Assyrie y avait été, de sorte qu'un esclave lui ayant
ouvert et ce prince lui ayant demandé où était Mandane et où était le roi de Pont, il n'eut pas plus tôt
entendu sa réponse qu'il fit un si grand cri que Cyrus,
tournant la tête et allant droit à lui, sans faire même
nulle civilité à ces princesses, tant il craignit quelque
funeste accident pour Mandane : « Quel nouveau
malheur, lui dit-il, nous est-il arrivé ? – Le plus grand
qui nous pouvait arriver, répliqua-t-il, avec une fureur
dans les yeux, qui mit une étrange* douleur dans le
cœur de Cyrus, car enfin Mandane n'est point ici et le
roi de Pont l'en a fait partir plus de trois heures
devant le jour. – Mandane n'est point ici ! reprit
Cyrus avec un désespoir sans égal. Ah madame,
ajouta-t-il, en se tournant vers la princesse de Lydie,
pourquoi ne m'avez-vous pas dit d'abord cette mauvaise nouvelle ? – Hélas seigneur, lui dit-elle toute surprise, je n'avais garde de vous dire ce que je ne savais
pas ! car les gardes que j'avais et que vous me venez
d'ôter n'ont jamais voulu me permettre d'aller à la
chambre de la princesse Mandane pour me consoler

---

1. Amis d'Artamas (voir p. 102, note 1).

avec elle pendant cet effroyable bruit que j'entendais dans la ville. De sorte que, croyant que la même rigueur qu'on me tenait, on la lui tenait aussi, je n'ai rien soupçonné de sa fuite. Joint que, depuis qu'il est jour, le péril où j'ai vu le roi mon père de mes propres yeux, et celui où j'ai vu aussi le prince mon frère, m'ont tellement troublée que je n'ai songé à nulle autre chose ; ainsi je ne sais que ce que vous savez de la fuite de Mandane. »

Après cela, Cyrus, le roi d'Assyrie et Mazare entrèrent dans l'appartement de cette princesse, où ils ne la trouvèrent point et où il n'y avait que cet esclave qui avait parlé au roi d'Assyrie, que Cyrus interrogea lui-même pour tâcher d'être éclairci de l'enlèvement de Mandane. Mais il n'en sut pas grand-chose, car cet esclave lui dit qu'il n'avait point vu partir la princesse Mandane ni ses femmes, et qu'il n'avait vu que Pactias [1], qui lui avait commandé de demeurer dans la chambre de cette princesse et de ne l'ouvrir à personne, quelque bruit qu'il pût entendre et quelque commandement qu'on lui en fît, qu*'il ne fût plus de deux heures de jour. La princesse Palmis et la princesse Timarète, qui étaient entrées dans la chambre de Mandane aussi bien que Sésostris et Artamas, étaient extrêmement affligées de cet accident, principalement la princesse Palmis, car, outre qu'il y avait plus longtemps qu'elle était avec la princesse Mandane que Timarète et qu'elles avaient lié une amitié fort tendre, elle avait encore plus de besoin de la protection de Cyrus que la princesse d'Égypte. Il est vrai que sa douleur était peu considérable, en comparaison de celle de ces trois princes, à qui l'amour faisait prendre un si notable intérêt en la fuite de cette princesse. Ils ne savaient pas même s'ils devaient l'appeler fuite ou enlèvement.

Cependant, pour ne perdre point de temps, ils firent chercher et cherchèrent eux-mêmes en tous les endroits de cette citadelle, pour voir si le roi de Pont,

---

1. Dignitaire de la cour de Crésus, qui a suivi le roi de Pont.

Mandane et ses femmes ne se seraient point cachés en quelque part. Ensuite, Cyrus fit arrêter tout ce qui se trouva de gens qui étaient au roi de Pont et fit publier* par toute la ville qu'on donnerait des récompenses excessives* à ceux qui pourraient dire où était Mandane, ou seulement quelle route elle avait prise. Cependant Cyrus fit mener la princesse Palmis dans le palais du roi son père, et la princesse Timarète aussi, conjurant la première de savoir de Crésus s'il ne savait rien de la fuite de Mandane et du lieu de sa retraite, l'assurant de lui rendre sa liberté, s'il lui faisait retrouver cette princesse. Mais tout cela fut inutilement fait et inutilement demandé, car, ni par les domestiques du roi de Pont, ni par le cri public qu'on fit faire par la ville, ni par Crésus, on n'apprit rien de tout ce que Cyrus voulait savoir. Jamais on n'a vu un désespoir égal au sien, ni une fureur plus inquiète que celle du roi d'Assyrie, ni une consternation plus grande que celle de Mazare : l'un disait qu'assurément le roi de Pont et Mandane étaient cachés dans la ville et qu'il était impossible qu'ils eussent pu sortir ; l'autre, qu'ils étaient sortis durant ce grand désordre qui s'était fait, ou par le fleuve, ou par le côté de la ville où l'on n'avait point fait d'attaque et où la ligne de circonvalation n'était pas achevée ; et le dernier, qu'il n'y avait point d'apparence que Crésus ne conjecturât du moins où ils pouvaient être.

Cependant, ils proposaient expédient sur expédient pour tâcher d'en avoir quelque lumière, mais ils ne trouvaient rien qui les contentât. Et Cyrus avait tant de divers ordres à donner, soit pour la sûreté de la ville nouvellement prise, pour la garde de Crésus ou pour la recherche de Mandane, qu'il n'avait pas plus tôt fait un commandement qu'il était nécessaire d'en faire un autre. Il n'avait pas même le temps de faire nulle réflexion sur son malheur. Mais, quoiqu'il ne le vît qu'en gros et que tous ses sentiments fussent en confusion dans son cœur et dans son esprit, il était pourtant le plus malheureux de tous les hommes. Mais enfin, après avoir envoyé au roi de Phrygie et au roi d'Hyrcanie [1], afin de les avertir de la chose et de leur ordonner d'envoyer diverses parties de cavalerie pour tâcher de découvrir si on n'aurait nulles nouvelles du roi de Pont ni de Mandane, après, dis-je, avoir fait commander à toutes les portes qu'on ne laissât sortir personne sans savoir qui c'était, et avoir même fait commandement qu'on gardât les murailles comme si Sardis eût encore été assiégé, de peur que le roi de Pont ne sortît avec des échelles, et avoir pris enfin toutes les précautions que l'amour et la prudence lui pouvaient faire prendre, Andramite [2] vint lui dire qu'il avait su par un officier de Pactias, gouverneur de la citadelle, que son maître avait envoyé quérir à son écurie la nuit dernière six des meilleurs chevaux qu'il eût et qu'on les avait amenés au bord du Pactole [3], du côté de la ville opposé au grand rocher par où elle avait été surprise ; qu'ainsi il y avait apparence de croire que le roi de Pont et Mandane étaient hors de Sardis.

Cyrus n'eut pas plus tôt su cela qu'il voulut parler lui-même à celui à qui Andramite avait parlé et, comme le roi d'Assyrie n'était pas alors auprès de lui, et qu'il n'y avait que Mazare et le prince Artamas, il fut avec eux jusqu'à l'endroit où ce domestique de Pactias disait qu'on avait mené ces six chevaux, afin de pouvoir juger par où ils auraient pu aller. Mais, comme Phéraulas, qui était auprès de son maître, ne jugea pas qu'il fût à propos que Cyrus allât peu accompagné dans une ville nouvellement conquise, il l'en fit apercevoir, si bien que Cyrus, commandant deux cents chevaux pour le suivre, il [4] fut au bord du Pactole. Mais il n'y fut pas plus tôt qu'Andramite, qui était du pays, s'approchant du bord du fleuve et

---

1. Deux rois amis de Cyrus, qui lui apporteront leur aide tout au long du roman.
2. Commandant des troupes de Crésus.
3. Le Pactole est le fleuve qui traverse Sardis (Sardes).
4. Emploi dit « pléonastique » du pronom sujet (voir G. Spillebout, *Grammaire de la langue française du XVII⁰ siècle, op. cit.*, p. 144-145).

voyant briller à travers ses ondes ce sable doré qui le
rend si célèbre par toute la terre [1], connut que l'eau en
était fort basse en cet endroit et qu'il n'était pas
impossible de le guéer, ayant un certain temps de
l'année où à peine y avait-il assez d'eau en ce lieu-là
pour que les médiocres* bateaux y pussent aller.

De plus, Cyrus prit garde qu'on voyait des traces de
chevaux qui, au lieu d'aller le long du Pactole, allaient
droit dans le fleuve et s'y perdaient ; il se trouva même
quelques pêcheurs qui s'assemblèrent sur le bord de
cette rivière pour voir Cyrus, qui dirent qu'ils avaient
vu de leurs maisons, qui n'étaient pas loin de là, qu'on
avait amené des chevaux la nuit dernière, qui ensuite
avaient traversé le fleuve, un d'eux ajoutant qu'il avait
aussi vu un petit bateau, mais que, comme l'alarme
était si forte aux autres quartiers de la ville, il n'avait
pas été voir ce que c'était, s'imaginant même que
c'était des gens qui, craignant de mourir de faim,
avaient mieux aimé s'aller jeter parmi les ennemis que
de s'y exposer. On leur demanda alors s'ils n'avaient
point vu de femmes. Les uns, qui savaient qu'on en
cherchait, dirent que oui, pour avoir la récompense
qu'on avait promise, et les autres, plus sincères, dirent
que non. Mais enfin, quoiqu'on vît bien qu'ils ne
savaient pas avec trop de certitude ce qu'ils avaient vu,
Cyrus ne laissa pas de s'imaginer qu'infailliblement le
roi de Pont était hors de Sardis, de sorte que, sans
hésiter un moment, il prit la résolution de le suivre en
personne.

Mais, comme il n'était pourtant pas si assuré de sa
croyance qu'il ne lui en demeurât quelque doute, il
craignit que, s'il faisait dire au roi d'Assyrie tout ce
qu'il savait, il ne négligeât de faire bien chercher dans
toutes les maisons de la ville et qu'il ne la [2] voulût

---

1. Le Pactole avait la réputation de charrier des paillettes d'or (voir
Hérodote, V, 101). Une légende attribuait cette propriété au fait que
le roi Midas, pour se débarrasser de sa faculté de transformer tout ce
qu'il touchait en or, avait dû se baigner dans le fleuve. Ovide rapporte
l'épisode dans ses *Métamorphoses* (11, 85 *sq.*).

2. Le pronom se rapporte à Mandane.

suivre. Il lui envoya donc Andramite, pour lui dire
que, trouvant à propos de partager leurs soins afin de
chercher en divers lieux, il lui laissait le dedans de la
ville, pendant qu'il s'en allait au-dehors, pour voir lui-
même s'il n'apprendrait rien de Mandane. Il voulut
aussi obliger le prince Artamas à s'en retourner
consoler la princesse Palmis du malheur du roi son
père ; mais Artamas, qui lui devait la liberté de sa
princesse, ne le voulut pas abandonner lorsqu'il cherchait la sienne. Pour Mazare, le parti qu'il avait à
prendre n'était pas douteux. Ainsi ces trois princes,
commençant les premiers de guéer le fleuve, suivis des
deux cents chevaux, ils [1] le traversèrent enfin heureusement aussi bien que leurs gens.

Cependant Cyrus ne pouvait assez s'étonner comment il n'avait point su le faible de Sardis de ce côté-
là. Il est vrai que, comme les eaux croissent et baissent
en fort peu de temps, il n'y avait que quatre jours que
le Pactole était en cet état. Comme Cyrus fut de
l'autre côté de l'eau, il vit, à peu près vis-à-vis de
l'endroit où l'on avait vu ces six chevaux dont on lui
avait parlé, qu'il y avait en effet des pas de chevaux qui
marquaient qu'il en était sorti du fleuve, mais il les vit
bientôt confondus avec tant d'autres qu'il ne put plus
en reconnaître la véritable piste. Comme il eut fait
environ une stade [2], il trouva un grand chemin où
deux autres aboutissaient, si bien que, s'arrêtant tout
court pour conférer avec Mazare et avec Artamas sur
ce qu'ils devaient faire, ils résolurent de se séparer, et
se séparèrent en effet, partageant leurs deux cents
chevaux en trois, Cyrus donnant Phéraulas au prince
Artamas, parce qu'il ne connaissait pas Mandane, se
promettant tous de se retrouver à Sardis dans trois
jours au plus tard ou d'y envoyer de leur nouvelles.

Mais, lorsque Cyrus voulut choisir lequel de ces
trois chemins il prendrait, il se trouva bien embar-

---

1. Emploi dit « pléonastique » du pronom sujet (voir p. 107,
note 4).
2. Voir p. 90, note 2.

rassé, car il n'avait pas plus tôt résolu d'en prendre un
qu'il s'en repentait ; et, à parler raisonnablement, on
peut dire que Cyrus eût voulu être en même temps à
tous les trois et être encore à Sardis. Il prit pourtant à
la fin le chemin qui tirait le plus vers la mer, croyant
qu'il y avait plus d'apparence* que le roi de Pont
l'aurait pris qu'un autre. Mais hélas, que de tristes
pensées occupèrent l'esprit de Cyrus pendant ce petit
voyage qui n'avait ni borne ni route assurée ! Ce
prince parlait à tous ceux qu'il rencontrait, il envoyait
à droite et à gauche, à toutes les habitations qu'il
voyait, il allait même à toutes celles qui se trouvaient
sur son chemin, mais tous ses soins ne lui apprenaient
rien. Toutes les fois qu'il arrivait en un de ces lieux où
de grands chemins se croisent, il repartageait encore
une fois ce qu'il avait de gens, lui semblant toujours
que, s'il faisait autrement, il laisserait le chemin qu'il
fallait tenir pour trouver Mandane. Et, en effet, il partagea et repartagea tant de fois les chevaux qu'il avait,
lorsqu'il s'était séparé du prince Artamas et de Mazare,
qu'il se trouva qu'il n'en avait plus que dix et bientôt
après non plus que cinq, envoyant même ce qu'il y avait
de gens de qualité qui l'avaient suivi, pour conduire ces
cavaliers qu'il envoyait en divers lieux, n'ayant plus
alors avec lui d'hommes de condition que Ligdamis,
qui lui était plus commode qu'un autre, parce qu'il
savait admirablement le pays où ils étaient [1].

Comme il était donc lui cinquième [2], dans un bois
où il y avait diverses routes, il entendit en même
temps, à droite et à gauche, le bruit que font des gens
à cheval qui marchent dans un bois fort touffu et dont
les routes sont fort étroites, lui semblant même que,
de tous les deux côtés, il entendait des voix de
femmes. De sorte que, se trouvant en une inquiétude

---

    1. L'« Histoire de Ligdamis et Cléonide » a été contée Partie IV,
Livre 3.
    2. Comprendre : « accompagné de quatre autres ». Voir G. Spille-
bout, *Grammaire de la langue française du XVIIe siècle, op. cit.*,
p. 83.

étrange*, il ne savait quelle résolution prendre. Toutefois, plutôt que de manquer à trouver Mandane ou de savoir du moins où elle était et où on la menait, il partagea encore ses gens et, de quatre qu'ils étaient avec lui, il retint Ligdamis et un autre, et envoya les deux qui restaient du côté où ils n'allaient pas.

Ainsi, les uns prenant à droite et les autres à gauche, ils essayèrent de pénétrer l'épaisseur du bois pour gagner, en traversant, le chemin où ils entendaient un bruit de chevaux et des voix d'hommes et de femmes, Cyrus croyant même qu'il avait entendu celle d'Arianite [1]. Mais, comme ce bois était tout entier de ces arbres qui ont des branches et des feuilles dès le pied, il n'était pas possible que Cyrus pût le traverser vite, de sorte que ceux qu'il suivait, allant par un chemin où ils ne trouvaient point d'obstacle, avançaient bien plus promptement que lui. Aussi s'aperçut-il qu'insensiblement il entendait moins le bruit que faisaient ceux qu'il voulait joindre. Mais, à la fin, au lieu de les suivre en biaisant comme il faisait, il résolut de traverser en droite ligne ce qui lui restait du bois pour être dans la route où étaient ceux qu'il suivait, espérant regagner facilement le temps qu'il perdrait, quand il serait dans le chemin. La chose ne réussit pourtant pas comme il l'avait pensée, car, pendant qu'il traversait ce bois, ceux qu'il suivait s'éloignèrent de telle sorte qu'il ne les entendit plus lorsqu'il fut arrivé dans la route. Néanmoins, il espéra de les rejoindre facilement ; et, en effet, il fut au galop, suivi de Ligdamis et de ce cavalier qui lui restait, jusqu'à deux cents pas de là, que, trouvant diverses routes et diverses pistes, mais particulièrement deux qui paraissaient également fraîches, il se résolut encore d'envoyer ce cavalier qu'il avait par une et d'aller par l'autre avec Ligdamis. De sorte que, choisissant encore entre ces deux chemins celui qu'il voulait prendre, il alla avec le plus de diligence qui lui fut possible.

---

1. Une des suivantes de Mandane.

Il n'eut pas marché trente pas qu'il rencontra deux femmes de village, avec des corbeilles de fruits sur leur tête, à qui il demanda si elles n'avaient rencontré personne. Mais elles lui répondirent qu'il y avait environ une demi-heure qu'elles avaient cru entendre passer des chevaux auprès d'elles, mais qu'elles n'avaient pourtant rien vu. Une si bizarre réponse fit que Cyrus ne voulut pas perdre davantage de temps à demander rien à ces femmes, se contentant seulement de vouloir qu'elles lui enseignassent le chemin et l'endroit où elles assuraient avoir ouï ces chevaux qu'elles disaient n'avoir point vus. Mais l'une n'avait pas plus tôt dit que c'était à un lieu qu'elle lui marquait que l'autre, n'en pouvant tomber d'accord, lui soutenait que c'était à un autre et qu'assurément la peur qu'elle avait eue lui avait troublé la raison. Si bien que Cyrus, voyant qu'il ne faisait que perdre du temps à les écouter, suivit le chemin où il était. Mais, comme il vit qu'il le suivait inutilement et qu'il ne trouvait rien de ce qu'il cherchait, il entra en un désespoir étrange* ; et d'autant plus qu'il voyait que son cheval était si las qu'il ne pouvait plus marcher, et que la nuit était déjà assez proche. Aussi fut-il contraint de croire le conseil de Ligdamis et de consentir d'aller faire repaître leurs chevaux à la première habitation qu'ils trouveraient.

Mais, comme ils y voulaient aller, le bois s'éclaircissant peu à peu, ils arrivèrent à un endroit où un furieux torrent, qui descend avec impétuosité d'une montagne qui n'est pas loin de là, sépare le bois d'une agréable prairie, qui est de l'autre côté, ayant de telle sorte creusé la terre en ce lieu-là et s'étant fait un passage si large et si profond qu'il n'est pas possible de le traverser, ni en nageant, ni à cheval. Cyrus, étant donc arrivé au bord de ce torrent, le long duquel il fallait qu'il allât durant quelque temps, n'y fut pas si tôt qu'il vit une femme à demi couchée, au milieu de cette prairie, qui avait la tête appuyée sur les genoux d'une autre. Il n'eut pas plus tôt vu cela qu'il eut une émotion extraordinaire ; d'abord son premier sentiment fut de vouloir traverser ce torrent, mais, son cheval en se cabrant pour n'y pas aller lui ayant donné le temps de considérer ce qu'il voulait faire, il connut qu'en effet il voulait tenter une chose impossible. Il se renfonça donc d'un pas ou deux dans le bois pour être moins en vue et pour voir mieux. Mais quel étonnement fut le sien lorsque, cette femme, qui était à demi couchée, se levant aussi bien que celle sur qui elle s'appuyait, il vit que la première était Mandane et que l'autre était Martésie [1]. À peine les eut-il vues que, les voulant montrer à Ligdamis, qui était demeuré quelques pas derrière, il se tourna vers lui et l'appela plusieurs fois. Mais, comme il l'eut fait approcher pour les lui montrer, il ne les vit plus et, par conséquent, ne put les lui faire voir.

Cette prodigieuse aventure l'étonna de telle sorte qu'il ne s'osait croire lui-même. Il s'approcha alors autant qu'il put de ce torrent pour regarder le même endroit où il croyait avoir vu Mandane, mais il n'y vit rien du tout. Cependant il jugeait bien que, durant qu'il avait tourné la tête pour appeler Ligdamis, elle ne pouvait pas avoir gagné un chemin creux qui était vers le pied de la montagne. Ainsi, ne sachant si c'était une apparition ou une rêverie, il demeurait sans parler. Sa raison démentait pourtant ses yeux et lui persuadait que ce ne pouvait être Mandane qu'il avait vue. Toutefois cette image avait fait une si forte impression dans son esprit qu'après avoir dit à Ligdamis ce qu'il avait vu, il lui demanda par où on pourrait traverser ce torrent. Mais Ligdamis lui répondit qu'il fallait retourner sur leurs pas et qu'ils avaient quitté une route, dans le bois, qui les eût menés à cette prairie s'ils l'eussent prise. Après cela, il lui dit qu'il le fallait donc faire et qu'absolument il voulait du moins voir de plus près le lieu où il avait eu une si belle apparition.

---

1. Autre suivante de Mandane. On la retrouve tout au long du roman, où elle joue souvent le rôle d'intermédiaire entre Cyrus et la princesse. Elle tiendra un petit salon à Sinope, au sein duquel sera racontée l'« Histoire des amants infortunés » reproduite dans ce volume.

Ligdamis représenta alors à Cyrus tout ce qu'il put
pour l'en empêcher, lui semblant que c'était une peine
bien inutile que celle qu'il voulait prendre, mais il
fallut enfin qu'il le menât où il voulait aller.

Et en effet, Ligdamis le conduisit par un lieu où le
torrent, s'épanchant, n'avait presque point de profondeur, de sorte que, le passant facilement, ils furent en
diligence dans cette prairie, de peur que la nuit ne les
surprît tout à fait devant* qu'ils y fussent. Ils eurent
pourtant encore assez de jour pour y arriver. Ils n'y
furent pas si tôt que Cyrus, allant droit où il avait vu
Mandane, vit en effet que l'herbe était foulée en ce
lieu-là, qu'il paraissait qu'on s'y était assis et qu'il y
avait même un petit sentier nouvellement frayé dans
cette prairie ; car, partout ailleurs, on voyait toutes les
fleurs et toutes les herbes, avec cette fraîcheur que leur
donne la rosée pendant les soirs d'été, mais, en cet
endroit, elles étaient à demi penchées et marquaient si
visiblement qu'on y avait marché qu'on n'en pouvait
pas douter. Aussi l'illustre Cyrus était-il si surpris de
ce qu'il avait vu et de ce qu'il voyait qu'il en pensa*
perdre la raison. Pour Ligdamis, il était persuadé que
le hasard avait fait que cette herbe se trouvait foulée au
même lieu où Cyrus disait avoir eu cette apparition et
il croyait, de plus, que ce que ce prince pensait avoir
vu était un pur effet de la force de son imagination et
de son amour tout ensemble. Si bien que, voyant que
la nuit tombait tout d'un coup, qu'il y avait encore
assez loin jusqu'à la première habitation et que leurs
chevaux n'en pouvaient plus, il força Cyrus de marcher et de quitter un lieu où il avait vu ou Mandane ou
un fantôme qui lui ressemblait, car il ne pouvait déterminer lequel des deux il devait croire.

Mais, en se résolvant de marcher, ce fut du moins
par ce petit sentier qu'il voyait nouvellement fait. Bien
est-il vrai qu'au sortir de la prairie la nuit fut si noire
qu'il n'y eut plus moyen de remarquer nulle trace ni
de gens ni de chevaux, et il fallut qu'il se laissât
conduire par Ligdamis. Ce fut alors que, marchant
dans l'obscurité, il rappela en sa mémoire le songe

qu'il avait fait il y avait déjà quelque temps et qui lui avait fait voir Mandane dans une prairie, et Mandane disparaître un moment après [1]. La conformité qu'il y avait entre ce songe et ce qui lui venait d'arriver augmentait encore son étonnement, de sorte que, sans savoir s'il le devait considérer comme un avertissement de ce qui lui était advenu, ou s'il devait regarder l'apparition qu'il avait eue comme le songe d'un homme éveillé [2], il avait l'âme bien en peine. Après, rappelant encore en son souvenir toute cette longue suite de malheurs qui lui étaient arrivés depuis qu'il était parti de Persépolis à l'âge de seize ans, et considérant qu'il n'en avait encore que vingt-quatre, il trouvait que s'il avait à continuer de vivre et d'être malheureux, il fallait donc que les dieux inventassent de nouvelles infortunes, n'y en ayant aucune qu'il n'eût éprouvée. Il est vrai que, du côté de la gloire et de la guerre, il avait été fort heureux ; mais, comme toutes ses victoires avaient été inutiles à sa princesse, il les mettait plutôt au nombre de ses disgrâces* qu'à celui de ses bonnes fortunes.

Cependant, durant que Cyrus s'entretenait d'une si triste manière, il avançait insensiblement, ne faisant autre chose que suivre Ligdamis qui marchait devant. Mais enfin, étant arrivés à une maison qui était séparée de cent pas seulement d'un hameau qui était au pied d'une colline, Cyrus descendit de cheval et, sans s'informer s'il serait bien ou mal logé, il entra dans une petite chambre qu'on lui donna, Ligdamis prenant tous les soins qu'il fallait pour faire que Cyrus passât la nuit en ce lieu-là avec le moins d'incommodité qu'il pourrait. Mais, comme ce prince voulait en partir à la première pointe du jour, il s'opposait à l'empressement de Ligdamis autant qu'il lui était possible, ne se souciant guère de faire un mauvais repas ni de mal coucher. Et certes, il fut à propos qu'il ne s'en

---

1. On trouve la description de ce songe dans les dernières pages de la Partie VI, Livre 1 [p. 3779-3780].
2. Voir p. 55, note 1.

souciât point, car, comme le maître de la maison où il était logé n'y était pas et qu'il n'y avait qu'une femme et un fils qu'elle avait, il n'eût pas été aisé qu'il eût été bien, et il eût été d'autant plus difficile, que Ligdamis ne voulut point que cette femme allât au hameau, où il n'avait pas voulu par prudence mener Cyrus. Car enfin il appréhendait que, s'il était connu pour le vainqueur de Crésus et pour celui qui le tenait prisonnier, il ne se trouvât quelques-uns des sujets de ce malheureux roi qui arrêtassent Cyrus. C'est pourquoi il aima mieux que ce prince fût incommodé que de l'exposer à ce péril.

Cependant cette pauvre femme chez qui ils étaient leur en faisait mille excuses, leur disant que si son mari y eût été, elle les eût mieux reçus. Cyrus, qui ne manquait pas de s'informer toujours de Mandane, lui demanda si elle n'avait point vu passer de femmes de qualité à cheval ce jour-là, accompagnées d'un homme qu'il lui dépeignait tel qu'était le roi de Pont. Mais elle lui répondit que non, de sorte que Cyrus et Ligdamis, après avoir fait un léger repas et s'être entretenus durant assez longtemps de la passion qui régnait dans leur âme, donnèrent enfin quelques heures au repos. Cyrus s'éveilla pourtant devant le jour, qu'il attendit avec beaucoup d'impatience. Aussi ne le vit-il pas plus tôt paraître qu'il se prépara à partir. Mais, comme il était prêt de [1] monter à cheval, il se trouva que le maître de cette petite maison, étant revenu la nuit, le vint saluer et l'assurer qu'il était bien fâché de n'avoir pas été chez lui pour le mieux rece-voir que sa femme n'avait fait, ce pauvre homme lui disant autant de choses pour se justifier de ne s'y être pas trouvé que s'il eût pu deviner qu'il y viendrait et qu'il eût été obligé d'y être.

« Ce n'est pas, seigneur, lui dit-il, que je me doive repentir de ce que j'ai fait, car je vous assure que j'ai assisté une dame bien affligée. – Une dame ! reprit Cyrus avec précipitation. – Oui, seigneur, poursuivit-

---

1. La langue du XVIIᵉ siècle tolère les deux constructions *prêt de* et *prêt à*, suivies de l'indicatif.

il, et je l'ai laissée à vingt stades d'ici, à un village où j'ai demeuré autrefois. » Cyrus, entendant parler cet homme de cette sorte, le pressa de lui dire où il avait trouvé cette dame, comment elle était faite et quelle affliction elle avait. – Pour l'affliction qu'elle a, reprit-il, je ne la sais pas bien ; mais je sais qu'elle est belle, qu'elle pleure fort et qu'un homme qui est auprès d'elle est fort occupé à la consoler. – Mais où l'as-tu trouvée ? reprit Cyrus. – Je la trouvai hier, répliqua cet homme, un peu devant* que le soleil fût couché, comme je revenais d'un lieu où j'avais eu à faire, et je sus, par ce que je lui entendis dire, qu'allant à cheval le long d'un torrent qui est entre un bois et une prairie, son cheval avait bronché, qu'elle était tombée dans ce torrent, qu'elle avait pensé* être noyée et qu'elle s'était tellement blessée à une jambe qu'elle ne pouvait ni se soutenir, ni souffrir l'agitation du cheval. De sorte qu'arrivant en cet endroit, comme elle était en cet état, je m'offris à l'assister, et cet homme qui l'accompagnait, me prenant au mot, me pria de le mener en quelque lieu où cette dame pût être secourue ; et en effet, je l'ai conduite à ce village où je vous ai dit que je l'ai laissée, ayant eu toutes les peines du monde à arriver jusque-là, cet homme ayant été contraint de la prendre entre ses bras et de me donner le cheval sur quoi elle était lorsqu'elle était tombée dans le torrent. »

Cyrus n'eut pas plus tôt ouï ce qu'il lui disait qu'il le pria avec précipitation de le mener où était cette dame, sans savoir s'il devait croire que ce fût Mandane. Mais cet homme, ne sachant s'il ne ferait point mal de lui obéir, voyant qu'il en témoignait tant d'empressement, fit quelque difficulté. Néanmoins, à la fin, Cyrus lui promit tant de le récompenser qu'il se mit en état de le conduire où il voulait aller. Et, en effet, il le mena au lieu où était celle qu'il avait assistée et le mena même dans la chambre où elle était, sans l'en faire avertir, car, comme ceux chez qui elle était logée étaient de sa connaissance, ils ne s'opposèrent point à son dessein. Cyrus leur demanda pourtant, devant* que de la voir, si elle était fort blessée, mais ils lui répondirent qu'elle

l'était bien moins qu'elle ne l'avait cru lorsqu'elle était
tombée, pour ce que* le chirurgien avait trouvé qu'elle
n'avait pas la jambe rompue et qu'elle n'avait été que
démise, et qu'ainsi il assurait que ce ne serait rien,
pourvu qu'elle fût quelques jours sans marcher.

Après cela, Cyrus, entrant dans la chambre de cette
dame, connut que c'était Arianite. Il ne l'eut pas plus
tôt vue qu'allant droit à elle (voyant qu'il ne pouvait
être entendu que de Ligdamis qui l'avait suivi) : « Ah,
ma chère Arianite, lui dit-il, qu'avez-vous fait de ma
princesse ? – Seigneur, lui répondit-elle, bien étonnée
de le voir, je l'ai abandonnée malgré moi, à cause d'un
accident qui m'est arrivé, et je n'ai pas été si heureuse
que Martésie, qui est allée avec elle. – Mais où est
elle ? reprit Cyrus, et en quel lieu de la terre le roi de
Pont la mène-t-il ? peut-il être loin ? et ne pouvez-
vous pas m'enseigner par où je le dois suivre ? – Hélas,
seigneur, répliqua-t-elle, vous me demandez bien des
choses où je ne vous puis répondre ! car je ne sais où
va le roi de Pont, je ne sais quel chemin il tient et je
sais seulement que je le quittai hier au soir, comme le
soleil se couchait. Je sais encore qu'il devait marcher
toute la nuit et je sais, de plus, qu'il est fort difficile
que vous le puissiez suivre, non seulement parce qu'il
est fort loin devant vous, mais encore parce qu'il
voyage sans être vu.

– Vous me dites tant de choses fâcheuses, reprit
Cyrus, que je crois que ma raison, en étant troublée,
fait que je n'entends pas bien la dernière que vous
venez de me dire. – Je ne vous dis pourtant rien qui ne
soit vrai, répliqua-t-elle ; c'est pourquoi, seigneur,
comme vous ne pouvez suivre le roi de Pont sans
savoir auparavant de quelle manière il s'en va, il faut
que vous vous donniez la patience que je vous
l'apprenne. – Je voudrais bien, reprit-il, vous demander comment le roi de Pont est parti de Sardis, s'il a
enlevé ma princesse ou si elle l'a suivi, si je la vis hier
en un milieu d'une prairie avec Martésie, comme je l'y
crus voir, et si elle a de la haine pour moi ? Je voudrais
même encore vous demander comment vous vous

portez de votre chute, je voudrais vous faire porter en un lieu plus commode, mais, plus que tout cela, je voudrais suivre Mandane et l'ôter à l'injuste rival qui me l'enlève. – Vous ne pouvez pourtant, seigneur, reprit Arianite, la suivre avec succès, si vous ne savez ce que je sais. – Dites-le-moi donc promptement, je vous en conjure, ajouta cet amoureux prince. »

Ligdamis voulut alors se retirer à l'autre côté de la chambre, mais Cyrus, le retenant obligeamment, voulut qu'il entendît ce qu'Arianite avait à lui dire. Si bien qu'après avoir fait fermer la porte et avoir donné commission à une femme, qu'on envoya auprès d'Arianite pour la servir, d'empêcher que personne n'entrât, Cyrus, s'étant assis au chevet de son lit, se mit à la presser de lui dire tout ce qu'elle savait de Mandane. « Je pourrais sans doute*, seigneur, répliqua-t-elle, vous apprendre beaucoup de particularités de la princesse que j'ai l'honneur de servir, que vous seriez bien aise de savoir ; mais, en l'état où sont les choses, il faut ne vous dire que ce qui est nécessaire que vous sachiez présentement. Je ne m'amuserai* donc point à vous apprendre tout ce que vous saurez un jour avec plus de loisir, mais je vous dirai, afin que vous ajoutiez plus de foi à mes paroles et que vous n'ignoriez pas par quelle voie je sus les plus secrets sentiments du roi de Pont, qu'un homme de qualité qui est à lui, et qui est sans doute fort innocent de l'injustice du roi son maître, ayant eu quelque compassion des malheurs de la princesse Mandane, s'est tellement accoutumé à la plaindre en parlant à moi que, lui en sachant quelque gré, je me suis aussi accoutumée à lui parler avec beaucoup de civilité, et je puis vous assurer que ç'a été par son moyen que nous avons reçu cent mille petits soulagements dans notre prison. Mais enfin, seigneur, sans prendre un si long détour, je vous dirai que je pense que de la compassion il a passé à l'amitié, et que j'ai quelque crédit sur son esprit ; aussi est-ce par lui que j'ai su par quelle voie votre rival a pu vous ôter le fruit de votre victoire, en vous enlevant Mandane.

Vous saurez donc que, dès que le roi de Pont vit que vous vous résolviez de prendre Sardis par la faim, voyant que vous ne le pouviez prendre par force, il crut qu'il était perdu, quoiqu'il ne le témoignât qu'à Pactias seulement et à celui qui me l'apprit hier, et qui s'appelle Timonide. Voyant donc que les lignes [1] étaient commencées, il connut que, si une fois elles étaient achevées, il ne lui serait pas possible de sortir de Sardis et d'avoir recours à la fuite, de sorte qu'il entra en un désespoir sans égal. Timonide m'a dit que ce prince fit alors ses derniers efforts contre lui-même pour vaincre sa passion, mais qu'il n'y eut pas moyen et que ce qui l'en empêcha fut qu'il espéra que la jalousie qu'il avait mise dans le cœur de la princesse, et dont elle vous donna des marques par une lettre, à ce que je lui ai un jour entendu dire en parlant à Martésie, serait peut-être une disposition favorable pour lui. Cependant il ne pouvait comment concevoir qu'il fût possible [2] de sortir de Sardis et d'en faire sortir Mandane. Mais, quoiqu'il crût presque absolument que cela était impossible, il ne laissait pas d'en chercher continuellement les voies et d'en parler toujours avec Pactias qui, s'étant lié très étroitement aux intérêts de ce prince, songeait bien plus à le satisfaire qu'à bien servir Crésus, dont il était mécontent.

Pactias voyant donc le roi de Pont en cette peine, le fut trouver un matin et lui dire qu'il avait imaginé les voies de faire sortir Mandane de Sardis. D'abord ce prince, transporté de joie, l'embrassa, puis, un moment après, ne croyant pas que cela fût possible, il

---

1. « En termes de guerre, se dit de la disposition d'une armée rangée en bataille » (Furetière).
2. Comprendre : « il ne pouvait concevoir comment il était possible… ». Formulation atypique, dont nous n'avons trouvé aucun équivalent dans les dictionnaires et grammaires de l'époque. Elle provient vraisemblablement d'un amalgame entre la construction « il ne pouvait concevoir que » et l'expression « pouvoir comment », dans le sens de « savoir comment » (cet usage de « savoir » dans le sens de « pouvoir » est rare, mais attesté, y compris dans Le Grand Cyrus ; voir Glossaire).

n'osait quasi lui demander quelle était cette voie qu'il avait imaginée. Mais, à la fin, Pactias prenant la parole : "Seigneur, lui dit-il, je ne pense pas que vous puissiez ignorer la merveilleuse vertu de cette pierre qui s'appelle héliotrope [1] et que vous n'ayez point su que le fameux anneau de Gygès, dont on a tant parlé par tout le monde et qui, en le rendant invisible, lui fit gagner une couronne, a toujours été conservé fort soigneusement dans la famille royale de Lydie, et que le prince Mexaris, frère de Crésus, l'avait eu du roi son père. Il me semble même avoir ouï dire qu'on vous raconta un jour une plaisante chose qu'avait causé cette bague, une fois que Mexaris donnait collation à Panthée [2], du temps qu'il en était amoureux et qu'Abradate était son rival. C'est pourquoi je ne m'amuserai* point à vous redire qu'il sort un certain éclat de cette pierre, qui éblouit ou qui forme une espèce de nuage qui enveloppe la personne qui la rend invisible, mais je vous assurerai qu'elle n'a jamais manqué de produire cet effet extraordinaire. Or, seigneur, il faut que vous sachiez que, lorsque Mexaris mourut, il était hors de Sardis et fort mal avec le roi son frère, à cause qu'il avait voulu enlever la princesse

---

1. « Les romanistes [*i.e.* romanciers] ont feint qu'elle avait la vertu de rendre invisible ceux qui la portaient, ainsi qu'on dit de l'anneau de Gygès » (Furetière). De fait, l'histoire de l'anneau de Gygès, contée dans *La République* de Platon (359b-360d), ne fait aucune mention d'une « pierre héliotrope » qu'enchâsserait la bague et qui serait à l'origine de la vertu de celle-ci. Il s'agit d'une invention moderne, mêlant le merveilleux d'une légende antique et celui de croyances ésotériques.

2. Panthée est une héroïne dont le destin, relaté par Xénophon (*Cyropédie*, Livres V-VII), était demeuré célèbre. Son suicide, en particulier, fera l'objet de plusieurs tragédies et d'un récit dans *Le Grand Cyrus* [Partie VI, Livre 1, « Funérailles d'Abradate et suicide de Panthée »]. Dans l'« Histoire d'Abradate et de Panthée », un passage est consacré à la pierre héliotrope [Partie V, Livre 1, p. 2796-2800] : Mexaris, richissime soupirant de Panthée, est en possession de l'anneau de Gygès, qu'il fait essayer aux visiteurs de son trésor, ce qui donne lieu à des situations plaisantes. Cyrus et ses amis, auditeurs de cette histoire, échangent des vues sur l'origine des vertus de cette pierre, en les comparant à celles de l'aimant.

de Clasomène ; de sorte que, comme la nouvelle de sa mort fut plus tôt sue de ses domestiques que du roi, ils volèrent la plus grande partie de ses trésors, devant* qu'on y pût donner ordre. Mais, entre les autres choses qu'ils prirent, cette fameuse bague de Gygès fut dérobée. On fit alors une étrange* recherche pour découvrir qui avait fait ce vol, Crésus regrettant plus cette bague que tout le reste qu'on avait pris, mais on n'en eut point de nouvelles. Cependant il est arrivé qu'un des officiers de ce prince, s'étant attaché à me voir, m'obligea à lui donner charge dans cette citadelle, où il est mort de maladie ce matin. Mais, en mourant, il m'a fait appeler et m'a appris qu'il avait été complice du vol qui avait été fait après la mort de Mexaris, ajoutant que, n'en ayant plus que cette bague de Gygès entre les mains, il la remettait entre les miennes. Je ne sais s'il voulait dire qu'il me la laissait pour la rendre au roi ou pour me la donner, car il a perdu la parole et il est mort une heure après. Quoi qu'il en soit, seigneur, j'ai la bague et elle fait son effet si admirablement que je crois que vous en devez beaucoup attendre."

D'abord le roi de Pont eut une joie extrême de ce que Pactias lui disait, ne lui laissant point de repos qu*'il ne lui eût montré cette bague. Mais, lorsqu'il eut considéré la chose de plus près, il connut que cela ne suffisait pas encore, car la vertu de cette pierre ne s'étend qu'un pas au-delà de celui qui la porte. Ainsi, quand il eût imaginé les voies de la faire porter à Mandane, cela n'eût pas encore été assez pour le cacher, de sorte qu'il fut presque plus affligé qu'il n'était auparavant. Il se mit donc à rêver* profondément, pour tâcher de trouver les voies de se servir d'une chose qui d'abord lui avait semblé pouvoir lui être si utile et, comme l'amour est une passion qui subtilise l'esprit et qui donne un nouveau feu à l'imagination la plus vive, il ne fut pas longtemps sans trouver celle qu'il cherchait. Il pensa donc que, comme une pierre d'aimant, divisée en plusieurs parties, conserve en chaque partie la vertu qu'elle a d'attirer le fer, et que l'ambre conserve aussi la qualité que la nature lui a donnée, quoiqu'on le partage, que, de même, la pierre de cette bague, étant partagée, pourrait conserver sa vertu tout entière en chaque partie et qu'ainsi il pourrait trouver par ce moyen les voies de se rendre invisible aussi bien que Mandane.

Il n'eut pas plus tôt eu cette pensée qu'il la communiqua à Pactias qui, trouvant la chose admirablement bien imaginée, ne douta nullement que l'héliotrope ne fît ce que faisait l'aimant, trouvant même qu'il était assez croyable qu'une pierre, qui avait une qualité aussi merveilleuse que celle-là et aussi puissante, l'aurait presque également en toutes ses parties, et qu'ainsi il n'y aurait rien à hasarder. Il ajoutait encore, pour fortifier sa croyance, que toutes les choses inanimées qui sont en la nature, soit parmi les pierres, ou parmi les métaux, conservent leurs qualités, quoiqu'on les divise, qu'ainsi il n'y avait point à balancer et qu'il fallait partager cette merveilleuse héliotrope. "Mais, en la partageant simplement en deux, reprit le roi de Pont, il faudrait vous laisser ici et il faudrait y laisser Martésie et Arianite. Cependant je suis assuré que, si vous demeuriez à Sardis après ma fuite, Crésus ferait ce qu'il pourrait pour vous perdre, et je sais, de plus, que j'aurais plus de peine à enlever Mandane toute seule qu'à l'enlever avec Martésie et avec Arianite. – Néanmoins, dit Pactias, je ne crois pas que vous deviez entreprendre de diviser cette pierre en tant de parties. Pour ce qui me regarde, ajouta-t-il, il ne faut pas que vous vous en mettiez en peine : je me sauverai déguisé, à la première sortie qu'on fera et, en attendant, je demeurerai caché dans Sardis, n'osant pas me fier à tous les soldats de la citadelle, en la conjoncture où sont les choses. Et pour les filles de la princesse, poursuivit-il, nous les enfermerons, jusqu'à ce que vous soyez assez loin pour ne devoir plus craindre d'être suivi."

Quoique ce dessein ne fût pas encore trop bien examiné et que le roi de Pont y vît encore beaucoup de difficultés qui lui paraissaient invincibles, il ne laissa

pas d'agir comme s'il eût été tout à fait résolu de l'exécuter, espérant qu'avec le temps il trouverait les
moyens de surmonter tous les obstacles qu'il y voyait.
Pactias fit donc venir un ouvrier tel qu'il le fallait pour
partager cette héliotrope et pour la remettre en œuvre
quand elle aurait été partagée. Mais, pour le faire travailler sûrement, sans craindre qu'il allât redire ce qu'il
aurait fait, devant* que de se confier entièrement à lui,
on lui fit apporter toutes les choses dont il avait besoin
pour le travail à quoi on le voulait employer, sans lui
dire précisément ce que c'était. De sorte que ce fut
dans une chambre de la citadelle, où on l'enferma,
qu'il fit ce que le roi de Pont et Pactias voulaient qu'il
fît. Mais, seigneur, comme cet homme voulut partager
cette pierre, dont il ne connaissait pas la nature et qui
était extraordinairement grande pour une bague, au
lieu de le faire comme il voulait et comme le voulait le
roi de Pont, c'est-à-dire de la diviser seulement en
deux, elle s'éclata tout d'un coup et se mit en six
pièces de différentes grandeurs. Le roi de Pont, qui
avait voulu être présent, voyant cet accident et craignant, malgré tout le raisonnement qu'il avait fait, que
cette pierre, divisée en tant de morceaux, n'eût perdu
la plus grande partie de sa vertu et qu'elle ne lui fût
inutile, en eut une douleur étrange* et dit tant de
choses fâcheuses à celui qui l'avait rompue qu'il fut
très longtemps à le quereller sans oser s'éclaircir si sa
crainte était bien ou mal fondée.

Mais, à la fin, en ayant fait l'épreuve, il trouva que
cette pierre divisée avait conservé sa vertu presque
tout entière en chacune de ses parties, de sorte que,
changeant de sentiments, il remercia celui dont il
s'était plaint, car, par ce moyen, il vit beaucoup plus
de facilité à enlever Mandane que lorsque cette pierre
ne devait être mise qu'en deux pièces seulement.
Après avoir donc bien envisagé la chose, il crut que ce
dessein, qu'il avait jugé impossible, n'était plus simplement que difficile. Cependant, devant que de faire
mettre ces pierres en œuvre, il examina comment il
pourrait faire pour obliger Mandane à en porter une

et pour faire aussi que Martésie et moi fissions la même chose. Car il crut bien que, quelque jalousie qu'eût cette princesse, il ne l'obligerait jamais à servir elle-même à son enlèvement. Considérant donc ce qu'il pouvait faire, il pensa que, puisqu'il fallait que cette pierre, pour faire son effet, fût tournée vers la personne qui la portait, il ne pouvait mieux faire réussir son dessein qu'en trouvant invention de la faire attacher à l'arçon de la selle du cheval que Mandane devait monter, parce que, de cette façon, la pierre serait tournée vers elle et serait presque aussi près de son visage et de toute sa personne que si elle l'eût portée en bague. Si bien que, ne croyant pas possible de pouvoir rien imaginer de mieux, il commanda à celui qui devait mettre ces pierres en œuvre d'en enchâsser trois dans de l'argent seulement, et que ce fût de façon qu'on pût les mettre et les ôter quand on voudrait du lieu où il lui fit entendre qu'il voulait qu'on les mît ; et que, pour les trois autres, il voulait qu'elles fussent en bague. De sorte que cet homme, se mettant à rêver* sur la proposition qu'on lui avait faite, il s'imagina une chose telle que le roi de Pont la voulait ; car il fit un petit cercle d'argent, de la grandeur qu'il le fallait pour enclore le bas de cette pomme qui forme l'arçon d'une selle, enchâssant cette pierre au milieu de ce cercle comme si c'eût été une tête de clou, et y en enchâssant plusieurs autres qui n'avaient nulle vertu, afin que cela parût un simple ornement – ce petit cercle, se fermant à vis et s'ôtant quand on voulait, étant même fait avec tant d'art que l'héliotrope se devait toujours trouver tournée vers la personne qui serait sur le cheval où serait la selle où on l'aurait attachée.

Cette invention sembla si bonne au roi de Pont qu'il pressa étrangement* celui qui l'avait trouvée d'exécuter ce qu'il avait si bien pensé ; et, en effet, il le fit aussi adroitement qu'il l'avait imaginé. Mais, durant qu'il travaillait, le roi de Pont fit deux choses en même temps : l'une, de tâcher d'augmenter la jalousie de la princesse, et l'autre, de ne laisser pas de songer à

prendre autant de précautions pour sortir de Sardis
que s'il n'eût point eu cette merveilleuse pierre, s'imaginant, en cas que sa vertu manquât tout d'un coup,
qu'il ne s'y devait pas fier absolument et qu'il ne devait
pas laisser d'agir comme s'il ne l'eût point eue. Pour
faire donc ces deux choses tout à la fois, après que ces
dames, à qui vous permîtes de sortir de Sardis, à la
prière de la princesse Araminte, en furent effectivement sorties…

– Ah Arianite ! interrompit Cyrus, ce n'a point été à
la prière de la princesse Araminte que j'ai laissé sortir
ces dames, mais à celle d'une de leurs parentes,
nommée Doralise, qui était auprès de la feue reine de
la Susiane [1]. – Cependant, seigneur, reprit Arianite,
Mandane n'a pas laissé de le croire et de vous accuser
de peu d'affection pour elle, de leur avoir donné la
liberté de sortir de Sardis, et de trop d'affection pour
Araminte. Mais de grâce, seigneur, donnez-vous la
patience de m'écouter. Sachez donc, poursuivit-elle,
qu'après que ces dames furent sorties, le roi de Pont
fit si bien que le lendemain il obligea un des gardes de
la princesse de nous conter, comme une nouvelle
qu'on avait sue par quelques prisonniers qu'on avait
faits, que vous les aviez reçues avec des civilités extraordinaires, que vous les aviez envoyées à la princesse
Araminte, leur faisant rendre tous les honneurs imaginables à sa considération, ajoutant que présentement
cette princesse disposait de toutes les charges de
l'armée, que c'était à elle qu'on s'adressait pour en
obtenir de vous, lorsqu'il y avait quelque officier tué,
qu'elle faisait délivrer d'entre les prisonniers qui bon
lui semblait et qu'enfin vous en étiez si amoureux que
tout le monde en était étonné, disant encore que beau-

---

1. La feue reine de la Susiane est Panthée. Cyrus interrompt le
récit d'Arianite, parce qu'il découvre dans son propos l'origine
d'une des méprises qui ont amené Mandane à croire qu'il était
amoureux d'Araminte et à développer un sentiment de jalousie.
L'épisode de cette sortie des dames lors du siège de Sardis a été
relaté dans un livre précédent [Partie VI, Livre 3, « Siège de
Sardis »].

coup vous en blâmaient. Vous pouvez bien juger que
Martésie et moi ne nous fussions pas avisées d'aller
dire cela à la princesse, quand même nous l'aurions
cru, ce que nous n'aurions pourtant jamais fait. Mais
celui qui nous parlait ainsi prit son temps de nous dire
la chose, durant que la princesse était dans le petit
cabinet qu'on lui avait fait dans sa chambre par un
retranchement qui n'avait point d'épaisseur, de sorte
que, nous disant cela fort haut, elle l'entendit et en eut
toute la douleur, toute la colère, dont elle put être
capable. Ce qui lui rendit encore la chose plus vraisemblable fut que le roi de Pont ne lui en parla point
ou, s'il lui en dit quelque chose, ce fut seulement en
passant, de sorte que, lui sachant bon gré de sa discrétion, elle en fut encore plus irritée contre vous.
   – Ah Arianite, s'écria Cyrus, que m'allez-vous
apprendre ! – Croyez, seigneur, poursuivit-elle, que je
ne vous apprendrai pas que la princesse aime le roi de
Pont ; mais il est vrai que, sans être peu sincère, je ne
puis pas vous dire qu'elle ne se plaigne point de vous.
– Elle s'en plaint avec tant d'injustice, reprit ce prince
affligé, que j'appréhende que les dieux, pour la punir,
ne m'empêchent de la délivrer ; mais, de grâce, Arianite, achevez de me dire tout ce qu'il faut que je sache.
– Je vous dirai donc, seigneur, poursuivit-elle, que
Mandane, ayant l'esprit aussi irrité qu'une personne
qui a le cœur aussi grand qu'elle le devait avoir, dans
la croyance où elle était que vous étiez infidèle, elle se
mit dans la fantaisie un dessein fort surprenant, quoi
que Martésie lui pût dire et sans en parler même à la
princesse Palmis, à qui elle ne voulut pas montrer
toute sa jalousie. Enfin, seigneur, vous le dirai-je ?
après que Mandane eut passé une nuit tout entière
sans dormir, qu'elle vous eut accusé mille et mille fois
d'ingratitude et d'inconstance, qu'elle se fut promis à
elle-même de n'aimer jamais rien, qu'elle se fut résolue de faire tout ce qu'elle pourrait pour ne vous aimer
plus ou pour vous aimer moins, elle nous dit des
choses, à Martésie et à moi, capables de toucher l'âme
la plus dure, et qui vous doivent donner plus de satis-

faction que de douleur, parce qu'elles sont une
marque de l'affection de la princesse. – Quoique cette
satisfaction, reprit-il, ne soit pas sans amertume,
dites-moi donc tout ce que dit Mandane, je vous en
conjure, car je respecte si fort ma princesse que même
les injures qu'elle m'a dites ne me feront pas murmurer* contre elle. – Hélas, seigneur, reprit Arianite,
si je vous disais tout ce que dit la princesse, je n'achè-
verais d'aujourd'hui ! car je puis vous assurer qu'elle
dit plus de choses ce jour-là en un quart d'heure
qu'elle n'a accoutumé d'en dire en deux heures.

"Non, non, disait-elle à Martésie, qui voulait la
supplier d'attendre à juger de vous après la prise de
Sardis, ne me proposez point le jour de la victoire de
Cyrus comme celui de ma liberté. Je veux bien qu'il
vainque, disait-elle, car je ne le hais pas encore assez
pour désirer qu'il soit vaincu, mais je ne veux pas qu'il
me délivre et je regarde aujourd'hui la liberté qu'il me
donnerait comme la chose du monde qui me causerait
la plus sensible douleur si elle arrivait. Mais, dieux,
ajoutait-elle, est-il bien possible qu'une personne de
ma condition ne puisse suborner ses gardes, en l'état
où sont les choses ? Car enfin, si les affaires de Crésus
sont en mauvais termes, celles du roi de Pont sont
encore plus mal. Pourquoi donc ne serait-il pas possible que l'espérance d'être récompensés magnifiquement par le roi des Mèdes portât quelques-uns de mes
gardes à me donner la liberté ? Tout à bon, ajoutait-
elle, je croirai que vous manquez d'adresse ou d'affection, si vous ne le faites, ou du moins si vous ne le
tentez. Il est si ordinaire, reprit-elle, de voir changer
les hommes avec la fortune que je ne doute point que,
si vous me teniez bien, vous ne veniez à bout d'une
chose qui me donnerait une joie que je ne vous puis
exprimer. Imaginez-vous, mes chères filles, nous
disait-elle, quel plaisir je recevrais, si je pouvais
trouver les voies de sortir de la puissance du roi de
Pont, de ne devoir point ma liberté à Cyrus et de pouvoir alors lui reprocher son inconstance, sans lui avoir
une nouvelle obligation. Encore une fois, songez, je

vous en conjure, quel serait le service que vous me
rendriez et la reconnaissance que j'en aurais.

– Mais, madame, lui dit Martésie, quand il serait
possible qu'Arianite et moi puissions suborner vos
gardes, comment concevez-vous qu'ils pussent vous
sauver ? Ne considérez-vous point qu'il ne suffirait
pas de vous faire sortir de Sardis et qu'il faudrait
échapper encore à ceux qui l'assiègent, sur qui ces
gardes n'ont point de pouvoir ? – Ah Martésie,
s'écria-t-elle, ne me faites point cette objection ! vous
assurant que, pourvu que je sois hors de Sardis, je
trouverai peut-être bien les voies d'échapper également, et au roi de Pont et à Cyrus ; principalement si
on m'en pouvait faire sortir par un endroit où les
Mèdes fussent de garde, car, après tout, je ne pense
pas que les sujets du roi mon père pussent me désobéir, ni me refuser de me remener à Ecbatane [1], au
lieu de me mener à Cyrus. Joint que, quand même ils
ne le voudraient pas faire et qu'ils me conduiraient
vers cet infidèle, je lui aurais toujours ôté l'avantage de
m'avoir délivrée et de me rendre la liberté, au lieu du
cœur qu'il m'avait donné et qu'il m'ôte avec tant
d'injustice."

Enfin, seigneur, la princesse nous dit tant de choses
qu'elle nous persuada presque qu'en effet* nous avions
tort et qu'il n'était pas si difficile que nous pensions de
suborner ses gardes. Je m'offris alors de parler à
Timonide, sur qui je savais bien que j'avais quelque
crédit, mais elle me le défendit expressément, me
disant que c'était aux officiers de Pactias ou à Pactias
lui-même qu'il fallait proposer la chose, et non pas à
un homme qui était au roi de Pont. Elle nous donna
pouvoir de tout promettre pour elle, nous assurant
qu'elle tiendrait exactement tout ce que nous aurions
promis. Nous voulûmes encore la conjurer de ne vous
accuser pas si légèrement et d'attendre en repos la
liberté que vous lui donneriez infailliblement bientôt,

---

1. Ecbatane est la capitale de la Médie, siège du trône de
Cyaxare, père de Mandane.

mais, ne pouvant rien obtenir, nous nous résolûmes, Martésie et moi, de tenter la chose sans elle. Nous parlâmes donc dès le soir même à un des officiers de Pactias : nous lui représentâmes, après l'avoir fait tomber insensiblement sur le discours des malheurs de la princesse, que lui et ses compagnons étaient eux-mêmes bien malheureux, après avoir gardé Mandane avec tant de fidélité et tant de soin, de voir qu'ils n'en seraient jamais récompensés, puisque ceux de qui ils le devaient être allaient n'être plus que des esclaves de Cyrus. Ensuite, ajoutant encore d'autres raisons et joignant son intérêt à la pitié qu'il devait avoir d'une si grande princesse, nous lui proposâmes de la servir en subornant une partie de la garnison ou en persuadant à Pactias de délivrer Mandane, pour mettre sa fortune à couvert de l'orage qui allait faire périr Crésus. Cet homme, nous entendant parler ainsi, ne rejeta point entièrement la proposition que nous lui fîmes, quoi-qu'il ne l'acceptât pas, et nous crûmes que la difficulté qu'il en faisait n'était que pour tirer une plus grande récompense du service que nous voulions qu'il rendît à la princesse.

Ce n'était pourtant pas sa pensée et, s'il ne nous ôta pas l'espérance de le fléchir, ce fut qu'il eut peur que, s'il nous refusait absolument, nous ne fissions la même proposition à d'autres, qui l'écoutassent mieux que lui. Et pour vous montrer, seigneur, que ce fut là son raisonnement, vous saurez qu'il ne fut pas plus tôt hors d'avec nous qu'il fut avertir Pactias de ce que nous lui avions dit, de sorte que, croyant que cela faci-literait extrêmement le dessein qu'avait le roi de Pont d'enlever Mandane, il lui dit la chose, qui lui donna une joie inconcevable, ne doutant plus du tout qu'il n'enlevât facilement la princesse. Et ce qui faisait qu'il en doutait moins était qu'il venait de savoir que le Pac-tole était tellement abaissé qu'il était facile de le guéer à un endroit qui est fort près de la citadelle ; si bien que, voyant que le seul obstacle qu'il trouvait à son dessein, qui était celui de nous pouvoir mener par force sans que nous criassions, était surmonté, il ne songea plus qu'à exécuter promptement la chose, se résolvant toutefois d'attendre quelqu'une de ces nuits où il y aurait alarme du côté de la ville opposé à la citadelle, qui était celui où il y en avait le plus souvent, parce qu'étant le plus faible, c'était celui qu'on craignait le plus qui fût attaqué.

Cependant Pactias ordonna, à celui à qui nous avions parlé, d'agir avec nous comme un homme qui voulait en effet faire sa fortune en délivrant Mandane, et qu'il conduisît cette feinte négociation si adroitement que nous ne pussions soupçonner qu'il nous trompât. Et certes, il le fit si bien que nous crûmes, Martésie et moi, qu'en effet nous l'avions persuadé ; car enfin il nous dit tout ce que nous eût pu dire un homme qui eût eu quelque peine à trahir son maître et qui l'eût pourtant voulu faire par intérêt, en feignant que c'était par la compassion qu'il avait eue du malheur de la princesse. Aussi Martésie et moi y fûmes-nous tellement trompées que nous trompâmes Mandane sans en avoir le dessein. Il est vrai qu'elle ne le fut pas moins par les paroles de celui avec qui nous traitions que par les nôtres ; car, comme il nous dit, pour nous abuser* mieux, qu'il n'entreprendrait pas la chose sans avoir parlé à la princesse, nous fîmes qu'en effet il lui parla et qu'il acheva de conclure le traité que nous avions commencé avec lui. Ainsi, se chargeant de tout ce qu'il y avait à préparer, nous demeurâmes sans avoir rien à faire qu'à nous tenir toujours prêtes à partir, quand il nous en avertirait. Et afin de rendre la chose plus vraisemblable, il nous dit le changement qui était arrivé au fleuve, ajoutant que, sans cela, il n'aurait pu entreprendre de nous délivrer. Mais, comme la princesse jugeait qu'il fallait de nécessité qu'il fît quelque dépense pour exécuter son dessein, en attendant qu'elle fût en lieu pour le récompenser, elle lui donna une fort belle bague qu'elle avait, et qu'il prit de peur qu'elle n'entrât en soupçon s'il la refusait, de sorte que, depuis cela, nous demeurâmes avec beaucoup d'espérance.

La princesse avait alors un extrême regret de quitter la princesse Palmis, mais elle savait bien que, quand elle lui eût donné les voies de sortir de sa prison, elle ne l'eût pas voulu faire, par le seul respect qu'elle avait pour le roi son père qui l'y avait mise [1]. Joint aussi que, sachant qu'en l'état qu'était ce prince, Palmis devait souhaiter qu'elle demeurât en sa puissance, elle se résolut de ne la mettre pas dans la nécessité ou de trahir son amie ou de trahir le roi son père ; c'est pourquoi elle ne lui dit rien de son dessein, dont nous attendions l'exécution avec beaucoup d'impatience. Il est vrai que nous ne l'attendîmes pas longtemps, car, les pierres d'héliotrope étant mises en œuvre, le Pactole étant assez abaissé pour le pouvoir guéer, Pactias étant assuré d'un petit bateau pour le faire passer à la princesse, à Martésie et à moi, de peur de nous exposer à tomber dans la rivière si nous la passions à cheval, le roi de Pont ayant averti Timonide de se tenir prêt à le suivre, Pactias s'étant assuré de ceux qui nous devaient laisser sortir de la citadelle où il commandait et ayant donné ordre à toutes choses, il arriva que, deux heures après que nous fûmes couchées, nous entendîmes un si effroyable bruit dans la ville que la princesse, craignant qu'il n'y eût quelque sédition, et voulant se préparer à tout événement, voulut se relever et s'habiller en même temps.

Mais à peine le fut-elle que celui que nous croyions avoir suborné et de qui nous attendions notre liberté vint nous dire qu'il fallait, pour nous sauver plus facilement, se servir du désordre qui était par toute la ville pour une fausse alarme qu'il disait que Crésus avait fait donner exprès, de peur que l'ardeur des habitants ne se ralentît durant que les ennemis les laissaient en repos, faisant semblant de ne songer qu'à les prendre

---

1. Palmis, amante de Cléandre-Artamas, avait été jetée en prison par son père Crésus, après qu'elle eut essayé d'entrer en contact avec son amant, lui-même emprisonné [Partie IV, Livre 1, « Histoire de Palmis et de Cléandre : arrestation de Cléandre », puis « Palmis enfermée dans le temple de Diane »].

par la faim pour les surprendre peut-être après tout
d'un coup. Ce qui obligea cet homme à dire à la princesse que ce grand bruit qu'elle entendait n'était
qu'une fausse alarme, était que le roi de Pont, comme
je l'ai appris par Timonide, craignait que, si Mandane
eût su que Sardis était surpris, elle n'eût changé d'avis
et n'eût plus voulu en sortir, car il ne savait pas
jusqu'où allait sa jalousie, quoiqu'il en sût quelque
chose. Vous pouvez croire, seigneur, que la princesse
reçut la nouvelle de sa prétendue liberté avec beaucoup de joie, de sorte qu'ayant dit à celui qui la lui
donnait qu'elle était prête à partir, il nous quitta et
revint un quart d'heure après nous faire descendre par
un petit escalier, sans que nous vissions personne que
lui et deux de ses compagnons, jusqu'à ce que nous
fussions au corps de garde, où il y avait peu de soldats.

Car vous saurez, seigneur, que le roi de Pont, afin
de faire mieux réussir son dessein, ne voulut pas que
la princesse le vît, qu*'elle ne fût hors de Sardis et
hors du camp de Cyrus. C'est pourquoi, prenant une
des bagues qu'il avait fait faire, et en donnant une à
Pactias et une à Timonide, ils nous suivaient sans que
nous le sussions. Je ne m'amuserai* point à vous dire
quel étonnement fut celui de la princesse, lorsqu'elle
se vit hors de la citadelle avec ces trois hommes et
nous, et qu'elle entendit ce bruit effroyable qui était
dans toute la ville, car cela ne servirait de rien. Mais je
vous dirai que, faisant extrêmement sec, le chemin
étant pavé ou couvert de sable depuis la citadelle
jusqu'au bord du Pactole, et n'y ayant pas loin, nous
marchâmes jusque-là avec moins d'incommodité que
d'appréhension, le roi de Pont et Pactias nous suivant
aussi bien que Timonide, qui portait les trois petits
cercles d'argent où étaient les pierres d'héliotrope et
qui devaient être attachées comme je vous l'ai déjà dit.

Mais enfin, seigneur, nous trouvâmes des chevaux
au bord de ce fleuve et un petit bateau, dans lequel la
princesse Mandane, notre conducteur et moi passâmes, les deux autres soldats qui nous menaient nous
disant qu'ils passeraient le fleuve sur deux des che-

vaux que nous avions vus, menant les autres en main.
Et en effet, ces chevaux guéèrent le Pactole, mais ce
ne fut pas de la manière que nous le pensions, car le
roi de Pont en monta un, Pactias un autre, Timonide
le troisième, et ces deux hommes qui nous avaient
conduits sur deux de ceux qui restaient, menant le
dernier en main. Cependant j'ai à vous dire, seigneur,
que, dès que la princesse se vit au milieu du fleuve, sa
crainte se dissipa et la joie commença de s'emparer de
son cœur, étant aisé de voir qu'elle ne craignait pas
tant d'être prise par vos troupes que d'être arrêtée par
celles de Crésus ou du roi de Pont. "Du moins, nous
disait-elle tout bas, à Martésie et à moi, me verrai-je
bientôt en état d'être hors de la puissance du roi de
Pont et de ne craindre plus de devoir la liberté à un
prince infidèle."

Cependant, lorsque nous eûmes abordé, celui qui
avait passé le fleuve avec nous et que nous appelions
notre libérateur fut où était Timonide, qui attachait
aux trois chevaux que la princesse, Martésie et moi
devions monter, les trois petits cercles d'argent où
étaient les pierres qui devaient nous dérober à la vue
de tous ceux que nous pourrions rencontrer. Comme
il était nuit, que le croissant éclairait faiblement et que
nous avions l'esprit agité de beaucoup de choses différentes, nous ne prîmes pas garde que nous ne
voyions point les chevaux sur lesquels on nous
montait ; joint aussi que nous n'eûmes pas grand loisir
de raisonner sur ce que nous voyions ou sur ce que
nous ne voyions pas, car, dès qu'on nous eut mises à
cheval, on nous obligea de marcher. J'oubliais de vous
dire que Martésie n'eut pas un cheval seul pour elle et
que notre conducteur la mit derrière lui, la vertu de la
pierre suffisant pour tous les deux ; mais, pour ces
deux hommes qui étaient sortis de la barque avec
nous, ils se rangèrent aux deux côtés de Mandane
pour la conduire. Et afin que ces deux soldats qui
n'étaient point invisibles ne fussent pas remarqués par
vos troupes, Pactias leur avait fait prendre des habits
persans ; joint que, comme je vous l'ai déjà dit, le roi

de Pont ne se fiant pas encore à la vertu de cette
pierre, avait tellement songé à prendre bien sa route et
à passer entre deux quartiers, du côté que les lignes
n'étaient point faites, que je suis presque persuadée
que, quand nous n'eussions point eu de pierres, son
dessein n'eût pas laissé de réussir. Car, comme il avait
un plan du campement de votre armée, il choisit si
bien les lieux où il nous fit passer que nous ne rencontrâmes guère de soldats.

Cependant le roi de Pont faisait marcher Mandane
la première, afin que ces deux hommes qui n'étaient
point invisibles servissent de guide à toute la troupe,
qui ne s'entrevoyait pas et, en cas qu'il fût venu
quelques-uns des ennemis pour les prendre, ils avaient
ordre de ne résister point et de laisser aller Mandane,
de laquelle il allait toujours fort près, quoiqu'il ne la vît
pas. D'abord, comme je vous l'ai déjà dit, nous ne
prîmes point garde à cette merveille, car il était nuit, la
lune n'éclairait guère et la joie et la peur nous avaient
si fort troublé la raison que nous ne savions pas trop
bien ce que nous faisions ni ce que nous disions. Mais,
lorsque nous eûmes marché quelque temps et que je
vins à prendre garde que je ne voyais que ces deux
hommes à pied qui marchaient auprès de la princesse,
et que je ne la voyais point, non plus que Martésie et
notre conducteur, ne sachant même ce qu'étaient
devenus les autres chevaux que j'avais vus au bord du
Pactole, j'avoue que la frayeur me prit, de telle sorte
que je ne pus m'empêcher de crier. Je croyais pourtant
encore que je m'étais égarée aussi bien que ces deux
hommes. Mais le cri que je fis, ayant fait tourner la
tête à la princesse qui, voyant ceux qui la conduisaient
auprès d'elle et ne s'étant point tournée vers nous,
n'avait point su qu'elle ne pouvait nous voir, elle fut
aussi surprise que je l'étais de voir qu'elle ne me voyait
point, et qu'elle ne voyait que ces deux hommes, qui
tenaient tour à tour la bride de son cheval. Martésie,
qui était en croupe derrière notre prétendu libérateur
et qui s'était abandonnée à sa conduite, revenant de la

rêverie où elle était, eut sa part de notre étonnement, lorsqu'elle vit qu'elle ne nous voyait point.

Cependant Mandane s'était arrêtée, je l'étais aussi et nous parûmes si effrayées que le roi de Pont pensa vingt fois parler pour nous rassurer. Mais, à la fin, il s'en empêcha, aussi bien que Pactias et Timonide, laissant ce soin à celui que nous regardions comme l'auteur de notre liberté. Et en effet, s'étant approché de Mandane, il lui fit toucher la main de Martésie et l'assura qu'elle n'avait rien à craindre et que la merveille qu'elle voyait était un enchantement qui n'était fait que pour la mettre en liberté. "Si vous étiez seul invisible, lui dit-elle, je dirais que vous auriez trouvé cet anneau de Gygès, que j'ai ouï dire que Crésus a perdu. Mais je ne vois ni Martésie ni Arianite et je connais, par ce qu'elles disent, qu'elles ne me voient pas. – Quoi qu'il en soit, madame, lui dit-il, je vous assure que vous n'avez rien à craindre et, pour vous rassurer, lorsqu'il ne passera personne, vous pourrez parler ou avec Martésie, ou avec Arianite, que je ferai marcher assez près de vous, pour le pouvoir faire commodément."

Durant que cet homme et la princesse parlaient ainsi, Martésie et moi étions dans un étonnement que je ne vous puis représenter. Cependant, comme nous nous voyions sous le pouvoir d'un homme qui en avait tant et qui faisait une chose si extraordinaire, nous n'osions lui parler qu'avec beaucoup de douceur, nous semblant que, puisqu'il avait pu nous rendre invisibles, il pourrait tout ce qu'il voudrait. La princesse, tombant aussi dans ce sentiment-là, ne s'opiniâtra pas à le presser de lui dire comment ce prodige se faisait et elle crut qu'il était plus important de le conjurer seulement de la conduire précisément vers le lieu où elle voulait aller, c'est-à-dire vers Ecbatane, jusqu'à ce qu'elle eût trouvé quelque ville où elle pût se reposer sûrement et avoir le temps d'envoyer vers le roi son père, pour pouvoir achever son voyage plus commodément et avec plus de bienséance. Comme nous étions encore en lieu où nous pouvions trouver des troupes de Cyrus, il lui promit tout ce qu'elle voulut, de peur que, si elle en rencontrait, elle ne changeât d'avis et ne criât. C'est pourquoi il lui dit, pour la rassurer, tout ce qu'il lui eût pu dire quand il eût été ce que nous pensions qu'il était, je veux dire notre libérateur. Si bien que, prenant une nouvelle confiance en lui, la princesse admira ce prodige, sans craindre qu'il servît à la tromper, se contentant de voir ces deux hommes auprès d'elle qui la conduisaient et de nous entendre parler, Martésie et moi, quand nous ne voyions personne, nous étant même assez aisé de la suivre, quoique nous ne la vissions pas, parce que, voyant ceux qui la menaient, cela suffisait pour nous marquer le lieu où elle était.

Nous traversâmes donc ainsi le camp de Cyrus, allant entre deux quartiers, comme je l'ai déjà dit. Nous rencontrâmes diverses fois quelques cavaliers, quelques soldats, mais, outre que ce ne fut pas de fort près, il est encore vrai que, ne voyant que ces deux hommes habillés en persans qui menaient la princesse, ils ne pouvaient s'imaginer autre chose, sinon que c'était de leurs soldats qui allaient d'un quartier à un autre. De sorte que nous marchâmes, sans rencontrer rien qui nous fît obstacle, et nous nous assurâmes si parfaitement que ce qui nous avait tant donné de peur commença de nous divertir, Martésie et moi ne pouvant nous empêcher de dire cent choses et de faire cent bizarres* souhaits. Pour moi, je désirais de voir le roi de Pont pour lui pouvoir faire mille reproches de son injustice, sans qu'il nous pût voir et sans qu'il nous pût suivre. Martésie souhaitait de rencontrer le roi d'Assyrie pour lui dire que notre invention était encore meilleure que celle de la neige et des habillements blancs dont il s'était servi pour nous faire sortir de Babylone [1], afin d'avoir le plaisir de le voir désespérer de ce qu'il entendrait la princesse sans la pouvoir voir. Pour Mandane, elle nous fit comprendre,

---

1. L'épisode est narré dans le récit rétrospectif de l'« Histoire de Mandane » [Partie II, Livre 2, p. 1086-1094].

sans vous nommer toutefois, qu'elle eût été bien aise de vous voir paraître et de vous pouvoir faire ouïr sa voix pour un moment.

Ainsi nous avancions toujours, sans soupçonner seulement que le roi de Pont fût si près de nous et nous écoutait. Il me sembla pourtant une fois, en passant dans un chemin fort pierreux, que j'entendais plus de chevaux que nous n'en avions. Néanmoins je n'osai dire ma pensée, de sorte qu'allant ainsi jusqu'à ce que nous fussions hors du camp et jusqu'à plus de la moitié du jour, le soleil commença d'incommoder la princesse, qui s'en plaignit extrêmement. Si bien qu'étant arrivés en un lieu où il y avait deux chemins à prendre, qui aboutissent pourtant en même endroit, et dont l'un allait gagner un bois fort ombragé et l'autre traversait une plaine, le roi de Pont, voyant que ces hommes qui conduisaient Mandane allaient prendre le dernier, où elle serait fort incommodée, oublia qu'il ne voulait point parler, de peur de se faire connaître, et se mit à leur dire qu'ils tournassent à droite et qu'ils se hâtassent de gagner l'ombrage.

Je vous laisse à penser, seigneur, quelle surprise fut la nôtre d'entendre la voix du roi de Pont, que nous connaissions trop pour nous y tromper : elle fut telle que nous criâmes toutes à la fois. La princesse s'arrêta tout court et, se jetant à terre avec précipitation, elle cessa d'être invisible et commença de se plaindre avec tant de violence que jamais nulle autre personne n'a dit plus de choses à faire pitié. Je n'eus pas plus tôt vu qu'en descendant de cheval elle avait cessé d'être invisible que je fis la même chose qu'elle. Martésie n'en fit pas moins, de sorte que, nous rangeant toutes deux auprès de la princesse, le roi de Pont se trouva alors bien embarrassé. Car, comme il n'était que lui cinquième [1], il trouvait que ce n'était pas assez pour nous enlever sûrement par force ; c'est pourquoi il se servit d'une ruse qui lui réussit. Car, après avoir laissé sa bague à Timonide, il vint se jeter aux pieds de la prin-

---

1. Voir p. 110, note 2.

cesse, à qui il dit tout ce que la plus violente et la plus respectueuse passion peut faire dire, la conjurant de lui pardonner, lui protestant qu'il vivrait toujours avec elle comme il y avait vécu et l'assurant qu'il ne voulait rien autre chose, sinon qu'essayer de la gagner par ses larmes, ajoutant que, quand elle lui aurait encore permis durant quelque temps de tâcher de la fléchir, il la remènerait à Ecbatane.

Tout ce qu'il dit n'ébranla pourtant point la princesse, qui disait qu'absolument elle voulait mourir au lieu où elle était, de sorte que le roi de Pont, voyant qu'elle semblait vouloir s'opiniâtrer à ne marcher pas, se mit à la conjurer de ne le forcer point à perdre entièrement le respect qu'il lui voulait rendre, en la forçant de le suivre. "Et pour vous montrer, lui dit-il, madame, que je suis en état de pouvoir achever mon entreprise, sachez que j'ai cinquante chevaux avec moi, quoique vous ne les voyiez pas." D'abord la princesse n'en crut rien, mais le roi de Pont, ayant dit exprès quelque chose à Pactias, afin qu'il lui répondît, et quelque chose aussi à Timonide afin qu'il parlât, elle ne douta plus qu'il ne dît la vérité, puisqu'elle entendait parler des gens qu'elle ne voyait pas et des gens qu'elle connaissait (car la princesse connut bien la voix de Pactias et celle de Timonide), de sorte qu'entrant en un désespoir sans égal et aimant encore mieux suivre son ravisseur que de le forcer par une résistance inutile à lui faire une violence qu'elle appréhendait et qui ne lui servirait de rien, elle céda, ne pouvant faire autrement, et se laissa remettre à cheval. Ce ne fut pourtant qu'après avoir assuré au roi de Pont qu'il ne devait jamais attendre d'elle que de la haine et du mépris.

Cependant, comme, en descendant du cheval sur quoi j'étais, j'en avais laissé aller la bride, il y eut bien de la peine à le retrouver, car, emportant avec lui ce qui le faisait invisible, on ne pouvait* comment faire pour le chercher et Timonide était déjà tout prêt de me mettre en croupe derrière lui, lorsque ce cheval, qui avait été nourri* avec celui que montait Pactias, vint de lui-même se ranger auprès du sien, dont il avait ouï le hennissement. De sorte que Pactias, l'entendant si près de lui et le reprenant, on me remit dessus et nous remarchâmes, après que Timonide eut rendu la bague au roi de Pont. Mais hélas ! ce fut avec des sentiments bien différents de ceux que nous avions eus auparavant et je ne doute pas que la princesse ne se repentît étrangement* de sa fuite. Je ne puis toutefois vous dire ses sentiments que par conjecture, car je ne l'ai point entendue parler depuis cela.

Comme nous fûmes dans ce petit bois où il y avait quelques maisons, le roi de Pont fit arrêter la princesse en un lieu fort ombragé et lui fit présenter à manger. Mais elle ne voulut rien prendre que de l'eau ; encore fut-ce à la prière de Martésie. Après quoi, nous continuâmes de marcher. Cependant, comme Timonide était fort de mes amis, il craignit que je ne crusse avoir sujet de me plaindre de lui de ce qu'il ne m'avait pas révélé le secret du roi son maître. C'est pourquoi il marcha toujours auprès de moi, depuis qu'on m'eut remise à cheval, de sorte que, comme je mourais d'envie de savoir comment il pouvait être que nous fussions invisibles et comment ce dessein avait été exécuté, quoique je le crusse coupable, je ne laissai pas de l'écouter et de le conjurer de me vouloir dire précisément quelle aventure était la nôtre, l'assurant que, s'il me disait la vérité, je lui pardonnerais. Je n'eus pas plus tôt dit cela que Timonide, bien aise que je lui donnasse lieu de se justifier, me dit assez bas qu'il fallait donc que je retinsse mon cheval, afin d'aller un peu plus loin du roi de Pont, car, comme nous voyions ces deux hommes qui conduisaient Mandane et que nous savions que ce prince la suivait de fort près, il nous était aisé de régler la distance où nous en voulions être. De sorte que, tirant un peu la bride à nos chevaux pour les retenir, nous nous éloignâmes assez pour parler sans être entendus. Après quoi Timonide me fit mille serments qu'il n'avait su la chose que le soir auparavant que Pactias lui avait tout conté, commençant alors de me dire exactement tout ce que je viens de vous faire savoir, ajoutant qu'il croyait qu'il y avait longtemps que le roi de Pont s'était assuré d'un lieu de retraite, en cas qu'il fût obligé de sortir de Sardis et qu'il le pût, me disant encore qu'il savait que ce prince était résolu d'aller toute la nuit et de ne laisser reposer la princesse qu'à la pointe du jour. Cependant le discours de Timonide m'attachait si attentivement à ce qu'il me disait que nous ne prenions point garde au chemin que nous tenions, si bien qu'étant arrivés dans un fort grand bois où il y avait diverses routes, nous en prîmes une qui n'était pas celle que nous devions prendre. Nous y songions même si peu que nous rencontrâmes deux femmes qui portaient des corbeilles de fruits sur leur tête, à qui nous ne nous en informâmes pas.

– Hélas, interrompit Cyrus, je les rencontrai aussi bien que vous ! et ce qu'elles me dirent fut cause que je ne pris pas le chemin que je devais prendre pour trouver la princesse. Mais, de grâce, achevez promptement ce que vous avez à me dire, afin que j'aille tâcher de réparer cette faute. – J'aurai bientôt achevé, dit Arianite, car, seigneur, il ne m'est rien arrivé depuis cela, sinon que, nous étant enfin aperçus, Timonide et moi, que nous ne voyions plus ces deux hommes qui nous faisaient connaître où était Mandane, nous doublâmes le pas, espérant toujours les rejoindre, mais ce fut inutilement. Il est vrai que nous fûmes arrêtés par l'accident qui m'arriva ; car il faut que vous sachiez qu'en remontant le long d'un torrent, mon cheval me jeta dedans en s'abattant, de sorte que m'étant extrêmement blessée, Timonide se trouva bien embarrassé et je ne sais ce qu'il eût pu faire sans l'assistance de celui que je viens de voir et qui vous a conduit ici.

– Ah Arianite, s'écria Cyrus, que vous m'avez appris de choses ! et que vous m'en avez peu dit qui me puissent être utiles, si ce n'est que du moins vous me donniez cette pierre qui vous rendait invisible, afin de m'en pouvoir servir, si jamais je puis savoir où est Mandane. – Hélas, seigneur, reprit-elle, quand on est malheureux, on l'est en toutes choses et vous l'êtes en celle-là comme aux autres. Car il faut que vous sachiez que ce petit cercle d'argent où la pierre d'héliotrope était enchâssée se rompit et tomba dans le torrent, lorsque mon cheval s'abattit sous moi et m'y jeta ; et pour la bague de Timonide, il ne peut se souvenir où il la mit, lorsqu'il l'ôta de son doigt au bord du torrent, afin que cet homme qui m'assista ne s'effrayât point l'entendre parler sans le voir, de sorte qu'elle est perdue aussi bien que la pierre que j'avais. »

Comme Cyrus allait répondre à Arianite, on entendit un grand bruit de chevaux dans la cour. Mais il ne l'eut pas plutôt ouï que, voulant savoir qui le faisait, il fut à la fenêtre et vit que c'était le prince Artamas et tous ceux qui l'avaient suivi qui, après avoir cherché Mandane inutilement, avaient su dans ce village qu'il y avait une dame en cette maison qui y avait été conduite par un homme, si bien que, ne sachant pas si ce n'était point la princesse, ils y étaient venus pour s'en éclaircir. De sorte que, comme le prince Artamas vit Cyrus, qui le regardait par la fenêtre où il s'était mis, il espéra qu'en effet* il aurait trouvé Mandane. Il descendit donc de cheval en diligence et entra à la chambre où il était, suivi de Phéraulas. Mais, bien loin de le trouver en joie, il le trouva dans un désespoir sans égal. Il lui fit pourtant saluer Arianite, à qui Phéraulas fut demander après des nouvelles de Mandane et de Martésie, durant que Cyrus, le prince Artamas et Ligdamis avisaient ce qu'ils avaient à faire. Mais, comme la diligence était la chose la plus nécessaire, ils résolurent promptement de se séparer encore une fois, de partager ce qu'ils avaient de gens avec eux et de chercher toujours en allant vers la mer. « Car enfin, disait Cyrus, puisque Mandane a deux hommes à pied pour la suivre, qui ne sont pas invisibles, et qu'elle-même ne l'est que lorsqu'elle est à cheval, il n'est pas impossible d'en avoir quelque lumière. »

Cyrus voulut pourtant voir Timonide, devant* que de partir, mais, comme Arianite lui avait assuré qu'il

avait rendu mille petits offices* à Mandane durant sa
prison, il ne le reçut pas mal. Il le pressa pourtant,
autant qu'il put, de lui dire s'il ne savait rien de la
route que tenait le roi son maître et : « Afin que vous
le puissiez faire sans faire une lâcheté, lui disait Cyrus,
je vous engage ma parole, si je retrouve Mandane par
votre moyen, de faire rendre à ce prince la couronne
qu'on lui a ôtée. » Mais ce fut en vain qu'il le pressa de
lui dire ce qu'il ne savait pas, de sorte que Cyrus,
voyant qu'il ne lui pouvait rien apprendre de ce qu'il
voulait savoir, le laissa pour escorter Arianite, quand
elle serait en état de pouvoir aller à Sardis, lui laissant
encore Phéraulas pour la conduire. Ensuite de quoi,
montant à cheval bientôt après, il se sépara du prince
Artamas et se remit à la quête de Mandane, bien que
ce fût avec moins d'espérance qu'il n'en avait eu
devant* que d'avoir rencontré Arianite.

Mais, pendant que ce grand prince errait par les
bois et par les plaines, Mandane était en un désespoir
sans égal, principalement depuis qu'elle s'était
aperçue qu'Arianite et Timonide s'étaient égarés, car,
comme elle savait le pouvoir que cette fille avait sur lui
et combien il lui avait rendu de service à Sardis, elle
avait espéré la même chose dans la fuite de sa prison.
Aussi avait-elle voulu attendre, dans cette prairie où
Cyrus l'avait vue, si Timonide et elle ne viendraient
point. Ce n'est pas que le roi de Pont ne s'y fût
opposé, mais, Mandane s'étant jetée à terre et Martésie l'ayant suivie, il avait été contraint de consentir
qu'elle y fût, jusqu'à ce qu'il eût envoyé chercher si on
ne les entendrait point, puisqu'on ne les pouvait voir.
Mais, comme le torrent était entre Arianite et Mandane et que l'accident qui lui arriva lui advint devant
que d'être vis-à-vis de la prairie où cette princesse
était assise et où elle l'attendait, celui que le roi de Pont
envoya n'en rapporta aucune nouvelle. De sorte que
ce prince, qui avait fait mettre son cheval dans un
chemin creux qui était au-delà de cette prairie, afin
qu'il fût moins en vue à ceux qui le pouvaient suivre,
força cette princesse de remonter à cheval, aussi bien

que Martésie ; ce quelle avait fait justement comme
Cyrus était arrivé vis-à-vis du lieu où elle était, sans
qu'il eût pu voir le roi de Pont qui avait la bague, ni
trouver Arianite en allant le long du torrent, pour aller
dans la prairie, parce qu'elle n'y était déjà plus.

Cependant, quoi que Mandane pût dire, il fallut
qu'elle allât toute la nuit jusqu'à la pointe du jour que,
trouvant une petite maison écartée, le roi de Pont consentit qu'elle s'y reposât quelques heures. Après quoi,
il la fit repartir et la fit remonter à cheval, lui demandant mille fois pardon de la peine qu'elle avait, ce
prince n'étant guère moins malheureux que Mandane, par la seule douleur qu'il avait d'être cause de
l'excessive* affliction qu'il voyait peinte dans ses yeux
lorsqu'elle n'était point en lieu où la vertu de l'héliotrope la dérobât à sa vue. Mais, la force de son amour
étant plus grande que sa vertu, il n'avait qu'autant de
raison qu'il en fallait pour avoir une horrible confusion de son crime, mais non pas assez pour s'empêcher de continuer de le commettre.

C'est pourquoi, suivant son chemin, accompagné
de Pactias, de celui qui menait Martésie, et des deux
hommes qui conduisaient Mandane, il arriva le lendemain au soir fort tard à un petit port appelé Atarme,
où la princesse qu'il enlevait eut loisir de se reposer
durant toute la nuit, et où elle se reposa en effet, car la
lassitude l'assoupissant malgré qu'elle en eût, elle
dormit durant quelques heures avec plus de tranquillité que sa douleur ne semblait le lui devoir permettre.
Pour le roi de Pont, comme il était plus accoutumé à
la fatigue et que la passion qu'il avait dans l'âme est
souvent incompatible avec le sommeil, au lieu de
songer à se reposer, il ne songea qu'à garder Mandane
et qu'à s'assurer d'un vaisseau. Mais, comme il était
difficile qu'il pût en trouver un prêt à partir et qu'il
était plus aisé de trouver une barque, il en arrêta une,
dès le soir, pour le lendemain au matin. De sorte que
Mandane ne fut pas plus tôt éveillée que le roi de Pont
lui fit savoir par Martésie qu'il fallait qu'elle se préparât à partir. Elle voulut alors résister autant qu'elle

pouvait, mais, comme ce prince l'avait fait loger sur le port et qu'il n'y avait que quatre pas à faire pour aller au lieu où elle était dans la barque, elle jugea bien que sa résistance serait inutile. Et d'autant plus que le roi de Pont ne souffrait point que Martésie ni elle parlassent à personne de la maison où elles étaient logées, leur refusant même la permission d'aller au temple. Si bien que tout ce que put faire Mandane fut de différer son départ d'une heure seulement, trouvant divers prétextes pour cela, sans qu'elle sût néanmoins pourquoi elle le faisait. Car, dans la croyance où elle était de l'amour de Cyrus pour Araminte, elle ne croyait pas trop qu'il la dût suivre. Toutefois elle ne laissait pas d'agir comme si elle eût attendu du secours.

Comme elle était donc en cet état et que le roi de Pont était dans une chambre qui touchait la sienne, à s'entretenir avec Pactias, en attendant qu'elle eût achevé ce qu'elle disait avoir à faire, et qui n'était pourtant autre chose que de pouvoir partir un peu plus tard, elle vit, par une fenêtre qui donnait sur le port, un homme d'admirablement belle taille et fort superbement vêtu, qui se promenait seul. Mais, comme en l'état qu'elle était, elle ne devait rien négliger, elle suivit cet homme des yeux, dont elle ne voyait pas encore le visage, afin de voir si, en se tournant, elle ne le connaîtrait point, et s'il ne pourrait pas la secourir. Mais, comme elle était dans ce sentiment-là, celui qu'elle voyait s'étant effectivement tourné vers elle, il s'en fallut peu qu'elle ne fît un grand cri pour témoigner l'étonnement qu'elle avait de voir ce qu'elle voyait. Toutefois, se retenant tout d'un coup et ne voulant pas croire à ses propres yeux, parce que celui qu'elle pensait si bien connaître était un peu loin d'elle, elle appela Martésie et, lui montrant la cause de son étonnement : «Voyez, Martésie, lui dit-elle, voyez si celui que je vois là n'est pas l'infidèle Cyrus.»

Martésie, s'étant approchée de la fenêtre, vit en effet que Mandane avait raison de croire ce qu'elle croyait et que celui qu'elle voyait, quoique ce fût d'un peu loin, pouvait bien être Cyrus. «Eh bien, madame,

lui dit Martésie, Cyrus est-il infidèle de quitter le siège
de Sardis pour vous suivre ? – Hélas, ma chère fille, lui
répondit-elle, je ne sais encore ce qu'il est ! mais je sais
bien que j'ai la plus grande frayeur du monde que le
roi de Pont ne sorte ou ne vienne ici et que je ne voie
quelque aventure funeste de mes propres yeux. – Ce
qui m'épouvante, disait-elle, est de voir Cyrus seul.
– C'est assurément, répliqua Martésie, que ceux qui le
suivent sont dans quelque maison prochaine et qu'il
les y a fait cacher pour être moins suspect. – Si je ne
savais pas, reprit Mandane, que le prince Spitridate [1]
est prisonnier à Chalcédoine, je douterais de mon
opinion ; mais, sachant ce que je sais, je ne puis pas
douter que celui que je vois ne soit effectivement
Cyrus. »

Comme elle parlait ainsi, celui qu'elle prenait pour
ce grand prince et qui était effectivement* le prince
Spitridate, s'approcha davantage en se promenant.
Martésie conseilla alors à Mandane de se laisser voir à
lui, afin que, s'il était là pour la délivrer, il fît venir les
gens qu'il aurait amenés pour cela. Mais Mandane
était si troublée qu'elle suivit le conseil de Martésie
sans raisonner même dessus. De sorte que, s'avançant
à la fenêtre justement comme Spitridate n'était qu'à
huit ou dix pas d'elle et que Martésie se préparait à lui
faire quelque signe par une autre fenêtre où Mandane
l'avait fait mettre, tout d'un coup ce prince, qui n'avait
l'esprit rempli que de fâcheuses pensées et qui ne voulait pourtant point interrompre sa rêverie, voyant des
dames à ces fenêtres qu'il serait obligé de saluer s'il
passait devant elles, se tourna assez brusquement
pour se promener de l'autre côté, faisant semblant de
ne les avoir point vues, quoique ce fût le plus civil de
tous les hommes quand il n'était point accablé de dou-

___

1. Spitridate est un des personnages principaux du roman, et il a
déjà été question de lui à plusieurs reprises à ce stade de la narration, entre autres dans l'« Histoire de la princesse Araminte et de
Spitridate » [Partie III, Livre 2]. L'importance de son rôle tient au
fait qu'il ressemble trait pour trait à Cyrus et que cette ressemblance
entraîne une série de méprises.

leur. Cependant, comme Mandane avait fort bien remarqué cette action et qu'elle avait bien vu que ce prétendu Cyrus l'avait vue et avait fait semblant de ne la voir point, elle eut une douleur si sensible* qu'elle pensa* en mourir.

« Eh bien, Martésie, lui dit-elle, Cyrus est-il innocent ? et si j'étais équitable, ne devrais-je pas le montrer au roi de Pont, afin qu'il me vengeât ? Cependant, ajouta-t-elle, ingrat et infidèle prince que tu es, je ne laisse pas de trembler que ton rival ne sache que tu es si près de lui. – Mais, madame, disait Martésie, que voulez-vous que Cyrus fasse à Atarme, s'il n'y est pas pour vous suivre ? Pour moi je suis assurée qu'il ne se tient où je vois que pour attendre l'heure que vous vous embarquiez, afin de vous ôter d'entre les mains du roi de Pont, en appelant ceux qu'il a peut-être fait cacher pour cela. – Nous verrons donc bientôt », dit-elle avec autant de colère que de précipitation. Et en effet, Martésie fit ce qu'elle put pour l'obliger à se donner encore un peu de patience jusqu'à ce qu'elle eût mieux considéré celui qu'elle voyait. Mais la princesse avait l'esprit si irrité que, sans lui donner audience, elle la força d'aller dire au roi de Pont qu'elle était prête à partir. Elle ne l'eut pourtant pas plus tôt fait dire qu'elle s'en repentit. Mais il n'était plus temps.

Cependant, comme la barque était fort proche, le roi de Pont ne s'amusa* pas à chercher les voies de faire prendre une pierre d'héliotrope à Mandane ; ains*, les donnant toutes à porter à un des siens, il suivit cette princesse que Pactias menait, parce qu'elle ne voulut point que ce fût son ravisseur. Mais, lorsqu'elle fut prête de sortir de cette maison et qu'elle s'imagina que peut-être Cyrus et le roi de Pont s'allaient battre en sa présence, elle eut une peine étrange* à marcher. Néanmoins, à la fin, pensant que, si Cyrus était là pour la délivrer, il aurait assez de gens pour le pouvoir faire et que, s'il n'y était pas pour cela, il était digne de toutes sortes de supplices, elle avança enfin pour traverser le port. À peine eut-elle fait trois

pas qu'elle crut encore voir Cyrus qui, sans s'intéresser à son embarquement, se détournait encore pour
éviter sa rencontre. Cette seconde aventure la surprit
de telle sorte que, ne pouvant plus retenir son ressentiment, elle ne put s'empêcher de s'écrier avec autant
de colère que de douleur : « Ah infidèle, peux-tu bien
me voir enlever sans me secourir ? »

Ces paroles ayant frappé les oreilles de Spitridate, il
tourna la tête pour voir qui les prononçait et pour
juger à qui elles s'adressaient, et la tourna justement
comme le roi de Pont la tournait aussi pour connaître
ce qui avait fait parler Mandane comme elle avait fait.
De sorte que, croyant voir Cyrus aussi bien qu'elle,
craignant qu'il ne fût suivi de beaucoup de monde et
se souvenant qu'il devait la vie et la liberté à ce prince
et que c'était bien assez que de lui ôter Mandane, il la
prit par force par la main et, précipitant ses pas, Pactias et lui la mirent dans la barque, y firent entrer Martésie et celui qui la menait, et y entrèrent eux-mêmes,
faisant ramer tout à l'heure*, sans attendre les deux
hommes qui avaient conduit Mandane jusque-là et
qui demeurèrent à Atarme avec leurs chevaux.

Cependant, comme Spitridate avait cru que les
paroles de Mandane s'étaient adressées à lui et qu'il
lui avait semblé que le visage du roi de Pont ne lui était
pas inconnu, quoique d'abord il ne se le remît pas
pour être le frère de la princesse Araminte, il s'approcha du bord de l'eau et se mit à crier à quelques
mariniers, qui étaient sur le port, qu'ils le menassent,
dans quelqu'une des barques qu'il voyait, vers celle
qui s'éloignait du rivage et qu'ils lui aidassent à
secourir cette dame qu'on enlevait, lui semblant qu'il
ne devait pas souffrir cette violence, quoiqu'il ne la
connût point. Mais il eut beau crier et leur offrir
récompense, ils ne voulurent point s'aller exposer
pour des gens qu'ils ne connaissaient pas, de sorte
que, voyant qu'il ne pouvait rien faire autre chose, il se
mit à regarder ceux qui étaient dans cette barque qui,
s'éloignant du rivage, ne lui permit pas de s'en
éclaircir mieux, car il ne connaissait point Mandane,

et le roi de Pont n'était point tourné vers lui, parce qu'il parlait aux mariniers pour les encourager à ramer promptement.

Mais Spitridate, ayant remarqué qu'il y avait deux hommes qui étaient venus pour entrer dans la barque qui étaient arrivés trop tard, et qui ensuite étaient rentrés dans la maison qui était vis-à-vis du lieu où cet embarquement s'était fait, il y envoya un écuyer qui était à lui, qui vint lui dire qu'il venait d'arriver un homme au lieu où il logeait, qui disait que Sardis était pris, cet écuyer arrivant justement comme il était en peine de n'avoir personne auprès de lui pour s'informer de ce qu'il voulait savoir. Il ne le sut pas même si tôt, car ces deux hommes, qui craignaient qu'on ne suivît le roi de Pont, ne voulurent jamais dire qui il était à l'écuyer de Spitridate, qui retourna dire à son maître qu'il n'avait pu rien apprendre, mais qu'il l'assurait qu'il fallait que ceux qui s'en allaient fussent des personnes de grande qualité, vu les chevaux qu'ils avaient laissés. Spitridate, encore plus touché de curiosité qu'auparavant, voyant qu'il perdait la barque de vue, qui allait doubler un cap qui la lui cacherait bientôt, fut lui-même interroger ces deux hommes. Mais, à peine les eut-il regardés qu'il en reconnut un, qu'il avait vu autrefois au service du roi de Pont, du temps qu'il était à Héraclée, devant* qu'Arsamone se fût révolté [1]. Il ne l'eut pas plus tôt vu que, l'idée du roi de Pont lui revenant à la mémoire, il ne douta point que ce ne fût lui ; si bien qu'appelant par son nom celui à qui il parlait, qui commençait aussi de le reconnaître, ils renouvelèrent leur ancienne connaissance. De sorte que cet homme, n'étant plus en droit de se cacher à Spitridate, ni de lui nier que celui qu'il avait

---

1. Arsamone, père de Spitridate, s'était vu usurper son trône de Bithynie par le grand-père du roi de Pont. Il avait alors vécu pendant quelques années en sujétion à Héraclée, siège de la cour de Pont, avant de quitter le royaume en cachette et de prendre les armes. Lors du séjour de son père à Héraclée, Spitridate avait eu l'occasion de fréquenter Aryande, actuel roi de Pont et sa sœur Araminte, avec laquelle il avait développé une relation amoureuse.

vu embarquer était le roi son maître, il lui avoua que c'était lui qui, ayant enlevé la princesse Mandane de Sardis, s'était venu embarquer à ce port. Spitridate n'eut pas plus tôt ouï ce qu'il lui disait qu'il eut une douleur extrême, car, comme il savait qu'il ressemblait si parfaitement à Cyrus que la reine sa mère avait autrefois pris ce prince pour lui en Bithynie [1], il ne douta nullement que Mandane ne fût tombée dans la même erreur et que l'infidélité qu'elle lui avait reprochée, dans la croyance qu'il était Cyrus, n'eût son fondement en l'infidélité d'Araminte. De sorte que, rentrant dans un nouveau désespoir et dans une nouvelle jalousie, il changea le dessein qu'il avait eu d'attendre à Atarme, devant* que de voir Araminte, quel serait le succès* du siège de Sardis et de voir comment Cyrus agirait après sa prise, en celui d'aller chercher à se venger du prince qu'il croyait être son rival et d'aller reprocher à la princesse de Pont l'infidélité dont il l'accusait.

« Quoi, disait-il en lui-même, après qu'il se fut séparé de celui qui avait si sensiblement* augmenté son désespoir, il est donc bien vrai qu'Araminte m'abandonne et qu'elle suit celui que la fortune favorise ! Cependant, injuste princesse, j'ai fait, pour vous témoigner mon amour, tout ce que je pouvais faire : j'ai quitté volontairement des couronnes pour l'amour de vous, j'ai renoncé à toute ambition, j'ai étouffé tous les sentiments de vengeance que je devais avoir pour des princes usurpateurs, parce qu'ils vous étaient fort proches, j'ai désobéi aux commandements du roi mon père, j'ai souffert la rigueur de deux longues prisons, j'ai erré inconnu par le monde pour suivre vos volontés, et il n'est rien enfin que j'aie pu faire pour vous que je n'aie fait. Cependant le vainqueur de toute l'Asie me surmonte dans votre cœur, sa gloire vous charme et vous éblouit et vous porte sans doute à faire tous vos efforts pour le rendre aussi infidèle que vous.

---

1. L'épisode est narré dans le récit rétrospectif « Suite de l'histoire d'Artamène : récit de Cyrus » [Partie II, Livre 1].

En effet, ajoutait ce prince irrité, quelle apparence* y aurait-il que Cyrus, qui a donné de si grandes marques d'une constante passion pour Mandane, qui a gagné tant de batailles, tant pris de villes, et qui a mis toute l'Asie en armes pour la délivrer, eût pu devenir inconstant, si vous n'aviez volontairement employé tous vos charmes pour effacer de son cœur une princesse qu'il y avait si longtemps qu'il aimait ? Vous croyez sans doute, ajoutait-il, injuste princesse que vous êtes, que je suis encore en prison, que rien ne saurait troubler votre joie ; vous êtes peut-être d'intelligence avec le roi votre frère, qui enlève Mandane, de peur que, si ce prince que vous avez rendu infidèle la revoyait, il ne reprît ses anciennes chaînes, en rompant celles que vous lui avez données. Vous espérez sans doute, poursuivait-il, que Cyrus reconquêtera [1] du moins le royaume de Pont pour votre frère et qu'en me donnant la liberté, vous me donnerez plus que vous ne me devez. Mais, grâces aux dieux, je ne suis plus en termes de vous la devoir et je suis peut-être en état de venger Mandane de l'infidélité de Cyrus et de vous punir en sa personne de celle que vous m'avez faite. »

Comme Spitridate s'entretenait de cette sorte, la nouvelle de la prise de Sardis lui fut encore confirmée par diverses personnes qui vinrent au lieu où il logeait, si bien que, n'ayant plus rien à attendre à Atarme, il monta à cheval, résolu de s'aller perdre, plutôt que de ne perdre pas celui qu'il croyait lui avoir ôté le cœur d'Araminte. « Du moins, disait-il en lui-même, n'y aura-t-il plus moyen qu'Araminte dissimule sa légèreté, car, puisque Sardis est pris et que Mandane est enlevée, si je trouve ce prince à ses pieds sans se soucier de la perte de Mandane et sans se mettre en peine de la suivre, il n'y aura point d'excuse ni de prétexte à trouver. Je sais bien, reprenait-il, que le dessein d'atta-

---

1. Le terme est perçu comme vieilli vers le milieu du XVIIᵉ siècle (voir F. Brunot, *Histoire de la langue française*, Armand Colin, 1966, t. IV, p. 246).

quer le vainqueur de l'Asie doit sembler fort étrange* ;
mais, comme je ne désire guère moins la mort que la
victoire, je n'ai rien à appréhender. »

Après cela, Spitridate s'enfonça si avant dans ses
propres pensées qu'il vint à ne savoir plus lui-même ce
qu'il pensait. Il fut donc ainsi jusque vers le soir que,
voulant aller chercher à loger au village qu'il voyait à
sa droite, il vit paraître un gros* de vingt chevaux qui,
sortant d'un petit bois, venait lui couper chemin, un
de ces cavaliers s'étant séparé des autres pour venir de
son côté. Spitridate, interrompant alors sa rêverie, fut
droit à la rencontre de celui qui avait quitté sa troupe
pour s'avancer vers lui, mais il fut extrêmement
étonné lorsqu'en s'en approchant, il connut que celui
qu'il voyait devait infailliblement être Cyrus, n'étant
pas possible qu'il y eût un autre homme au monde à
qui il pût autant ressembler. Cyrus, de son côté (car
c'était véritablement lui), ne fut pas non plus peu surpris de connaître que celui qu'il voyait était indubita-
blement le prince Spitridate, jugeant aussi qu'il ne
pouvait pas y avoir un autre homme en toute la terre
qui lui fût si semblable que celui-là. L'étonnement de
ces deux princes fut si grand qu'ils s'arrêtèrent un
moment, en retenant leurs chevaux à trois ou quatre
pas l'un de l'autre, pendant quoi, toute la troupe de
Cyrus s'étant approchée, tous ceux qui la composaient furent aussi surpris de voir Spitridate que Spitridate et Cyrus l'étaient de se voir.

Le premier, parmi son étonnement, eut pourtant
quelque joie de ce qu'il trouvait Cyrus en un lieu où
apparemment il n'était que pour chercher Mandane,
et le dernier eut aussi quelque consolation dans son
malheur de se voir en état de guérir un si grand prince
d'une aussi injuste jalousie qu'était celle qu'il savait
qu'il avait dans l'âme. Aussi fut-il le plus diligent à
parler, non seulement pour ôter à Spitridate une si
cruelle passion, mais encore pour savoir s'il ne savait
rien de Mandane. Néanmoins, comme il ne voulut pas
se fier absolument à cette prodigieuse ressemblance
qu'il voyait : « Généreux* étranger, lui dit-il après avoir

été un moment à se regarder tous deux sans parler, si vous êtes ce que mes yeux me disent qu'il faut que vous soyez, j'ai une grande joie à vous donner, et plût aux dieux que, pour m'en récompenser, vous pussiez m'apprendre quelque chose de la princesse Mandane que je cherche et que vous pourriez peut-être avoir rencontrée ! »

Spitridate, entendant parler Cyrus de cette sorte, sentit dans son âme ce qu'on ne saurait exprimer par l'incertitude où il était s'il devait regarder Cyrus comme son rival ou comme le protecteur d'Araminte. Mais à la fin, calmant tous les sentiments tumultueux de son cœur et voulant achever de s'éclaircir : « Seigneur, dit-il à Cyrus, je suis sans doute* le malheureux Spitridate qui, par des raisons que je ne vous puis dire présentement, suis venu en Lydie pour y chercher la fin de mes jours ou celle de mes malheurs. Mais, devant* que d'y venir, comme j'ai tardé au port d'Atarme qui n'est qu'à une journée d'ici, j'y ai vu une chose que je suis contraint de souhaiter ardemment qui vous afflige, afin que vous puissiez véritablement me donner la joie que vous m'avez fait espérer. Car enfin, seigneur, j'ai vu le roi de Pont enlever Mandane, mais je l'ai vu sans le pouvoir empêcher et même sans le savoir qu'après qu'ils ont été embarqués. – Quoi, interrompit Cyrus, avec une douleur qui donna un si sensible plaisir à Spitridate, vous avez vu embarquer Mandane et je ne suis plus en état de la suivre ! du moins, ajouta-t-il, apprenez-moi quelle route tient l'injuste ravisseur qui me l'enlève. » Spitridate, voyant alors sur le visage de Cyrus toutes les marques d'une véritable douleur, en fut si consolé que, cessant de le haïr et commençant d'espérer que peut-être Araminte n'était pas infidèle, il lui apprit tout ce qu'il savait de Mandane. Mais il le lui apprit avec exagération*, ne pouvant s'empêcher d'être bien aise de voir éclater le désespoir de Cyrus, parce que plus il le voyait affligé, plus il espérait qu'Araminte n'était point inconstante. Aussi fut-il si parfaitement désabusé* par l'excessive* douleur de Cyrus qu'il commença de s'intéresser en la même affliction qui lui donnait de la joie.

Comme ils en étaient là, le hasard fit que le prince Mazare avec sa troupe arriva au même lieu, où il apprit de Cyrus ce qu'il venait d'apprendre de Spitridate, dont la vue ne laissa pas de le surprendre, malgré le déplaisir qu'il eut de savoir que Mandane était embarquée. Cyrus les obligea même tous deux à se saluer, après quoi, avisant ce qu'ils avaient à faire, ils s'y trouvèrent bien embarrassés. Car Cyrus ne pouvait pas aller à Atarme, qui n'était point encore assujetti et où l'on faisait garde, sans s'exposer à y être arrêté et à se mettre hors de pouvoir de servir Mandane. Il ne savait non plus où l'envoyer chercher, ne sachant pas quelle route elle avait prise. Ainsi, tout ce qu'il put résoudre avec ces princes fut d'envoyer par tous les ports de mer où ils auraient pu aborder pour prendre des vivres, afin de savoir si on n'en saurait rien.

Cyrus fut donc à la première habitation pour écrire, d'où il dépêcha tout à l'heure* à Éphèse, à Milet, à Gnide, à Cume [1] et à tous les autres ports de ce côté-là, avec ordre de s'informer adroitement de ce qu'il voulait savoir, priant même Thrasybule et Euphranor, père d'Alcionide [2], d'envoyer des vaisseaux en mer, pour en avoir des nouvelles, et de lui mander diligemment à Sardis tout ce qu'ils en auraient appris. Car, comme cette ville était presque également près de la plupart des lieux où il envoyait, il ne pouvait faire mieux que d'y retourner, afin de tenir ses troupes

---

1. Ces quatre villes sont des cités de la côte de l'Asie Mineure (actuelle Turquie), laquelle fait partie du monde grec à l'époque de Cyrus. Cume est généralement dénommée Cymé. Nous conservons le nom que lui attribue Madeleine de Scudéry, suivant en cela Du Ryer dans sa traduction d'Hérodote de 1645, mais nous supprimons le « s » final, pour éviter la confusion avec la cité de Cumes, ville de Grande Grèce (Italie du Sud), lieu de résidence de la Sibylle.
2. Euphranor est le plus haut dignitaire de la ville de Gnide ; Thrasybule, amant d'Alcionide, est roi de Milet [voir Partie III, Livre 3].

prêtes à marcher à l'heure même vers le lieu qu'il saurait que le roi de Pont avait pris pour sa retraite. Ensuite de quoi, devant* que de remonter à cheval, il tira Spitridate à part et lui parla, avec tant de générosité et de sincérité tout ensemble, touchant l'injuste jalousie qu'il avait eue, que ce prince, honteux de sa faiblesse et des sentiments de haine qu'il avait eus pour lui un moment devant que de l'avoir rencontré, lui parla après comme un homme qui n'était pas indigne de lui ressembler. Cyrus lui offrit, pour lui mettre l'esprit en repos, de ne voir jamais la princesse Araminte, quoiqu'il eût pour elle une vénération extrême. Mais, comme l'excessive* douleur de Cyrus avait entièrement guéri Spitridate, il lui répondit avec autant de générosité que d'esprit, ces deux grands princes commençant dès lors de lier une amitié aussi étroite que la ressemblance de leur visage était grande. Après cela, ils remontèrent tous à cheval et prirent le chemin de Sardis, où ils ne purent arriver que le lendemain à midi, parce qu'ils furent contraints de se reposer deux ou trois heures à un village qu'ils trouvèrent sur leur route. […]

Le roi de Pont se réfugiera avec sa captive auprès du prince de Cume. Poursuivi par Cyrus, il sera défait et perdra Mandane lors de la prise de la ville [1].

Les deux amoureux seront alors réunis et prendront le chemin du retour vers Ecbatane, capitale de la Médie, où Cyrus doit épouser Mandane après avoir été couronné. Mais le héros n'est pas au bout de ses peines : il lui reste encore à affronter son rival le roi d'Assyrie dans le duel qu'ils ont prévu pour déterminer lequel d'eux aura droit au cœur et à la main de Mandane. Or la nouvelle se répand que le roi d'Assyrie vient d'être blessé dans un autre combat singulier… [2].

---

1. Ces événements sont racontés dans « Prise de Cume et sort du roi de Pont » [Partie VII, Livre 3].
2. Voir « Intapherne blesse le roi d'Assyrie » [Partie VIII, Livre 1].

Partie VIII, Livre 3 [1]

[...] Mais, ce qui surprit fort tout le monde, fut que
le lendemain au matin, il s'épandit un grand bruit que
le roi d'Assyrie était mort de ses blessures, et Cyrus
dit lui-même qu'il venait d'en être assuré, si bien que
tous ceux à qui cette mort pouvait donner de la
mélancolie ou de la satisfaction versèrent des larmes
de douleur ou des larmes de joie, selon l'intérêt qu'ils
y avaient. Ainsi Anaxaris [2] s'en affligea, Mazare en eut
de la compassion, Mandane en eut quelque pitié,
Chrysante, Martésie et Phéraulas en furent bien aises
et chacun regarda alors Cyrus comme étant à la fin de
tous ses malheurs, puisqu'il n'avait plus un rival qui,
tout vaincu qu'il était, ne laissait pas d'être encore
redoutable. De sorte qu'Anaxaris, dans la violente
passion qu'il avait dans l'âme, sentit ce qu'on ne saurait exprimer, de ce qu'il ne prévoyait plus que le bonheur de Cyrus pût être traversé* ; car, vu l'état où l'on
disait que le roi de Pont était parti du tombeau de
Ménestée [3], il n'espérait pas qu'il pût faire nul obstacle
à la félicité de son rival. Cependant il n'en pouvait
souffrir la pensée et, quoiqu'il connût toute l'injustice
de ses sentiments, il ne les pouvait toutefois régler, et
il désirait toujours tout ce qu'il ne pouvait pas désirer.
Mais, après avoir conclu qu'il ne pouvait non seulement espérer d'être heureux, mais qu'il ne pouvait

---

1. L'extrait qui suit correspond aux pages 5826-5838 de l'édition
en ligne.
2. Anaxaris est un personnage mystérieux, qui s'est joint tardivement au groupe des lieutenants et favoris de Cyrus [Partie IV,
Livre 3, « Rencontre de Cyrus et d'Anaxaris »]. Il a joué un rôle
décisif dans la prise de Cume.
3. Après sa défaite, le roi de Pont s'est enfui et, gravement blessé,
s'est réfugié auprès du Phocéen Ménestée, qui a fait ériger deux
tombeaux, un pour sa femme qu'il a récemment perdue et l'autre
pour lui-même, dans lequel il vit en attendant la mort. L'ancien
ravisseur de Mandane ne quittera cette retraite que pour fuir une
visite de Cyrus et Mandane à ces fameux mausolées [Partie VIII,
Livre 2, « Le château du prince de Phocée »].

même penser que Cyrus pût être infortuné : « Du moins, disait-il en lui-même, me sera-t-il permis d'espérer que les dieux, qui détruisent tous les rivaux de Cyrus ou qui leur changent le cœur, me détruiront ou me changeront, comme ils ont détruit et comme ils ont changé les autres. Oui, justes dieux, poursuivait-il, vous me donnerez le destin du roi d'Assyrie ou celui de Mazare, et je serai sans doute bientôt dans le tombeau comme le premier, ou aussi vertueux que le second. Mais, dans le choix des deux, ajoutait-il, je désire plutôt le destin du roi d'Assyrie que celui du prince Mazare et j'aime beaucoup mieux mourir en aimant Mandane que de vivre avec la certitude de n'en être jamais aimé de la manière dont je le voudrais être. »

Mais, pendant qu'Anaxaris raisonnait de cette sorte sur la mort du roi d'Assyrie et sur sa passion, on lui vint dire que Cyrus le demandait, si bien que, sentant dans son cœur une émotion extraordinaire, il eut une peine étrange* à lui obéir. Mais, à la fin, se faisant une extrême violence, il fut le trouver à son appartement où il ne fut pas plus tôt que Cyrus, le faisant entrer dans un grand cabinet qui était dans sa chambre, il lui parla avec autant de confiance que de tendresse : « Vous savez, mon cher Anaxaris, lui dit-il, que je vous ai déjà confié mon honneur et tout ce qui me peut faire vivre avec félicité ou mourir avec consolation, de sorte que pour vous témoigner que je n'ai pas changé de sentiments pour vous, il faut que je vous révèle un secret que je ne dirai qu'à vous seulement et que Phéraulas même, ce cher confident de ma passion, ne saura pas ; car, comme il est amoureux de Martésie, je ne veux pas qu'il sache que le roi d'Assyrie n'est pas mort.

– Le roi d'Assyrie n'est pas mort ! reprit Anaxaris tout surpris. – Non, répliqua Cyrus, et lorsque vous avez entendu dire qu'il était fort mal de ses blessures et que vous avez cru qu'il n'était plus vivant, c'était lorsqu'il se portait le mieux ou qu'il était entièrement guéri ; car, dans le dessein que j'ai eu de lui tenir ma

parole et de me battre contre lui devant* que d'arriver
à Ecbatane, j'ai cru qu'il fallait dire ce mensonge. En
effet, j'ai bien remarqué que, tant que ce prince a été
en santé, tous mes amis m'ont observé si soigneusement qu'il m'eût été impossible de satisfaire mon
ennemi ; de sorte que, pour m'empêcher d'être privé
moi-même du plaisir de me voir en état de me venger
de tous les supplices qu'il a fait souffrir à la princesse
et de tous ceux que j'ai endurés, j'ai cru qu'il fallait
tromper tout le monde et publier* la mort du roi
d'Assyrie, afin que je fusse en pouvoir de faire peut-
être changer cette fable en histoire, en me battant
contre lui, sans craindre d'en être empêché. Le roi
d'Assyrie lui-même l'a voulu ainsi, poursuivit-il, si
bien que, lorsqu'il m'a mandé que dans trois jours il
serait à cinquante stades d'ici, auprès d'un vieux château ruiné qu'il m'a marqué précisément, j'ai fait
publier qu'il était mort ; et je vois que tout le monde
en est si pleinement persuadé que des deux raisons
qui m'obligeaient à vous découvrir mon dessein, il n'y
en a plus qu'une qui subsiste ; car enfin, je pensais
avoir besoin de vous pour me dégager de tant de gens
qui m'accablent, par une voie que j'avais imaginée ;
mais vous ne m'êtes plus nécessaire que pour empêcher mon rival d'avoir Mandane en sa puissance, si je
succombe au combat que je dois faire, puisque,
comme je vous l'ai dit une autre fois, je ne me suis
engagé qu'à me battre contre lui devant que de la posséder, et que je ne lui ai pas promis de l'en rendre possesseur. Ainsi, mon cher Anaxaris, je vous conjure, si
je suis vaincu, de faire voir cet ordre, que je vous laisse
écrit de ma main et que je remets entre les vôtres, à
tous les chefs et à tous les princes qui sont dans cette
armée, afin qu'ils voient que je remets entre les mains
de Mandane toute l'autorité que Cyaxare m'avait
donnée, et qu'ainsi ils lui obéissent et qu'ils s'opposent
au roi d'Assyrie. Car enfin, il y aurait lieu de craindre
que tant de princes nouvellement assujettis ne se joi-
gnissent avec le roi d'Assyrie pour sortir de servitude,
s'ils n'en étaient empêchés par votre fidélité. Je sais

combien votre rare* valeur vous a acquis de crédit sur l'esprit des soldats, je sais que la princesse vous aime assez pour être bien aise que vous soyez une seconde fois son libérateur et je sais que votre fidélité ne me peut être suspecte et que vous m'avez promis de mourir plutôt que de laisser Mandane en la puissance du roi d'Assyrie. – Je vous l'ai promis, seigneur, lui répondit Anaxaris, et je vous le promets encore, vous assurant qu'il n'est rien que je ne sois capable de faire pour m'opposer à son dessein. »

Cyrus étant très satisfait de voir avec quel zèle Anaxaris lui promettait ce qu'il voulait lui dit cent choses obligeantes ; ensuite de quoi, il lui donna encore divers ordres, soit de ce qu'il dirait à la princesse Mandane, soit de ce qu'il faudrait qu'il fît pour la mettre en sûreté en cas qu'il fût vaincu. « Ce n'est pas, ajouta-t-il, mon cher Anaxaris, que je n'espère fortement que je vous donne des ordres inutiles et que le roi d'Assyrie ne sera pas mon vainqueur, mais c'est que la passion que j'ai pour Mandane est si violente et que la haine que j'ai pour mon rival est si forte, que je voudrais pouvoir combattre ce fier ennemi jusque dans le tombeau, et qu'ainsi je ne dois rien oublier pour la sûreté de ma princesse. C'est pourquoi je vous conjure encore une fois de vous assurer de tous vos compagnons, de ménager* l'esprit de tous vos amis et de flatter les soldats autant que vous le pourrez. »

Cyrus ajouta encore à toutes ces choses une autre prévoyance considérable, car il fit mettre entre les mains d'Anaxaris plus de richesses qu'il n'en fallait pour s'assurer des plus mutins, de sorte que, n'oubliant rien de tout ce qui pouvait lui donner la satisfaction de penser que la victoire ne pourrait même mettre Mandane en la puissance du roi d'Assyrie, il passa les trois jours qu'il y avait jusqu'à son combat dans des soins* continuels. C'étaient pourtant des soins qui ne paraissaient qu'à Anaxaris seulement, et Cyrus était tellement maître de son esprit que, soit qu'il parlât à Mandane, à Doralise, à

Martésie ou à toutes ces dames que le débordement du fleuve arrêtait en ce lieu-là [1], il n'y avait nulle marque, ni dans ses yeux, ni dans sa conversation, qu'il eût rien dans l'âme qui l'inquiétât. Au contraire, comme la rivière s'abaissait et qu'il y avait apparence que dans peu de jours on pourrait passer sur le pont qui était en ce lieu-là, il semblait qu'il s'en réjouît et qu'il n'y eût point d'autre obstacle à la continuation de son voyage que l'inondation du fleuve. D'autre part, Anaxaris paraissait assez empressé, mais, comme Cyrus croyait en savoir la cause, bien loin de s'en inquiéter, il était bien aise d'avoir trouvé un protecteur de Mandane si diligent, si zélé et si fidèle.

Cependant, comme ce prince avait tous les jours des nouvelles du roi d'Assyrie, il sut qu'il était arrivé près du lieu où il se devait battre et que ce serait le lendemain au matin, de sorte que, renouvelant tous ses ordres et toutes ses prières à Anaxaris, et Anaxaris reconfirmant aussi toutes ses promesses, Cyrus ne songea plus qu'à se dérober le jour suivant un peu devant le jour, afin que son combat fût fini avant qu'on eût eu loisir de s'apercevoir qu'il ne paraissait pas. Il fut pourtant le soir fort tard chez Mandane, où la conversation fut extrêmement enjouée. Il y eut toutefois quelques instants où, quand Cyrus pensa que peut-être, le lendemain à la même heure, le roi d'Assyrie verrait cette princesse et qu'il ne la verrait plus, il eut une douleur excessive*, quoiqu'elle ne parût pas ; mais il y en eut d'autres aussi où, pensant que peut-être le jour suivant il aurait vaincu son rival et se reverrait vainqueur auprès de sa princesse, il sentit un plaisir extrême ; de sorte que, la quittant avec cette agréable espérance, il se retira chez lui et, ne se confiant qu'à

---

1. Le convoi du retour entourant Cyrus et Mandane a été interrompu dans sa progression par cet obstacle naturel [Partie VIII, Livre 3, p. 5696-5697].

Ortalque [1] seulement, il fit si bien qu'il eut un cheval et une épée telle qu'il la fallait pour son combat. Mais, afin que ceux qui le servaient à la chambre ne fussent pas surpris de le voir sortir devant le jour et si peu accompagné, il dit le soir tout haut en se couchant qu'il voulait aller de grand matin au quartier du prince Artamas, où on lui avait assuré qu'on pourrait trouver un gué pour passer la rivière, témoignant avoir beaucoup d'impatience de recommencer à marcher. De sorte que ceux qui le servaient, qui étaient aussi accoutumés de voir Cyrus agir en soldat qu'en général d'armée, et en particulier qu'en fils de roi, ne s'étonnèrent pas trop de ce qu'il partait si matin, de ce qu'il ne voulait qu'Ortalque avec lui, et de ce qu'il leur commandait de dire qu'il dormait encore à tous ceux qui demanderaient à lui parler.

Ainsi, cet illustre prince, après avoir gagné tant de batailles, assujetti tant de provinces, et soumis tant de royaumes, vit encore toute sa félicité dépendre de la fortune et de sa seule valeur. De sorte qu'un roi qu'il avait vaincu, et qu'un roi sans royaume, était encore en état de le vaincre, de le mettre au tombeau et de posséder la princesse pour qui Cyrus avait fait de si grandes choses. Aussi, tant que le chemin dura, ce prince eut l'âme remplie de tant de pensées différentes qu'il eût eu bien de la peine à les redire avec quelque ordre. Ce fut alors qu'il fit ce qu'il avait déjà fait une autre fois, c'est-à-dire qu'il rappela dans son souvenir les sujets de haine qu'il avait eus contre le roi d'Assyrie, du temps qu'il portait le nom de Philidaspe, et tous les démêlés qu'il avait eus avec lui sous celui d'Artamène. Il se ressouvint de ce sanglant combat qu'ils avaient fait auprès du temple de Mars proche de Sinope [2], et son imagination lui représenta

---

1. Un des fidèles compagnons de Cyrus, dont il n'a pas été question jusqu'ici dans ce choix d'extraits.
2. Ce premier duel est raconté dans l'« Histoire d'Artamène » [Partie I, Livre 2, « Guerre contre le roi de Pont (trêve hivernale) », puis « Duel d'Artamène et de Philidaspe »].

le lieu où il lui avait sauvé la vie à son retour des
Massagettes [1] ; de sorte que, n'oubliant rien des obli-
gations que ce prince lui avait, quoiqu'il fût accoutumé à oublier ses propres bienfaits, il s'en servit à
irriter sa haine, aussi bien que par le souvenir de tant
de maux que Mandane avait endurés parce qu'il
l'avait enlevée.

Mais enfin, étant arrivé au soleil levant au lieu où le
roi d'Assyrie l'attendait avec un écuyer seulement, ces
deux rivaux s'abordèrent avec une civilité qui avait
quelque chose de si fier qu'il était aisé de connaître
qu'ils ne se cherchaient que pour s'entre-détruire.
Cependant, comme ils avaient résolu de se battre à
pied, afin que leur combat fût plus court et qu'ils fussent plus maîtres d'eux-mêmes, ils laissèrent ceux qui
étaient avec eux avec leurs chevaux sous des arbres et
ils furent assez près d'un vieux château ruiné, où le
terrain paraissait fort uni, pour terminer ce grand différend qui avait mis toute l'Asie en armes. Mais, en y
allant, ils parlèrent peu ; le roi d'Assyrie dit pourtant à
Cyrus qu'il avait toujours bien cru qu'il aimait trop la
gloire pour manquer à sa parole, mais qu'il ne laissait
pas de lui en avoir toute l'obligation qu'un ennemi
peut avoir. « Le désir de la vengeance, reprit brusquement Cyrus, est si doux que je ne sais si ce n'est point
autant à lui qu'à l'amour de la gloire que vous devez la

---

1. Les Massagettes sont une population dont le lieu de résidence est fixé, par les historiens de l'Antiquité, au-delà de la mer
Caspienne. Hérodote consacre plusieurs pages (I, 201-216) au
récit des conflits qui les opposèrent à l'armée perse. C'est du reste
lors d'un de ces conflits que le Cyrus historique perdit la vie.
Dans *Le Grand Cyrus*, ces événements sont repris partiellement et
transformés. Les Scudéry retiennent le personnage de la reine
Tomyris, qui règne sur les Massagettes ; ils en font une amoureuse rebutée de Cyrus, venu négocier son mariage avec Cyaxare
[Partie II, Livre 1, « Suite de l'histoire d'Artamène : Cyrus chez
Tomyris (Cyrus ambassadeur de Cyaxare auprès de Tomyris) »].
Sur le chemin du retour, Cyrus sauve un homme attaqué par une
douzaine d'agresseurs. Il comprendra par la suite qu'il a apporté
son aide au roi d'Assyrie, en fuite avec Mandane qu'il venait
d'enlever.

satisfaction que vous allez avoir, et que je vais me donner à moi-même. – Quoi qu'il en soit, dit le roi d'Assyrie, je ne laisse pas de vous louer de faire ce que j'eusse fait, si j'avais été à votre place, et de vouloir bien oublier que je vous dois la vie et la liberté, pour demeurer dans les termes de nos conditions. Car enfin, je suis contraint d'avouer qu'après m'être vu si malheureux dans votre armée, j'ai quelque consolation de ne vous voir plus à la tête de deux cents mille hommes, sur qui je n'avais aucun pouvoir, et de nous voir à armes égales. »

À ces mots, comme ces deux redoutables ennemis arrivèrent au lieu qu'ils avaient destiné pour se battre, ils se séparèrent et, se mettant en présence, sans s'amuser* à mesurer leurs épées, ils commencèrent leur combat. Mais ils le commencèrent avec la même fierté qui a accoutumé de finir celui des autres : en effet, on eût dit qu'ils avaient déjà dans l'âme toute la fureur de ceux qui, dans un combat, voient couler leur sang sans voir celui de leur ennemi ; car ils s'attaquèrent avec la même impétuosité que s'ils eussent voulu terminer tous leurs différends par un seul coup. « C'est enfin aujourd'hui, s'écria Cyrus, en s'élançant sur le roi d'Assyrie, qu'il faut vaincre ou mourir pour Mandane. – C'est par ce coup, répliqua fièrement ce vaillant prince, en lui portant de toute sa force, que tu sauras lequel [1] des deux doit arriver. » La chose n'alla pourtant pas si vite, car Cyrus, ayant paré le coup que le roi d'Assyrie lui porta, comme le roi d'Assyrie para celui que Cyrus lui avait porté, ils ne se touchèrent pas, de sorte que ces fiers ennemis, employant alors toute leur valeur et toute leur adresse l'un contre l'autre, ils s'attaquèrent et se défendirent si vaillamment que leur propre valeur fut un obstacle à leur victoire ; car il se la disputèrent durant très longtemps, avec tant d'égalité, qu'ils ne pouvaient avoir aucun avantage l'un sur l'autre.

---

1. Pronom neutre. Comprendre : « laquelle des deux éventualités (vaincre ou mourir) ».

Comme Cyrus conservait plus de jugement dans le combat que le roi d'Assyrie, qui était d'un tempérament plus impétueux, il choisissait sans doute mieux les endroits où il portait. Mais, d'autre part, le roi d'Assyrie frappait de si grands coups qu'il n'y avait que Cyrus au monde qui les eût pu parer comme il faisait. Tantôt Cyrus s'abandonnait et donnait tout au hasard, afin de pouvoir vaincre plus tôt ; un moment après, il ménageait* un peu mieux ses avantages et tâchait de profiter du désespoir du roi d'Assyrie, qui quelquefois, se moquant des préceptes de ce métier, n'employait que sa force toute seule. Mais ce qu'il y avait d'étrange* était que ces deux vaillants princes, qui avaient une agilité merveilleuse s'ils eussent voulu s'en servir, firent pourtant ce combat dans un très petit espace, parce que, pas un des deux ne voulant lâcher le pied devant son ennemi, ils se serraient toujours de si près qu'ils n'étaient jamais hors de portée, et qu'ils étaient à tous les instants en état de tuer tous deux.

Mais, à la fin, Cyrus eut non seulement l'avantage de voir couler le sang de son ennemi par une légère blessure qu'il lui fit au bras gauche, mais il arriva encore que le roi d'Assyrie, ayant paré de l'épée pour porter au même instant, tomba sur un genou, de sorte que Cyrus, levant la sienne pour pouvoir passer sur le roi d'Assyrie, celle de ce malheureux prince lui tomba des mains. Il se releva pourtant si promptement que Cyrus ne put passer sur lui comme il en avait eu le dessein, mais il ne put toutefois reprendre son épée, parce que Cyrus s'en saisit ; de sorte, que se voyant à la merci de son rival et de son vainqueur, il sentit un désespoir qui n'eut jamais d'égal. Il est vrai qu'il ne dura pas longtemps, car, comme Cyrus n'était pas capable de vouloir tuer un homme désarmé et que leur combat ne devait finir que par la mort d'un des deux, il prit l'épée de son rival par la pointe et, la lui présentant par la garde : « Comme je ne veux pas, lui dit-il, devoir la victoire à votre malheur, que je ne la veux devoir qu'à moi-même et que je ne puis combattre que ceux qui sont en état de me résister, reprenez votre épée et vous en servez plus heureusement que vous n'avez fait, s'il est en votre puissance. – Ah c'est trop, s'écria ce prince violent en la reprenant, et quand vous ne m'auriez point fait d'autre mal que celui de m'accabler de générosité, je ne pourrais souffrir votre vue. Je suis pourtant honteux, ajouta-t-il en reprenant haleine, d'employer l'épée que vous me rendez contre vous. Mais l'amour de Mandane le veut et, puisqu'elle ne peut être qu'à un seul, il faut qu'il n'y en ait qu'un qui vive. »

Après cela, ces deux redoutables ennemis recommencèrent un nouveau combat, plus violent que le premier. Mais, comme ils étaient prêts de se vaincre l'un ou l'autre, et peut-être de périr tous deux, quoiqu'il parût pourtant que Cyrus eût assez d'avantage, parce que la fureur avait troublé la raison du roi d'Assyrie, Phéraulas parut qui, venant à toute bride droit à eux, s'écria dès qu'il fut assez près de son maître pour en pouvoir être entendu : « Ah, seigneur, que faites-vous ici, pendant qu'on enlève la princesse Mandane [1] ? » À ces mots, ces deux vaillants princes, suspendant leur fureur, se retirèrent de quelques pas seulement pour s'éclaircir s'ils avaient bien entendu, de sorte que, Phéraulas s'étant approché, il leur dit encore une fois que Mandane était enlevée, et enlevée par Anaxaris, et que s'ils n'allaient diligemment après, ils ne la délivreraient pas. « Quoi ! s'écrièrent ces deux rivaux, Anaxaris a enlevé Mandane ! – Oui, seigneur, reprit Phéraulas, en adressant la parole à Cyrus, et il y a une telle émotion dans les troupes, à cause de cet accident et du bruit qui a couru que le roi d'Assyrie n'était pas mort, et qu'il vous avait tué, que si votre présence ne le calme et ne donne ordre à faire suivre la princesse, vous ne la retrouverez pas. »

---

1. Dans l'édition originale, cette scène est illustrée par une gravure, reproduite sur le site « Artamène » [barre de menu de gauche, option « Illustrations », puis « Planches » ; c'est la vingt-quatrième vignette].

Ces deux rivaux, entendant ce que disait Phéraulas, se regardèrent fièrement et, comme s'ils eussent été poussés d'un même esprit, ils se dirent qu'il fallait donc remettre leur combat jusqu'à ce qu'ils eussent délivré Mandane. De sorte que, renouvelant leurs conditions en deux mots, ils furent diligemment vers leurs chevaux, qu'ils montèrent à l'heure même, car, comme la blessure du roi d'Assyrie était fort légère, il se fit seulement bander le bras avec une écharpe et fut avec Cyrus vers le lieu d'où Mandane avait été enlevée, parce qu'il fallait y repasser pour la suivre, pour se montrer aux siens et pour prendre des troupes. Mais, en y allant, il fut rencontré par un nombre infini de gens de qualité qui le cherchaient, entre lesquels il fut fort surpris de voir le prince Indathyrse, cet illustre Scythe avec qui il était sorti des États de Tomyris [1]. Quelque affligé qu'il fût, il ne laissa pas de le recevoir civilement et de lui parler en la langue qu'il entendait, pour lui dire son malheur et pour lui demander pardon s'il ne le recevait pas avec toute la joie que sa présence lui eût donnée en un autre temps. « Mais, lui dit-il, quand vous considérerez que la princesse Mandane vient de m'être enlevée, et enlevée par un inconnu dont je ne sais pas seulement la patrie, vous excuserez mon incivilité et vous ne trouverez pas mauvais si, n'ayant l'esprit rempli que de l'infidélité du traître Anaxaris, je ne rends pas ce que je dois au généreux Indathyrse. – Ah, seigneur, reprit cet illustre Scythe, vous serez bien plus surpris quand vous saurez qu'Anaxaris n'est pas Anaxaris ; et plus surpris encore, quand je vous aurai dit qui il est. – Quoi ! s'écria Cyrus, vous le connaissez ? – Oui, seigneur, reprit-il, et je vous le dirai, s'il vous plaît, en particulier. » Alors Cyrus, se séparant de quelques pas du reste de la troupe, et marchant toujours pour ne perdre point de temps, écouta ce que lui dit Indathyrse

---

1. Tomyris est la reine des Massagettes (voir p. 162, note 1). Indathyrse est un ancien soupirant de Tomyris qui, après s'être battu en duel avec Cyrus [Partie II, Livre 1, « Duel entre Indathyrse et Artamène »], dont la reine était tombée amoureuse, est devenu son ami.

avec tant de marques d'étonnement sur le visage qu'il était aisé de connaître qu'il en était, et fort surpris, et fort affligé. [...]

Anaxaris était en fait de longue date amoureux incognito de Mandane [1]. Cyrus et le roi d'Assyrie, après avoir découvert la véritable identité de ce nouveau ravisseur (Anaxaris s'appelle en réalité Aryante et n'est autre que le frère de Tomyris, reine des Massagettes) [2], se lancent à sa poursuite. C'est au roi d'Assyrie qu'échoira la faveur de rejoindre les ravisseurs. Pour sa perte : il sera tué en tentant de libérer Mandane [3].

Cyrus est désormais le seul poursuivant. Il découvre qu'Aryante s'est réfugié avec sa captive auprès de sa sœur Tomyris. Cette dernière est d'autant plus encline à favoriser les desseins de son frère qu'elle est encore amoureuse de Cyrus, malgré que celui-ci l'ait rebutée [4].

La guerre contre les Massagettes est déclarée. Une bataille décisive a lieu.

PARTIE X, LIVRE 2 [5]

[...] Mais, après que tous les carquois furent vides et que les machines eurent fait ce qu'elles devaient faire, il fallut que l'épée décidât cette grande et terrible

---

1. Il s'en était épris après l'avoir assidûment fréquentée lors d'une captivité commune [Partie VII, Livre 3, « Prise de Cume et sort du roi de Pont », puis « Anaxaris amoureux de Mandane »].
2. « La véritable identité d'Anaxaris » [Partie IX, Livre 1].
3. « La mort du roi d'Assyrie » [Partie IX, Livre 1]. Dans l'édition originale, cette scène est illustrée par une gravure reproduite sur le site « Artamène » [barre de menu de gauche, option « Illustrations », puis « Planches » ; c'est la vingt-cinquième vignette].
4. Voir p. 162, note 1.
5. L'extrait qui suit correspond aux pages 7198-7217 de l'édition en ligne.

journée, qui ne ressembla point du tout à toutes celles où l'illustre Cyrus s'était trouvé jusqu'alors ; car, dans toutes les autres batailles, il avait toujours fait combattre ses troupes avec ordre, mais en celle-ci, il ne lui fut pas possible et, de part et d'autre, il y eut une telle confusion dans les deux armées qu'à peine les soldats purent-ils reconnaître leurs enseignes. Cependant le combat était âpre et sanglant, et il y avait une telle animosité entre ceux qui combattaient qu'il paraissait même de la cruauté en quelques-uns. Pour Cyrus, il fit des choses si prodigieuses ce jour-là qu'on ne les croirait pas si on les racontait en détail ; car enfin, au milieu de ce grand désordre où la mort errait de toutes parts, il démêlait* si bien tous les siens qu'il soutenait tous ceux qui étaient faibles, qu'il ralliait tous ceux qui fuyaient, qu'il aidait à vaincre à ceux qui avaient l'avantage et, allant ainsi de lieu en lieu, on peut dire qu'il essuya tous les périls de la bataille. Il ne put pourtant rencontrer Aryante [1], quelque soin qu'il y apportât, mais il tua le vaillant Octomasade [2] de sa main et se fit faire jour partout où il fit briller son épée. Et en effet, ce grand prince, secondé de la valeur de Mazare aussi bien que de celle de tant de vaillants chefs qui étaient dans son armée, et de tant de braves gens qui le suivaient, avait mis les ennemis tellement en déroute que, sans une fâcheuse nouvelle qu'il reçut et qui s'épandit parmi les siens, la victoire était entièrement à lui, Tomyris et Aryante étaient perdus et Mandane était délivrée.

Mais, comme il était en ce glorieux état, on lui vint donner avis qu'Andramite avait surpris le fort des Sauromates [3], qu'il avait envoyé aux tentes royales la reine de Pont et la princesse d'Arménie, qu'Anachar-

---

1. Rappelons qu'il s'agit du véritable nom d'Anaxaris.
2. Haut dignitaire des Issedons, peuple sujet des Massagettes.
3. Les Sauromates sont un peuple allié des Massagettes, qui, « accoutumés à travailler aux mines qui sont en leur pays, remuent la terre avec tant d'adresse et tant de diligence qu'ils ont fait en un mois ce que d'autres ne feraient pas en quatre » [p. 6317]. Ils ont construit un fort destiné à empêcher le passage de l'armée de Cyrus. Voir également p. 567, note 1.

sis [1] et le roi d'Hyrcanie étaient demeurés au fort, mais très soigneusement gardés, qu'Andramite avait dit à Méréonte [2] qu'il était libre et que Méréonte lui avait déclaré qu'il ne le voulait point être et qu'il retournerait auprès de Cyrus dès qu'il pourrait monter à cheval, parce qu'il ne voulait être délivré que de la main de celui qui lui avait sauvé la vie, ajoutant qu'Andramite était avec des troupes entre le fort et l'endroit des bois qui avait été embrasé. Cette nouvelle affligea sans doute fort Cyrus, mais, comme ceux qui la lui apportèrent l'avaient dite confusément à tous ceux qu'ils avaient rencontrés, elle fit un si méchant effet qu'elle changea entièrement le destin de la bataille. Car, comme les choses qui sont dites en tumulte, et écoutées de même, ne sont jamais bien entendues, en fort peu de temps, la chose allant de bouche en bouche au milieu du combat et de la confusion, elle se changea d'une telle sorte qu'on disait à l'avant-garde que l'arrière-garde était défaite, que l'armée de Cyrus allait être enveloppée de toutes parts et que Tomyris était en personne auprès du fort des Sauromates, afin d'empêcher que Cyrus ne pût faire sa retraite. Si bien que ce bruit, s'épandant dans les troupes de ce prince, alentit la valeur des soldats, et ceux qui pensaient être les vainqueurs, commençant de craindre d'être vaincus, se mirent en effet en état de l'être, car la terreur se mit d'une telle sorte parmi eux que les ennemis qui fuyaient, s'en apercevant, se rallièrent et, changeant de destin, ils firent lâcher le pied à ceux qui les avaient mis en déroute.

---

1. Un des sept sages de Grèce, protagoniste du banquet rendu illustre par Plutarque et raconté dans *Le Grand Cyrus* [Partie IX, Livre 2]. Il fait office d'intermédiaire et de négociateur entre Cyrus et Tomyris.

2. Méréonte est un « vaillant Sauromate » que Cyrus, après l'avoir difficilement vaincu en combat singulier, a sauvé des flammes qui embrasaient la forêt où se déroulait la bataille [Partie X, Livre 1, « Cyrus passe à l'attaque », puis « Le combat dans l'incendie »]. Ce prisonnier deviendra son ami et lui contera son histoire [Partie X, Livre 3].

Spitridate, qui était allé pour rassurer l'aile gauche, après avoir su cette fâcheuse nouvelle, se trouvant enveloppé parmi ceux que l'épouvante avait mis le plus en confusion, fit tout ce qu'il put pour les rassurer tous et pour les remener au combat, mais il n'y eut pas moyen. Il rassembla pourtant un petit corps avec lequel il fit ferme ; il est vrai qu'il était si faible, en comparaison de celui qu'il avait en tête, que, s'il eût été un peu moins brave, il eût cru pouvoir se retirer sans déshonneur ; mais, comme ce prince crut sans doute que, portant ce jour-là des armes que Cyrus avait si glorieusement portées, il était obligé pour s'en rendre digne de faire quelque chose d'extraordinaire, il encouragea ceux qu'il avait ralliés à le seconder, dans le dessein qu'il avait d'obliger par son exemple ceux qui fuyaient à ne fuir plus ; de sorte que, payant de sa personne en cette dangereuse occasion, il fit des choses dignes de la ressemblance qu'il avait avec Cyrus. Cependant, comme Aryante se trouva à la tête de ceux dont il soutenait l'effort, et qu'abusé par les armes qu'il portait, qu'il connaissait extrêmement, et par le visage de Spitridate, qu'il n'avait pas loisir de regarder assez attentivement pour remarquer cette légère différence qu'il y avait entre Cyrus et ce prince, il crut que c'était effectivement son rival. Si bien qu'animant tous les siens à le suivre, il fut droit à lui et l'attaqua avec tant de vigueur qu'il était aisé de voir qu'il était persuadé qu'en vainquant ce redoutable ennemi, il vaincrait l'armée tout entière. D'autre part, Spitridate se voyant attaqué si vigoureusement, se défendit d'une manière si héroïque que, si le corps à la tête de qui il combattait eût été assez grand pour soutenir l'effort de celui que commandait Aryante, il n'aurait pas été vaincu ; mais, comme il était trop inégal en nombre, il fut entièrement rompu, malgré la résistance de Spitridate qui était déjà blessé en divers endroits.

Cependant, comme dans le tumulte du combat il fut séparé d'Aryante, il crut qu'il pourrait du moins se retirer. Mais, comme il songeait à faire sa retraite, il fut enveloppé par quinze ou vingt Massagettes ou Gélons [1] qui, le croyant être Cyrus et pensant finir la guerre par la fin de sa vie, ne songèrent pas même à le vouloir prendre prisonnier ; car, comme la valeur de Cyrus leur était redoutable, ils crurent que, s'ils voulaient épargner sa vie, il serait maître de la leur et qu'ils ne le prendraient pas. Si bien qu'attaquant Spitridate tous à la fois, ce grand et malheureux prince se vit en un effroyable danger. Cependant, quoiqu'il n'eût auprès de lui que peu des siens, il les excita à faire ce qu'il faisait ; et en effet, ils secondèrent si puissamment sa valeur que, si un coup de javelot qui le perça de part en part ne l'eût fait tomber de cheval, il était capable de vaincre ses vainqueurs. Mais, dès que cet illustre prince fut tombé, quelques-uns des siens venant auprès de lui et s'y voulant arrêter : « Non, non, mes compagnons, leur dit-il, ne vous arrêtez pas auprès de moi ; marchez plus avant, car c'est ici que je dois mourir, mais ce n'est pas ici que vous devez vaincre et tirer la princesse que j'adore de la puissance de la cruelle Tomyris. »

Ces généreuses paroles, qui ne furent pas moins entendues de quelques-uns des ennemis que des siens, parce qu'Aryante avait plusieurs officiers dans son parti qui avaient fait la guerre en Bithynie, leur persuadèrent encore davantage que Spitridate était Cyrus. Car, outre qu'ils les estimèrent dignes de son grand cœur, ils crurent encore que la princesse dont il voulait parler était la princesse Mandane, quoique Spitridate eût sans doute entendu parler d'Araminte, qu'il venait de savoir qu'Andramite avait envoyée aux tentes royales. Si bien que, se jetant sur lui tous à la fois, ils achevèrent de le tuer, quoique les siens fissent ce qu'ils purent pour s'y opposer, et il y eut alors un combat si opiniâtré à qui aurait son corps qu'on n'a jamais rien vu d'égal. Car, comme il s'épandit quelque bruit, parmi les soldats qui fuyaient, que Cyrus était de ce côté-là, il y en eut qui se rallièrent et qui combat-

---

1. Peuple allié des Massagettes.

tirent avec plus de cœur pour venger leur prince qu'ils
croyaient avoir été tué, et pour défendre son corps,
qu'ils n'avaient fait pour obtenir la victoire. Mais, à la
fin, ceux du parti d'Aryante, étant les plus forts,
emportèrent cet illustre mort et tuèrent tous ceux qui
leur résistaient.

Mais, pendant que ce combat se faisait, Cyrus, qui
voyait la terreur dans toutes ses troupes et qui ne pouvait être partout, envoyait ses amis en divers endroits
pour essayer de les rassurer, durant que, de son côté,
il tâchait de rallier ceux qui étaient à l'entour de lui. Il
envoya donc Mazare d'un côté et Artamas de l'autre,
il fit la même chose d'Intapherne, d'Atergatis [1], d'Indathyrse, d'Hidaspe et de tous les plus braves de son
armée. Si bien que, les envoyant tous les uns après les
autres, selon qu'il le jugeait à propos, il ne demeura
pas un homme de commandement auprès de lui et il
fut lui-même, comme je l'ai déjà dit, rallier ses troupes
dispersées. En effet, il rassembla quelque soldats épars
et, en faisant un petit corps, il soutint non seulement
l'effort d'un beaucoup plus grand, mais il le rompit et
tua tant de gens de sa main que la chose paraîtrait
incroyable si on la disait. Ceux qu'il avait envoyés en
divers lieux pour faire la même chose lui obéirent si
exactement et se firent si bien obéir qu'ils rallièrent
tous quelque petit nombre de gens, avec lesquels ils
tuèrent tant de monde aux ennemis qu'ils n'en avaient
pas tant perdu à la dernière bataille que Cyrus avait
gagnée qu'ils en perdirent en cette occasion. Néanmoins, comme tous ces petits corps ne faisaient que
des combats particuliers et qu'ils ne se joignaient pas,
Cyrus ne se voyait pas en état de pouvoir espérer de
vaincre. Mais il eût du moins pu s'empêcher d'être
vaincu, si le bruit de sa mort, que celle de Spitridate
avait causé, ne se fût épandu parmi les ennemis, qui

---

1. Intapherne et Atergatis sont les héros de l'« Histoire du roi
d'Assyrie, d'Intapherne, d'Atergatis, d'Istrine et de la princesse de
Bithynie » [Partie VIII, Livre 1], qui raconte les méfaits du rival de
Cyrus avant qu'il tombe amoureux de Mandane.

en prirent un nouveau cœur et qui, criant à ceux qu'ils combattaient que Cyrus était mort, achevèrent de mettre l'épouvante par tous les lieux où ce prince n'était pas ; si bien que, la nuit tombant tout d'un coup, les Massagettes demeurèrent avec leur avantage.

Cyrus, se voyant donc en ce pitoyable état, songea du moins à ne tomber pas au pouvoir de Tomyris, de sorte qu'après avoir fait des prodiges pour se démêler de ceux qui l'environnaient, il se dégagea encore lui vingtième [1] du milieu de plus de deux cents Massagettes. Mais comme il se retirait avec ordre, il trouva un autre corps à la tête de qui combattait le jeune et vaillant Méliante [2], qui avait cherché Hidaspe pendant toute la bataille sans l'avoir pu rencontrer ; de sorte que, voulant se consoler de son malheur par la défaite de ceux qu'il rencontrait, il les attaqua. Il est vrai que, comme le nombre était fort inégal et qu'il était brave sans être cruel, il leur offrit de leur donner quartier s'ils voulaient poser les armes ; mais, comme Cyrus était accoutumé de faire grâce aux autres et qu'il n'en avait jamais reçu de personne les armes à la main, il ne répondit qu'en se défendant, et il se défendit d'une manière si héroïque qu'il demeura seul de tous les siens et, par un prodige inouï, il demeura au milieu des ennemis sans être blessé. Mais, comme son courage donna de l'admiration à Méliante, il défendit à ceux qu'il commandait de le tuer, afin de tâcher de le prendre. Il ne l'eût pourtant pu faire, si l'épée de Cyrus, qui s'était faussée par la multitude des coups qu'il avait donnés, ne se fût tout à fait rompue, en voulant porter un coup à un de ceux qui le voulaient prendre.

Mais à la fin, comme il se vit seul et sans armes, il ne s'opiniâtra pas à une résistance inutile et, conser-

---

1. Comprendre : « accompagné de dix-neuf autres ». Tour archaïque signalé par G. Spillebout, *Grammaire de la langue française du XVIIe siècle, op. cit.*, p. 83.

2. Protagoniste essentiel de l'« Histoire d'Arpasie » [Partie X, Livre 1], il est le rival d'Hidaspe.

vant le jugement au milieu d'un si grand tumulte et
d'un si grand péril, il ne songea plus qu'à se rendre,
s'il pouvait, à quelque officier qui ne fût pas Massagette, de peur d'être reconnu. Si bien qu'ayant
remarqué, par les commandements que Méliante avait
faits, qu'il avait l'accent assyrien et qu'il n'était point
sujet de Tomyris, il se rendit à lui, de sorte que
Méliante, lui ayant beaucoup d'obligation du choix
qu'il faisait de sa personne en cette rencontre*, lui
promit qu'il serait traité comme sa valeur le méritait.
« Et pour commencer, lui dit-il, de vous témoigner
combien les belles choses que je viens de vous voir
faire m'ont donné d'estime pour vous, quoiqu'il soit
presque nuit, je ne veux point vous faire lier, comme
on lie les autres prisonniers et je veux seulement que
vous me donniez votre parole que vous ne songerez
point à vous échapper, tant que le chemin que nous
aurons à faire durera. » Comme Cyrus ne pouvait
faire autre chose, en l'état où il était, que recevoir la
civilité de celui à qui il s'était rendu, il le fit de bonne
grâce, si bien que Méliante, le priant de marcher
auprès de lui et entendant sonner la retraite de toutes
parts, reprit le chemin du camp.

Mais, en y allant, que ne pensa point le malheureux
Cyrus et quelle douleur ne souffrit-il pas ! Car enfin,
il voyait son armée défaite, il se voyait prisonnier et il
n'osait espérer de n'être pas connu pour ce qu'il était,
dès qu'il serait en lieu où l'on verrait clair. Néanmoins,
comme celui à qui il s'était rendu ne le pouvait
connaître, il en eut quelque consolation et il fit si bien
durant le chemin qu'il le confirma dans le dessein de
le bien traiter. Et en effet, quoique Cyrus n'eût ce
jour-là que des armes simples et qu'il affectât de ne
parler point comme un homme d'une qualité extraordinaire, Méliante, après l'avoir vu dans sa tente, ne
douta nullement que ce ne fût un prisonnier de grande
condition. De sorte que, se souvenant de la longue
prison où il avait été, lorsqu'il avait été pris par les
troupes de Cyrus du temps qu'il était en Assyrie, il
voulut rendre à ce prisonnier la civilité qu'on avait eue

pour lui (car il était vrai qu'encore qu'Hidaspe eût fait durer sa prison par un sentiment jaloux, il l'avait pourtant toujours fait admirablement bien traiter), de sorte que Méliante, charmé de la valeur, de la bonne mine, de l'esprit et de la constance* de son prisonnier, le mit dans sa tente et fit que ses gens eurent autant de soin de lui que de lui-même. Il ne voulut pas non plus, par un sentiment généreux*, s'empresser d'aller dire ce qu'il croyait de la condition de son prisonnier, jusqu'à ce qu'il le connût mieux, prenant même le dessein de ne découvrir pas sa qualité à Tomyris, si elle était aussi grande qu'il la croyait, si ce n'était que cela lui pût servir à obliger cette reine à remettre Arpasie ¹ en sa puissance ; car, comme il n'avait nul attachement à Tomyris, il se détermina à ne rendre nul mauvais office* à son prisonnier, si l'intérêt de son amour ne l'y obligeait.

Ainsi, sans que Cyrus en sût rien, Méliante ne pensait qu'à des choses qui facilitaient le dessein qu'il avait de tâcher de s'empêcher d'être connu pour ce qu'il était. Cependant ce prince, qui ignorait les sentiments de Méliante, jugeant, par sa physionomie et par son air, qu'il n'était pas possible qu'il n'eût aimé ou qu'il n'aimât quelque chose, crut que, pour l'obliger à prendre quelque soin de lui aider à se cacher, il devait lui dire en termes obscurs que l'intérêt d'une passion qu'il avait dans l'âme demandait qu'il ne fût pas connu dans le camp de Tomyris, et qu'il devait ensuite le conjurer de lui rendre cet office. Et en effet, Cyrus fit une conversation si adroite avec Méliante qu'il l'obligea à lui promettre tout ce qu'il voulut. Ce n'est pas que Méliante ne connût bien que son prisonnier ne lui découvrait pas tout son secret, mais, comme il ne douta point qu'il ne fût amoureux, il joignit la com-

---

1. Il s'agit de la jeune fille dont Méliante est amoureux. Après avoir connu de nombreuses tribulations, racontées dans l'« Histoire d'Arpasie » [Partie X, Livre 1], elle est tombée aux mains d'un capitaine de l'armée de Tomyris.

passion à l'estime et dit tant de choses généreuses à Cyrus que ce grand prince fut charmé de sa vertu.

Il n'avait pourtant pas l'âme assez tranquille pour appliquer alors fortement son esprit à rien de ce qui ne regardait pas l'état présent de l'intérêt de son amour, mais, lorsqu'il se souvenait de toutes les victoires qu'il avait remportées et qu'il se considérait au pitoyable état où il était, il ne pouvait assez s'étonner du caprice de la fortune, ni assez s'affliger de son malheur. Car enfin, il dépendait de Méliante de le présenter à Tomyris ou de le mettre entre les mains de son rival, il ne savait pas même si toute son armée était entièrement défaite, si Mazare était mort ou prisonnier et si tant de princes qui étaient ses amis pourraient rassembler ses troupes et les joindre à ce puissant secours que Cyaxare lui envoyait, et il ne savait même comment ils le pourraient, s'il était vrai qu'Andramite eût des troupes considérables entre le fort et les bois. Mais ce qui l'inquiétait encore étrangement* était la pensée qu'on dirait à l'heure même à Mandane qu'il était défait, de sorte que, craignant que le changement de sa fortune n'en apportât au cœur de cette princesse, il souffrait des maux qu'on ne saurait exprimer et il se trouvait enfin en un état si déplorable qu'il ne douta point que la réponse de la Sibylle [1] n'eût bientôt son effet* et qu'il ne dût périr par la cruauté de Tomyris.

Mais, pendant qu'il s'entretenait de choses si mélancoliques, tous les siens étaient en une inquiétude étrange* ; car, comme il ne paraissait en nulle part, ils crurent qu'il était mort ou prisonnier, de sorte qu'on n'a jamais entendu parler d'une telle consternation. Crésus, Mazare, Myrsile [2], Artamas, Gobryas, Gadate,

---

1. Cyrus avait consulté la Sibylle qui lui avait prédit la mort par l'effet de la haine d'une « amante ennemie » [Partie IV, Livre 3, p. 2720].

2. Le prince Myrsile, fils muet de Crésus, retrouve la parole lors de la prise de Sardis [Partie VI, Livre 3, p. 4228-4229]. En tant que Lydien, il sera ensuite intégré à l'armée perse et combattra ainsi au côté de Cyrus.

Intapherne, Atergatis, Indathyrse, Hidaspe et tous ceux qui avaient quelque autorité dans cette armée apportèrent pourtant un grand soin à persuader à leurs soldats que Cyrus n'était pas mort, de peur qu'après s'être rassemblés, ils ne se dispersassent encore. Ils crurent même qu'il était à propos de ne dire pas qu'ils croyaient qu'il était prisonnier et de n'en envoyer pas non plus demander des nouvelles au camp de Tomyris, de peur que, s'il l'était sans être connu, on ne le fît connaître à ses ennemis. Si bien que tous ces princes dirent qu'on les avait assurés que Cyrus, voyant que la bataille était en si mauvais état, était allé avec quelques-uns des siens joindre ce puissant secours que Cyaxare lui envoyait, afin qu'étant à la tête d'une nouvelle armée, il pût vaincre ses vainqueurs, ajoutant, comme Spitridate ne paraissait point, que ce prince était avec lui ; car il était vrai qu'ils ne savaient alors non plus le destin de l'un que celui de l'autre.

Cependant, Chrysante et Phéraulas, qui étaient dans un désespoir étrange* de ne savoir ce qu'était devenu leur illustre maître, se déguisèrent tous deux en Massagettes, afin de passer dans le camp ennemi pour tâcher d'apprendre du moins ce que l'on y disait de Cyrus. Ainsi, durant que Crésus et Mazare, du consentement de tous les autres princes, prirent le commandement des troupes qui se rassemblaient, jusqu'à ce qu'on sût ce que Cyrus était devenu, ces deux fidèles serviteurs furent non seulement au camp de Tomyris, mais même aux tentes royales qui en étaient fort proches, où ils surent que cette reine était allée aussitôt après la bataille. En effet, il était arrivé une chose qui avait fait prendre cette résolution à cette amante irritée : car, comme ceux qui avaient tué Spitridate l'avaient pris pour Cyrus, et qu'un d'entre eux qui commandait les Gélons dans cette armée avait une âme fière et cruelle, il avait coupé la tête à cet infortuné prince et, étant suivi de ses compagnons qui en portaient le corps sur des lances croisées, il l'avait été offrir à Tomyris qui, ayant l'esprit étrangement* irrité contre Cyrus, à cause de la dernière lettre qu'elle en avait vue, reçut ce funeste présent de la plus inhumaine manière du monde.

Son premier sentiment fut pourtant de détourner les yeux d'un si terrible objet, mais, rappelant toute sa rage et excitant toute la fierté et toute l'animosité de son cœur, elle le regarda après sans témoigner aucun sentiment de compassion, quoiqu'elle eût l'esprit fort agité. Elle l'eut pourtant encore davantage, lorsque ce capitaine qui lui offrait cette glorieuse victime lui raconta les belles paroles que Spitridate avait dites, lorsque, étant tombé, il dit aux siens qu'ils marchassent plus avant, parce que c'était là qu'il devait mourir, mais que ce n'était pas là qu'ils devaient vaincre et délivrer la princesse qu'il adorait en la tirant des mains de la cruelle Tomyris. En effet, elle sentit alors redoubler sa haine, car, dans la pensée qu'elle avait que cette tête était celle de Cyrus, ces dernières paroles lui mirent dans le cœur une telle augmentation de colère qu'étouffant tous les sentiments que l'amour, l'humanité et la compassion y voulaient exciter, il n'y demeura que la jalousie, la haine et la fureur. Elle renonça même à la bienséance de son sexe et à la dignité de sa naissance ; néanmoins, elle ne laissa pas, dans un si grand trouble, de vouloir prétexter son [1] inhumanité, si bien que, sans parler de la passion qui la causait, elle recommença de parler de Cyrus comme du meurtrier de son fils [2] et comme d'un prince qui, pour satisfaire son ambition, ne s'était pas soucié de faire des ruisseaux de sang.

Elle remercia donc ce capitaine des Gélons comme si elle lui eût dû le gain de cent batailles, elle lui promit des récompenses infinies et elle lui commanda de la suivre avec cette illustre tête à la main. De sorte que

---

1. Le pronom se rapporte à Cyrus, coupable, selon la rumeur, de la mort du fils de Tomyris (voir note suivante).

2. Spargapise, fils de Tomyris, s'était suicidé après avoir été fait prisonnier lors d'une précédente bataille ; mais le bruit avait couru que Cyrus était responsable de cette mort [Partie IX, Livre 3, « Suicide de Spargapise », puis « Fausses rumeurs »].

cette reine irritée, après avoir envoyé dire au prince Aryante, qui rassemblait ses troupes qui étaient encore plus affaiblies que celles de son rival, que Cyrus était mort et qu'il demeurât au camp, elle monta à cheval, suivie de ses gardes et de deux cents archers, ce capitaine gélon étant derrière elle et portant la tête qu'il avait présentée à Tomyris. Mais, ce qu'il y eut de remarquable fut que tous ceux qui virent marcher cette reine en ce funeste état en eurent de l'horreur pour elle et de la compassion pour celui qu'ils croyaient mort ; car tous les Massagettes savaient si bien que la guerre que Cyrus leur faisait était juste et que Tomyris avait tort qu'ils ne la suivaient qu'avec peine en un si tragique triomphe.

Cependant, comme il était nuit et qu'elle avait imaginé une voie de persécuter Mandane, puisqu'elle ne pouvait plus se venger de Cyrus d'une manière qui lui fût sensible, il fallut qu'elle attendît qu'il fût jour à [1] faire une action de cruauté dont elle espérait un grand plaisir. De sorte qu'ayant commandé qu'on remplît un grand vase de sang et qu'on le mît dans la place qui était devant ses tentes, et justement devant celle où était Mandane et où l'on avait mis aussi Araminte et la princesse Onésile [2], elle s'y rendit le lendemain au matin, suivie de ses gardes et de tout ce qu'il y avait de troupes aux tentes royales. Elle avait pourtant passé la nuit dans des irrésolutions épouvantables, car tantôt l'image de Cyrus vivant lui avait donné de la compassion pour ce prince mort et tantôt la confiante amour de ce prince pour Mandane lui avait donné de la joie de ce qu'il n'était pas vivant. Ç'avait pourtant été une joie inquiète et tumultueuse, et qui avait laissé si peu de marques de plaisir dans les yeux de celle qui l'avait sentie qu'on n'y vit en effet que des marques de fureur

---

1. Comprendre : « il fallut qu'elle attendît pour... ». Construction usuelle au XVIIᵉ siècle.

2. Onésile est la femme du prince d'Arménie Tigrane, qui évolue dans l'entourage de Cyrus. Elle fait plusieurs apparitions mineures dans le roman.

et de rage. Tomyris était ce jour-là habillée comme lorsqu'elle allait à la guerre et elle avait un bâton de commandement à la main, dont elle ne pouvait s'empêcher de faire de temps en temps quelque action menaçante, quoiqu'elle ne crût plus avoir d'ennemi à combattre.

Cependant, pour se venger plus sensiblement de Cyrus en la personne de Mandane, cette reine irritée fit ouvrir la tente où était cette admirable princesse, auprès de qui étaient alors Araminte, Onésile, Doralise et Martésie, afin qu'elle pût voir le plus funeste objet qui lui pût tomber sous les yeux. Comme on ne savait ce que Tomyris voulait faire de ce vase plein de sang qu'elle avait fait mettre devant la tente où était Mandane, la curiosité y avait attiré une foule étrange* de gens de toutes conditions qui parlaient tous de ce qu'on allait faire avec beaucoup d'incertitude. Mais à la fin, Tomyris sortant de sa tente, suivie de ce capitaine des Gélons qui portait cette prétendue tête de Cyrus, toute l'assemblée attacha ses regards sur ce funeste objet, et Mandane et Araminte, le regardant comme les autres, en eurent des sentiments que les autres n'avaient pas. Car, bien que cette tête fût défigurée, elle avait pourtant encore beaucoup de ressemblance avec Cyrus, de sorte que Mandane ne doutant point, vu tout ce funeste appareil, que ce ne fût celle de ce grand et illustre conquérant à qui elle avait tant d'obligation et qu'elle aimait d'une amour si pure et si ardente, elle sentit une douleur qui la surprit d'une si étrange manière qu'après avoir fait un cri infiniment douloureux, la voix lui manqua tout d'un coup et elle fut même privée de la consolation de se pouvoir plaindre. Pour Araminte, quoiqu'elle ne pût soupçonner que la tête qu'elle voyait fût celle de Spitridate, parce qu'elle savait bien que Tomyris n'avait point assez de haine pour lui pour se porter à cette barbare action, elle ne laissait pas d'être infiniment touchée de la mort d'un aussi grand prince que Cyrus, de la douleur de Mandane et de la cruauté de Tomyris.

Cependant cette reine irritée, après avoir fait montrer cette tête au peuple et lui avoir dit en peu de paroles qu'elle avait voulu leur annoncer la paix en leur montrant la tête de celui qui lui avait fait la guerre et qui avait fait tuer le prince son fils, commanda à celui qui tenait cette illustre tête de la plonger trois fois dans ce vase plein de sang [1], afin, disait-elle, emportée par sa rage et par sa jalousie, que celui qui n'en avait pu être assouvi tant qu'il avait vécu, quoiqu'il en eût répandu par toute l'Asie, en pût être assouvi après sa mort [2]. À peine ce terrible commandement eut-il été fait que ce capitaine des Gélons, qui était naturellement cruel, plongea cette tête dans ce vase plein de sang, d'où il la retira en un état à donner de l'horreur à quiconque avait quelque sentiment d'humanité. Aussi ce funeste objet fit-il baisser les yeux à tous ceux qui le virent, et la cruelle Tomyris elle-même, ne pouvant le souffrir, en détourna la tête en levant les yeux au ciel, plutôt pour faire des imprécations que pour implorer les dieux.

Mais, pour Mandane, lorsqu'elle vit le sang dégoutter de toutes parts de cette tête, après avoir perdu la parole par ce premier objet, elle perdit la vue et la connaissance par le second et tomba évanouie entre les bras de Doralise et de Martésie, qui s'avancèrent pour la soutenir. Cependant Chrysante et Phéraulas, arrivant, pour leur malheur, comme ce fier ministre de la cruauté de Tomyris plongeait cette tête dans ce vase plein de sang, ils eurent leur part de la douleur de Mandane, car, comme ils ne voyaient pas le corps dont les armes leur eussent pu faire connaître que c'était celui de Spitridate, ils crurent qu'ils voyaient la tête de leur illustre maître. De sorte que Phéraulas,

---

1. Dans l'édition originale, cette scène est illustrée par une gravure, reproduite sur le site « Artamène » [barre de menu de gauche, option « Illustrations », puis « Planches » ; c'est la vingt-neuvième vignette].

2. L'épisode est tiré d'Hérodote (I, 214) ; chez l'historien grec, cependant, c'est la dépouille du véritable Cyrus qui est ainsi violentée par Tomyris.

emporté par son désespoir, voulut se jeter à travers la presse* pour l'aller arracher des mains de celui qui la tenait ou se faire tuer par les gardes de Tomyris. Mais Chrysante le retint, en lui montrant la princesse Mandane et en lui disant qu'il fallait qu'il vécût pour servir Cyrus en sa personne. Aussi bien n'en eût-il pas eu le temps, car, dès que ce capitaine des Gélons eut plongé cette tête par trois fois dans ce vase plein de sang, la fière Tomyris, qui vit sur le visage de tous les siens que l'action qu'elle faisait leur donnait de l'horreur, en eut elle-même et commanda qu'on portât cette tête auprès du corps d'où elle avait été séparée, et qu'on le portât dans une tente jusqu'à nouvel ordre ; après quoi, faisant refermer la tente de Mandane, elle retourna dans la sienne. Mais elle y retourna avec tant de rage contre elle-même et avec des sentiments si tumultueux qu'elle ne se haïssait guère moins qu'elle haïssait Mandane. [...]

La méprise est bientôt découverte : soulagement de Mandane, désespoir d'Araminte, qui suit bientôt son amant Spitridate dans la tombe [1], et désarroi de Tomyris, qui pourtant détient désormais Cyrus prisonnier.

Partie X, Livre 3 [2]

[...] Tomyris était dans des inquiétudes si pleines d'irrésolution qu'elle n'était pas un demi-quart d'heure dans un même sentiment. Comme Gélonide la connaissait jusqu'au fond du cœur, elle ne la voulut point abandonner dans les premiers transports de sa pas-

1. « Cyrus prisonnier de Tomyris », puis « Mort d'Araminte » [Partie X, Livre 3].
2. L'extrait qui suit correspond aux pages 7356-7398 de l'édition en ligne.

sion, après la prise de Cyrus, et elle l'observa si exactement qu'elle fut à la fin contrainte de lui découvrir tous les tumultueux sentiments de son âme. « Je vois bien, Gélonide, lui dit-elle, voyant qu'elle la regardait attentivement, que vous cherchez à deviner ce que je pense ; mais, à dire la vérité, il vous serait assez difficile, car je pense tant de choses différentes qu'elles se détruisent continuellement les unes les autres et mon âme est si cruellement agitée que je souffrirais moins si j'étais à la place de Cyrus que je ne fais à celle où je suis. – Ce prince est pourtant en un pitoyable état, répliqua Gélonide, et je crois, madame, que si votre majesté y pensait bien, elle verrait une notable différence entre sa fortune et la sienne.

– Si j'étais bien d'accord avec moi-même, reprit Tomyris, vous auriez raison ; mais, Gélonide, il y a une guerre civile dans mon cœur, qui le déchire d'une étrange* sorte ; car, quand je me souviens des mépris que ce prince a eus pour moi, et sous le nom d'Artamène, et sous celui de Cyrus, j'ai de la haine pour lui et je me résous sans peine à faire mourir Mandane, à la lui faire voir morte et à le faire mourir lui-même. Car enfin, à le considérer de cette sorte, il n'y a point de supplice dont il ne soit digne. En effet, il m'a assez méprisée pour mériter mille morts, il est cause que j'ai terni ma gloire, c'est lui qui a fait des ruisseaux du sang de mes sujets et il a causé la mort de mon fils. Ainsi, quand je ne le considère que de cette manière et que je le vois mon prisonnier, je suis quelques moments à goûter toute la douceur de la vengeance. Mais hélas, ces moments ne durent guère ! et dès que je regarde Cyrus comme le plus grand prince du monde et le plus accompli de tous les hommes, les armes me tombent des mains et il s'en faut peu que je ne l'excuse. Oui, Gélonide, je me dis quelquefois à moi-même qu'il aimait Mandane avant que de m'avoir vue, qu'il ne m'a point fait d'outrage de ne m'aimer pas et que je lui ai même beaucoup d'obligation de ce qu'il ne voulut pas se défaire d'une cruelle ennemie dans les bois des Sauromates, lorsqu'il baissa respec-

tueusement la pointe de son épée au lieu de me tuer [1],
comme il le pouvait faire. Mais, après avoir raisonné
de cette sorte, mon âme n'en est pas plus tranquille ;
au contraire, je me trouve dans un nouveau désespoir,
car moins j'ai de sujet d'accuser Cyrus, plus j'en ai de
m'accuser moi-même. Mais, Gélonide, ce qui fait ma
plus grande douleur, c'est que je suis assurée d'une
certitude infaillible que Cyrus me hait horriblement,
principalement depuis que la violence de mon amour
et de ma jalousie m'ont fait faire cette action de
cruauté que je ne fis néanmoins que parce que j'avais
l'âme irritée de celle qu'il avait eue pour moi. Cependant, toutes les fois que je songe que Cyrus, à qui
j'avais donné mille marques d'amour, sait ce terrible
effet de ma haine, j'en ai un désespoir que je ne puis
exprimer ; car enfin, je veux voir Cyrus et je ne sais
pourtant comment je l'oserai faire, après cette barbare
action qu'il n'ignore pas. Il est vrai que, s'il me rendait
justice, il me tiendrait compte de toute ma cruauté et
Cyrus vivant me devrait sans doute avoir quelque
obligation de tout ce que j'ai fait contre Cyrus mort,
puisque mon inhumanité n'a pas moins été un effet de
mon amour que toutes les marques de tendresse que
je lui ai données en mille occasions.

– Mais enfin, madame, lui dit Gélonide, puisque
Cyrus n'a pu être infidèle à Mandane, dans un temps
où vous ne lui aviez donné nul sujet de vous haïr, il
n'est pas croyable qu'il vous aime aujourd'hui qu'il
peut vous reprocher d'avoir eu autant de haine que
d'amour ; c'est pourquoi, si votre majesté faisait bien,
elle se résoudrait à rétablir sa gloire par une grande
action, et par une action qui lui redonnerait même
l'estime de Cyrus. En effet, si, en l'état où vous êtes,
vous délivriez Cyrus et Mandane et que vous les

    1. « Bataille contre l'armée de Tomyris », puis « Combat de Cyrus
et de Tomyris » [Partie IX, Livre 2]. Dans l'édition originale, cette
scène fait l'objet d'une gravure, reproduite sur le site « Artamène »
[barre de menu de gauche, option « Illustrations », puis « Planches » ;
c'est la vingt-sixième vignette].

renvoyassiez au roi des Mèdes, après avoir obligé ceux qui commandent son armée de la faire repasser l'Araxe [1], vous feriez une chose qui rendrait votre gloire immortelle. – Ah, Gélonide, interrompit Tomyris, je sais bien que je devrais plus aimer la gloire que Cyrus, mais il y a longtemps que j'ai fait voir que j'aime plus Cyrus que la gloire. Ainsi, sans écouter ni la générosité*, ni la raison, ni la vertu, je ne songe qu'à faire en sorte que Cyrus veuille régner dans mes États et dans mon cœur et, quand j'en aurai tout à fait perdu l'espérance, je sens bien que ma fureur n'aura point de bornes et que, si je ne puis perdre Cyrus et Mandane sans perdre aussi Aryante, et sans me perdre moi-même, je m'y résoudrai sans peine.

– Mais, madame, lui dit Gélonide, quoique vous ayez Cyrus en votre puissance, vous ne laissez pas d'avoir de redoutables ennemis à combattre ; car Mazare est brave, le secours que Cyaxare envoie est puissant et le prince Aryante n'est plus à la tête de votre armée. – Quand on ne songe plus à sa propre conservation, reprit Tomyris, on n'a plus rien à ménager ; c'est pourquoi, Gélonide, sans regarder le péril dont vous me menacez, qui n'est peut-être pas si grand que vous vous le figurez, je ne veux songer à autre chose, sinon qu'à imaginer comment je pourrai faire pour obtenir de moi assez de hardiesse pour voir Cyrus.

– Mais encore, madame, lui dit Gélonide, voudrais-je bien savoir quelle résolution vous prenez, en une conjoncture où vous n'en pouvez prendre que de très importantes. – La résolution que je prends, répliqua Tomyris, est de faire toutes choses possibles, justes et injustes, pour porter Cyrus à quitter Mandane et à répondre à mon affection ; et, si je vois que je ne puisse rien gagner sur son esprit, je punirai Aryante de son ancienne rébellion, afin qu'il ne fasse plus d'obs-

---

1. L'Araxe est le fleuve qui borne le territoire des Massagettes en direction du sud ; en d'autres termes, il constitue la frontière avec le monde civilisé.

tacle à ma vengeance, je ferai poignarder Mandane aux yeux de Cyrus, je mêlerai le sang de Cyrus à celui de Mandane et je me tuerai peut-être moi-même, si je ne trouve pas cette vengeance assez douce. – Eh madame, s'écria Gélonide, quels étranges* sentiments vous passent-ils dans l'esprit ? – Eh Gélonide, répliqua Tomyris, que ne doit point penser une reine qui aime, et qui aime un prince qui la méprise et qui la hait ? Car enfin, s'il y a quelques instants où je pense qu'il peut aimer Mandane sans être coupable, il y en a mille où je crois qu'il ne me peut haïr sans être ingrat. »

Après cela, Gélonide voulut encore dire quelque chose, mais Tomyris lui imposa silence et, sans différer davantage, elle fut à la tente de Cyrus, suivie du lieutenant de ses gardes et de quelques-uns de ses compagnons, qui demeurèrent à l'entrée de la tente où l'on gardait ce prince, cette reine n'ayant aucune femme avec elle que Gélonide, car, encore qu'elle [1] n'approuvât pas ses sentiments, elle ne laissait pas de l'aimer et de la mener toujours, parce que c'était la seule personne à qui elle eût découvert son amour. Mais, en allant en ce lieu-là, Tomyris, toute fière qu'elle était, sentit une confusion étrange dans son cœur. Néanmoins, la force de sa passion la dissipant, elle entra dans la tente de Cyrus sans l'en faire avertir, de sorte qu'il fut étrangement* surpris de cette visite. Toutefois, comme il avait l'âme grande, l'esprit ferme et le cœur généreux*, il ne parut nulle émotion sur son visage et toute celle qu'il eut fut renfermée dans son cœur.

En effet, il ne vit pas plus tôt Tomyris qu'il la salua avec tout le respect qu'il lui devait comme reine des Massagettes, mais ce fut pourtant avec toute la froideur qu'il devait avoir pour une ennemie de Mandane et pour une princesse qui lui avait donné une marque de haine aussi publique qu'était celle de cette tête

---

1. Le pronom se rapporte à Gélonide. Le « elle » suivant désigne en revanche Tomyris.

plongée dans un vase plein de sang. Pour Tomyris, elle ne vit pas plus tôt Cyrus que la honte de sa propre inhumanité la fit rougir et l'empêcha de lui pouvoir parler la première. Si bien que ce prince s'approchant d'elle : « Est-ce, madame, lui dit-il avec une hardiesse héroïque, pour me venir demander ma tête, que vous vous donnez la peine de venir ici ? afin que, me la voyant couper de vos propres yeux, vous ne soyez pas trompée une seconde fois, comme vous l'avez été la première ?

– Quand je me suis résolue à vous voir, répliqua-t-elle en le menant à l'autre côté de la tente, je me suis préparée à souffrir des reproches, pour avoir droit de vous en faire ; car enfin, injuste prince que vous êtes, lui dit cette princesse, il y a une notable différence entre la cruauté que j'ai eue pour vous et celle que vous avez toujours eue pour moi. En effet, cette terrible action qui vous paraît si inhumaine n'était qu'un simple emportement du désespoir que j'avais, dans la croyance où j'étais que les dernières paroles de votre vie avaient été une marque de votre amour pour Mandane et de votre haine pour moi. Mais, si j'ai été inhumaine pour vous dans un temps où je croyais que vous ne pouviez plus sentir mes cruautés, vous avez été inhumain et cruel lorsque vous avez su que je sentais jusqu'à vos moindres froideurs ; et si j'ai enfin fait plonger cette prétendue tête de Cyrus mort dans un vase plein de sang, vous m'avez arraché le cœur tout vivant, et vous me l'avez arraché pour le faire fouler aux pieds de ma rivale. Oui, injuste prince, vous avez été le premier à avoir de la cruauté et, si j'en ai eu, je n'en ai eu qu'après que la vôtre m'a eu fait [1] perdre patience et a eu troublé ma raison. Cependant, ajouta-t-elle en se souvenant de la lettre de Cyrus à Mandane, quoique vous soyez dans mes fers et que, par le droit des vainqueurs, je puisse disposer souveraine-

---

1. Passé surcomposé. Forme rare dans la langue française du XVIIᵉ siècle (voir J. Picoche et C. Marchello-Nizza, *Histoire de la langue française*, Nathan, 1989, p. 265).

ment de votre destin, je ne veux vous dire autre chose
pour vous obliger à quitter Mandane, sinon que,
s'étant consolée de votre mort aussi promptement
qu'elle s'en est consolée, elle vous a plus outragé que
je n'ai fait par cette cruelle action que vous me reprochez, et que je me reproche moi-même. Car enfin,
ma fureur et ma haine étaient un effet de ma
passion ; mais son oubli en est un de la légèreté de
son âme et de la faiblesse de son affection. C'est
pourquoi, sans vous demander que vous m'aimiez, je
vous demande seulement que vous ne l'aimiez plus,
que vous vous contentiez qu'elle épouse Aryante
qu'elle ne hait pas, que je l'envoie à Issedon avec le
prince qu'elle aura épousé et que vous me promettiez
de ne la voir jamais ; car, pourvu que cela soit, je
vous délivrerai et je ne vous obligerai pas même à
avoir quelque reconnaissance de l'affection que j'ai
pour vous.

– Si vous me commandiez absolument, madame,
reprit-il, de vous aimer, quoique vous m'ayez donné
de justes sujets de vous haïr, il me serait moins
impossible de vous obéir qu'il ne me l'est de n'aimer
plus Mandane, quand même elle serait infidèle. Car
enfin, madame, vous avez une grande beauté, un
grand esprit, un grand cœur et mille grandes qualités
qui font que, toute mon ennemie que vous êtes, j'ai
encore de l'estime pour vous. Ainsi, sans être même
infidèle à la personne que j'adore, je pourrais avoir de
l'amitié et de la tendresse. Mais, madame, je ne puis
jamais cesser d'aimer Mandane, ni consentir qu'elle
épouse Aryante, ni vous promettre de ne la voir
point. En effet, quand je saurais d'une certitude
infaillible qu'elle aurait cessé de m'aimer, je ne pourrais cesser d'avoir de l'amour pour elle, sans cesser de
vivre, ni souffrir qu'un autre la possédât, sans faire
tout ce que je pourrais pour l'en empêcher, quand
même il faudrait exposer mille et mille fois ma vie,
que je ne préfère jamais à ma gloire ni à mon amour.
C'est pourquoi, madame, n'attendez pas que je vous
promette ce que je ne pourrais vous tenir, car je sens

bien que, quand j'aurais la lâcheté de vous faire cette promesse, je ne serais pas plus tôt libre que j'armerais une seconde fois toute l'Asie pour aller arracher Mandane d'entre les bras de mon rival. C'est pourquoi, madame, je vous conjure, pour votre repos, de ne vous imaginer pas que j'aie une sorte d'esprit capable de céder à la mauvaise fortune, et croyez, au contraire, que si j'étais à la tête d'une armée de deux cents mille hommes et que vous fussiez dans mes fers, je ferais plus de choses pour vous que je n'en ferai aujourd'hui que je suis dans les vôtres. En effet, madame, comme je suis persuadé qu'il y a de la gloire à n'accorder pas ce qu'on ne peut refuser sans péril, je n'ai garde de vous promettre de n'aimer plus Mandane, de consentir qu'elle épouse Aryante et de ne la voir jamais.

– Comme des trois choses que je vous demande, répliqua fièrement Tomyris, il y en a une qui dépend absolument de moi et qui ne dépend point du tout de vous, je ne sais si vous êtes fort prudent de m'irriter par une générosité* aussi fière que la vôtre. Car enfin, je n'ai que faire de votre consentement pour vous empêcher de ne voir jamais Mandane, et je n'en ai même pas besoin pour faire qu'Aryante l'épouse ; car, comme je puis vous regarder si je le veux comme le meurtrier de mon fils, vous serez éternellement dans mes chaînes si la fantaisie m'en prend. – Comme la fortune m'y a mis malgré moi, répliqua Cyrus, elle pourra peut-être m'en tirer malgré vous. C'est pourquoi, madame, sans vous amuser* à me faire des menaces inutiles, j'ai à vous dire, avec toute la sincérité possible, que si j'avais eu à être infidèle à Mandane, vos charmes me l'auraient rendu [1], dans le temps que je fus à votre cour sous le nom d'Artamène. Et je vous avoue de plus ingénument que je lui ai donné une plus grande preuve d'amour en n'en ayant

---

1. Comprendre : « vos charmes auraient été capables de relever le défi de ma disponibilité amoureuse ». Autrement dit, « vous étiez suffisamment attirante pour me séduire, si cela avait été possible ».

pas pour vous que je n'ai fait en prenant Babylone,
Sardis et Cume, puisqu'il est sans doute bien plus
aisé de gagner des batailles et de prendre des villes
que de défendre son cœur contre une personne telle
que vous étiez lorsque j'eus l'honneur de vous voir la
première fois. Car, à n'en mentir pas, madame,
ajouta-t-il, quoique vous soyez aussi belle, vous m'êtes
bien moins redoutable que vous n'étiez alors. En
effet, dès que vous avez commencé de persécuter
Mandane, dès que vous avez, dis-je, commencé
d'avoir de la cruauté et de vouloir vous faire aimer
par la crainte, vous avez perdu tout ce qui vous rendait aimable. – Je ne sais pas, interrompit-elle fièrement, si je me saurai faire aimer, mais je sais bien que
je saurai me faire obéir. Cependant, ajouta-t-elle,
vous vous souviendrez que je ne vous ai pas demandé
que vous m'aimassiez et que je me suis contentée de
désirer que vous n'eussiez plus d'amour pour Mandane, car, dans les sentiments où je vous vois, je
m'aperçois bien que, si je veux recouvrer quelque
repos, il faut que je vous haïsse vivant, comme je
vous ai haï mort, et que je cherche toutes les douceurs de ma vie en la vengeance seulement. »

Après cela, Tomyris s'en alla, sans attendre que
Cyrus lui répondît, mais elle s'en alla avec des sentiments qui tenaient plus de la fureur que de l'amour.
Ce qui faisait son plus grand chagrin était qu'elle se
reprochait à elle-même de n'avoir pas dit à Cyrus
tout ce qu'elle devait lui dire pour toucher son cœur.
Elle se repentait de toutes les paroles qu'elle avait
prononcées et il y avait des moments où elle croyait
que, si elle lui eût parlé avec plus de douceur, elle
l'aurait attendri. Il y en avait d'autres aussi où elle
pensait que, si elle l'eût menacé de la mort de Mandane et de la sienne, elle aurait ébranlé sa constance ;
si bien que, ne pouvant être d'accord avec elle-même
de ce qu'elle eût dû faire ni de ce qu'elle ferait, elle
était en une peine que rien ne pouvait égaler. D'autre
part, Cyrus souffrait des maux incroyables, car,
comme il ne pouvait savoir avec certitude qu'elle eût

vu la lettre qu'il avait écrite à Mandane [1], il pensait
que ce qu'elle lui avait dit de la légèreté de cette princesse avait un fondement véritable, et il le pensait avec
tant de douleur qu'on n'en pouvait pas avoir davantage.

Mais, durant que Cyrus et Tomyris avaient l'âme si
inquiétée, Méréonte, qui était caché chez ces capitaines sauromates et qui y était avec Myrsile, Hidaspe
et Chrysante, continuait d'essayer de faire réussir le
même dessein qui avait été prêt d'être exécuté [2]. Les
amis d'Aryante, de leur côté, songeant aussi à délivrer
ce prince, s'avisèrent, sachant le mécontentement des
Sauromates, de proposer à ceux qui étaient de l'intelligence* de Méréonte de se joindre à eux, afin de tirer
Aryante des mains de Tomyris. Si bien que ces capitaines sauromates, sans donner de réponse décisive à
ceux qui leur firent cette proposition, dirent la chose à
Myrsile, à Hidaspe, à Méréonte et à Chrysante, qui
crurent tous que si on pouvait unir les amis d'Aryante
aux leurs, Tomyris serait infailliblement perdue et que
Cyrus et Mandane seraient délivrés. Ce qui leur faisait
espérer que cela ne serait pas impossible était qu'ils
savaient que les amis d'Aryante avaient peur que
Tomyris ne fît mourir ce prince, car, comme ils savaient
qu'il lui avait voulu ôter une couronne, ils pensaient
qu'elle se servirait du prétexte qu'elle prenait alors
pour se venger de lui et pour s'épargner la peine de
l'empêcher une autre fois de songer à renverser le
trône qu'elle occupait. De sorte qu'imaginant un fort
grand avantage pour Cyrus de cette union si elle se
pouvait faire, ces capitaines sauromates entretinrent
cette négociation et l'amenèrent enfin au point que les
amis d'Aryante conférèrent avec ceux de Cyrus. Mais,

___

1. Cette lettre, dans laquelle Cyrus reproche à Mandane son
indifférence face à la nouvelle de sa mort, a effectivement été inter-
ceptée par Tomyris [Partie X, Livre 3, « Cyrus est découvert en
voulant envoyer une lettre à Mandane »].
2. Les amis de Cyrus se sont alliés avec certains capitaines sauromates afin de délivrer Cyrus et Mandane [Partie X, Livre 3,
« Jalousie de Cyrus », puis « L'évasion de Cyrus »].

comme ils ne pouvaient ni les uns ni les autres
répondre des sentiments des deux princes pour qui ils
agissaient, ils convinrent qu'ils chercheraient les voies
de leur faire savoir l'état des choses ; et en effet,
chacun de leur côté, ils firent ce qu'ils purent pour
cela et, en attendant, Myrsile et Méréonte trouvèrent
moyen de mander à Crésus et à Mazare qu'ils n'entre-
prissent rien, qu*'ils n'eussent de leurs nouvelles.

Cependant, il ne se passait point de jour que
Tomyris ne fît souffrir quelque nouvelle persécution à
Cyrus ou à Mandane, car elle obligea tous ces princes
prisonniers les uns après les autres à voir Cyrus, pour
lui persuader de ne prétendre plus rien à cette princesse. Elle voulut aussi que toutes les autres captives
vissent Mandane chacune à leur tour pour l'obliger à
épouser Aryante et elle parla elle-même au prince son
frère, voyant que cette princesse ne voulait l'épouser,
afin de lui persuader de ne songer plus à Mandane et
de l'abandonner à sa vengeance, car cette violente
reine en vint au point de ne songer plus à se faire
aimer de Cyrus, mais seulement de lui ôter la personne qu'il adorait. De sorte que, comme elle voyait
bien qu'il lui était impossible de persuader jamais à
Mandane d'épouser Aryante, elle se mit dans la fantaisie de persuader à Aryante de souffrir qu'elle fît
mourir Mandane.

« Ce que je vous demande, lui disait-elle, vous me le
devriez demander pour vous venger d'une personne
qui vous méprise et qui vous hait et, quand vous
n'auriez autre avantage que celui de vous imaginer la
douleur de votre rival, vous y devriez consentir. – Si
vous pouvez souffrir, lui répliqua brusquement
Aryante, que j'aille poignarder Cyrus, je consentirai
peut-être que vous empoisonniez Mandane. – Souvenez-vous de la proposition que vous me faites, lui
répondit fièrement Tomyris, car en tel moment me
pourrai-je trouver que je vous sommerai de votre
parole. – Ah cruelle princesse, lui dit alors Aryante,
quelle sorte d'amour est la vôtre ? Non, non, ajouta-
t-il, ne vous y trompez pas : je suis l'ennemi de Cyrus,

mais je ne serai jamais son bourreau et je vous déclare
de plus que, si vous entreprenez quelque chose contre
la vie de Mandane, la vôtre en répondra infailliblement, car, quand je ne pourrais sortir de vos chaînes,
j'ai des amis qui me vengeraient de votre cruauté et je
ne doute nullement que toute la terre ne s'armât
contre vous pour vous perdre. »

Tomyris, voyant de quel air Aryante lui parlait, en
eut de la confusion, mais ce fut une confusion accompagnée de colère, qui lui fit dire des choses infiniment
fâcheuses à ce prince. « Vous pensez peut-être encore,
lui dit-elle, être sur le trône que vous vous étiez élevé,
mais je vous apprendrai bien que vous êtes dans mes
fers comme un usurpateur vaincu et comme un sujet
rebelle. » Après cela, cette fière princesse le quitta, et le
quitta avec des sentiments de haine presque aussi
grands pour lui que pour Mandane ; et en effet, elle ne
prit pas de résolution moins violente contre lui que
contre elle. Comme elle avait de l'esprit, elle voyait
bien qu'elle avait tort, mais cette connaissance, au lieu
de lui donner du repentir, ne faisait qu'augmenter sa
fureur. Cependant, au milieu de tant d'agitations, elle
ne laissait pas d'envoyer ses ordres à tous les officiers
de son armée et de faire tout ce qu'elle pouvait pour se
voir en état de disposer souverainement du destin de
Cyrus et de Mandane. D'ailleurs, dans la violente passion qu'elle avait dans l'âme, elle eut cent fois envie de
revoir ce prince et d'essayer de toucher son esprit par
mille marques de tendresse et d'affection, mais la
fierté de son cœur et un reste d'honnête honte l'en
empêchèrent et elle se contenta de lui faire seulement
dire qu'elle ne demandait autre chose sinon qu'il ne
prétendît plus rien à Mandane ; si bien que, par ce
moyen-là, Cyrus se vit délivré de la crainte où il était
que Tomyris ne le mît dans la nécessité de se tirer
d'une conversation de cette nature.

Cette reine ne put jamais non plus se résoudre de
faire dire à Mandane qu'elle lui cédât Cyrus, mais
seulement qu'elle épousât Aryante. Ainsi Tomyris, par
cette voie indirecte, croyait cacher une partie de sa fai-

blesse et conserver quelque reste de modestie. Il y avait pourtant des instants où elle donnait des marques si visibles de sa passion à tous ceux qui étaient à l'entour d'elle que personne n'en pouvait douter, car elle demandait continuellement ce que faisait Cyrus, ce qu'il disait, s'il ne murmurait* point contre elle, s'il ne parlait point de Mandane et mille autres choses semblables ; et ce qu'il y avait de rare*, c'est qu'elle le demandait quelquefois à des gens qui n'en savaient rien et qui n'en pouvaient rien savoir, car, excepté les gardes de ce prince et ceux qui les commandaient, personne ne le voyait. Aussi fut-il impossible à Myrsile, à Hidaspe, à Méréonte et à Chrysante de trouver moyen de donner de leurs nouvelles à Cyrus, ni d'avoir des siennes pour donner son consentement au traité qu'ils faisaient avec les amis d'Aryante qui, de leur côté, ne purent aussi faire savoir leurs intentions à ce prince. De sorte que, s'assemblant tous un soir dans la tente d'un de ces capitaines sauromates, où Myrsile, Hidaspe, Méréonte et Chrysante étaient cachés, ils résolurent, connaissant la générosité* des deux princes de qui ils embrassaient les intérêts, de ne laisser pas de faire leur traité, comme s'ils avaient leur consentement, s'assurant qu'ils ne les dédiraient pas.

Mais, durant qu'ils étaient assemblés pour cela, Méliante, qui s'était échappé de ses gardes, y arriva et augmenta leur espérance en voyant leur parti fortifié par un si vaillant homme, qui avait plusieurs intelligences* que Méréonte n'avait pas sues de lui. Hidaspe eut pourtant une émotion extraordinaire en voyant son rival [1], qu'il était contraint de regarder comme le protecteur de Cyrus ; et Méliante fut aussi extrêmement étonné de trouver Hidaspe en ce lieu-là. Néanmoins, vu les termes où il en était demeuré avec Cyrus, et où en étaient alors les choses, il le regarda en cette occasion comme un ami de ce prince, plutôt que comme un amant d'Arpasie, si bien que, lui disant

---

1. Voir p. 173, note 2.

l'état des affaires, après les premiers compliments faits, il fut de leur avis et conclut qu'il fallait absolument s'unir pour délivrer ces deux princes. Celui qui agissait le plus pour Aryante était un Massagette qui s'appelait Otryade, qui avait été ami particulier d'Aripithe [1] et qui eût bien voulu qu'Aryante eût été roi. De sorte que, ne faisant presque difficulté à rien de ce que les amis de Cyrus proposèrent, pourvu qu'Aryante fût délivré et que la puissance de Tomyris fût abaissée, ce traité fut bientôt fait. Ils se promirent donc une mutuelle assistance pour exécuter un si grand dessein, ils jurèrent de combattre conjointement contre tout ce qui voudrait s'opposer à la liberté de Cyrus et d'Aryante et que, quand ces deux princes seraient libres, ils se rangeraient auprès d'eux, pour savoir ce qu'ils voudraient faire, chacun ayant alors la liberté de suivre le parti qu'il aurait embrassé, si ces princes ne pouvaient demeurer amis.

Il y eut pourtant une difficulté où Otryade s'arrêta : car les amis de Cyrus voulaient que le premier effort* qu'on ferait aux tentes royales fût pour délivrer ce prince et les autres voulaient que ce fût pour délivrer Aryante. On proposa alors un expédient pour accommoder la chose, qui fut d'aller attaquer les tentes de Tomyris pour s'assurer de sa personne : « Car enfin, disait celui qui le proposa, en vous assurant de cette reine, vous délivrerez et Cyrus, et Aryante, et Mandane. » Mais, quoiqu'il y eût quelque apparence de raison à cette proposition, les amis de Cyrus ne voulurent pas l'accepter, parce qu'ils dirent que, si on attaquait d'abord Tomyris, ils s'exposeraient à être vaincus, n'étant pas possible que le peuple ne s'armât pour la défense de cette princesse ; qu'au contraire, s'il paraissait seulement qu'ils n'eussent dessein que de délivrer Cyrus, il ne s'en mêlerait pas et qu'ainsi, trouvant moins de résistance, la chose s'exécuterait plus facilement ; ajoutant que, si une fois ils pouvaient

---

1. Aripithe, ancien amoureux éconduit de Tomyris (de même qu'Indathyrse, voir p. 166, note 1), est un ennemi de Cyrus.

avoir Cyrus à leur tête, la victoire leur serait certaine. Otryade répondit à cela qu'il voyait bien que la liberté de Cyrus était plus facile de cette façon que de l'autre, mais qu'il ne voyait pas celle du prince Aryante aussi assurée, puisqu'elle dépendrait après cela de la volonté de son rival. Si bien que, pour trouver un milieu entre ces deux choses, Myrsile proposa de faire deux attaques à la fois, afin d'embarrasser d'autant plus Tomyris, qui serait obligée de diviser ses forces. De sorte qu'il fut donc résolu que l'avis de Myrsile serait suivi, qu'on attaquerait en même temps la tente où l'on gardait Cyrus et celle où l'on gardait Aryante ; qu'ils n'iraient point à celle de Mandane, parce qu'ils voulaient laisser à ces deux princes la gloire de la délivrer ; que cependant ils se promettraient que ceux qui auraient le plus tôt exécuté leur dessein iraient à l'heure même aider aux autres à achever le leur et qu'ils obligeraient le prince qu'ils auraient délivré à aller aider à délivrer son rival.

Toutes ces choses étant donc ainsi résolues, ils arrêtèrent le jour et l'heure de cette entreprise et ils envoyèrent diligemment avertir Crésus et Mazare, afin qu'ils se préparassent à attaquer le camp de Tomyris, dans le temps que les Sauromates s'en sépareraient pour venir aux tentes royales se joindre à tous les amis de Cyrus et d'Aryante, et afin aussi qu'ils envoyassent vers Artabatis [1], pour l'obliger d'attaquer Andramite et d'envoyer la moitié de ses troupes se poster entre les tentes royales et le camp de Tomyris. Ainsi il fut résolu que, dans quatre jours et précisément à minuit, ce grand dessein s'exécuterait. Mais, à la fin de cette conférence, Méréonte qui savait en quels termes étaient Méliante et Hidaspe, s'approcha d'eux et les obligea avec beaucoup d'adresse de remettre les différends qu'ils avaient [2] jusqu'à ce que

---

1. Général de l'armée des Perses, dépourvu de rôle important dans le roman. Il fait sa première apparition dans la Partie X. Le nom est emprunté à Xénophon (Artabatas).
2. Voir p. 173, note 2.

Cyrus fût délivré ; si bien que, s'y résolvant avec une égale générosité*, ils agirent conjointement pour les intérêts de ce grand prince, comme s'ils n'eussent point été rivaux ; ainsi Méliante considéra Hidaspe comme l'ami de Cyrus seulement, et Hidaspe considéra Méliante comme le protecteur de ce héros.

Cependant ceux pour qui ce grand dessein était fait n'en étaient pas moins misérables et ils voyaient si peu d'apparence d'heureux changement en leur fortune qu'ils souffraient non seulement les maux présents, mais ils enduraient même par avance les maux à venir qu'ils pensaient leur devoir arriver infailliblement. Tomyris souffrait pourtant plus que tous ceux qu'elle faisait souffrir, parce quelle avait encore moins d'espérance qu'eux. Aussi ne faisait-elle plus consister la douceur de sa vie qu'en la longueur des supplices qu'elle préparait à ceux qui la rendaient innocemment malheureuse. Mais son principal dessein était de tâcher de gagner l'hiver sans combattre, afin que l'armée de Cyrus fût contrainte de se retirer au-delà de l'Araxe, n'étant pas possible qu'elle pût subsister en pays ennemi par de continuels convois, qui lui viendraient même de fort loin. Comme Tomyris était donc dans cette pensée et qu'elle employait tous ses soins à la faire réussir en envoyant ordre sur ordre de ne hasarder point de combattre, à moins que ce fût avec avantage, il arriva une chose qui augmenta bien ses inquiétudes ; car, comme il est difficile qu'un grand secret, su de beaucoup de gens, demeure si caché qu'on n'en découvre rien, principalement quand il est entre des personnes de parti différent, entre lesquelles il ne peut y avoir de véritable et solide liaison, il y eut un des amis d'Aryante, parent d'Otryade, qui, voyant que ce grand dessein était prêt d'éclater et que le lendemain, à minuit, on l'exécuterait, sentit un remords étrange* ; car, comme il ne connaissait pas jusqu'où pouvait aller la générosité de Cyrus, il s'imagina que, quand ce prince serait délivré, il accablerait cette princesse des mêmes chaînes dont elle l'avait accablé, qu'il perdrait Aryante, qu'il ferait tous les Massagettes ses

tributaires ou que même il les exterminerait tous pour
se venger de leur reine. Si bien que, s'étonnant de ce
qu'il n'avait pas pensé plus tôt ce qu'il pensait, il se
repentit de s'être engagé avec Otryade, et il s'en
repentit d'une telle sorte qu'il fit dessein de trahir ceux
à qui il avait promis fidélité. Il est vrai qu'il le fit dans
la pensée qu'en avertissant Tomyris, il pourrait
l'obliger à délivrer Aryante.

Ainsi, sans différer davantage, il fut vers le soir
trouver cette reine secrètement, après lui avoir fait
demander une audience particulière. D'abord, il la
supplia de lui promettre la liberté d'Aryante, en cas
qu'il lui apprît des choses qui lui feraient voir qu'il lui
rendait le plus grand service que personne lui eût
jamais rendu. Mais, comme cette princesse ne s'y
voulut pas engager, il lui dit qu'il ne lui découvrirait
donc pas ce qu'il avait à lui découvrir, de sorte que
Tomyris, qui avait l'esprit aisé à irriter, s'emportant
alors contre celui qui lui parlait, lui dit qu'il ne s'agissait plus de capituler avec elle et qu'il n'avait qu'à
songer qu'il était dans sa tente, qu'elle était maîtresse
de sa liberté et même de sa vie, et qu'ainsi il n'avait
qu'à lui déclarer ce qu'il savait sans aucune condition.
Cet homme, effrayé de la manière dont Tomyris lui
parlait, ne lui résista plus. Au contraire, il lui dit tout
ce qu'il savait du dessein qui devait être exécuté la nuit
prochaine et il en savait tout ce qu'il y avait à en savoir.
Il lui circonstancia même si fort les choses qu'elle ne
douta pas un moment de ce qu'il lui disait, de sorte
qu'elle en eut un étonnement fort grand. Mais ce qui
lui confirma ce que cet homme lui venait de dire fut
qu'Agathyrse l'envoya avertir qu'il avait nouvelle qu'une
partie des troupes d'Artabatis approchaient, sans
qu'on pût pénétrer leur dessein, qu'il avait su aussi,
par quelques prisonniers qu'il avait faits, qu'on se préparait dans le camp de Cyrus à quelque grande entreprise et qu'il se croyait de plus obligé de l'avertir qu'il
y avait peu d'union parmi les officiers de son armée.
Si bien que Tomyris, trouvant un rapport tout à fait
juste, entre les avis qu'elle recevait d'Agathyrse et ce

que lui disait ce parent d'Otryade, en eut l'âme si troublée qu'elle ne savait quelle résolution prendre. D'abord, elle eut dessein d'envoyer arrêter Myrsile, Méliante, Hidaspe, Méréonte et Chrysante dans la tente où ce parent d'Otryade lui disait qu'ils étaient. Mais, après y avoir bien pensé, elle considéra que, quand ils seraient arrêtés, ce n'était que cinq hommes et que cela n'empêcherait pas les Sauromates de se séparer de son armée et de venir aux tentes royales ; que cela n'empêcherait pas non plus Crésus et Mazare d'attaquer son camp, ni Artabatis d'attaquer Andramite, ni d'envoyer des troupes entre son camp et les tentes royales ; qu'ainsi elle ferait un grand éclat inutilement et hâterait peut-être l'exécution d'un dessein qui la devait perdre ; de sorte que, ne sachant que faire ni qu'imaginer, elle fut quelque temps dans une irrésolution étrange*.

Mais, comme elle n'avait rien de plus pressant dans l'esprit que d'empêcher que Cyrus et Mandane ne fussent hors de sa puissance et ne se vissent en état d'être heureux, elle songea principalement à s'en assurer et à tâcher de faire en sorte qu'elle fût maîtresse de leur vie, en cas qu'elle fût obligée de fuir. Mais, afin de pouvoir en disposer absolument, elle fit diligemment transférer Mandane de la tente où elle était à une autre qui était assez près de celle où Cyrus était gardé, afin que, si son parti était le plus faible, elle pût les faire mourir devant* que d'avoir recours à la fuite. Car elle jugeait bien que, si le dessein de ses ennemis réussissait, elle ne serait pas en état de les mener à Issedon, où elle avait intention de se retirer si elle y était forcée. Elle donna aussi ordre qu'on redoublât la garde d'Aryante, elle commanda des gens de guerre pour environner le soir la tente où Myrsile, Méliante, Hidaspe, Méréonte et Chrysante étaient cachés, elle commanda que ce qu'elle avait de cavalerie auprès d'elle se tînt prête au premier ordre et elle envoya aussi avertir les officiers de son armée de ce que ce parent d'Otryade lui avait dit. Elle voulut encore que tous les gens de guerre se tinssent sous les armes et elle choisit même celui qu'elle prétendait devoir être le bourreau de Cyrus et de Mandane.

Dans ce dessein, elle envoya quérir ce capitaine gélon, qui lui avait présenté la tête de Spitridate comme étant celle de Cyrus, afin de lui proposer de faire cette cruelle et injuste action, car, comme elle savait que c'était un homme qui n'avait aucune humanité et qui était fort intéressé, elle le crut capable de lui obéir aveuglément. Et en effet, elle ne se trompa pas, car ce fier Gélon lui promit de poignarder Cyrus et Mandane, quand elle le lui ordonnerait. Mais, afin de le pouvoir faire à point nommé, elle lui donna le commandement absolu sur tous ceux qui les gardaient et elle souffrit même qu'il eût avec lui plusieurs de ses soldats, en qui il se fiait plus qu'à ceux que Tomyris avait destinés à la garde de ces deux illustres et malheureuses personnes, qui connaissaient bien, par le changement qu'on apportait à ceux qui les gardaient, qu'il y avait quelque chose de considérable qu'on ne leur disait point et qu'ils étaient exposés à quelque fâcheuse aventure. Comme ce capitaine gélon était naturellement cruel, il les traita d'une manière bien différente de celle dont ils l'avaient été jusqu'alors, car Mandane n'osait même parler bas, ni à Doralise, ni à Martésie, ni à Hésionide qui l'avait suivie, et Cyrus n'avait pas la liberté de rien demander à ses gardes.

Mais, pendant que Tomyris donnait tant d'ordres différents et qu'elle hésitait encore sur ce qu'elle ferait d'Aryante, la nuit s'avançait et tous ceux qui devaient agir pour la liberté de Cyrus, d'Aryante et de Mandane se préparaient à exécuter leur dessein. Myrsile, Méliante, Hidaspe, Méréonte et Chrysante étaient pourtant fort surpris d'apprendre, au lieu où ils étaient cachés, qu'on avait fait changer de tente à Mandane et d'être encore avertis qu'il y avait quelques gens armés qui environnaient celle où ils étaient. Otryade était aussi assez étonné de ne voir point cet homme qui était son parent, et il l'était d'autant plus que quelqu'un l'avait assuré qu'on l'avait vu entrer dans la tente de Tomyris, où il était encore, car cette reine, qui avait eu tant d'ordres à donner, n'avait pas songé à le renvoyer ; au contraire, elle l'avait retenu, sans penser que, s'il ne retournait pas, cela ferait qu'Otryade, craignant d'être trahi, agirait avec plus de précaution ; et en effet, comme c'était un homme de probité, il envoya secrètement avertir Myrsile, Méliante, Hidaspe, Méréonte et Chrysante de la crainte qu'il avait, si bien qu'ils songèrent à ce qu'ils devaient faire pour se trouver à un lieu où tous ceux qui devaient combattre se devaient rendre, en attendant que les Sauromates qui devaient quitter le camp de Tomyris fussent arrivés et eussent commencé d'attaquer ceux qui gardaient les tentes royales. De sorte que, ne jugeant pas qu'il fallût attendre, à sortir de la tente où ils étaient, que l'heure de l'exécution fût venue, parce qu'il était croyable que, si Tomyris était avertie de la chose, ce serait le temps où l'on observerait de plus près le lieu où ils étaient cachés, ils mirent des habits d'esclaves par dessus les leurs et sortirent par diverses ouvertures de cette tente, dès que la nuit fut venue, pour s'en aller à une autre où Chrysante les mena et où il avait été caché avec Phéraulas, lorsqu'ils avaient été déguisés en Massagettes pour tâcher d'apprendre des nouvelles de leur illustre maître. Otryade, de son côté, changea aussi de tente et assembla ses amis si diligemment qu'il n'eût pas été aisé de le prendre, quand on l'eût entrepris.

Cependant Tomyris fut en une inquiétude étrange*, dès que la nuit fut venue. Car, vu les avis qu'elle avait reçus, elle eût voulu être à la tête de son armée, mais, ne pouvant se résoudre de s'éloigner de Cyrus et de Mandane, dans le dessein qu'elle avait de pouvoir disposer absolument de leur vie ou de leur mort, elle aima mieux demeurer aux tentes royales et, dans les sentiments violents qui la possédaient, elle trouvait quelque douceur à penser que, quand même son armée serait défaite, que les tentes royales seraient forcées et qu'elle serait contrainte de s'enfuir, elle pourrait toujours empêcher que Cyrus et Mandane ne fussent délivrés, puisqu'elle était en pouvoir de les faire mourir dès qu'elle apprendrait qu'elle n'aurait plus rien à espérer. Pour cet effet, elle ne se voulut pas coucher cette nuit-là, afin d'être en état de donner ses ordres selon les occasions et de fuir si elle y était obligée.

Mais, à la fin, le moment destiné à troubler le repos de cette paisible nuit arriva et, par un prodige inouï, des personnes qui étaient en des lieux si différents commencèrent d'agir si précisément en même heure que, presque dans le même instant qu'Artabatis attaqua Andramite à l'entrée des bois, Crésus et Mazare attaquèrent le camp de Tomyris, les Sauromates s'en séparèrent pour aller aux tentes royales, la moitié des troupes d'Artabatis se posta entre les tentes et le camp de la reine des Massagettes et les amis de Cyrus et d'Aryante, qui s'étaient joints, se rendirent avec des armes au milieu d'une place qu'ils avaient choisie pour cela, afin d'attendre la première attaque des Sauromates pour aller eux-mêmes attaquer en même temps les tentes de Cyrus et d'Aryante. Et en effet, ces Sauromates n'eurent pas plus tôt commencé leur attaque que, les amis de Cyrus et d'Aryante se partageant, les uns furent à la tente de Cyrus et les autres à celle d'Aryante, chacune de ces courageuses troupes étant composée d'environ cent soldats aguerris, dont ils s'étaient assurés secrètement. Si bien que Tomyris, apprenant en même temps par diverses voies que son camp était attaqué, qu'il y avait des troupes qui lui en ôtaient toute communication, qu'il y en avait d'autres qui voulaient forcer la garde avancée des tentes royales et qu'il y en avait aussi qui attaquaient celle de Cyrus et celle d'Aryante, elle sentit ce qu'on ne saurait s'imaginer. Dans un si grand trouble, elle songea principalement à commander qu'on défendît la tente où était Cyrus comme la sienne propre ; et en effet, celle où était ce prince et celle où était Mandane étaient engagées dans les siennes et en faisaient une partie.

Cependant, suivant la coutume des Massagettes en des rumeurs populaires ou en des surprises de guerre,

chacun mit une espèce de flambeau sur le haut de sa
tente, afin de pouvoir discerner les amis des ennemis,
si bien que, de cette façon, cette multitude de tentes,
qui formaient cette grande ville portative (s'il est
permis de parler ainsi) [1], ayant toutes un flambeau sur
une pomme dorée, dont tous les Massagettes ornaient
le haut de leurs tentes, elles faisaient un objet tout à
fait beau ; et ce grand nombre de flambeaux éclairait
d'une telle sorte qu'on connaissait aisément les soldats
du parti ennemi d'avec ceux qui n'en étaient pas.
Comme la tente de Tomyris était au lieu le plus élevé
de cette habitation, elle discernait de là le bruit que
faisaient les Sauromates à l'attaque des tentes royales,
celui que faisait Otryade à attaquer la tente d'Aryante
et celui que faisaient Myrsile, Méliante, Hidaspe,
Méréonte, Chrysante et ceux qui les suivaient, pour
forcer ceux qui gardaient une barrière qui était au
devant de la première ouverture de la tente où l'on
gardait Cyrus, qui était pourtant disposée de telle
sorte qu'il fallait passer trois tentes devant que d'être à
celle où il était et, par conséquent, il y avait trois corps
de gardes à forcer.

Tomyris, entendant donc un si grand vacarme de
toutes parts, se tint toujours en état de fuir. En effet,
il y eut un cheval tout prêt derrière ses tentes, ceux qui
la devaient escorter s'y tinrent aussi et elle se fit même
donner un poignard, afin d'être maîtresse de sa propre
vie, comme elle le croyait être de celle de Cyrus et de
celle de Mandane, et de ne craindre pas de pouvoir
être captive de ses ennemis. De moment en moment,
on la venait avertir de l'état des choses et, de moment
en moment, elle en apprenait qui l'affligeaient. En
effet, Crésus et Mazare, ayant attaqué le camp de
Tomyris dans le même temps que les Sauromates

---

1. Les Massagettes, bien que nomades, ne vivaient pas sous des
tentes, mais dans des chariots, si l'on en croit Hérodote (I, 216) et
Strabon (XI, 512). La scène décrite ici provient sans doute de
l'interpolation d'une autre source décrivant une population barbare
ou une campagne militaire.

l'avaient quitté pour aller attaquer les tentes royales, y
avaient mis un si grand désordre que toute la valeur
d'Agathyrse et des autres hauts officiers de cette
armée ne put empêcher la plus grande partie des leurs
de prendre l'épouvante ; si bien que, jugeant à propos
d'avertir Tomyris de l'état des choses, Agathyrse le fit
d'une manière si pressante qu'elle connut bien que,
puisqu'un si vaillant homme désespérait de la victoire,
elle était en état de devoir craindre d'être vaincue.

D'autre part, les Sauromates, qui attaquaient les
tentes royales, combattant autant pour venger leur
prince mort que pour délivrer Cyrus, le faisaient avec
une animosité si grande que leur valeur en était encore
plus redoutable. De sorte que Tomyris apprit aussi de
ce côté-là que les choses n'allaient pas bien pour elle.
Mais ce qui l'affligea davantage fut qu'elle sut que
ceux qui voulaient forcer la tente où était Cyrus
avaient en effet gagné la première barrière et qu'ils
combattaient alors à l'entrée de la première tente. Ce
qui l'étonnait encore était que le peuple ne songeait
qu'à aller combattre contre les Sauromates et ne
venait point à son secours, car, comme il trouvait la
prison de Cyrus injuste, il eût assurément souhaité
que ce prince et Mandane eussent été libres, dans la
pensée que cela aurait fini la guerre.

Tomyris, se trouvant donc en cette extrémité, sentit
une agitation dans son cœur qu'elle n'y avait encore
jamais sentie, car, se voyant sur le point d'être
contrainte de fuir et ne voyant nulle possibilité de pouvoir emmener ni Cyrus ni Mandane, elle ne voyait en
son choix que de les laisser heureux en les laissant
libres ou que de les faire mourir. Un sentiment de justice, de générosité* et même d'amour lui donnait
quelque répugnance à prendre une si tragique résolution, mais, d'autre part, cette même amour accompagnée de la jalousie, du désespoir et de la fureur lui
persuada que, quand on ne pouvait posséder ce
qu'on aimait, il n'y avait point d'autre parti à prendre
que celui de la vengeance. Elle fut pourtant encore
quelque temps irrésolue et elle voulut du moins

attendre à la dernière extrémité à exécuter cette funeste résolution. Cette reine eut même le dessein de faire poignarder Mandane devant* que de faire tuer Cyrus et elle eut aussi intention, durant ce grand tumulte, de voir encore une fois ce prince pour tâcher de toucher son cœur.

Mais, comme elle fut pour entrer dans la tente de cet illustre prisonnier, par le côté qui était engagé dans la sienne, elle entendit qu'il la nommait, si bien que, s'arrêtant tout court, pour ouïr ce qu'il dirait, elle changea de sentiments. Car, comme Cyrus était en une inquiétude étrange* de savoir ce qui causait ce grand bruit qu'il entendait, il l'avait demandé à ce fier capitaine des Gélons que Tomyris avait destiné à être son bourreau, de sorte que, lui ayant répondu [1] avec toute la fierté d'un homme qui croyait lui devoir bientôt enfoncer un poignard dans le cœur, Cyrus ne put l'endurer sans lui en dire quelque chose. « À ce que je vois, lui dit-il, vous êtes un digne ministre des injustices de votre cruelle reine, qui ne serait pas aujourd'hui en état de persécuter Mandane, si je l'eusse tuée comme je le pouvais faire aisément dans les bois des Sauromates [2]. – Pour ne me reprocher pas de t'avoir laissé vivre, lui cria alors la fière Tomyris, comme tu te reproches de ne m'avoir pas donné la mort, je te ferai poignarder dès que Mandane aura rendu le dernier soupir, et toute la grâce que tu peux attendre de moi est que tu mourras de la même main qui l'aura fait mourir, et que le même poignard qui lui aura percé le sein te percera le cœur. »

Après cela, cette cruelle princesse appela ce capitaine gélon et retourna dans la tente, laissant Cyrus si affligé des menaces qu'elle avait faites contre Mandane qu'il ne l'avait jamais tant été, car, pour celles qui regardaient sa vie, il n'y fit alors nulle réflexion. Il ne put même répondre à ce que cette injuste reine lui avait dit, car il fut si surpris d'entendre sa voix et

---

1. Le sujet du verbe est « ce fier capitaine des Gélons ».
2. Voir p. 184, note 1.

d'ouïr le terrible arrêt qu'elle avait prononcé contre Mandane, qu'avant qu'il fût revenu de son étonnement et qu'il se fût assuré lui-même d'avoir bien entendu, Tomyris n'était plus en lieu de le pouvoir entendre. Il ne laissa pourtant pas de parler dans l'excès* de sa douleur, comme si elle eût été présente, et de dire des choses si touchantes que si ces gardes les eussent entendues, ils en eussent eu le cœur attendri. Mais, comme ils n'entendaient pas la langue dont il se servit pour se plaindre en cette occasion, ils n'en furent pas touchés, car, comme ils étaient alors presque tous gélons, ils n'entendaient ni la langue persienne, ni l'arménienne, ni la grecque, ni la cappadocienne, ni celle des Mèdes, et c'était en vain que Cyrus se plaignait devant eux.

Cependant, le désordre augmentant toujours, Tomyris sut que les Sauromates avaient enfin forcé ceux qui leur résistaient, si bien que, prévoyant alors qu'infailliblement Cyrus et Mandane allaient être délivrés, si elle ne les faisait mourir, et qu'elle allait être prise, si elle ne fuyait promptement, après une agitation d'esprit fort tumultueuse, elle commanda à ce fier capitaine gélon qu'elle avait mené dans sa tente pour y recevoir ses ordres quand elle verrait qu'il en serait temps, qu'il allât diligemment poignarder Mandane et qu'ensuite il allât aussi poignarder Cyrus, lui ordonnant de faire savoir la mort de cette princesse à ce malheureux prince. Et en effet, ce cruel ministre de la cruelle Tomyris se mit en devoir de lui obéir. Mais à peine eut-il fait un pas que cette reine, le rappelant, lui dit d'une voix mal assurée qu'il suffirait qu'il tuât Mandane, sans tuer aussi Cyrus. Mais, comme dans cet instant, un des gardes de ce prince vint avertir Tomyris que, vu le grand bruit qu'ils oyaient, il y avait apparence que la tente où il était serait bientôt forcée, et que, de plus, il [1] avait pensé* se saisir des armes d'un de ceux qui le gardaient, la fière Tomyris, prenant la parole et l'adressant à celui qu'elle avait choisi

---

1. Le pronom se rapporte à « Cyrus ».

pour être le bourreau de cet illustre héros : «Va, lui dit-elle, va exécuter mes premiers ordres et n'oublie pas de dire la mort de Mandane à Cyrus, car je ne serais pas assez vengée, s'il ne sentait que la sienne. Mais, après cela, ajouta cette princesse désespérée, reviens promptement sur tes pas pour m'apprendre la fin de la vie de deux personnes qui ont troublé tout le repos de la mienne, afin que je voie si je dois avoir recours à la mort ou à la fuite. »

L'inhumaine Tomyris ayant achevé de faire cet injuste commandement, celui qui le reçut se mit en devoir de lui obéir et fut effectivement à la tente de Mandane. Mais, dès qu'il y fut entré, on y entendit des cris épouvantables de toutes les femmes qui y étaient ; et un instant après, ce cruel exécuteur des volontés de Tomyris en sortit, un poignard sanglant à la main et, rentrant dans la tente de Cyrus en ce funeste équipage, il fut droit à cet illustre prince pour le lui enfoncer dans le cœur, et il y fut dans la pensée que ses compagnons lui aideraient à l'assassiner, si le premier coup qu'il prétendait lui donner manquait. Cependant, comme il voulut obéir exactement aux ordres de l'injuste Tomyris, il lui dit en l'abordant, en mauvais assyrien, que le poignard qu'il tenait fumait encore du sang de Mandane ; et à peine eut-il pro-noncé ces terribles paroles qu'il leva le bras pour poi-gnarder le plus grand prince du monde. Mais, dans le même instant qu'il allait lui enfoncer ce poignard dans le cœur, Cyrus à qui la nouvelle de la mort de sa prin-cesse donna un désir de vengeance qui redoubla encore sa force et sa valeur ordinaire, le lui arracha de la main et, sans perdre un moment de temps, il lui en traversa le cœur et le fit tomber mort à ses pieds.

Cette héroïque action fut faite si subitement et le désespoir mit quelque chose de si redoutable sur le visage de Cyrus que ses gardes en furent épouvantés et furent quelques moments sans savoir quelle résolu-tion ils devaient prendre. Mais, à la fin, quelques-uns se jetant sur lui et montrant l'exemple aux autres, il fut au plus grand péril où il se fût jamais trouvé. Mais il

est vrai aussi que, quoiqu'il ne combattît pas pour
défendre sa vie, mais seulement pour venger la mort
de Mandane, il eut plus de valeur qu'il n'en avait
jamais eu. En effet, il arracha l'épée d'un de ses
gardes, comme il avait arraché le poignard de celui qui
l'avait voulu tuer, et il fit après cela des choses si prodigieuses qu'elles paraîtraient incroyables si on les
racontait en détail. Car, non seulement il tua trois ou
quatre de ses gardes, en blessa plusieurs et fit fuir tous
les autres, mais il sortit même de sa tente et fut hardiment à celle de Tomyris pour chercher quelque plus
noble victime à immoler à son ressentiment que celles
qu'il avait immolées aux mânes de Mandane. Si bien
que, comme tout faisait jour à un ennemi si redoutable, il fut effectivement jusqu'à l'ouverture de la
tente de cette reine, qui attendait le retour de celui à
qui elle avait commandé de poignarder Mandane et de
poignarder Cyrus aussi bien qu'elle. De sorte que son
étonnement ne fut pas petit, lorsque au lieu de voir le
bourreau de Cyrus, elle vit Cyrus lui-même, qui tenait
un poignard d'une main et une épée de l'autre et qui,
par une action menaçante, voulait obliger ceux qui
gardaient cette tente de le laisser entrer.

Tomyris, voyant l'action de ce prince, crut qu'il
allait la chercher avec intention de la tuer, si bien que,
prenant le poignard qu'elle s'était fait donner : « Non,
non, Cyrus, lui dit-elle en le lui montrant, tu ne seras
pas maître de mon destin, puisque je n'ai pu être maîtresse du tien et, si tu approches davantage, je te ferai
voir, en méprisant la mort, que je n'étais pas digne de
tes mépris. » Tomyris prononça ces paroles d'une voix
si ferme que la grandeur de son courage, égalant celle
de sa cruauté, suspendit pour un moment tous les
desseins de ceux qui les entendirent ; car Cyrus
n'avança point, les gardes de cette reine n'attaquèrent
pas ce prince et il y eut un silence de quelques
moments, qui marquait assez combien cette aventure
était surprenante. Mais à la fin, la grande âme de
Cyrus ne pouvant lui permettre de tremper ses mains
dans le sang d'une reine, toute cruelle qu'elle était :

« Comme je ne te pourrais tuer, dit-il à Tomyris, sans profaner la main qui doit venger Mandane, sacrifie toi-même l'injuste reine qui lui a fait donner la mort, durant que j'irai la donner à mon rival. » À ces paroles, Cyrus voulant se faire jour à travers ceux qui voulaient s'opposer à son passage (car il ne savait pas qu'Aryante fût prisonnier), il entendit que cette même reine qui avait commandé qu'on l'allât tuer défendait alors aux siens de l'attaquer et il vit même qu'elle venait en personne pour le défendre.

Mais, comme les choses en étaient là, on entendit un redoublement de bruit étrange* qui arrêta Tomyris et qui fit croire à Cyrus qu'il allait bientôt rejoindre Mandane et qu'il mourrait sans avoir vengé sa mort par celle de son rival. Mais il fut bien surpris de voir que ceux qui faisaient ce grand bruit étaient Myrsile, Méliante, Hidaspe, Méréonte, Chrysante et ceux qui les avaient suivis qui, après avoir forcé tous les obstacles qu'ils avaient rencontrés et avoir passé dans la tente de Cyrus qu'ils avaient trouvée vide, avaient ensuite trouvé celle de Mandane, où ils avaient vu la malheureuse Hésionide [1] morte, que ce capitaine gélon avait tuée au lieu de cette princesse, parce qu'étant de même taille que Mandane, elle en avait pris les habillements, dans la pensée de tâcher de faire sauver cette illustre personne pendant ce grand désordre dont elles oyaient le bruit. De sorte que Myrsile et les autres, n'ayant pas voulu laisser Mandane dans cette tente, la menaient avec Doralise et Martésie, lorsqu'ils trouvèrent Cyrus à l'entrée de celle de Tomyris ; si bien que ce grand prince, voyant sa princesse entre les mains de ses amis, en eut une joie qui, changeant toute l'assiette* de son âme, fit qu'il songea encore moins à perdre la cruelle reine qui l'avait voulu perdre lui-même. Au contraire, son premier transport de joie étant passé, comme il vit que Tomyris, après avoir vu Mandane, levait le bras pour se tuer, il cria à ceux qui

---

1. Une des suivantes d'Araminte, détenue prisonnière avec Mandane.

étaient à l'entour de cette reine qu'ils l'en empêchassent, car, ne comprenant pas alors que si Mandane n'était pas morte, ce n'était pourtant pas que Tomyris n'eût donné ses ordres pour cela, il lui pardonna généreusement la mort qu'elle lui avait voulu faire donner, puisqu'il ne la croyait plus coupable de celle de sa princesse.

Mais, dans cet instant tumultueux où les amis et les ennemis étaient si près les uns des autres sans combattre, on entendit encore un redoublement de bruit étrange*, si bien que Cyrus, ne songeant alors qu'à conserver Mandane, ne songea plus à Tomyris qui, ayant été empêchée par les siens de se tuer, profita de cet instant pour sortir de sa tente par une ouverture dégagée. De sorte que, montant alors à cheval, suivie de ceux qui la devaient escorter, elle abandonna les tentes royales et s'abandonna elle-même à la plus horrible douleur que personne ait jamais sentie. Mais, pendant qu'elle fuyait, il trouva que ceux qui faisaient ce grand bruit étaient le prince Intapherne, Atergatis et Phéraulas, dont les gardes, s'étant épouvantés d'un si grand désordre, les avaient abandonnés, si bien qu'étant sortis ils s'étaient mis à la tente de ces Sauromates qui combattaient pour Cyrus et étaient venus à la tente de Tomyris, où ils le trouvèrent. Mais après que ce premier moment de joie fut passé, Chrysante, ne voyant plus Tomyris dans sa tente, demanda à Cyrus s'il ne voulait pas qu'on la suivît et qu'on la lui amenât captive ? Mais ce généreux prince, qui apprit en deux mots par le prince Myrsile et par Méréonte, les conditions du traité qu'ils avaient fait avec les amis de son rival, dit à Chrysante qu'il valait mieux aller dégager la parole de ses amis, en délivrant Aryante, que de poursuivre une malheureuse reine que la fortune avait abandonnée et que les dieux puniraient sans qu'il s'en mêlât.

En effet, Cyrus, après avoir donné tous les ordres nécessaires à la sûreté de Mandane, fut lui-même pour aider aux amis d'Aryante et aux siens à délivrer ce prince. Mais il n'en fut pas à la peine, car, en y

allant, il rencontra Otryade qui, apprenant par
Méréonte le dessein qu'il avait, lui dit qu'Aryante était
mort. « Quoi, reprit alors Cyrus, Aryante a été tué ?
– Oui, seigneur, répliqua Otryade, et tué par son ancien
rival. Il est vrai que ce malheureux prince l'y a forcé.
– Mais encore, dit alors Cyrus, dites-nous en deux
mots comment il peut être qu'Agathyrse ait tué
Aryante ? – Seigneur, reprit Otryade, comme votre
armée a entièrement défait celle de Tomyris, malgré
toute la valeur des Massagettes, Agathyrse a cru qu'il
devait alors, avec le peu de cavalerie qui lui restait,
venir diligemment se rendre auprès de Tomyris. De
sorte que, prenant un assez grand tour pour aborder
aux tentes royales, par l'endroit opposé à celui où les
Sauromates faisaient leur attaque, il y est effectivement venu. Mais, seigneur, en y venant, tous ceux qui
le suivaient l'ont abandonné, à la réserve de cinq ou
six seulement. Cependant son grand cœur n'a pas
laissé de l'obliger à vouloir se rendre auprès de la
reine. Mais, comme pour aller à sa tente, il fallait
passer devant celle d'Aryante, il est malheureusement
arrivé en cet endroit comme nous venions de délivrer
ce prince, à qui nous avions donné des armes afin
d'aller après tous ensemble tenir la parole que nous
avions donnée, en aidant à vos amis à vous délivrer. Si
bien qu'Aryante, ayant vu Agathyrse, qu'il n'a jamais
pu aimer depuis leurs derniers différends, et ayant
l'esprit irrité de sa mauvaise fortune, il lui a dit
quelque chose d'un ton assez fier, comme s'il lui eût
reproché tous les malheurs de sa vie ; de sorte que,
comme Agathyrse a le cœur haut et sensible, il lui a
répondu de même. Après quoi, Aryante, sans lui
répondre, s'est avancé vers lui l'épée à la main et l'a
attaqué si brusquement qu'Agathyrse qui, par respect,
était descendu de cheval, a été contraint de se
défendre ; et en effet, il s'est défendu d'une telle
manière, que devant* que nous ayons pu songer à
séparer ces deux fiers ennemis, Aryante a été blessé à
mort et Agathyrse s'est dégagé de tous ceux qui l'environnaient et s'est sauvé facilement. Joint que, comme

c'était Aryante qui l'avait attaqué le premier, l'honneur ne permettait pas de le faire suivre. Cependant, dès qu'Aryante a été tombé [1], il a bien jugé qu'il allait mourir. C'est pourquoi, prenant la parole en me regardant : « C'en est fait, Otryade, m'a-t-il dit, je n'ai plus de part à la vie et il ne me reste qu'à vous prier de dire à Mandane que personne ne lui a jamais donné une si grande marque d'amour que celle que je lui ai donnée, en étant ingrat pour Cyrus. » Après cela, ce malheureux prince s'est affaibli tout d'un coup et est expiré ; si bien qu'ayant mis son corps dans une tente prochaine, sous la garde de quelques-uns de ses amis, je suis venu avec les autres pour tenir au prince Myrsile, à Méliante, à Hidaspe, à Méréonte et à Chrysante, ce que je leur avais promis. »

Otryade ayant cessé de parler, Cyrus, suivant sa coutume, agit avec toute la générosité* imaginable, car il parla dignement de la valeur d'Aryante et témoigna même avoir quelque regret de sa mort, puisqu'elle lui avait ôté la gloire de le bien traiter. Ensuite de quoi, ce grand prince reçut nouvelle que Crésus et Mazare, après leur victoire, approchaient des tentes royales et avaient joint les troupes qui s'étaient postées entre ces tentes et le camp de Tomyris ; qu'Artabatis, avec celles qu'il avait, avait défait Andramite, qui était mort en cette occasion et qu'en même temps il avait repris le fort des Sauromates et par conséquent délivré le roi d'Hyrcanie et Anacharsis. Si bien que, ne voyant plus d'ennemis à combattre, il ne songea qu'à apaiser ce grand tumulte qui était dans toute l'étendue des tentes royales, et qu'à en empêcher le pillage. De sorte que, faisant diligemment publier* partout que Tomyris était en fuite, qu'Aryante était mort et qu'il pardonnait à tous les Massagettes, pourvu qu'ils posassent les armes en une heure, il rétablit l'ordre partout, tous les Massagettes mirent les armes bas et se tinrent dans leurs tentes, les Sauromates cessèrent de piller et se rangèrent sous leurs enseignes, à

---

1. Passé surcomposé (voir p. 187, note 1).

toutes les avenues des tentes royales, aux places publiques et devant la tente où était Mandane. Après quoi, Cyrus permit à Intapherne, à Atergatis, à Méliante et à Hidaspe d'aller quérir la princesse Onésile, la princesse de Bithynie, Istrine, Arpasie, et Télagène [1], pour les mener auprès de Mandane. Mais, bien qu'il eût alors l'esprit rempli de mille choses agréables, il ne laissa pas de songer, en donnant cette permission, que Méliante et Hidaspe étaient rivaux ; c'est pourquoi, en leur permettant d'aller quérir Arpasie, ce fut à condition qu'ils agiraient, en cette occasion, comme ses amis et non pas comme ses amants. Et en effet, ils obéirent à Cyrus qui, après avoir donné tous les ordres nécessaires aux choses qui regardaient les troupes, s'en retourna auprès de Mandane, où toutes ces princesses captives étaient déjà arrivées. Mais elle le reçut avec tant de marques de joie sur le visage qu'il se tint dignement récompensé de toutes les peines qu'il avait souffertes depuis qu'il avait commencé de l'aimer. […]

Tous les obstacles sont désormais levés : le mariage des héros peut être célébré.

Partie X, Livre 3 [2]

[…] Mais enfin, le jour destiné à l'entière félicité de Cyrus étant arrivé, le temple où la cérémonie de son mariage se devait faire fut éclairé de mille lampes magnifiques, toutes les rues d'Ecbatane furent ten-

---

1. Pour l'identité de ces cinq dames, protagonistes à divers titres d'histoires insérées précédemment contées, voir l'Index des personnages, p. 599-607.
2. L'extrait qui suit correspond aux pages 7439-7443 de l'édition en ligne.

dues de riches tapis de Sidon [1], on éleva encore des arcs et des obélisques à la gloire de Cyrus et de Mandane, depuis le palais jusqu'à ce temple, dont les inscriptions, mêlant l'amour à la guerre, ne parlaient pas moins de la grandeur de la passion de Cyrus que de celle de ses conquêtes. Une harmonie admirable fit retentir toutes les voûtes du temple, pendant toute la cérémonie, qui eut toute la magnificence que méritaient ceux pour qui elle était faite. Jamais on n'avait tant vu de rois et de princes en même lieu qu'il s'en trouva en celui-là et jamais le bandeau royal n'avait été porté de meilleure grâce que Cyrus le portait. Pour Mandane, elle avait sur le visage toute la majesté qu'il fallait pour occuper dignement le premier trône du monde et sa beauté parut si éclatante le jour de cette célèbre fête qu'elle surpassa d'autant toute celle des autres dames que la bonne mine, l'esprit, la valeur et la vertu de Cyrus surpassaient le mérite de tous les autres hommes. Aussi furent-ils l'un et l'autre l'objet de l'admiration de tous ceux qui les virent sur un superbe trône qu'on avait élevé au milieu du temple [2], et ils le furent encore davantage, lorsque étant retournés au palais après la cérémonie de leur mariage, ils y reçurent les compliments de tout ce qu'il y avait de plus grand et de plus illustre au monde.

Cette fête ne fut pourtant pas honorée de la présence du prince Mazare, car, ne se sentant pas l'âme assez ferme pour voir avec tranquillité la félicité de son rival, tout son ami qu'il était devenu, il partit, pour s'en retourner en son pays, la nuit qui précéda le mariage de Cyrus et ne se trouva point ni au magnifique festin que Cyaxare fit dans son palais, ni au bal qui le suivit. Mais en partant, il laissa une lettre pour Cyrus et une pour Mandane, et il leur écrivit d'une

---

1. Objets de luxe, mentionnés entre autres dans *Les Métamorphoses* d'Ovide (X, 247).
2. Dans l'édition originale, cette scène fait l'objet d'une gravure reproduite sur le site « Artamène » [barre de menu de gauche, option « Illustrations », puis « Planches » ; c'est la trentième vignette].

manière qui redoubla si fort l'estime et l'amitié qu'ils avaient pour ce prince que, s'il eût pu deviner leurs sentiments, il en eût eu beaucoup de consolation. Aussi méritait-il qu'ils les eussent, car il leur demandait pardon de sa faiblesse, il assurait à Mandane qu'il ne se marierait jamais et il disait à Cyrus que, comme il n'avait point d'héritiers, il prétendait que ceux qui devaient être ses sujets fussent un jour les siens, afin que Mandane pût régner sur les Saces comme elle régnait dans son cœur. La douleur qu'ils eurent du départ de Mazare ne les empêcha pourtant pas de s'estimer infiniment heureux de voir que les dieux avaient rendu leurs fortunes inséparables et de voir qu'ils étaient unis d'un lien si indissoluble qu'il n'y avait plus que la mort qui les pût séparer.

Les trois jours qui suivirent cette grande cérémonie furent encore des jours de fête et de réjouissance : les quatre qui suivirent furent destinés au mariage de Myrsile, d'Intapherne, d'Atergatis et d'Hidaspe et, durant un mois, ce ne furent que divertissements publics dans cette grande cour où tous les plaisirs se trouvaient alors. Cyrus sut en ce temps-là que Tomyris était retournée aux tentes royales et qu'Agathyrse, s'étant jeté dans Issedon, s'en était fait déclarer roi, sans que la reine des Massagettes se préparât à le renverser du trône, tant elle était accablée par la douleur qui la possédait, et qu'ainsi Élybésis était devenue sujette de celui à qui elle avait fait une infidélité dans l'espérance d'être reine [1]. Après cela, il reçut des députations de tous les royaumes qu'il avait conquis, de toutes les villes principales qui étaient sous son obéissance et de tous les princes qui étaient ses tributaires. Ainsi, il en eut de Babylone, de Suse, de Sardis, d'Éphèse, de Cume, de Sinope, de Thémiscire, d'Ar-

---

1. L'« Histoire du prince Aryante, d'Élybésis, d'Adonacris et de Noromate » est contée Partie IX, Livre 1. On y apprend comment Élybésis a dédaigné Agathyrse en faveur d'Aryante (Anaxaris), alors susceptible de prendre le pouvoir à la place de sa sœur Tomyris. Après la déconfiture de cette dernière, c'est l'ancien soupirant éconduit qui est désormais sur le trône.

taxate, d'Apamée, de Gnide et de beaucoup d'autres. Ceux qui s'étaient soulevés contre Arsamone lui envoyèrent aussi des députés pour lui offrir la couronne de Pont et de Bithynie, et il en eut en particulier d'Héraclée et de Chrysopolis. Le roi de Phrygie lui envoya des ambassadeurs avec des présents magnifiques, la reine Tàrine, mère du prince Mazare, fit la même chose, le prince de Cilicie en fit autant, le roi d'Arménie de même, le prince Philoxipe envoya aussi se réjouir avec Cyrus de ce que l'oracle que la princesse de Salamis avait reçu avait été heureusement accompli en sa personne [1]. Amasis, roi d'Égypte, le prince Sésostris son fils et la belle Timarète y envoyèrent aussi. Le prince Thrasybule renvoya encore vers Cyrus, le roi d'Hyrcanie et le prince Méliante firent la même chose, Pittacus en fit autant et tous les autres sages qu'il avait presque tous connus en Grèce lui écrivirent pour lui témoigner la joie qu'ils avaient de voir que la fortune avait rendu justice à sa vertu.

Après quoi, Cambyse et la reine sa femme retournèrent à Persépolis, où ils ne firent plus que prier les dieux, quoique Cyrus ordonnât à Adusius, qu'il envoya pour commander en Perse, de prendre leurs conseils en toutes choses. Tigrane et Onésile s'en retournèrent à Artaxate, charmés de la vertu de Cyrus et de celle de Mandane, où Silamis leur parent les suivit. Intapherne, avec la princesse de Bithynie, s'en alla à Chrysopolis, avec la qualité de roi tributaire que Cyrus lui donna. Atergatis et Istrine suivirent Gadate, Hidaspe et Arpasie s'en allèrent avec Gobryas, le prince Artamas retourna vers sa chère Palmis, Crésus, Myrsile et Doralise demeurèrent à la cour de Cyrus,

---

1. Cet oracle, favorable à Cyrus, a été proclamé dans les « Nouvelles de certains couples amoureux », puis « L'oracle de Vénus Uranie » [Partie VI, Livre 1]. C'est la princesse de Salamis, héroïne de l'« Histoire de Timante et de Parthénie » [Partie VI, Livre 1], qui le recueille. Auparavant Cyrus avait déjà reçu un oracle de la Sibylle hellespontique [p. 2720]. De manière générale, les oracles sont fréquents dans le roman, ce qui ne saurait étonner vu leur extrême abondance chez Hérodote.

le prince de Paphlagonie épousa Télagène et s'en retourna en son pays, Chrysante eut le gouvernement de la Lydie, Aglatidas eut celui de Babylone, Ligdamis eut celui d'Éphèse et s'en retourna trouver sa chère Cléonice, Araspe eut celui de Cappadoce, quand il fut revenu de Persépolis, Thrasimède eut celui de Carie, car les Cariens se soumirent volontairement à Cyrus, Phéraulas demeura attaché à la personne de ce prince et épousa même Martésie quelque temps après, Mégabyse fut envoyé en une partie de l'Arabie qui se donna à Cyrus, et ce grand prince eut enfin tant de récompenses à donner par la grandeur de ses conquêtes qu'il n'y eut aucun de tous ceux qui l'avaient servi qui ne fût satisfait de sa libéralité. Cyaxare le fut même toujours de s'être démis de la souveraine puissance, quoique ce ne soit pas la coutume de faire une semblable action sans s'en repentir [1].

Ainsi, le plus grand prince du monde, après avoir été le plus malheureux de tous les amants, se vit le plus heureux de tous les hommes, car il se vit possesseur de la plus grande beauté de l'Asie, de la plus vertueuse personne de la terre et d'une personne encore de qui le grand esprit surpassait la grande beauté et qui répondit si tendrement à sa passion, dès que la vertu le lui permit, qu'il eut lieu de croire qu'il était autant aimé qu'il aimait. De plus, comme Cyrus fit encore d'autres conquêtes, il vit son État borné du côté de l'orient par la mer Rouge, de celui de l'occident par l'île de Chypre et par l'Égypte, du septentrion par le Pont-Euxin et du midi par l'Éthiopie. Il eut encore l'avantage de se voir maître de tous les trésors de David, de Salomon et de Crésus et il se vit plus couvert de gloire que jamais nul autre prince n'en avait été couvert. Il sut même si bien l'art de jouir de tous les plaisirs innocents qu'en demeurant durant

---

1. Dans ce paragraphe sont passés en revue de manière récapitulative la plupart des protagonistes principaux du roman. Pour des précisions sur l'identité de chacun d'entre eux, voir l'Index des personnages, p. 599-607.

l'automne et durant l'hiver à Babylone, durant le printemps à Suse et durant l'été à Ecbatane, il était presque
dans un printemps éternel, sans sentir jamais ni la
grande incommodité du froid, ni celle du chaud. De
plus, ce grand prince eut encore la gloire d'avoir mis
un si bel ordre dans son État et d'avoir établi de si
belles lois, et pour la guerre, et pour la paix, qu'il a
mérité d'être proposé pour modèle à tous les princes
qui l'ont suivi ; et, pour achever sa félicité, le ciel
voulut qu'elle ne fût plus troublée d'aucune sorte de
malheur pendant le reste de sa vie. Ainsi, on peut
assurer que, depuis que la fortune et l'amour ont fait
des hommes heureux, ils n'en ont jamais fait de plus
heureux que Cyrus le fut, depuis le jour qu'il monta
sur un trône si élevé qu'il n'y en avait point d'autre en
toute la terre qui ne fût beaucoup au-dessous.

HISTOIRE DES AMANTS INFORTUNÉS

NOTICE

Parmi la trentaine d'« histoires » méthodiquement insérées dans *Artamène ou le Grand Cyrus*, au rythme d'une par livre [1], seule une minorité peut se prévaloir d'une nécessité à l'égard de l'histoire principale, narrant les exploits du conquérant perse et les péripéties de sa relation avec Mandane : ce sont les récits rétrospectifs qui occupent les deux premières parties [2] et dont l'existence est directement tributaire de l'artifice du début *in medias res*. Toutes les autres histoires, qu'elles se rattachent étroitement ou lâchement au récit cadre, trouvent leur justification dans une volonté d'élargissement du monde de la fiction, sur le modèle qu'avait proposé *L'Astrée* : le roman, loin de se contenter d'offrir une seule trame narrative, multiplie les histoires, généralement sous forme de récits seconds, dans l'intention de proposer un large panorama – parfois même un inventaire – des possibles dans l'univers fictif représenté. *Le Grand Cyrus* pourvoit à cette exigence en puisant son matériau tantôt dans les récits historiques (selon les principes, édictés dans la pré-

---

1. En fait, on dénombre vingt-neuf « histoires », le premier livre en étant dépourvu. Rappelons que *Le Grand Cyrus* est composé de dix parties, comprenant chacune trois livres. Pour une description de la structure narrative du roman, voir notice de l'histoire principale, *supra*, p. 41-42.
2. Partie I, Livre 2 ; Partie II, Livres 1 et 2.

face, qui avaient été appliqués à l'histoire principale), tantôt
dans l'inépuisable fonds de la comédie et de la nouvelle
espagnoles, parfois également en appliquant un procédé d'invention fondé sur la variation de motifs [1], caractéristique du
mode baroque d'appréhension du monde. Le roman des
Scudéry assume ainsi la fonction morale à laquelle prétend
le genre : les fictions proposées passent en revue le monde,
le commentent parfois, lui apposent le plus souvent le cadre
d'un système de valeurs.

L'« Histoire des amants infortunés », que nous avons
choisi de reproduire dans son intégralité, répond certes à ce
modèle, mais présente une inflexion nouvelle, décisive, comme
nous le verrons, dans l'histoire de la fiction narrative du
XVIIe siècle. Située au premier livre de la troisième partie, et
donc publiée en 1649, présentant très peu de liens avec
l'histoire principale, au point d'en être aisément détachable,
elle offre en fait quatre récits distincts et autonomes, illustrant quatre cas de figure différents dans le malheur amoureux. Contrairement à la norme qui régit la quasi-totalité des
histoires insérées [2], racontées par un narrateur extérieur à
l'histoire, nous sommes cette fois en situation autodiégé-
tique : ce sont les amants eux-mêmes qui font le récit de leur
infortune. L'exception est motivée par le contexte tout à fait
particulier de la narration : les quatre plaignants racontent
chacun leur histoire personnelle dans l'espoir d'obtenir, de
la part de la maîtresse des lieux chargée d'arbitrer entre leurs
points de vue divergents, le titre d'amant le plus malheureux.
    Le différend a surgi à l'occasion d'une conversation
– comme souvent dans Le Grand Cyrus et, plus généralement,
dans la littérature mondaine, c'est la conversation qui est

---

1. L'« Histoire de Sapho » (voir p. 444-587) ou celle d'« Abradate
et de Panthée » [Partie V, Livre 1] correspondent à la première catégorie, celle de « Timante et de Parthénie » [Partie VI, Livre 1] à la
deuxième (voir C. Bourqui, « La transmission des sujets galants his-
paniques à la scène française du XVIIe siècle : hypothèse sur le rôle
du Grand Cyrus », in G. Conesa, V. Sternberg, op. cit), l'« Histoire
d'Élise » [Partie VII, Livre 1] à la troisième. Mais cette répartition
reste hasardeuse, du fait que la question n'a encore jamais fait
l'objet d'aucune étude approfondie.
2. Seules exceptions : « Histoire d'Aglatidas et d'Amestris » [Par-
tie I, Livre 3], « Histoire de Thrasybule et d'Alcionide » [Partie III,
Livre 3], « Histoire de Méréonte et de Dorinice » [Partie X, Livre 3].

matrice de la narration [1]. À l'évocation des épreuves que la fortune impose à la passion de Cyrus, ses amis, réunis chez Martésie, en viennent à débattre du plus grand malheur en amour. L'échange qui, en d'autres temps, aurait conduit à l'élaboration d'une maxime, à la rédaction d'une question d'amour ou à l'improvisation d'un madrigal sur le sujet, s'enlise dans une opposition entre quatre « devisants » qui s'estiment tous lésés par le sort. Plutôt que d'opposer à l'infini les arguments, sans garantie de parvenir à une réponse qui obtienne l'unanimité, on décide d'attribuer à la maîtresse des lieux le pouvoir d'arbitrage (elle prononcera donc un jugement), puis on donne la parole à chacun des quatre amants, qui auront toute latitude d'exposer leur point de vue. On écoute donc à tour de rôle plaider leur propre cause un amant souffrant de l'absence de la femme aimée (l'« amant absent »), un autre se heurtant à l'aversion, puis à l'indifférence de celle qu'il courtise (l'« amant non aimé »), un troisième ayant connu les souffrances du deuil (l'« amant en deuil »), et un dernier en proie aux affres de la jalousie (l'« amant jaloux »).

La formule tient à la fois des tribunaux et « cours d'amour » dont *L'Astrée* avait proposé plusieurs modèles (mais ici il s'agit moins de condamner ou d'absoudre que de trancher) et de la « question d'amour », ancienne pratique médiévale que les salons avaient remise au goût du jour pour la porter à son apogée dans le troisième quart du XVIIe siècle [2].

---

1. Voir D. Denis, *Le Parnasse galant. Institution d'une catégorie littéraire au XVIIe siècle*, Champion, 2001, p. 242-243 ; A. Génétiot, *Poétique du loisir mondain, op. cit.*, chap. V ; P. Hourcade, « Jeux d'esprit et production du roman vers les années 1640 à 1700 », *Studi Francesi* 76, 1982, p. 79-87.

2. La pratique consiste à soumettre à l'assemblée, en invitant à y répondre par un échange argumenté d'opinions, une question portant sur la définition ou la morale de l'amour. On trouvera un recueil de ces questions d'amour dans le volume *Questions d'amour ou Conversations galantes dédiées aux belles* (1671) de C. Jaulnay (disponible sur le site internet « Gallica » de la BNF). De manière générale, les questions et tribunaux d'amour figurent en bonne place dans *Le Grand Cyrus*. Pour la première catégorie, voir « Le banquet des sept sages » [Partie IX, Livre 2, « Questions d'amour »] : « Doit-on désirer de donner de l'amour à des gens pour qui l'on n'en veut point avoir ? » « Peut-on aimer deux fois une même personne ? » Pour la seconde, voir l'« Histoire de Thrasyle » [Partie VII, Livre 3] et le différend de Ménécrate [Partie VII, Livre 1, « La vie à Sardis », puis « Jugement du différend entre Thrasimède et Ménécrate »].

On notera que les quatre cas de figure présentés s'articulent de manière scrupuleusement analytique, justifiant, s'il était nécessaire, le qualificatif de « casuistique » fréquemment attribué à la conception précieuse de l'amour. Chacun des quatre plaignants souffre d'une lacune à l'égard d'un des quatre critères de la relation amoureuse définis comme essentiels : la présence de l'être aimé, l'amour de l'être aimé, l'espérance d'une issue favorable et l'innocence de l'amant lui-même.

	Présence de l'être aimé	Amour de l'être aimé	Espoir	Innocence de l'amant
Amant absent	–	+	+	+
Amant non aimé	+	–	+	+
Amant en deuil	+ [1]	+	–	+
Amant jaloux	+	+ [2]	+	–

Plaidoyer, avons-nous dit. Certes, les discours des quatre amants ne ressortissent pas au genre judiciaire de la rhétorique – il s'agit plutôt d'un exemple caractérisé du genre démonstratif (ou épidictique), dont la fin est le blâme ou l'éloge. Mais les modalités de la prise de parole n'en satisfont pas moins rigoureusement à la division que l'art oratoire impose aux parties du discours. La structuration est patente dans chacun des quatre textes : on reconnaît à première vue le schéma qui fait se succéder l'exorde, la narration, la confirmation et la péroraison. Et c'est bien sûr la narration, amplifiée à l'extrême, qui procure à quatre reprises l'occasion du récit des infortunes de chacun des amants. Ce que racontent les amants malheureux, ce qui est appelé à produire le plaisir de la lecture romanesque, n'est autre que l'exposition des faits qui constitue normalement la *narratio* rhétorique.

1. Jusqu'au décès de Léontine, Artibie jouit sans restriction de la présence de celle-ci. Dans la mesure où la narration s'attache non à l'histoire d'un deuil, mais à celle d'une relation qui se termine par la mort, on peut considérer que le héros ne souffre pas de l'absence.

2. La jalousie de Léontidas est le seul obstacle à l'amour d'Alcidamie, lequel, sans cette tare rédhibitoire, lui serait acquis.

En prenant des proportions démesurées, cependant, la relation détaillée de chaque cas déborde complètement le cadre normalement imposé à la « seconde partie du discours ». On perd de vue le destinataire (Martésie, l'« équitable juge » qui va prononcer le verdict final), et on s'écarte des formes de la narration « sociale » (fréquents échanges avec le public, digressions, construction parfois hasardeuse du propos) pour offrir un récit usant des artifices traditionnels du récit littéraire tels que les dialogues, les scènes, les descriptions. Le narrateur homodiégétique, qui ne devrait disposer que d'un point de vue restreint sur les événements, s'accorde les privautés du narrateur omniscient, ce qui le contraint à justifier son savoir par de fréquentes parenthèses (« à ce que m'a depuis dit mon ami », p. 246 ; « car j'ai su toutes ces choses depuis de sa propre bouche », p. 273, etc.).

La narration, de plus, retrouve naturellement les critères du romanesque (faut-il s'en étonner au sein du *Grand Cyrus* ?). Les quatre histoires s'inscrivent en adéquation ou en décalage subtil par rapport au schéma fondamental qui fait se succéder première rencontre, obstacles opposés par les parents, séparations, malentendus, démêlés avec les rivaux [1] – à la réserve, bien sûr, de la conclusion heureuse par le mariage. La structure pastorale affleure ici ou là : le principe de la chaîne amoureuse préside, par exemple, aux relations des protagonistes de l'histoire de l'« amant non aimé » (Stésilée aime Philoclès qui aime Philiste qui aime Antigène qui en aime une autre). Au reste, les péripéties typiques que le roman scudérien emprunte habituellement à ses devanciers – roman hellénistique, *Astrée*, *novela* et comédie espagnoles – foisonnent. On reconnaît au premier coup d'œil les motifs de la rencontre au temple, de la confidente amoureuse, du portrait perdu, du confident inapproprié, des deux rivaux identiques ou symétriques, de l'amant fidèle malgré la ruine matérielle de la femme aimée : les auteurs ont puisé au grand magasin des fournitures en motifs et situations qui servira encore jusqu'à Marivaux et Prévost au moins. Quelques résidus des sources antiques, n'entrant pas

---

1. Ce schéma informe l'histoire de Cyrus et de Mandane et, non sans variations, l'« Histoire de Sapho ». On en trouvera une description précise, comportant de nombreux exemples tirés du *Grand Cyrus*, dans *Les Romans de Mademoiselle de Scudéry* de R. Godenne (*op. cit.*, p. 144-146).

dans la composition de l'histoire principale, sont en outre
habilement recyclés : anecdotes illustres (ainsi l'histoire du
cachet de Ménéclide, de provenance hérodotienne) et informations géographiques sur les hauts lieux de la culture
antique (Thèbes, Corinthe, Delphes) – le roman peut ainsi
jouer son rôle de vecteur des connaissances culturelles élé-
mentaires. Les quatre histoires, enfin, adoptent le cadre familier de l'univers galant, à peine dissimulé par le voile antique :
le récit rebondit de réunions mondaines en visites « particulières », on rivalise de pointes avant de se battre en duel, il
est question de mariages et d'héritages, toutes « affaires » sont
perçues comme d'insupportables contraintes.

Cette *narratio* hypertrophiée s'est incontestablement égarée
sur les chemins du plaisir littéraire. Est-elle néanmoins
ordonnée au bénéfice de la démonstration qu'elle prétend
soutenir ? Un lecteur attentif et non soumis au charme de
l'illusion narrative ne manquera pas d'observer qu'aucune
des quatre histoires ne respecte le programme établi dans les
propos liminaires du narrateur.

Ainsi, l'histoire de l'« amant absent » est avant tout l'histoire d'une fidélité amoureuse, illustrant la qualité nobiliaire
de la « générosité » (ou magnanimité) appliquée à la relation
amoureuse [1] : l'accomplissement de cette dernière est privilégié sur toute autre valeur, à commencer par celle de la
richesse matérielle. L'absence n'intervient que comme circonstance compliquant et finalement sanctionnant la relation. Le récit en lui-même ne dit rien du malheur de l'amant
victime de cette infortune. Ce sont les commentaires passa-
gers – en particulier ceux procédant du discours intérieur –
et l'argumentation finale qui assument ce rôle. L'histoire,
certes, expose un cas d'amant absent, mais de manière
marginale : elle se contente d'offrir une trame favorisant, à
l'instar de nombreuses autres qu'il aurait été possible de
proposer, l'intégration de péripéties de séparation ou d'éloignement.

La même analyse peut être appliquée au cas de l'« amant
jaloux », dont le récit développe en fait l'histoire d'une riva-
lité amoureuse compliquée par un vol de portrait. La jalousie, ici aussi, est greffée sur une structure à laquelle elle n'est

---

1. Un autre personnage du *Grand Cyrus* affirmera que « l'amour
est une passion si noble, qu'elle ne peut-être récompensée que par
elle-même » [p. 527].

pas intrinsèquement attachée. C'est l'opacité de la situation qui permet d'établir le lien, en offrant au personnage l'occasion de cultiver ses penchants jaloux et, à l'auteur, la possibilité de décrire les effets de ceux-ci, sur le double plan des états d'âme et des comportements. Au reste, on observe un glissement dans les formes mêmes du sentiment jaloux : à la jalousie de suspicion du soupirant recherchant obsessionnellement les indices de la faveur du rival succède bientôt la jalousie de possession de l'amant agréé persécutant la femme aimée. Ce n'est que dans ce second cas de figure, traité dans les tout derniers développements du récit, que le sentiment jaloux occasionne des malheurs proprement amoureux, et non généralement tributaires des difficultés de déchiffrement du monde.

Quant à l'histoire de l'« amant en deuil », il est évident qu'elle ne pouvait que difficilement répondre aux exigences d'une narration attrayante à l'aune des critères romanesques. Dans la mesure où il n'était guère possible de consacrer un récit à développer l'histoire d'un deuil, restait le pis-aller que constituait la succession de fausses nouvelles de mort. Trois occasions (deux rumeurs infondées, auxquelles succède finalement le véritable trépas de l'héroïne, survenu au moment de la cérémonie de mariage) sont ainsi fournies de dépeindre les douleurs réitérées de la perte de l'être aimé.

Seule l'histoire de l'« amant non aimé » raconte effectivement ce que promet son titre : on y suit les efforts désespérés par lesquels le héros tente en vain de lutter contre l'aversion de la femme qu'il aime. Le récit contribue-t-il pour autant à démontrer que l'amant victime de cette infortune est le plus malheureux de tous ? En réalité, il illustre simplement le fait que le système des « sympathies » obéit à une fatalité contre laquelle on aurait tort de lutter. C'est sur ce point que se focalise la démonstration, comme l'atteste le recours particulier au motif du double (Philoclès et Antigène), auquel les Scudéry ont, à de fréquentes reprises, affirmé leur attachement[1] : pourquoi, de deux galants pourvus de qualités identiques au point d'être facilement

---

1. Voir, par exemple, l'opposition entre Phaon et Thémistogène dans l'« Histoire de Sapho » ou, simplement, la similitude d'apparences et de qualités qui rapproche Cyrus et Spitridate. Pour une hypothèse sur les rapports de ce système des « doubles » avec la tradition du roman de chevalerie, et plus particulièrement les *Amadis*, voir G. Penzkofer, *« L'Art du mensonge »…*, *op. cit.*, chap. XLV.

confondus, l'un est-il aimé de Philiste et l'autre non ? Fatalité poussée à son comble d'injustice, quand les événements
révèlent que le soupirant aimé est inconstant, et le soupirant
non aimé inutilement fidèle. Encore une fois, la démonstration se fonde non sur le récit, mais sur la description des
états d'âme, selon la conception de l'« anatomie du cœur »
qui sera affirmée dans l'« Histoire de Sapho ».

Ce dévoiement romanesque de la narration rhétorique
n'est au fond guère surprenant dans un roman qui, à
quelques exceptions près, exploite les histoires insérées
comme autant de « nouvelles » autonomes. Le terme n'est
pas anachronique, même si les textes français qui portent
cette dénomination sont encore rares à l'époque [1]. Il serait
loisible de soutenir, en effet, que c'est au sein du *Grand
Cyrus* que de tels récits, cultivant la proximité sur le double
plan du contenu et du mode de narration, font leur apparition. En effet, dès 1649, la parution des trois premières parties du roman procure, avec l'« Histoire d'Aglatidas et
d'Amestris » et celle des « Amants infortunés », des exemples
d'histoires insérées qui se déroulent « comme d'ordinaire
nous voyons arriver [les choses] », et qui sont racontées à la
manière d'« une personne d'esprit qui ferait agréablement
un conte sur-le-champ [2] ». Sous leur très léger vernis antique,
elles veillent à la proximité du sujet par le cadre galant, ainsi
que par la nature des péripéties, restreintes aux mouvements
du cœur et aux actions qui en résultent chez les personnes
de bonne compagnie. La prise en charge de la narration par
un conteur favorise l'émergence d'un style naturel, usant
d'un lexique simple et limité, renonçant aux figures et aux
ornements, et conciliant le rythme de la période avec celui
de la profération orale. Mais surtout, dans le cas des « Amants
infortunés », le cadre rhétorique impose à ces histoires une
structure d'exemplarité explicite. Chacun des quatre amants,
en effet, s'efforce de convaincre son auditoire en présentant
son cas comme une preuve fondée sur le principe de

---

1. Avant *Les Nouvelles françaises* (1656) de Segrais, on ne relève
que le recueil homonyme de Charles Sorel (1623 ; refondu et complété en 1645).
2. Selon la formule de J. Donneau de Visé, dans la préface de ses
Nouvelles galantes, comiques et tragiques (1669). La citation qui précède
est tirée des *Nouvelles françaises* (1656) de Segrais (in C. Esmein,
Poétiques du roman, op. cit., p. 549).

l'induction : *exemplum*, selon la tradition rhétorique, qui y distinguait les deux variétés de l'exemple historique et de l'exemple fictif (ou apologue). Les Scudéry inaugurent ainsi un prototype de récit « proche » satisfaisant à la fois à l'exemplarité et aux nécessités de la fiction narrative moderne, équivalent *mutatis mutandis* des modèles qui faisaient fureur en Espagne depuis plusieurs années : Cervantès, *Novelas ejemplares*, 1613 ; Juan Perez de Montalban, *Succesos y prodigios de amor en ocho novelas ejemplares*, 1628 ; Maria de Zayas, *Novelas ejemplares y amorosas*, 1637. Les « nouvellistes » de la seconde moitié du siècle sauront tirer tout le parti de cette voie naissante [1].

---

1. Sur l'importance de la notion d'exemplarité dans le développement de la nouvelle au XVIIᵉ siècle, voir l'introduction de M. Escola au recueil *Nouvelles galantes du XVIIᵉ siècle* (GF-Flammarion, 2004). Voir également J. Lyons, *Exemplum. The Rhetoric of Example in Early Modern France and Italy*, Princeton University Press, 1989, chap. v.

HISTOIRE DES AMANTS INFORTUNÉS

Partie III, Livre 1 [1]

Les préparatifs de l'expédition d'Arménie, destinée à retrouver la trace du roi de Pont, ravisseur de Mandane, contraignent Artamène-Cyrus et ses proches à demeurer quelque temps à Sinope. C'est l'occasion pour Cyrus de fréquenter assidûment Martésie, suivante de Mandane, qu'il entretient du souvenir de sa bien-aimée.

[…] Martésie était une personne excellente en toutes choses : elle était de fort bonne condition, sa beauté n'était pas simplement de celles qui ont de l'éclat, mais encore de celles qui ont de nouveaux charmes plus on les considère. Car, comme elle avait beaucoup d'esprit, et de l'esprit agréable et solide tout ensemble, plus on la voyait, plus on la trouvait belle, et plus on la trouvait charmante. Aussi Phéraulas n'était-il pas le seul qui la visitait et, durant le séjour que l'on fut contraint de faire à Sinope, toute la cour était chez elle. Tout ce qu'il y avait de dames à la ville la voyaient avec soin et tout ce qu'il y avait de princes, remarquant avec quelle civilité Cyrus la traitait, la voyaient

1. Le début de notre extrait correspond à la page 1420 de l'édition en ligne.

aussi avec beaucoup d'assiduité et beaucoup de plaisir, étant certain que sa conversation était très agréable : non seulement elle avait naturellement de l'esprit, mais de l'esprit cultivé, entendant une partie des langues les plus célèbres de l'Europe et de l'Asie. Entre tous ceux qui la voyaient, Thrasybule et tous ces illustres Grecs qui étaient à l'armée, c'est-à-dire Timocrate, Philoclès et Léontidas, la visitaient très souvent. Le prince Artibie [1] était aussi un de ceux qui la voyaient le plus, de sorte que la compagnie était très divertissante chez elle, étant composée de personnes qui l'étaient infiniment.

Un jour entre les autres que Martésie et Érénice sa parente étaient seules, le prince Artibie, accompagné de Timocrate, de Philoclès et de Léontidas, l'étant venue voir, la conversation fut sans doute* assez belle, étant certain que les Grecs de ce temps-là pour l'ordinaire avaient une délicatesse d'esprit qui n'était pas si comme [2] aux autres nations. Artibie, quoiqu'il ne fût que cilicien [3], était un prince très accompli et qui, encore qu'il parût fort mélancolique, ne laissait pas d'être très sociable. Timocrate avait aussi reçu de la nature tous les avantages du corps qu'elle peut donner à une personne de son sexe, mais il avait, de plus, un esprit adroit et galant, qui le rendait très agréable. Philoclès n'était pas moins parfait en toutes choses, et la complaisance de son humeur avait je ne sais quoi de bien charmant. Léontidas était d'une taille avantageuse et belle : tous les traits de son visage étaient nobles et il avait dans la physionomie je ne sais quelle mélancolie fière, douce et chagrine tout ensemble, qui ne déplaisait pas et, quoiqu'il eût quelque inégalité

---

1. Ces quatre derniers personnages, mis à part leur apparition dans ce premier livre de la troisième partie, jouent un rôle tout à fait mineur dans le roman : ce sont des compagnons d'armes de Cyrus.

2. Expression comparative qui ressortit plutôt à la langue du siècle précédent (voir G. Gougenheim, *Grammaire de la langue française du XVIe siècle*, Picard, 1974, p. 211).

3. La région de Cilicie (sud-est de la Turquie actuelle) était sous contrôle perse.

dans l'humeur et quelque bizarrerie* dans ses sentiments, il avait pourtant tant d'esprit qu'il ne laissait
pas de plaire infiniment.

Ces quatre personnes s'étant donc trouvées
ensemble chez Martésie, comme l'amour de Cyrus
n'était plus un secret, ce fut le sujet de la conversation
et, après avoir repassé les plus considérables événements de cette amour (au moins de ceux qui étaient
venus à leur connaissance), chacun le plaignit dans ses
malheurs, selon ses propres sentiments. « Pour moi,
disait Timocrate, par où je le trouve le plus à plaindre,
c'est d'avoir presque toujours été absent de la personne aimée, car, tant qu'il a été en Cappadoce, la
guerre de Bithynie l'a occupé et, depuis son retour à
Thémiscire, il n'a point vu la princesse qu'il aime.
– Ce lui est sans doute un grand malheur, reprit Philoclès, que d'être absent, mais, puisqu'il peut espérer
d'être aimé, l'absence n'est pas pour lui sans consolation et il n'a pas éprouvé ce que l'amour a de plus
rigoureux. – S'il ne l'a pas éprouvé, interrompit le
prince Artibie, ni par l'absence ni par la haine de la
princesse qu'il aime, il l'a sans doute bien senti
lorsqu'il l'a crue morte, comme on me l'a raconté ; et
quand je me l'imagine dans les frayeurs de trouver sa
princesse réduite en cendre par l'embrasement de
Sinope et que je le vois ensuite, dans la cabane d'un
pêcheur, apprendre de la bouche de Mazare qu'elle
avait péri dans les flots, que je le vois, dis-je encore, au
bord de la mer, chercher avec tant de soin le corps de
sa chère princesse, j'avoue que la compassion que j'ai
du mal qu'il a souffert est extrême ; et je soutiens, de
plus, que de quelques douceurs dont il puisse jouir un
jour, elles n'égaleront qu'à peine le tourment qu'il a
enduré. – Il est certain, dit Léontidas, qui n'avait point
encore parlé, que je conçois aisément que l'absence
est un grand mal, que n'être point aimé est une chose
fâcheuse et que la mort de la personne aimée donne
sans doute une aigre douleur. Mais, après tout, si
l'illustre Cyrus n'a point été fort jaloux, comme je ne
l'ai pas ouï dire, il doit des sacrifices de grâces à

l'amour de lui avoir épargné un tourment qui surpasse de mille degrés tous les autres.

– Quoi, Léontidas, reprit Martésie, vous pouvez croire que la jalousie est un plus grand mal que la mort de la personne aimée ! Ah, Léontidas, s'écriat-elle, songez bien à ce que vous dites. – J'y songe bien aussi, lui répliqua-t-il, et je parle d'une passion qui ne m'est pas inconnue. – Pour moi, interrompit Érénice, il me semble que la jalousie est un assez grand mal pour ne trouver pas étrange* qu'il soit mis par Léontidas entre les plus grands supplices de l'amour. Mais que Timocrate ait osé parler de l'absence comme de la plus rigoureuse chose du monde, il me semble, dis-je, que l'on peut assurer qu'il a l'âme un peu délicate. – Il faudrait l'avoir bien insensible, reprit-il, pour ne trouver pas que l'absence comprend en soi tous les autres maux. – Ce n'est qu'à celui qui n'est point aimé, reprit Philoclès, qu'il est permis, s'il faut ainsi dire, de ramasser tous les maux de l'amour en un seul ; et quiconque n'a point éprouvé celui-là ne connaît point du tout quelle est la suprême infortune. – C'est un mal, du moins, ajouta Timocrate, dont un homme généreux ne doit pas être longtemps tourmenté, puisqu'il n'est rien de plus juste, ni de plus naturel, que de cesser d'aimer ce qui ne nous aime point. – Il l'est encore plus, répliqua Philoclès, à celui qui pleure sa maîtresse morte de se consoler, s'il est sage, par l'impossibilité qu'il y a de trouver du remède à son mal ; à celui qui est absent de trouver de la douceur dans l'espérance du retour ; et à celui qui est jaloux de chercher sa guérison par la connaissance de la vertu de celle qu'il aime, ou par celle de son propre mérite, ou par le dépit. – Vous connaissez mal la jalousie, répondit fièrement* Léontidas, puisque vous croyez qu'elle soit capable de raisonner sagement, elle qui pervertit la raison, qui trouble les sens et qui renverse tout l'ordre de la nature. Les autres maux dont on a parlé ont du moins cet avantage qu'on ne les voit qu'aussi grands qu'ils sont ; mais la jalousie est d'une nature si capricieuse, si bizarre* et si maligne qu'elle

agrandit tous les objets, comme ces faux miroirs
qu'ont inventé les mathématiques [1]. Elle fait non seulement sentir les véritables maux, mais elle en suppose*, elle en invente et en fait souffrir qui n'ont fondement aucun.

– J'avoue, dit alors Martésie, que Léontidas nous
dépeint la jalousie d'une façon si ingénieuse que je ne
doute point que, s'il a aimé, cette passion ne l'ait beaucoup tourmenté. – À n'en mentir pas, répliqua-t-il, je
parle par ma propre expérience, et c'est ce qui fait que
je dois plutôt être cru, lorsque je soutiens que la
jalousie est le plus effroyable supplice que l'on puisse
endurer. – S'il ne faut qu'apporter une semblable autorité, reprit Timocrate, pour faire voir que l'absence
comprend très souvent tous les maux que l'amour
peut faire souffrir, je dois être cru aussi bien que vous,
puisque la meilleure partie de ma vie s'est passée
éloigné de ce que j'aimais. – Je ne vous céderai pas non
plus par cette raison, reprit Artibie, puisque je n'ai que
trop éprouvé que la mort de ce que l'on aime est la fin
de tous les plaisirs et l'abrégé de toutes les douleurs.
– Quoiqu'il n'y ait pas de vanité, ajouta Philoclès, à
publier* que l'on n'a pu être aimé, je suis pourtant
contraint d'avouer que c'est par ma propre expérience
que j'ai compris parfaitement que, comme la plus
grande félicité de l'amour est d'être aimé, la plus
grande infortune est de ne l'être pas. – Pour moi, dit
Martésie, je ne m'étonne plus que vous souteniez tous
chacun votre opinion si fortement ; car enfin, il est
difficile de ne sentir pas son propre mal plus que celui
d'autrui et de n'être pas un peu préoccupé* en sa
propre cause. C'est pourquoi je ne vous crois pas bons

---

1. Il s'agit des miroirs concaves, qu'on appelle aussi à l'époque
« miroirs ardents » (en raison de leur faculté d'amplifier l'effet des
rayons du soleil et ainsi d'embraser les objets). La catoptrique, qui
étudie ces phénomènes, fait partie, comme l'optique et la diop-
trique, « des mathématiques, parce qu'elles connaissent les causes
de la vision directe, de la réflexion et de la réfraction par les angles »
(Furetière, « Mathématique »). Pour l'accord, voir p. 233, note 1.

juges d'une question si délicate, quoique vous ayez tous beaucoup d'esprit.

– Il faudrait donc que vous le voulussiez être, reprit Timocrate, car sans doute* vous avez toutes les qualités nécessaires pour cela, c'est-à-dire beaucoup de lumière et nul intérêt en toutes ces choses. – Il est vrai, reprit-elle, mais je n'y ai aussi nulle expérience. Néanmoins je vous avoue, ajouta-t-elle en les regardant tous, que vous m'avez fait naître une si grande curiosité de savoir les aventures qui ont donné des sentiments si différents à des personnes qui ont tant d'égalité en tant d'autres choses, que, si j'osais, j'accepterais l'offre que m'a fait [1] Timocrate et je vous obligerais tous à me les vouloir raconter.

– Pour moi, interrompit Artibie, qui ne cherche qu'à me plaindre et à être plaint, je suis tout prêt de vous satisfaire en peu de mots et de vous dire ensuite les raisons qui peuvent fortifier ma cause. – Un amant absent, reprit Timocrate en souriant, qui est accoutumé de graver ses malheurs sur les écorces des arbres et d'en parler même aux rochers [2] plutôt que de n'en parler pas, n'a garde de vous refuser de vous conter ses déplaisirs. – Et pour moi, dit Philoclès, qui n'ai jamais été écouté favorablement de la personne que j'aime, je trouverai sans doute quelque douceur à l'être du moins d'une autre que j'estime infiniment. – Il n'y a donc plus que le jaloux Léontidas, dit lors Martésie en se tournant vers lui, qui puisse s'opposer à ma curiosité. – Non, non, madame, lui dit-il, je ne ferai point d'obstacle à votre satisfaction, car je ne suis pas aussi avare de mes paroles et de mes secrets que je suis jaloux de ma maîtresse. Mais, aimable Martésie, il faut

---

1. Cet accord du participe passé est conforme à l'usage du XVIIᵉ siècle : lorsque le sujet est postposé au participe, ce dernier ne s'accorde pas (voir G. Spillebout, *Grammaire de la langue française du XVIIᵉ siècle, op. cit.*, p. 399).

2. Le comportement correspond à un stéréotype de la littérature pastorale, illustrée au premier chef par *L'Astrée* d'Honoré d'Urfé : Timocrate fait preuve d'autodérision en se présentant dans le rôle d'un berger amoureux.

qu'après avoir écouté le récit de nos aventures et
ensuite nos raisons, vous jugiez souverainement lequel
est le plus malheureux, ou de celui qui est presque
toujours absent de ce qu'il aime, ou de celui qui n'est
point aimé, ou de celui qui a vu mourir la personne
aimée, ou de celui qui est effroyablement jaloux, afin
que, du moins, le plus infortuné puisse avoir la consolation d'être plaint avec plus de tendresse que les
autres et que votre compassion soit le prix de la peine
qu'il aura eue de vous dire ses malheurs et ses raisons.
– Au hasard de faire une injustice par ignorance,
répondit Martésie, j'accepte la glorieuse qualité de
votre juge, à condition qu'Érénice, ma chère parente,
me conseillera. – Non, lui répondit cette agréable fille,
je ne veux point partager cette qualité avec vous et je
veux me réserver la liberté de plaindre peut-être le
plus celui que vous plaindrez le moins. »

Comme ils en étaient là, Cyrus, accompagné seulement d'Aglatidas, entra et, comme il avait entendu de
l'antichambre qu'ils parlaient tous avec assez de
chaleur : « S'il y a dispute entre vous, dit-il s'adressant
à Martésie, vous savez bien que votre parti sera toujours le mien. – Vous me faites trop d'honneur, lui
répondit-elle, mais, seigneur, bien loin d'avoir querelle
avec de si honnêtes gens, vous saurez que je suis leur
juge. Il est vrai, seigneur, ajouta-t-elle en riant, que si
je n'avais pas déshonoré cette charge depuis quelques
moments que je la possède, je vous supplierais de la
vouloir prendre et de vouloir vous donner la peine de
juger un fameux différend, qui est entre le prince
Artibie, Timocrate, Philoclès et Léontidas. – Me pré-
servent les dieux, reprit Cyrus, d'avoir une pensée si
injuste que celle de vous déposséder d'un emploi si
glorieux, et je vous prendrais bien plutôt pour mon
juge, si j'avais quelque chose à disputer comme eux,
que je ne ferais ce que vous voulez que je fasse. »

Ensuite de ce compliment, comme il était le plus
civil prince du monde et que, de plus, il avait besoin
de la valeur de tous ces capitaines pour délivrer Mandane, il eut encore en cette rencontre* un redouble-

ment de complaisance et de bonté pour gagner leurs cœurs, lui semblant que, plus il les flattait, plus ils combattraient courageusement pour sa princesse. Il s'informa donc avec adresse et avec beaucoup de douceur du sujet de la contention* et, Martésie le lui ayant raconté en peu de mots : « Jugez, lui dit-elle, seigneur, si j'avais tort de croire que vous seriez meilleur juge que moi d'une semblable chose. – Je serais trop préoccupé*, reprit-il en soupirant, et vous agirez sans doute avec plus d'équité par votre seule raison que je ne ferais avec toute mon expérience. »

Ensuite de cela, comme cette matière touchait en effet son inclination et ne regardait que des choses qu'il avait senties ou qu'il sentait encore, il ne fut pas marri d'employer une après-dînée* en un divertissement si proportionné à sa fortune, n'ayant nulle autre chose nécessaire à faire ce jour-là, car il avait été au camp le matin et le roi faisait quelques dépêches pour Ecbatane. Après donc qu'il eut fait placer Martésie au lieu où elle devait être pour bien entendre celui qui devait parler, qu'il se fut mis auprès d'elle et que tout le monde se fut assis par son ordre, il voulut que Timocrate parlât le premier et qu'il adressât la parole à Martésie comme à son juge, quoiqu'elle s'y opposât. De sorte qu'après un silence de quelques moments, pendant lequel Cyrus demanda tout bas à Martésie si elle ne plaignait pas un peu un homme qui souffrait tous les maux des quatre amants malheureux qu'elle allait entendre, Timocrate commença de parler en ces termes.

Histoire des amants infortunés

« Auparavant que de vous parler de mes malheurs en particulier, je trouve qu'il est nécessaire que je vous conjure de ne vous laisser point préoccuper* par la beauté des discours de ceux qui s'opposent à la qualité que je veux prendre du plus malheureux amant du

monde ; car je vois fort bien qu'étant tous moins
infortunés que moi, ils auront plus de liberté d'esprit
que je n'en ai à vous raconter leurs aventures. Celui
qui n'est point aimé voudra vous faire voir que ce n'est
pas qu'il ne soit fort aimable et n'oubliera rien pour
vous le persuader indirectement. Celui qui plaint la
mort de sa maîtresse, voulant être plaint, se plaindra
avec éloquence, dans une saison où le temps l'a déjà
sans doute un peu consolé, et le jaloux Léontidas ne
manquera pas d'exagérer fortement ses souffrances
imaginaires, puisqu'il est possédé par une passion qui
est accoutumée de faire passer pour de grandes choses
les plus petites que l'on puisse concevoir. »

Martésie, voyant que Timocrate attendait sa réponse,
l'assura qu'elle ne s'attacherait pas tant aux paroles
qu'aux aventures effectives et qu'aux raisons. « C'est
pourquoi, lui dit-elle, ne vous fiez pas trop vous-
même à votre éloquence, en feignant de craindre celle
d'autrui. » Ensuite de cela, Martésie lui ayant ordonné
de faire le récit de son amour et de ses malheurs, il lui
obéit et commença de cette sorte.

L'AMANT ABSENT
PREMIÈRE HISTOIRE

« L'absence, dont je me plains et que je soutiens qui
comprend [1] tous les maux que l'amour peut causer,
est un supplice si grand, à une personne qui connaît
parfaitement de [2] la délicatesse des sentiments de cette
passion, que je ne craindrai point de dire que celui qui

---

1. Il s'agit d'un cas de proposition relative imbriquée, parfaitement correct selon les normes de la langue du XVIIᵉ siècle (voir
N. Fournier, *Grammaire du français classique*, Belin, 1998, § 154-
157).

2. La construction « connaître de » est utilisée spécifiquement
pour désigner « le pouvoir de juger » (Furetière).

peut être absent de ce qu'il aime sans une extrême douleur ne reçoit pas grand plaisir de la vue de la personne aimée et ne mérite pas de porter la glorieuse qualité d'amant. Je dis la glorieuse qualité d'amant, étant certain qu'il y a je ne sais quoi de beau à être capable de cette noble faiblesse, qui fait faire de si grandes choses aux illustres personnes qui s'en trouvent quelquefois surprises. Mais, entre tous ceux qui ont jamais ressenti cette espèce de malheur dont je parle, il est certain que je pense être celui de tous qui l'ai le plus rigoureusement éprouvé, puisqu'il semble que l'amour ne m'ait fait voir la merveilleuse personne que j'adore que pour m'en faire sentir l'absence avec toutes les cruelles suites qu'elle peut avoir. C'est pourquoi je ne doute nullement que je n'obtienne, à la fin de mon récit, la seule douceur que peuvent espérer ceux qui se plaignent, qui est la compassion, et que je n'obtienne encore la victoire, en me voyant déclaré par mon équitable juge le plus malheureux de tous ceux qui me disputent cette funeste qualité.

Comme je suis venu en Asie en commandant des troupes du roi de Chypre, et envoyé par le prince Philoxipe [1], il peut être que vous n'aurez pas su que je ne suis pas né en ce royaume-là. C'est pourquoi il faut que je vous dise que Delphes [2], si fameuse par toute la terre pour le magnifique temple d'Apollon et pour la sainteté de ses oracles, est le lieu de ma naissance. Je suis même obligé par la vérité de vous apprendre que je suis d'une race assez illustre, puisque je suis descendu de celui que les dieux jugèrent digne, il y a déjà plusieurs siècles, de le conduire au pied du mont Parnasse, auprès de la fontaine* Castalie, pour y recevoir le premier oracle qui y fut rendu, et de qui la fille fut choisie

---

1. Allié et ami de Cyrus, dont l'histoire amoureuse a été contée dans l'« Histoire de Philoxipe et de Polycrite » [Partie II, Livre 3].

2. Les informations procurées dans ce paragraphe sur Delphes (mont Parnasse, fontaine Castalie, Pythie, Amphictyons) proviennent de divers passages d'Hérodote. Seule fait exception la notation concernant les circonstances du « premier oracle », dont nous n'avons pu déterminer la provenance.

ensuite pour être la première Pythie, de toutes celles qui
ont depuis annoncé tant de vérités importantes aux
particuliers, aux villes, aux provinces, aux républiques
et aux rois. Or, depuis cela, ceux de ma maison ont toujours tenu un des premiers rangs dans leur pays et,
pour l'ordinaire, le fameux conseil de la Grèce, que
nous appelons l'assemblée des Amphictyons [1], ne s'est
jamais guère tenu, qu'il* n'y ait eu quelqu'un de ma
race élu pour cela.

Étant donc d'une naissance assez considérable et
étant fils d'un homme de qui la vertu était encore au-
dessus de sa condition, je fus élevé avec assez de soin
et, quoique l'on puisse dire que la ville de Delphes est
un abrégé du monde, à cause de ce grand nombre de
nations différentes dont elle est continuellement remplie, et qu'ainsi il semble qu'il ne soit pas nécessaire à
ses habitants de voyager pour s'instruire des coutumes
étrangères, néanmoins mon père voulut que j'allasse
faire mes études à Athènes et que je demeurasse
encore après à Corinthe jusqu'à ma vingtième année,
où j'appris, en l'un et en l'autre de ces lieux célèbres,
tout ce qu'un homme de ma condition était obligé de
savoir, tant pour les exercices du corps que pour les
choses nécessaires à former l'esprit et à s'instruire à la
connaissance de tous les beaux-arts. De sorte que,
lorsque j'eus ordre de retourner à Delphes, l'on peut
dire que je me trouvai étranger en mon propre pays,
étant certain que je n'y connaissais presque personne.
Je savais bien encore les noms de toutes les maisons de
qualité de la ville, je connaissais encore un peu les
vieillards et les vieilles femmes, mais pour les jeunes
gens de ma volée et pour les belles personnes, je ne les
connaissais point du tout.

J'arrivai donc à Delphes de cette sorte, c'est-à-dire
regrettant Athènes et Corinthe comme ma patrie, où
j'avais toutefois vécu sans nul attachement particulier,
quoique en l'un et en l'autre de ces lieux il y ait de fort

---

1. Regroupement de peuples voisins du temple de Delphes à qui
en incombe la surveillance.

belles dames. En entrant à Delphes, j'appris que mon père avait eu une affaire importante, qui l'avait obligé de partir pour s'en aller à Anticyre, qui est une autre ville de la Phocide, et qu'il avait ordonné en partant que je l'y allasse trouver aussitôt que je serais arrivé. Le soir même, je fus visité de diverses personnes. Mais, entre les autres, un de mes parents, nommé Mélésandre, toucha d'abord mon inclination. Et en effet, c'est un garçon plein d'esprit et de bonté, et de qui l'humeur agréable m'a été un puissant secours dans mes chagrins. Comme il me plut infiniment, j'eus le bonheur de ne lui déplaire pas, et nous liâmes en ce moment une amitié que la seule mort peut rompre.

Après les premières civilités, je lui fis savoir l'ordre que j'avais reçu de ne tarder point à Delphes et de m'en aller à Anticyre, mais il me dit qu'il fallait du moins différer d'un jour ce départ et qu'il y avait une trop belle cérémonie à voir le lendemain pour m'en aller sans l'avoir vue. Je m'informai alors de ce que c'était et il m'apprit qu'il y avait à Delphes des ambassadeurs de Crésus, roi de Lydie, qui venaient consulter l'oracle et qui apportaient des offrandes si magnifiques qu'il était aisé de juger qu'elles venaient du plus riche roi de l'Asie [1]. "Puisque ces offrandes doivent demeurer au temple, lui dis-je, je les verrai à mon retour. – Il est vrai, me répliqua-t-il, mais vous ne verrez pas, en un seul jour, toutes les belles personnes de la ville assemblées, comme elles le seront demain au temple, ni une cérémonie aussi grande que celle-là, car on ne reçoit pas les offrandes des particuliers comme celles des rois. – Quant à la cérémonie, lui dis-je en riant, je pourrais peut-être m'en consoler, mais puisque vous m'assurez que je connaîtrai tout ce qu'il y a de beau à Delphes en une seule occasion, je suivrai votre conseil et je ne partirai qu'après-demain."

Nous nous séparâmes de cette sorte, Mélésandre et moi, et, le jour suivant, il me vint prendre de fort bon

---

1. Cette délégation est effectivement attestée par Hérodote (I, 51).

matin, afin de me faire voir exactement toute la cérémonie, comme si j'eusse été étranger et que nous pussions être bien placés pour voir tout. Quelque indifférence que je lui eusse témoigné avoir pour ces fêtes, il
est pourtant certain que je regardai d'abord avec
plaisir tout ce que l'on fit en celle-là, et je fus comme
les autres voir le trésor du temple [1], que l'on montra
aux ambassadeurs de Crésus avant que d'y avoir placé
leurs offrandes. J'y admirai, comme eux, un collier
magnifique, que l'on dit qui avait été [2] autrefois à la
fameuse Hélène et un autre encore, que l'on assure
qui était à Ériphile. Je vis ce superbe trône d'or que
l'aïeul du roi de Phrygie a donné, les six vases que
Gygès y envoya, du poids de trente talents, diverses
statues du même métal que divers princes y ont données, des gerbes d'or que ceux de Smyrne et d'Apollonie y ont offertes, deux grandes cuves d'or massif,
d'un ouvrage merveilleux et capables de contenir cent
muids d'eau, dont on se sert à mettre celle que l'on
consacre à une fête que nous appelons Théophanie [3].
Je vis ensuite, au milieu de tant de richesses, que je ne
m'arrête pas à décrire exactement et qui ont été données par toutes les républiques de la Grèce, des obélisques d'un ouvrage miraculeux, données par Rho-
dope, cette fameuse personne de laquelle le frère de la
savante Sapho a été si amoureux et qui, pour faire voir
que c'était en Égypte où elle avait passé la plus grande
partie de sa vie, avait offert, en métal et en petit, ces
pyramides admirables dont on parle par toute la
terre [4].

---

1. Le trésor de Delphes était constitué de toutes les offrandes de
ceux qui interrogeaient la Pythie ou voulaient se rendre les dieux
favorables. La composition qu'en présente Madeleine de Scudéry
mêle des éléments tirés d'Hérodote (vases de Gygès, cuves d'or) à
d'autres, imaginaires (colliers d'Hélène et d'Ériphile, gerbes d'or de
Smyrne et d'Apollonie).
2. Relative imbriquée (voir p. 236, note 1).
3. Hérodote, I, 51.
4. Hérodote, II, 135. Sur Charaxe, frère de Sapho, voir l'« Histoire
de Sapho », *infra*, p. 452.

Enfin, après avoir bien regardé toutes ces rares*
choses et mille autres dont je ne vous parle point,
chacun alla prendre sa place et la cérémonie du sacri-
fice commença. Je pense qu'il est à propos que je ne
m'arrête pas à vous la décrire, tant parce qu'elle est
fort longue que parce qu'elle est inutile à mon discours. Je vous dirai donc seulement que l'on fait aller
ceux qui doivent consulter l'oracle jusqu'au pied du
Parnasse, qui est tout contre le temple, que l'on les
oblige à se purifier au bord de la célèbre fontaine*
Castalie, que de là ils partent dans le temple des
Muses, qui est bâti tout contre ce ruisseau et qui
touche celui d'Apollon, et qu'ensuite la Pythie, étant
sous un dais et sur un trône, reçoit les demandes de
ceux qui viennent consulter le dieu. Après quoi, elle va
se mettre sur le sacré trépied où, étant inspirée du dieu
qui l'agite, elle rend les oracles à ceux qui la consul-
tent.

Mais je vous dirai après cela que, malgré toute la
magnificence des offrandes de Crésus, qui était très
grande, car il y avait une statue de femme de grandeur
naturelle d'un or très fin et d'un travail admirable, il y
avait encore trente vases les plus beaux du monde et
une lampe d'or ciselé, la plus riche que l'on se puisse
imaginer, mais malgré, dis-je, toutes ces précieuses
choses, depuis que la compagnie commença de se
former, je ne les regardai plus avec tant d'attention. Et
comme si j'eusse attendu quelqu'un, par un pressenti-
ment de mon malheur, j'eus toujours la tête tournée
du côté de la porte du temple, pour regarder toutes les
dames qui entraient et pour demander leurs noms à
Mélésandre. Néanmoins, comme la presse était fort
grande, je ne pouvais pas les discerner toutes et il en
passait beaucoup que je n'avais pas loisir de considérer. J'en vis donc entrer plusieurs extrêmement
belles, que je regardai pourtant d'un esprit tranquille,
et sans que mon cœur en fût ému. Mais, comme la
cérémonie fut achevée et que, pour voir encore mieux
toutes les dames, Mélésandre et moi fûmes allés nous
mettre assez près de la porte, à parler à deux ou trois

de ses amis qui nous vinrent joindre, je vis sortir, d'entre des colonnes de marbre qui soutiennent la voûte du temple, une personne que ces colonnes m'avaient sans doute cachée, tant que la cérémonie avait duré, mais une personne si admirablement belle que j'en fus ébloui, tant elle avait d'éclat dans les yeux et dans le teint [1].

Je ne la vis pas plus tôt que, cessant d'écouter ceux qui parlaient, je tirai Mélésandre par le bras et, sans cesser de regarder ce merveilleux objet dont mes yeux étaient enchantés : "Mélésandre, lui dis-je en la lui montrant, apprenez-moi le nom de cette miraculeuse personne. – Elle s'appelle Télésile [2], me répliqua-t-il, de qui le nom n'est pas moins célèbre par les charmes de son esprit et par la complaisance de son humeur que par les attraits de son visage." Au nom de Télésile, ceux avec qui nous étions interrompirent leur conversation et, la regardant passer auprès de nous, nous la saluâmes et la suivîmes, afin de la voir plus longtemps. Comme elle connaissait fort Mélésandre et qu'elle l'estimait même beaucoup, elle lui rendit son salut avec un sourire si agréable et avec un air si aimable et si obligeant que, sa beauté en augmentant encore, mon admiration s'en augmenta aussi et je sentis dans mon cœur je ne sais quelle joie inquiète, et je ne sais quel tumulte intérieur dans mon âme, que je ne connaissais point du tout, ne l'ayant jamais senti jusqu'alors. Et certes, je suis obligé de dire, pour excuser ma faiblesse en cette rencontre*, que peu de

---

1. Le motif de la rencontre des amants lors d'une cérémonie religieuse était illustre par son origine dans *Les Éthiopiques* d'Héliodore (voir p. 56, note 3). Cyrus lui-même a rencontré Mandane dans des circonstances semblables [Partie I, Livre I, « Histoire d'Artamène : arrivée en Cappadoce », puis « Artamène aperçoit Mandane pour la première fois »].

2. C'est, bien sûr, la première apparition de ce personnage dans *Le Grand Cyrus* : le nom a été emprunté par Madeleine de Scudéry à la liste des amies de la poétesse Sapho qu'on trouve dans les sources antiques.

cœurs ont jamais été attaqués avec de plus belles ni de plus fortes armes que celles qui blessèrent le mien.

Télésile était dans sa dix-septième année, elle avait la taille noble et bien faite, le port agréable et quelque chose dans l'action de si libre, de si naturel et qui sentait si fort la personne de qualité qu'elle ne laissait pas lieu de douter de sa condition dès qu'on la voyait. Elle avait les cheveux du plus beau noir du monde et le teint d'une blancheur si vive et si surprenante que l'on ne pouvait la voir sans avoir l'imagination toute remplie de neige et de cinabre, de lys et de roses, tant il est certain que la nature a mis sur son visage de belles et d'éclatantes couleurs. De sorte que, joignant à ce que je dis yeux doux et brillants tout ensemble, une bouche admirable [1], de belles dents et une fort belle gorge, il n'y a pas lieu de s'étonner si mon cœur en fut surpris. Mais hélas, l'amour qui voulait sans doute me faire connaître, par la naissance de ma passion, quelle en serait la suite, fit que je ne vis pas plus tôt Télésile que je ne la vis plus, car elle sortit du temple un moment après et, le jour suivant, je partis de Delphes, de sorte que je ne fus pas plus tôt amoureux que je fus absent.

Comme nous fûmes hors du temple et que nous l'eûmes perdue de vue (ce qui arriva même dans un instant, parce que sa maison était fort proche de là), Mélésandre et moi étant allés dîner ensemble et ses autres amis nous ayant laissés seuls, à peine fûmes-nous en liberté que, le regardant attentivement : "Mélésandre, lui dis-je, si vous n'aimez point Télésile, il faut conclure de là que vous avez aimé ailleurs avant que de la connaître ou que vous n'aimerez jamais rien ; car je ne pense pas qu'il soit possible qu'un cœur sans préoccupation ou sans insensibilité puisse résister à une beauté aussi merveilleuse que la sienne. – Si Timocrate, me répondit-il en riant, n'est point amou-

---

1. L'adjectif est à la mode, en particulier dans son application aux qualités humaines. Il fera partie de ce qu'on identifiera, dès la fin de la décennie, comme vocabulaire précieux.

reux à Athènes ou à Corinthe, je pense qu'il le sera
bientôt à Delphes, s'il ne l'est déjà ; et je loue les
dieux, ajouta-t-il, de ce que je ne serai point son rival,
s'il arrive qu'il aime Télésile, comme j'y vois quelque
apparence. – Je ne sais pas encore bien, lui dis-je, si je
l'aimerai, mais je sais bien que j'ai déjà beaucoup
d'admiration pour elle. – C'est une grande disposition
à l'amour, me répliqua-t-il ; mais, Timocrate, ajouta
cet officieux* ami en prenant un visage plus sérieux,
ne vous rendez pas sans combattre, puisque Télésile
est une personne de qui la conquête a plusieurs obstacles. – Je la combattrai, lui dis-je, en la fuyant, car
vous savez que je pars demain. Mais, lui dis-je encore,
quels sont les obstacles qui se trouvent à la conquête
de Télésile ? Et est-il possible qu'une personne qui a
tant de douceur dans les yeux ait plus de rigueur que
les autres dames ?

– Télésile, me dit-il, a sans doute paru jusqu'ici
fort indifférente à tous les services qu'on lui a
rendus. Mais ce n'est pas par cette raison que je vous
avertis qu'elle est difficile à conquérir, car, ajouta-t-il
flatteusement, le mérite de Timocrate pourrait faire
ce que celui de tous les autres n'aurait point fait.
Mais il y a quelque chose de plus capricieux à sa fortune. Vous saurez donc, poursuivit-il, voyant que je
l'écoutais attentivement sans l'interrompre, que
Télésile, qui est de fort bonne maison, puisqu'elle est
fille de Diophante dont vous connaissez le nom, peut
être fort pauvre et peut être aussi extraordinairement
riche. – Si vous ne m'expliquez mieux cet [1] énigme,
lui dis-je, je ne le comprendrai pas. – Vous le comprendrez aisément, répliqua-t-il, quand je vous dirai
que Diophante, père de Télésile, a présentement très
peu de bien, parce qu'il se ruina à la guerre de la

---

1. Le genre du mot « énigme » est flottant au XVIIᵉ siècle. Le choix
du masculin est conforme au souhait exprimé par Charles Cotin,
qui érige l'énigme au rang d'un genre poétique : voir *Les Énigmes de
ce temps* (1638), éd. critique par F. Vuilleumier-Laurens, STFM,
2003, p. 18.

Béoce [1] et qu'ainsi, Timocrate, si Télésile n'a que le
bien de son père, elle sera pauvre, quoiqu'elle soit fille
unique, étant certain qu'encore que cette maison subsiste avec quelque éclat, c'est pourtant une maison
ruinée.

– Je vois bien, lui dis-je, par quelle raison Télésile
n'est pas riche, mais je ne vois pas si bien par où elle
le peut être. – Vous verrez encore mieux sa richesse
que sa pauvreté, me répliqua-t-il, quand je vous dirai
qu'elle a un oncle appelé Crantor, qui est déjà assez
vieux, qui n'a jamais été marié, qui est le plus riche
homme non seulement de Delphes, mais de toute la
Phocide, et de qui elle héritera s'il ne se marie point et
qu'il ne donne pas son bien à un autre, comme il le
peut selon les lois. De sorte que, comme Crantor est
un capricieux avare, qui ne veut ni donner ni assurer
son bien à sa nièce et qui témoigne pourtant par ses
discours avoir assez d'amitié pour elle, Télésile
demeure dans cette fâcheuse incertitude de pouvoir
être la plus riche ou la plus pauvre fille de sa condition. De sorte que cette incertitude fait que son père
ne songe point encore à la marier et que cependant il
ne rebute aussi personne, ne sachant pas encore quel
doit être le destin de sa fille. – Ce que je vois de mieux,
lui dis-je, pour ceux qui en sont amoureux, c'est que
Crantor ne lui saurait ôter sa beauté.

– Il est vrai, me dit-il, mais comme tous les amants
ne sont pas désintéressés, il y en a plusieurs qui, en
regardant les beaux yeux de Télésile, regardent aussi,
un peu outre cela, les trésors de son oncle, si bien que
jamais personne n'a eu plus d'amants que cette fille en
a. Car elle a non seulement tous ceux que sa beauté a
charmés, mais elle a encore tous les avares riches et
tous les ambitieux pauvres qui sont à Delphes. Les
premiers, sans se trop engager, attendent ce que fera
Crantor et les autres tâchent de l'épouser pauvre pré-

1. Sans doute la guerre qui opposa les Béotiens aux Lacédémoniens, le plus célèbre des conflits dans lesquels les premiers ont été
impliqués.

sentement, dans l'espérance de l'avenir. Mais, soit par l'indifférence de Télésile, ou par la prudence de Diophante, tous ces amants espèrent et n'avancent rien. Voilà, Timocrate, quel est le destin de cette belle personne, auprès de laquelle je ne vous conseillerais pas de vous engager légèrement."

Je remerciai Mélésandre de l'avis qu'il m'avait donné et, commençant de parler d'autre chose, nous dînâmes et passâmes le reste du jour ensemble. Mais, quoi que je pusse faire, je ne pus m'ôter de l'imagination la beauté que j'avais vue, ni même m'empêcher d'en parler, quoique j'en eusse le dessein. Quand nous rencontrions quelque homme de qualité dans les rues : "Est-ce un des amants avares de Télésile ?" disais-je à Mélésandre et, si je voyais quelque dame, je ne pouvais non plus m'empêcher de dire qu'elle n'était pas si belle que Télésile. Enfin, malgré moi et quelquefois même sans que je m'en aperçusse (à ce que m'a depuis dit mon ami), je la nommai plus de cent fois ce jour-là.

Cependant il fallut partir le lendemain pour aller à Anticyre [1]. Mais, quoique ce lieu soit en réputation de redonner la raison à ceux qui l'ont perdue, il ne me redonna pas la mienne. J'y fus pourtant dix ou douze jours avec mon père, car l'amour, qui n'avait pas encore assez fortement imprimé dans mon cœur la beauté de Télésile pour me faire beaucoup souffrir par cette absence, ne voulut pas que je fusse plus longtemps éloigné d'elle. Toutefois, je puis dire que, si je n'eus pas une grande douleur durant ce voyage, j'eus du moins assez de joie de retourner à Delphes, quoique je n'y eusse encore aucune habitude* qu'avec Mélésandre. Mais, à vous dire la vérité, mon cœur avait déjà plus d'intelligence que je ne croyais avec Télésile et il faut certainement qu'il y ait quelque

---

1. Ville située au bord du détroit de Corinthe, réputée, selon Strabon (IX, 3, 3), pour la qualité de son ellébore, remède qui guérit de la folie.

puissante sympathie [1] qui nous force à aimer en un moment ce que nous devons aimer toute notre vie.

Je m'en aperçus bien entrant à Delphes, car, ayant rencontré un chariot plein de dames qui s'en allaient à la campagne, à ce qu'il paraissait par leur équipage, je portai curieusement les yeux dedans sans savoir pourquoi. Dieux, que devins-je et quel agréable trouble sentis-je en mon cœur, lorsque je vis que Télésile était à la portière, et mille fois plus belle encore, à ce qu'il me sembla, que le jour que je l'avais vue au temple ! Le chariot allait assez doucement, à cause de quelque embarras qui était dans le chemin, qui de lui-même était fort étroit, de sorte que j'eus le loisir de la considérer avec plus d'attention que je n'avais fait la première fois, car, comme elle ne faisait que de sortir de la ville, elle n'avait pas encore abaissé son voile. Mais hélas, je me dérobai moi-même quelques moments de sa vue, parce qu'après l'avoir saluée avec un profond respect, je la regardai avec tant d'attention et peut-être encore avec un visage si interdit qu'elle en changea de couleur et en abaissa son voile, comme si c'eût été seulement pour se garantir du soleil.

Aussitôt que je fus dans la ville je m'en allai chez Mélésandre. "Eh bien, lui dis-je après les premiers compliments, la fortune prend autant de soin de ma conservation que pour me préserver des redoutables attraits de Télésile : elle part de Delphes quand j'y reviens. – Vous êtes si précisément informé de ce qu'elle fait, me dit-il en souriant, que les plus anciens de ses amants ne le sont pas si bien que vous ; car elle s'en va à un petit voyage, qui vient d'être résolu* d'improviste, chez une de mes parentes avec qui j'étais, et que personne ne sait encore. – Tant y a [2], lui dis-je, je le sais pour l'avoir vue partir ; mais, quoique

---

1. Pouvoir d'attraction mystérieux, qui obéit à un ordre cosmique et qui rapproche irrésistiblement certains êtres (pour une définition élaborée de la notion, voir l'édition en ligne, p. 6297-6298).

2. « Effectivement ». Formule quelque peu vieillie (voir A. Haase, *Syntaxe française du XVIIᵉ siècle, op. cit.*, p. 241).

je ne pense pas encore être amoureux d'elle, poursuivis-je en riant à mon tour, quoique je parlasse
sérieusement, je ne laisse pas d'être bien aise d'apprendre que son voyage ne sera pas long. – Il ne sera
que de quatre jours, me dit-il, et, durant ce temps-là,
il faut que je vous fasse voir tout ce qu'il y de beau à
Delphes, afin, s'il est possible, de vous faire trouver du
contrepoison dans les yeux de quelqu'une de nos
dames, pour tâcher de vous précautionner contre
ceux de Télésile.'' Je ris d'abord de la plaisante invention de Mélésandre et, en effet, je consentis à ce qu'il
voulut ; et il me mena, pendant les quatre jours de
l'absence de Télésile, chez tout ce qu'il y avait de
belles personnes à Delphes. Mais, à vous dire la vérité,
son dessein ne réussit pas et il ne servit qu'à me faire
savoir, un peu plus tôt que je n'eusse fait, qu'il n'y
avait rien à Delphes qui ne fût mille degrés au-dessous
de Télésile.

Cependant cette belle revint de la campagne et, son
retour ayant donné un nouveau sujet de la visiter à
tous ses amis, Mélésandre y fut et m'y mena malgré
qu'il en eût [1]. Je dis « malgré qu'il en eût », étant certain qu'il s'en fit presser plusieurs fois, me disant toujours qu'il ne voulait rien contribuer* à la perte de ma
liberté. Mais enfin, il céda à mes prières : je fus présenté par lui à la mère de Télésile, qui me reçut fort
civilement, et je fus présenté à Télésile elle-même, en
qui je trouvai mille et mille charmes que je ne m'étais
pas imaginés, quoique je me fusse formé une idée de
son esprit aussi accomplie que celle de sa beauté. Je la
vis belle, je la vis douce et civile, je la vis modeste et
galante, je lui trouvai l'esprit aisé et agréable et, entre
cent mille perfections, je n'aperçus pas un défaut.
Mais ce qui me plut encore extrêmement, ce fut
qu'entre tant d'amants qui l'environnaient, je n'en
remarquai point de favorisé. Elle agissait avec eux
d'une certaine manière, en laquelle il paraissait un si

---

1. Comprendre « malgré lui » (voir G. Spillebout, *Grammaire de
la langue française du XVIIe siècle, op. cit.*, p. 343).

grand détachement qu'elle m'en engagea davantage et, malgré sa douceur, il y avait je ne sais quel noble orgueil dans son âme, qui faisait qu'elle triomphait de tous les cœurs, sans en faire vanité ; et, sans rien contribuer* par ses soins aux conquêtes qu'elle faisait, elle conquêtait [1] pourtant tout ce qui la pouvait voir.

Comme l'amour avait résolu ma perte, il fit qu'elle dit ce jour-là, sans en avoir le dessein, une chose qui me donna quelque espoir dans ma passion naissante. Car, comme je voulais lui faire connaître que j'avais eu intention de la visiter dès le premier jour que j'avais été à Delphes : "Vous avez été longtemps, me dit-elle, à exécuter un dessein qui m'était si avantageux, puisque, si je ne me trompe, vous étiez déjà ici le jour que l'on offrit au temple les présents du roi de Lydie. Du moins, il me semble, si ma mémoire ne m'abuse, que je vous vis avec Mélésandre, que je vous regardai comme un étranger qui ne le paraissait pas et qui méritait que l'on eût la curiosité de savoir son nom. Et, en effet, ajouta-t-elle fort obligeamment, je m'en informai à une de mes amies, qui ne put me satisfaire." Un discours qui n'était simplement que civil, et presque pour entretenir la conversation avec une personne qu'elle ne connaissait pas, fit pourtant un si grand effet en moi que j'en tirai un heureux présage.

Ensuite de cela, je lui dis, pour justification, que j'avais été à Anticyre, que je n'en étais revenu que le jour qu'elle partit de Delphes, et que je m'étais donné l'honneur de la saluer un peu au-delà des portes de la ville. Il me sembla lors qu'elle s'en souvenait et qu'elle faisait seulement semblant de n'y avoir pas pris garde, à cause qu'elle ne le pouvait faire sans témoigner en même temps s'être aperçue de l'attention avec laquelle je l'avais regardée. Et, en effet, elle a eu depuis la bonté de m'avouer que la chose était ainsi. Mais, comme cet innocent mensonge la fit rougir, j'en tirai

---

1. Le terme est perçu comme vieilli vers le milieu du XVIIe siècle (voir F. Brunot, *Histoire de la langue française*, Armand Colin, 1966, t. IV, p. 246).

encore un nouveau sujet d'espérer et je partis d'auprès d'elle le plus amoureux de tous les hommes et le plus déterminé de m'attacher à son service. Je ne m'amusai* point, comme font beaucoup d'autres, à vouloir combattre ma passion ; au contraire, je cherchai dans mon esprit tout ce qui la pouvait flatter*. Je m'imaginai que peut-être étais-je ce bienheureux pour lequel son âme serait sensible. "Car, disais-je, puisque presque tout ce qu'il y a d'hommes à Delphes l'ont aimée inutilement, je dois être plus en sûreté que si elle n'avait pas tant d'amants, puisque c'est une marque infaillible que son cœur n'a pas trouvé encore ce qu'il faut pour le toucher." Si je la regardais comme devant être riche, je croyais que cela servirait à mon dessein, parce que mon père ne s'y opposerait pas et, si je la considérais comme devant être pauvre, j'en étais encore bien aise, parce que je jugeais que le sien ne me la refuserait point. Enfin, je trouvais facilité à toutes choses et je craignais même tellement que ma raison ne s'opposât à mon amour que je ne la consultai point du tout.

Je voulus aussi faire un secret de ma passion à Mélésandre, mais il n'y eut pas moyen : le feu que les beaux yeux de Télésile avaient allumé dans mon cœur était trop brûlant et trop vif pour ne paraître pas dans les miens, et je donnai trop de marques de mon amour pour faire qu'il ne s'en aperçût pas. Il ne me proposait aucun divertissement où je témoignasse prendre plaisir : la promenade ne servait qu'à me faire rêver, la musique me faisait joindre les soupirs à la rêverie, la conversation m'importunait, la vue des autres belles personnes de la ville m'était absolument indifférente, et la seule vue de Télésile était ce qui me pouvait plaire. Bien est-il vrai qu'elle récompensait avec usure [1] la perte que je faisais de tous les autres plaisirs, et j'étais si transporté de joie quand je la pouvais voir un moment que ce fut plutôt par les marques de la

___

1. « Rendre avec usure » : locution figurée signifiant rendre plus que ce que l'on a reçu.

satisfaction que j'avais à la regarder que Mélésandre connut parfaitement que j'étais amoureux, que par mes rêveries et par mes chagrins. Il fallut donc le lui avouer et le prier en même temps de ne s'opposer point inutilement à une chose qui n'avait point de remède, et de me vouloir servir dans mon dessein. Je lui dis cela d'une certaine façon qui lui fit bien connaître que ses conseils ne serviraient de rien ; c'est pourquoi il me promit son assistance de bonne grâce.

Je retournai donc diverses fois chez Télésile, en qui je trouvai toujours plus de charmes et plus de civilité. La nouvelle conquête qu'elle avait faite de mon cœur fut bientôt sue de toute la ville, et même de mon père et de celui de Télésile, mais ni l'un ni l'autre n'en furent fâchés : car le mien, dans la croyance qu'elle devait être fort riche, était bien aise que je prisse un dessein qui pouvait réparer dans sa maison les profusions* de sa jeunesse, étant certain que sa magnificence* et sa libéralité lui ont ôté beaucoup de bien ; et Diophante aussi, de son côté, craignant que sa fille ne demeurât pauvre, n'était pas marri qu'un homme comme moi en fût amoureux. Il agissait pourtant d'une manière si adroite qu'il ne paraissait pas qu'il s'en aperçût, et il connaissait si parfaitement la vertu de sa fille qu'il ne craignait pas qu'elle s'engageât trop en souffrant qu'elle fût aimée de gens.

Mais, entre tous ceux qui la servaient, il y en avait un très riche, et beaucoup plus riche que moi, quoiqu'il ne fût pas d'une race si considérable, qui était très assidu auprès d'elle. Cet homme, qui s'appelait Androclide, avait une sœur qui la voyait aussi très souvent et qui, étant logée fort près de Crantor, en était quelquefois visitée. De sorte que je sus qu'Androclide avait un fort grand avantage, car sa sœur n'agissait pas seulement, à ce que l'on m'assurait, auprès de Télésile, mais encore auprès de son oncle, ce qui était une chose bien considérable pour lui, qui ne regardait pas moins la richesse de Crantor que la beauté de Télésile. Pour moi, qui n'étais touché que de

ses propres richesses [1] et qui préférais le plaisir de la
voir à tous les trésors du monde, je tâchais seulement
à toucher son cœur en lui faisant savoir quel était le
supplice du mien. Car enfin, j'en vins en peu de jours
aux termes de souffrir tout ce qu'un homme qui aime
peut souffrir. Dès que je ne la voyais plus, bien loin
d'espérer comme j'avais fait, je désespérais de tout. Si
je la regardais comme riche, je croyais qu'Androclide
l'obtiendrait de Diophante et de Crantor à mon
préjudice ; et, si je la regardais comme ne l'étant pas,
je voyais mon père traverser* tous mes desseins.

Mais ce qui m'affligeait le plus était une chose qui
m'avait réjoui au commencement : je veux dire l'indifférence avec laquelle elle agissait. Car, la trouvant
pour moi comme pour les autres, cette indifférence
me semblait aussi rigoureuse en ma personne qu'elle
m'avait semblé douce en celle d'autrui. Toutefois, dès
que je la voyais, tous mes chagrins se dissipaient. En
effet, la vue de la personne aimée est un remède
infaillible pour soulager toutes les douleurs et il y a je
ne sais quel charme secret dans les yeux de ce que l'on
aime, qui suspend les maux les plus sensibles*. Aussi
ne pouvais-je plus supporter les miens, si je n'étais en
sa présence ; et ma passion en vint au point que, non
seulement j'étais très malheureux quand je n'étais pas
auprès d'elle, mais que même je n'étais pas tout à fait
heureux quand je n'y étais pas seul ou que je n'y étais
pas assez bien placé. Ce n'était même plus assez pour
dissiper tous mes ennuis et pour faire ma félicité
entière que de la regarder : je voulais encore en être
regardé et ce n'était plus enfin que par certains instants bienheureux, où mes yeux rencontraient les
siens, que je sentais dans mon âme cette joie toute
pure, qui cause bien souvent par son excès* un si
agréable désordre dans le cœur de ceux qui savent
véritablement aimer.

---

1. C'est-à-dire les richesses de sa personne. Timocrate dévelop-
pera cette idée plus loin (cf. *infra*, p. 277-278).

Je vécus durant quelque temps de cette sorte, sans pouvoir trouver nulle occasion de découvrir mon amour à Télésile autrement que par mes soins, mes respects et mes regards ; car, outre que ce grand nombre d'amants qui l'environnaient continuellement m'en ôtait presque toutes les voies, je remarquais encore, quoique je la trouvasse toujours très civile, qu'elle m'ôtait avec adresse les occasions de lui parler en particulier. Joint aussi que, durant quelque temps, la sœur d'Androclide l'obsédait* de telle sorte que je ne pouvais jamais l'entretenir que de choses absolument indifférentes. J'avais beau prier Mélésandre, qui n'avait point de passion, de feindre d'aimer cette fille, qui se nommait Atalie, afin que, lui parlant plus souvent, il l'occupât et me donnât le moyen d'entretenir Télésile, tout cela ne servait qu'à faire recevoir cent fâcheuses paroles à Mélésandre, sans pouvoir me servir de rien.

Mais, pour commencer de me faire éprouver les maux de l'absence, comme nous étions en la plus belle saison de l'année et que Diophante avait une terre au pied du mont Hymette, qui est le plus beau lieu de toute la Phocide [1], il y allait très souvent, et cinq ou six petits voyages qu'il y fit presque sans sujet et sans raison, avec toute sa famille, me donnèrent toute l'inquiétude dont un cœur peut être capable. Tous les moments me semblaient des jours, toutes les heures des années entières et tous les jours des siècles, mais des siècles fâcheux et incommodes, où le chagrin* était maître absolu de mon esprit. Si je savais que Diophante eût mené compagnie avec lui, j'en étais inquiet, parce que je craignais qu'il ne se trouvât quelqu'un qui parlât pour mes rivaux. Quand il n'y allait personne, la solitude de Télésile me faisait pitié et l'ennui que je m'imaginais qu'elle avait m'en donnait beaucoup à moi-même. Lorsque Atalie allait avec elle, j'en étais désespéré ; quand elle demeurait à Del-

---

1. C'est une erreur : le mont Hymette se trouve non en Phocide (région de Delphes) mais en Attique (région d'Athènes).

phes, les conversations fréquentes qu'elle y avait avec
Crantor m'affligeaient aussi étrangement*, et je
n'avais pas un instant de repos tant que Télésile était
absente. Delphes me paraissait un désert : toute la
ville, ce me semblait, changeait de face par son départ
et son retour lui donnait, selon moi, un nouveau
lustre. Si je me promenais quelquefois pour fuir le
monde, c'était toujours du côté où elle était, et je m'y
engageai un jour de telle sorte, en rêvant, que je fis
plutôt un voyage qu'une promenade. Enfin, le soleil
n'apporte pas un si grand changement en tout l'univers par son absence que celle des beaux yeux de
Télésile en apportait dans mon cœur.

"Encore, disais-je quelquefois, si elle savait seulement que je l'aime, j'aurais du moins la satisfaction de
penser qu'elle songerait peut-être à moi et que, si
j'étais absent de ses yeux, je ne le serais pas de son
âme. Mais hélas, poursuivais-je, je suis assurément
encore plus éloigné de sa pensée que de sa présence,
et le malheureux Timocrate n'occupe nulle place ni
dans son cœur, ni dans sa mémoire. Eh, que veux-je,
ajoutais-je souvent en moi-même, ne vois-je pas Télésile en tous lieux ? Elle est dans mon esprit, elle est
dans mon âme, elle est dans mon imagination, elle est
dans ma mémoire et elle m'occupe tout entier. Il est
vrai, poursuivais-je, que Télésile est inséparable de
Timocrate ; mais, pour être consolé pendant une si
cruelle absence, il faudrait que Timocrate le fût aussi
de Télésile ; et pour soulager mes douleurs, il faudrait
enfin qu'elle souffrît une partie de ce que je souffre et
qu'elle pût juger du supplice que j'endure par celui
qu'elle endurerait. Mais serait-il équitable, reprenais-
je, que la plus aimable et la plus parfaite personne de
la terre eût pour moi les mêmes sentiments que j'ai
pour elle ? Non, non, je suis injuste dans mes désirs et
je veux sans doute des choses qui ne sont pas raisonnables. Je voudrais donc seulement, ajoutais-je, être
assuré qu'elle ne se souvînt, où elle est, de pas un de
mes rivaux, qu'Androclide en particulier n'eût nulle

place en sa mémoire et que le malheureux Timocrate
en eût un peu en son souvenir."

L'on me dira peut-être qu'en me plaignant des malheurs de l'absence, je confonds les choses, puisqu'il
est certain qu'il y a plusieurs sentiments jaloux qui se
trouvent mêlés parmi les miens. Mais il est pourtant
vrai que ces cruels sentiments n'ont jamais été dans
mon cœur que pendant l'absence. Et, à dire les choses
comme elles sont, je ne tiens pas qu'il soit possible
d'être absent de ce que l'on aime, sans être en quelque
sorte jaloux, et jaloux d'une manière bien plus cruelle
que ceux qui le sont par caprice ou par faiblesse à la
vue de la personne qu'ils aiment. Car enfin, je n'ai
jamais pu en la présence de Télésile avoir un sentiment de cette nature : ma jalousie a toujours été dissipée par ses regards, comme une sombre vapeur l'est
du soleil, et son absence aussi n'a jamais manqué de
faire sentir à mon âme tous les maux que l'amour peut
causer.

Cependant il s'épandit sourdement* un assez grand
bruit dans toute la ville que Crantor visitait très souvent Atalie, qu'elle agissait puissamment pour son
frère et qu'on croyait que dans peu de jours Androclide épouserait Télésile. Ce bruit ne vint pourtant
point jusqu'à moi, car Mélésandre, durant ce temps-
là, était allé faire un voyage aux champs, et l'absence
m'a toujours été si fatale que celle de mon ami m'était
souvent nuisible aussi bien que celle de ma maîtresse.
Mon père, qui sut la chose, qui ne voulait pas que
j'eusse la honte qu'Androclide me fût préféré, et qui
savait bien que, tant que je serais à Delphes, il serait
difficile que je cessasse d'aimer Télésile, ni que j'endu-
rasse qu'Androclide l'épousât sans m'y opposer par
toutes les voies qu'un homme de cœur amoureux peut
imaginer et prendre, s'avisa d'une chose qui me donna
une douleur bien sensible, quoique en apparence elle
me dût réjouir, parce qu'elle m'était glorieuse.

Nous étions alors justement au temps où ce fameux
conseil de la Grèce dont j'ai déjà parlé était assemblé
et, quoique mon père n'en fût pas cette fois-là, il y

avait pourtant grand crédit. Si bien que, pour me faire
éloigner d'un lieu où il appréhendait qu'il ne m'arrivât
quelque malheur, il fit en sorte que je fus choisi par les
Amphictyons pour être envoyé à Milet, d'où le prince
Thrasybule était parti, pour des raisons qui seraient
trop longues à dire, afin de rapporter un récit véritable
de ce qui s'était passé en cette fameuse ville, qui était
alors divisée en deux factions opposées [1]. Car, encore
que les Milésiens eussent envoyé un député à l'assemblée qui se tenait dans le temple d'Apollon, comme les
reconnaissant juges de leurs différends, bien que les
Grecs asiatiques n'eussent pas accoutumé de les reconnaître, néanmoins, comme il était du parti opposé au
sage Thalès [2] milésien, les Amphictyons voulurent en
être informés par une autre voie, et je fus nommé pour
cela. Il est certain que jamais homme de mon âge
n'avait eu un pareil honneur et qu'en toute autre saison
j'en aurais eu beaucoup de joie. Car enfin, être choisi
par les plus grands hommes de toute la Grèce, pour
agir dans une affaire d'aussi grande conséquence que
celle des Milésiens, était une chose capable de flatter
la vanité de tout autre que d'un homme amoureux
comme je l'étais.

Cette absence avait donc tout ce qui la pouvait
rendre supportable : la cause en était glorieuse, vraisemblablement elle ne devait pas être fort longue, mes
rivaux mêmes en étaient fâchés et elle pouvait donner
meilleure opinion de moi à Télésile. Cependant je
reçus cet honneur avec une douleur étrange* et, dès
que je pensais qu'il fallait m'éloigner de ce que j'aimais, tout sentiment d'ambition s'éloignait de mon

---

1. Les troubles de Milet sont racontés dans l'« Histoire de Thrasybule et d'Alcionide : l'exil de Thrasybule » [Partie III, Livre 3].
2. Il s'agit bien du célèbre philosophe et mathématicien, pionnier
de la géométrie. Thalès faisait également partie des sept sages de
Grèce. À ce titre, il est, dans *Le Grand Cyrus*, un protagoniste du
« Banquet des sept sages » [Partie IX, Livre 2]. Mais auparavant il
avait déjà fait des apparitions dans l'« Histoire de Philoxipe et de
Polycrite » [Partie II, Livre 3] et dans l'« Histoire de Thrasybule et
d'Alcionide » [Partie III, Livre 3].

cœur et l'affliction s'en emparait de telle sorte qu'il ne
restait nulle place pour nul autre sentiment. La chose
n'avait pourtant point de remède : je ne pouvais la
refuser qu'en me déshonorant et, par conséquent,
qu'en me détruisant dans l'esprit de Télésile.

Mon honneur et mon amour voulant donc que je
l'acceptasse, il fallut se résoudre à obéir et même à
partir trois jours après. Je fis tout ce que je pus pour
différer au moins mon départ, mais il n'y eut pas
moyen, de sorte qu'il ne me demeura rien à faire que
de bien ménager* le peu de temps que je devais
encore être à Delphes. Je laissai donc absolument le
soin de ce qui regardait les préparatifs de mon voyage
à mes gens et je ne m'occupai qu'à chercher les voies
de pouvoir parler à Télésile en particulier, m'étant
absolument déterminé, après une assez longue contestation en moi-même, de l'entretenir de ma passion si
je le pouvais. Mais je fus si malheureux, les deux premiers jours, que non seulement je ne pus lui parler,
mais que même je ne la pus voir, parce qu'elle se trouvait un peu mal.

Le dernier jour que je devais être à Delphes étant
donc arrivé, j'eus une douleur que je ne saurais
exprimer. "Quoi, disais-je, je partirai, et je partirai
peut-être sans voir Télésile et sans qu'elle sache que je
pars d'auprès d'elle le plus amoureux de tous les
hommes. Ah ! non, non, je ne m'y saurais résoudre et
la mort a quelque chose de plus doux qu'un semblable
départ." Je me levai ce jour-là de très grand matin,
quoique je susse bien que, quand je devrais voir Télésile, ce ne pourrait être qu'après midi, mais c'est qu'en
effet je n'étais pas maître de mes actions ni de mes
pensées. Je fus dire adieu à diverses personnes, mais,
en quelque quartier de la ville qu'elles demeurassent,
je passais toujours par celui de Télésile, ou pour y
aller, ou pour en revenir, et souvent même en allant et
en revenant, me semblant que ce m'était quelque
espèce de consolation de m'approcher d'elle, bien que
je ne la dusse point voir. Je recevais les compliments
que l'on me faisait sur mon voyage avec une froideur

qui surprenait tous ceux qui la remarquaient et j'agissais enfin d'une si bizarre* manière que je m'étonne que quelqu'un ne fût avertir les Amphictyons qu'ils avaient grand tort d'avoir choisi un si mauvais agent pour une affaire de telle importance.

La chose n'arriva pourtant pas ainsi et, l'après-dînée* étant venue, je fus chez Diophante le demander pour lui dire adieu. Il m'embrassa avec beaucoup de civilité, mais, comme je le trouvai à deux pas de sa porte, notre conversation ne fut pas longue et je lui demandai la permission d'aller prendre congé du reste de sa famille. Il me dit lors que Taxile, sa femme, n'y était pas, mais qu'encore que Télésile fût seule et un peu malade, il voulait pourtant qu'elle me vît. Et, en effet, il ordonna à une de ses femmes de me conduire à son appartement. Diophante voulut me faire la cérémonie de m'y mener, mais je m'y opposai comme un homme qui ne craignait rien tant qu'un honneur si incommode que celui-là, et je pense que, s'il eût pris garde aux compliments* que je lui faisais pour l'en empêcher, il eût aisément remarqué que je me défendais de sa civilité avec un empressement et un chagrin qui lui eussent pu faire deviner une partie des mes sentiments. Enfin, il me quitta et je fus par sa permission dire adieu à Télésile. Je la trouvai heureusement sans autre compagnie que celle de deux filles qui la servaient. Comme son mal n'était pas grand, elle gardait la chambre sans garder le lit et, un peu de langueur qu'elle avait dans les yeux ne faisant, à ce qu'il me semblait, que la rendre encore plus aimable, je la trouvai si belle ce jour-là que le déplaisir que j'avais de la quitter en augmenta encore de beaucoup.

Quoiqu'elle eût été avertie que j'allais entrer dans sa chambre, elle ne laissa pas de me témoigner d'en être surprise : "Timocrate, me dit-elle, d'où vient que vous me visitez quand personne ne me voit ? – C'est, madame, lui dis-je en la saluant et en m'approchant d'elle avec beaucoup de respect, que ne devant bientôt plus vous voir, quand les autres vous verront, Diophante a trouvé juste de m'accorder la grâce de pouvoir du moins vous dire adieu, auparavant que je parte pour aller à Milet." Comme je ne l'avais point vue depuis que j'avais été choisi pour cela, elle me témoigna avoir beaucoup de joie de l'honneur que l'on me faisait et, m'ayant fait donner un siège, elle m'exagéra* avec beaucoup de civilité la part* qu'elle prenait à une chose qui m'était glorieuse. Si l'adorable Télésile m'eût fait voir autant de marques de joie dans ses yeux, pour un bonheur qui me fût arrivé sans m'éloigner d'elle, j'en aurais reçu un plaisir extrême et je me serais estimé très heureux. Mais, ma capricieuse passion m'ayant fait trouver quelque chose de cruel à voir qu'elle se réjouissait de ce qui m'allait priver de sa présence, je répondis à son compliment en soupirant.

"Madame, lui dis-je, vous êtes bien bonne de prendre part à une chose qui m'est en quelque façon avantageuse. Mais je ne sais si vous en prendriez autant en mes malheurs que vous témoignez en prendre en mon bonheur. – Vous me croyez bien peu généreuse, me répliqua-t-elle en souriant, de penser que je ne m'intéresse pour mes amis que dans leur bonne fortune. En vérité, Timocrate, ajouta-t-elle encore en raillant agréablement, vous recevez si mal la part que je prends à votre joie que je pense que, s'il vous arrivait quelque déplaisir, je pourrais sans injustice ne m'en affliger point du tout. Et je suis presque en chagrin* de ce que je ne vois pas qu'il y ait apparence que de longtemps je me puisse venger de vous cette sorte. Car vous allez en un lieu où l'on vous recevra avec applaudissement et vous reviendrez après ici chargé de gloire pour vous être sans doute acquitté dignement de l'emploi que l'on vous a donné. Mais, puisque je ne pourrai me venger de vous en ne prenant point de part à vos malheurs, parce que vous n'en avez point, je le ferai peut-être en n'en prenant plus à votre joie. – Comme la vengeance est douce, lui répliquai-je, et qu'il me semble remarquer qu'en effet vous voudriez bien me punir, je veux vous en donner une ample matière et vous apprendre que je suis présentement le plus malheureux de tous les hommes.

– Le plus malheureux ! reprit-elle malicieusement*, car elle commença de s'apercevoir du dessein que j'avais de lui parler de ma passion, qu'elle avait déjà remarquée. Ah, Timocrate, si cela est, ne me dites pas votre infortune, car je ne vous hais pas assez pour m'en réjouir et je ne me porte pas assez bien pour me pouvoir affliger sans hasarder ma santé qui, à mon avis, étant généreux* comme vous êtes, ne vous doit pas être indifférente. – Je vous avais bien dit, madame, lui répliquai-je, que vous ne voudriez prendre de part qu'à mon bonheur et que vous n'en voudriez point prendre à mes déplaisirs. Mais, comme je n'ai garde d'avoir la vanité de croire que mes plus violentes douleurs vous en puissent seulement donner de médiocres*, je ne ferai nulle difficulté de vous découvrir une partie de mes malheurs.

– Vous êtes bien plus vindicatif que moi, reprit-elle, car je me suis repentie, un instant après, du dessein que j'avais de me venger, et vous persistez en celui de me punir d'une chose où je n'ai pensé qu'un moment. – Je ne cherche pas à me venger, lui dis-je ; au contraire, je cherche à vous donner sujet de vous venger vous-même. – Non, Timocrate, me dit-elle, je ne veux point que vous commenciez à me faire confidence, par une infortune qui vous soit arrivée, ni que vous m'appreniez ce que je ne sais pas, s'il ne vous est point avantageux. – Vous savez déjà sans doute ce qui fait mon affliction, lui dis-je, et je vous l'ai dit depuis que je suis auprès de vous. – Vous me l'avez dit ! reprit elle toute surprise ; je ne l'ai donc pas entendu. – Pardonnez-moi, madame, lui répliquai-je, car vous y avez fait réponse. – Je ne m'en souviens donc plus, dit-elle, et il faut que ce ne soit pas un bien grand malheur, puisqu'il n'a pas fait une plus forte impression dans ma mémoire. – Cela vient, madame, lui dis-je en l'interrompant, de ce que mon départ vous est indifférent. – C'est ce qui n'a garde d'être, dit-elle, puisque je vous ai témoigné que je m'en réjouissais. – Vous me feriez bien plus de grâce de vous en affliger, lui dis-je en changeant de couleur ; et il serait même bien plus

équitable que vous plaignissiez le mal que vous faites
que de vous réjouir d'un bien apparent que vous ne
faites pas. – Ah, Timocrate, me dit-elle, je n'ai nulle
part* ni à votre joie ni à votre douleur, et je commence
de m'apercevoir que vous ne parlez pas sérieusement.
– Madame, lui dis-je tout interdit, je ne pense pas que
vous puissiez croire, sans me faire un sensible*
outrage, que je ne parle pas avec toute la sincérité possible, lorsque je vous assure que je pars d'auprès de
vous avec une douleur de qui l'excès* ne peut être
comparé qu'à celui de la passion qui la cause."

Télésile demeura surprise de mon discours, mais, le
voulant encore tourner en raillerie, afin de ne me maltraiter pas : "Timocrate, me dit-elle en riant, je vois
bien que vous savez que je suis présentement à la
mode, s'il m'est permis de parler ainsi, et qu'il y a je ne
sais quelle constellation [1] capricieuse qui veut que tout
ce qui se trouve de gens de votre âge et de votre condition à Delphes fassent semblant une fois en leur vie de
ne me haïr pas. Mais sachez, je vous supplie, que je
n'ai jamais rien contribué* à cela, que je me connais
trop bien pour croire de semblables choses facilement
et qu'en votre particulier, je vous estime assez pour
apporter tous mes soins à ne vous croire pas. Car,
Timocrate, si je vous croyais, je serais obligée d'éviter
votre conversation qui m'est agréable ; c'est pourquoi
ne prenez pas, s'il vous plaît, la peine de continuer une
feinte qui vous serait nuisible, si ma vue vous donne
quelque satisfaction. – Je ne continuerai pas une feinte,
lui dis-je, mais je continuerai de vous dire une vérité,
en vous assurant que j'ai plus d'amour dans l'âme que
tout le reste de vos amants ensemble n'en ont.
– Comme mon père, reprit Télésile en raillant toujours, ne vous a pas donné la permission de me voir
pour me dire une pareille chose, je pense que je puis
sans incivilité vous prier de changer de discours ou de
vous hâter de me dire adieu. – C'est une trop cruelle

---

1. De manière assez générale, le terme, se référant à l'astrologie,
sert à désigner un pouvoir mystérieux.

parole, lui répliquai-je en soupirant, pour me hâter de vous la dire, et ce sera sans doute le plus tard que je pourrai que vous me l'entendrez prononcer, si toutefois il est possible que je le puisse faire sans mourir."

Comme elle m'allait répondre et qu'elle prenait un visage plus sérieux, qui me faisait déjà trembler de crainte, Atalie, sœur d'Androclide, le plus redoutable de mes rivaux, entra. "Ma sœur, lui dit-elle (car elles se nommaient ainsi), je pensais être presque seule à qui vous accordassiez le privilège de vous voir pendant votre mal, et cependant je m'aperçois que Timocrate en jouit aussi bien que moi : ne craignez-vous point que j'en sois jalouse ? – Il y a cette différence entre vous deux, lui répondit Télésile, que vous en jouissez par ma volonté et que Timocrate n'en jouit que par celle de mon père. – Si cela est, reprit Atalie, je cesse de me plaindre. – Je n'en fais pas de même, lui répliquai-je tout chagrin ; et je ne fais au contraire que commencer de dire la peine que je sens en sortant de Delphes. – Vous y laissez donc quelque chose, reprit Atalie, que vous préférez à la gloire. – Que je préfère à tout, lui répliquai-je. – Il est bien difficile que vous ayez raison de le faire, répondit Télésile, qui n'osait presque plus me regarder, puisqu'il n'est rien qui doive être si cher."

Comme nous en étions là, deux de ses parentes vinrent encore et je fus obligé de m'en aller. Mais, lorsque Télésile, qui n'osait pas me faire une incivilité devant ces dames, me vint conduire jusqu'à la porte de sa chambre : "Madame, lui dis-je assez bas, si je ne meurs point de douleur pendant mon voyage, vous me verrez revenir avec la même passion pour vous que j'emporte dans mon cœur. – Je prie les dieux, Timocrate, me dit-elle en rougissant, que votre voyage soit heureux et, poursuivit-elle en abaissant la voix aussi bien que moi, je souhaite encore que vous reveniez plus sage que vous ne le paraissez être en partant, afin que Télésile vous puisse donner toute sa vie des marques de l'estime qu'elle fait de votre mérite." Elle me dit cela d'un air modeste qui, sans être ni sérieux ni enjoué, ne me laissait pas lieu de bien raisonner sur ses sentiments ; joint que, dans cet instant de séparation, je sentis un trouble si grand dans mon cœur que de plusieurs je ne fus en état de penser à rien.

Mais enfin je partis le lendemain avec un désespoir que je ne saurais exprimer, car, m'éloignant à chaque moment toujours davantage de Télésile, je sentais un mal que je ne saurais faire comprendre à ceux qui ne l'ont point éprouvé. Et certes, il me fut avantageux que j'eusse mes instructions par écrit, puisque sans doute je me fusse mal acquitté de ma commission, si l'on se fût confié à ma mémoire. La seule Télésile l'occupait : j'avais laissé dans sa chambre une sœur d'Androclide, j'avais laissé à Delphes un nombre infini de ses amants, je les repassais tous dans mon imagination les uns après les autres, et les riches, et les pauvres, et les honnêtes gens, et les mal faits ; et il y avait des instants où il n'y en avait pas un qui me fît peur [1], tant il est vrai que l'absence fait voir les choses d'une cruelle manière.

Quand j'étais à Delphes, il y avait plusieurs jours où mon âme était en quelque façon tranquille, car, lorsque j'étais auprès de cette aimable personne, je n'étais pas malheureux, pour peu qu'elle me regardât. Et, quand je n'y étais pas, je savais du moins où elle était et ce qu'elle faisait, de sorte que, pourvu que je susse qu'Androclide ne la voyait non plus que moi, je ne me souciais guère des autres, car il était le plus riche et le plus agréable de tous. Mais, lorsque je venais à penser qu'il m'était absolument impossible de savoir ce qu'elle faisait, j'avais un chagrin* inconcevable. Le matin n'était pas plus tôt arrivé que je me la figurais au temple, environnée de tous mes rivaux ; l'après-dînée*, je la voyais en conversation avec eux, ou chez elle ou chez ses amies ; le soir, je croyais qu'elle s'entretenait de tout ce qu'elle avait vu tout le

---

1. Comprendre : « pas un qui ne me fît pas peur ». La disparition de la seconde négation est entraînée par la tournure particulière « ne... pas un qui ».

jour ; et, en vingt-quatre heures enfin, je ne trouvais pas un moment où je pusse raisonnablement espérer qu'elle se souvînt de moi. Car je n'avais pas même la pensée que ses songes l'en pussent faire souvenir, puisque, pour l'ordinaire, ils ne se forment que des mêmes objets dont l'imagination a été remplie en veillant.

Je vécus de cette sorte, sans nulle consolation, jusqu'à ce que je crus que Mélésandre était retourné à Delphes. Car alors, j'avoue que j'eus quelques moments de consolation dans la pensée que j'eus que cet officieux* ami lui parlerait de moi quelquefois, puisque j'avais laissé une lettre pour lui en partant, par laquelle je l'en priais. Mais, si cette pensée avait quelques instants de douceur, elle était aussitôt suivie d'une autre qui me donnait bien de l'inquiétude, car j'avais une si prodigieuse envie de savoir de quelle sorte elle parlerait de moi à Mélésandre, après lui avoir découvert ma passion, que ce ne m'était pas une petite augmentation de chagrin*. Enfin, tout ce que je voyais m'importunait, je ne trouvais rien de beau ni d'agréable, j'avais une disposition si forte à la colère que les moindres fautes de mes gens me fâchaient plus en cette saison que les plus grandes n'avaient accoutumé de faire en une autre. Je rêvais presque toujours et, si un sentiment d'amour ne m'eût persuadé qu'il fallait m'acquitter avec honneur de l'emploi qu'on m'avait donné, je pense que ma négociation se fût passée d'une étrange* sorte.

Mais, venant à considérer que la gloire que j'en pouvais attendre me pourrait servir auprès de Télésile, je fis un grand effort sur mon esprit, et je ne fus pas plus tôt arrivé à Milet que je commençai d'agir, et avec le plus d'adresse et avec le plus de diligence qu'il me fut possible. Je ne m'amuserai* point à vous démêler cette grande affaire, qui serait aussi longue à vous dire qu'elle est inutile à mon amour, qui est la seule chose dont j'ai à vous parler. Mais je vous dirai seulement que, quelque soin que j'y apportasse, il fallut que je fusse deux mois entiers dans Milet, sans pouvoir avoir nulles nouvelles de Delphes, parce que le vent fut toujours contraire pour cette navigation. J'avais cru, dans les premiers jours, que ma douleur pourrait diminuer par l'habitude. Mais mon âme ne se trouva pas disposée à cela : au contraire, plus j'allais en avant, plus mon chagrin augmentait, et ceux à qui la longueur de l'absence en diminue la rigueur n'ont assurément qu'une médiocre passion. Toutes les fois que le sage Thalès, avec lequel j'agissais contre la faction opposée, m'apprenait qu'il y avait quelque obstacle nouveau à la conclusion de mon affaire, j'en paraissais si touché que ce sage homme, qui ne pénétrait pas dans mon cœur, croyait que j'étais le plus ambitieux de gloire qui fût au monde et le meilleur agent que l'on eût jamais pu choisir.

Mais enfin, quand il plut à la fortune, j'eus achevé mes affaires heureusement et je sortis de Milet pour m'en retourner à Delphes, après avoir, s'il m'est permis de le dire, acquis assez d'honneur dans une négociation si importante. Le sage Thalès me fit même la grâce d'écrire de moi aux Amphictyons d'une manière très avantageuse, et je pouvais sans doute avoir un sujet raisonnable de me réjouir. Mais mon âme était déjà si accoutumée au chagrin qu'elle ne put pas goûter une joie toute pure, car, parmi l'espérance de revoir Télésile, la crainte de trouver quelque changement en sa fortune qui me fût désavantageux me troubla sans doute beaucoup. Néanmoins, quand je m'imaginais que je la reverrais et que mes yeux pourraient encore quelquefois rencontrer les siens, je sentais un plaisir extrême.

En un mot, pour abréger mon discours, j'arrivai à Delphes, mais j'y arrivai si tard que mon père était déjà retiré, de sorte qu'au lieu de coucher chez lui, je fus coucher avec Mélésandre, afin de savoir plus tôt des nouvelles de Télésile. Comme il ne se retirait jamais de bonne heure, il ne faisait que d'entrer dans sa chambre quand j'y arrivai : une surprise qui lui fut si agréable fit qu'il m'embrassa avec une joie extrême. Je l'embrassai aussi avec beaucoup de tendresse, mais,

ne sachant encore ce qu'il me devait apprendre de
Télésile, je n'osais me réjouir et je cherchais dans ses
yeux ce qui devait paraître dans les cieux. Après
l'avoir donc prié de faire sortir ses gens : "Eh bien, lui
dis-je, Mélésandre, Télésile n'est-elle pas toujours Télésile ? c'est-à-dire la plus belle chose du monde ; et
mon absence n'a-t-elle point favorisé les desseins de
quelqu'un de mes rivaux ? – J'ai tant de choses à vous
dire, me répliqua-t-il, que je ne sais par où commencer ; et il est arrivé tant de changement en vos affaires
que vous ne pouvez manquer d'en être étrangement*
surpris. – Ah, Mélésandre, lui dis-je, hâtez-vous de me
dire en gros ce que c'est ; mais, si par malheur Télésile
est ou morte ou mariée, dites-moi seulement 'il faut
mourir', afin que mon désespoir ne soit pas long.
– Télésile, répliqua-t-il, est vivante et belle, et même
ne sera mariée de longtemps à pas un de vos rivaux."

Ce discours ayant remis le calme en mon âme et n'y
ayant plus laissé qu'une forte curiosité de savoir quel
était ce changement, j'appris qu'aussitôt que j'avais
été parti [1], tous mes rivaux s'étaient réjouis de mon
absence, quoique la cause les en affligeât, parce qu'en
effet je leur étais le plus redoutable, mais, qu'entre les
autres, Androclide en avait eu beaucoup de satisfaction. Néanmoins, me disait Mélésandre, comme il
avait l'esprit partagé entre les richesses prétendues de
Télésile et sa beauté, il avait toujours prié sa sœur de se
contenter de détruire autant qu'elle pourrait tous ses
rivaux dans l'esprit de Télésile et de l'y mettre bien et,
sans lui en dire la véritable cause, il ne l'avait jamais
priée de pousser la chose aussi loin qu'elle pouvait aller.
Mais, en effet*, c'était qu'encore qu'il fût amoureux de
Télésile, il ne l'aimait pourtant pas assez pour la vouloir
épouser, jusqu'à tant que Crantor lui eût assuré tout
son bien, comme il l'espérait par les soins de sa sœur,
qui le voyait toujours très souvent. Mais, afin de vous
faire mieux entendre, ô mon équitable juge [2], tout ce

---

1. Passé surcomposé (voir p. 187, note 1).
2. C'est bien sûr à Martésie que s'adresse cette apostrophe.

que Mélésandre me dit, il faut que vous sachiez qu'Atalie, qui n'aimait pas moins la richesse que son frère, fit semblant de croire qu'Androclide ne la priait d'agir auprès de Crantor que par la seule passion qu'il avait pour Télésile et, qu'étant aussi passionné qu'il l'était, il l'épouserait aussi bien pauvre que riche. De sorte qu'ayant remarqué que Crantor se laissait insensiblement toucher à* sa beauté (car certainement cette fille en avait beaucoup), elle n'oublia rien de tout ce qui pouvait toucher le cœur d'un avare. Elle ne parlait avec lui que d'économie, elle blâmait les dépenses superflues et paraissait si détachée de tous les plaisirs et de tous les divertissements des personnes de son âge que Crantor pensa enfin ce qu'elle voulait qu'il pensât et lui proposa de l'épouser. Cette fille, qui n'était pas fort riche, parce qu'elle n'était sœur d'Androclide que du côté de sa mère qui ne l'était point du tout, écouta cette proposition et, comme elle n'avait plus de proches parents qu'Androclide, avec lequel elle ne demeurait pourtant pas, car on l'avait mise chez une parente de son frère qui n'était point la sienne, elle ne demanda conseil à personne et, assurant Crantor de son consentement, elle envoya un matin prier Androclide de l'aller voir, parce qu'elle avait quelque chose à lui dire.

"Mon frère, lui dit-elle, aussitôt qu'il entra dans sa chambre, s'il est vrai que vous aimiez fortement Télésile, j'ai une grande nouvelle à vous apprendre ; car enfin je sais une voie infaillible de vous la faire épouser si je le veux. – Ah, ma chère sœur, lui dit-il, que ne vous devrai-je point, si les longues conversations que vous avez eues avec Crantor peuvent l'avoir obligé à faire ce que la raison veut qu'il fasse ! Je vous demande pardon, lui dit-il sans lui donner loisir de parler, d'être cause que vous entretenez si souvent un homme d'un autre siècle et de qui l'humeur avare n'est pas fort agréable ni fort divertissante. – Mon frère, dit-elle, je vois bien que vous ne comprenez pas par quelle voie vous pouvez épouser Télésile et que vous ne savez pas encore tout ce qu'il faut que je fasse pour vous la faire

obtenir. C'est pourquoi il faut que je vous dise, poursuivit malicieusement* cette fille, que ce ne peut être
qu'en me sacrifiant absolument pour vous et qu'en me
privant de toute sorte de plaisir. – Je serai bien malheureux, reprit Androclide, si ma félicité vous doit
rendre infortunée. Mais encore, lui dit-il, quelle est
cette bizarre* voie que je ne puis imaginer ? – C'est,
dit-elle en rougissant et en riant à demi, que Crantor
s'est assurément mis dans la fantaisie que je suis un
trésor, et c'est sans doute par cette raison qu'il veut
que je sois à lui."

Androclide fut si surpris du discours de cette fille
qu'il crut ne l'avoir pas bien ouï : "Crantor, lui dit-il
en l'interrompant, veut que vous soyez à lui ! et comment l'entend-il ? et comment le peut-il entendre ? – Il
entend, dit-elle sans s'émouvoir, de vous donner Télésile aussitôt que je l'aurai épousé ; de sorte, mon frère,
ajouta-t-elle, que c'est de ma seule volonté que dépend
votre bonheur présentement. Car, si je me résous de
satisfaire la passion qu'il dit avoir pour moi, il m'a
assuré qu'il satisfera la vôtre et qu'il obligera Diophante à vous donner Télésile. Mais, mon frère, poursuivit-elle, épouser un homme de l'âge et de l'humeur
de Crantor n'est pas une chose que je puisse faire sans
répugnance ; néanmoins, l'amitié que j'ai pour vous
est si forte qu'elle me fera vaincre l'aversion que j'ai
pour lui, et je vous assure que la félicité dont vous
jouirez par la possession de Télésile me consolera
beaucoup plus que ne feront tous les trésors de
Crantor."

Pendant qu'Atalie parlait de cette sorte, Androclide
était si surpris qu'il ne savait presque ce qu'il devait lui
répondre (car il l'a raconté depuis à d'autres personnes). Comme il avait quelque confusion de faire
connaître à sa sœur que l'avarice avait autant de place
en son âme que l'amour, il prit un biais qu'il crut bien
fin et bien adroit. "Ma chère sœur, lui dit-il, je n'ai
garde de consentir que vous vous rendiez malheureuse toute votre vie pour l'amour de moi et, quoique
j'aime passionnément Télésile, je ne l'épouserai jamais

en vous obligeant d'épouser Crantor. – Mon frère, lui dit-elle, s'il y avait un autre remède à votre mal, je n'aurais pas recours à celui-là, mais, n'y en ayant point d'autre, je suis assez généreuse* pour vous obliger* malgré vous. Je sais bien, lui dit-elle encore, que dans le fond de votre cœur, vous voudriez que je fusse déjà femme de Crantor, afin de vous voir mari de Télésile, et que ce n'est que par générosité* que vous vous opposez à une chose que vous croyez qui ne me plaît pas. Car je ne pense pas que vous me croyiez l'âme assez basse et assez intéressée, ajouta-t-elle, pour trouver plus de satisfaction dans quelque richesse que possède Crantor que de chagrin* dans son humeur. De sorte qu'étant persuadée que vous ne pouvez être heureux que par mon moyen, je saurai bien, sans vous obliger à y consentir, prendre les voies de vous satisfaire malgré vous.

– Ah, ma sœur, lui répondit-il, je ne souffrirai jamais une semblable chose ; et ne considérez-vous point l'extrême vieillesse de Crantor, son humeur avare et chagrine, et tous ses défauts ? – Mon frère, lui dit-elle, je ne veux regarder en cette rencontre que la merveilleuse beauté de Télésile, de qui la possession vous rendra heureux." Androclide, désespéré d'entendre parler Atalie de cette sorte, lui dit que, puisque ce n'était que son intérêt qui la faisait agir, il la suppliait de considérer qu'en épousant Crantor, elle causerait un sensible* déplaisir à Télésile, puisqu'elle l'empêcherait d'être la plus riche personne de toute la Phocide. "Pour moi, lui dit-il, ma sœur, je serais toujours heureux par la seule beauté de Télésile ; mais je ne sais pas si Télésile se la [1] trouverait, sans les trésors de Crantor, et si elle ne se vengerait point sur moi du mal que vous lui auriez fait. – Nullement, reprit Atalie, car, si Télésile n'a pas l'âme avare, elle ne se souciera pas tant que vous pensez de cette perte ; et, si elle l'a de cette sorte, elle sera ravie de vous épouser en l'état que sera alors sa fortune. Ainsi il n'y a rien à hasarder

---

1. Le pronom remplace ici l'adjectif « heureuse ».

pour vous, et tout le mal ne sera que pour moi seule.
Mais, ajouta-t-elle, ce mal ne sera peut-être pas long."

Androclide repartit encore plusieurs choses, et
Atalie de même, sans que ni l'un ni l'autre dissent
jamais leurs véritables sentiments, chacun tâchant de
se tromper et se déguiser finement. Si bien qu'ils se
séparèrent de cette sorte, Androclide conjurant toujours sa sœur de croire qu'il ne consentirait jamais à ce
mariage, et elle lui disant toujours qu'elle était résolue
d'y consentir. En effet, comme elle s'était rendue maîtresse absolue de l'esprit de Crantor, elle l'envoya
prier de la voir ; et elle sut conduire la chose avec tant
d'adresse qu'elle lui persuada qu'il fallait qu'il l'épousât sans cérémonie, à cause de Diophante et que, de
plus, Androclide son frère songeant à épouser Télésile
sa nièce, il ne fallait pas non plus lui demander son
consentement. De sorte que Crantor, sans différer
davantage, l'épousa le lendemain, en présence de cinq
ou six personnes qui dépendaient de lui, et la mena le
jour suivant à la campagne, afin de laisser dissiper le
grand bruit qu'un semblable mariage devait causer.

Cependant Androclide était en une inquiétude
étrange* et les beaux yeux de Télésile ne le pouvaient
consoler de la perte qu'il craignait de faire. Mais,
quand il sut que la chose était faite, il eut un désespoir
inconcevable. Néanmoins, comme il ne la crut pas
d'abord, il fut chez une de ses amies qui voyait fort
Télésile, pour s'en éclaircir. Mais il y trouva plus qu'il
ne pensait y trouver, car Télésile y était, qui venait d'y
apprendre le mariage de Crantor. Or, ce qu'il y eut
d'admirable*, ce fut qu'Androclide paraissait beaucoup plus affligé que Télésile, de qui l'âme généreuse*
ne s'ébranla point du tout en cette rencontre* et qui
eut l'esprit assez libre pour remarquer que la douleur
d'Androclide n'était pas désintéressée. Il s'approcha
d'elle tout interdit et la supplia de croire qu'il n'avait
rien contribué* au dessein de sa sœur et qu'il voudrait
avoir fait toutes choses et que ce malheur ne lui fût pas
arrivé. "Je le crois, lui répondit froidement Télésile, et
je vous connais assez pour n'en douter pas. Mais,

Androclide, ajouta-t-elle, comme la belle Atalie votre sœur est peut-être plus aise d'avoir acquis les trésors de Crantor que je ne suis affligée de les avoir perdus, je trouverais plus juste que vous allassiez vous réjouir avec elle que de vous arrêter à vous affliger avec moi, qui n'ai pas même besoin de toute la force de ma raison pour supporter un semblable malheur et qui, par conséquent, puis aisément me passer du secours de la vôtre. – C'est sans doute, lui répondit Androclide, que je suis plus sensible à vos propres maux que vous-même. – C'est assurément, répliqua-t-elle, que vos inclinations et les miennes sont différentes et que, par là, nous ne voyons pas les choses de même façon."

Cependant Télésile ne fit pas sa visite longue et s'en retourna chez elle, où Diophante et Taxile étaient sensiblement* affligés de la nouvelle qu'ils avaient apprise. Cette sage fille les consola le mieux qu'elle put et, quoiqu'elle sentît cette perte, elle ne laissa pas de les supplier de n'en avoir pas tant de ressentiment, les assurant pour elle que, comme elle n'avait point d'ambition de cette espèce, elle ne serait pas long-temps affligée, pourvu qu'ils se consolassent. Cependant tous les amants de Télésile se trouvèrent un peu surpris : ceux qui n'étaient pas riches n'osaient plus songer à épouser une personne qui ne la devait plus être, de peur de la rendre malheureuse et de se rendre malheureux eux-mêmes. Joint qu'ils jugeaient bien aussi qu'elle n'y consentirait pas, étant bien moins déraisonnable qu'une fille qui a beaucoup de bien épouse un honnête homme qui en a peu, que de voir deux personnes de qualité qui n'en ont presque point du tout se marier ensemble.

Mais, pour Androclide, quelque riche qu'il fût, il trouvait un grand changement en Télésile, depuis qu'il y en avait eu en sa fortune. Néanmoins, comme il eût eu honte de faire paraître d'abord* ses sentiments et que, de plus, il avait certainement autant d'amour pour Télésile qu'il était capable d'en avoir, il fut chez elle comme à l'ordinaire, où il trouva tous ses rivaux. Car jamais personne n'a été si bien consolée qu'elle le fut en cette occasion et, quand elle aurait perdu tout ce qui lui était cher au monde, ils n'auraient pas paru plus empressés à prendre part à sa douleur. Mais, à quelques jours de là, leurs visites devinrent moins fréquentes et, entre les autres, Androclide diminua beaucoup des soins qu'il avait accoutumé d'avoir. Il ne lui parlait plus que de choses indifférentes et, cherchant un prétexte à s'éloigner d'elle, il lui dit qu'il remarquait que Diophante son père le saluait froidement et qu'il avait même su qu'il parlait mal d'Atalie, qui enfin était toujours sa sœur.

"Androclide, lui dit Télésile, qui avait déjà remarqué ses véritables sentiments, il n'est nullement besoin d'un si grand détour avec moi, ni de chercher un prétexte pour ne me voir plus. Il est permis à chacun de suivre ses inclinations et, comme assurément vous ne pourriez jamais aimer la plus belle personne du monde si elle n'était pas riche, je n'aimerais jamais aussi le plus riche homme de toute la Grèce, s'il n'avait l'âme encore plus grande que sa fortune. Ainsi, je pense qu'il nous sera également avantageux que vous ne vous obstiniez pas par une fausse générosité à rendre quelques devoirs à une personne qui a perdu tout ce qui vous la rendait aimable." Androclide, surpris de la liberté du discours de Télésile, voulut lui faire des protestations contraires à ce qu'elle disait, mais ce fut avec un air si contraint et des paroles si ambiguës que l'on eût dit qu'il craignait d'en dire trop et de s'engager plus qu'il ne voulait. Télésile, le regardant alors avec un sourire qui avait quelque chose de fier : "Non Androclide, lui dit-elle, ne vous donnez point la peine de vous déguiser plus longtemps et laissez-moi jouir en repos d'un trésor que je préfère à ceux qui touchent votre inclination, qui est la liberté de pouvoir rêver toute seule." Androclide, prenant, comme on dit, cette occasion aux cheveux, quitta Télésile et, s'en plaignant à tout le monde, il cessa de la voir, aussi bien que beaucoup d'autres, de sorte qu'en peu de jours la maison de Diophante fut aussi solitaire qu'elle avait été tumultueuse et pleine de monde.

D'abord Télésile s'étonna de la faiblesse des hommes et, se regardant quelquefois dans un miroir, elle se demandait à elle-même si sa beauté était changée (car j'ai su toutes ces choses depuis de sa propre bouche). Mais, se trouvant encore les mêmes yeux, le même teint et la même personne qu'elle avait toujours été, elle concevait une si forte aversion contre tous les hommes qu'elle était presque bien aise d'être délivrée de leur conversation. Mais, comme ce changement fit un grand bruit dans la ville, Diophante, pour le laisser dissiper, s'en alla aux champs, si bien que, quand j'arrivai à Delphes, je ne l'y trouvai pas et j'appris de Mélésandre tout ce que je viens de vous dire. Cette absence me fut sans doute très sensible*, car j'avais tellement espéré de revoir Télésile que la privation d'un si grand bien fut cause que je fus plusieurs moments sans sentir la joie que je devais avoir d'apprendre que j'étais défait de tous mes rivaux, et de pouvoir espérer que Télésile m'aurait quelque obligation des soins que je lui rendrais à l'avenir, étant certain que je me réjouis autant de sa pauvreté qu'Androclide s'en affligea, parce que je la regardais comme un moyen propre à lui faire connaître la grandeur de ma passion. Mais, quand je venais à penser qu'elle n'était point à Delphes, l'espérance m'abandonnait et la crainte s'emparait de mon esprit. J'appréhendais que la lâcheté de quelques hommes ne les lui eût fait tous haïr et je ne trouvais repos en nulle part.

Le lendemain, je rendis compte de mon voyage et je reçus des Amphictyons toute la louange que j'en pouvais espérer. Mon père, étant satisfait de moi, me donna aussi beaucoup de marques de tendresse, tous mes amis me visitèrent en cette occasion et, si je n'eusse point été amoureux, j'eusse sans doute été en état de me divertir. Mais l'absence de Télésile troublait alors toute ma joie et l'envie que j'avais de lui témoigner que je n'étais pas de l'humeur de ceux qui l'avaient abandonnée me donnait une inquiétude aussi incommode que s'il me fût arrivé quelque grand malheur. Durant ce temps-là, je ne pouvais presque souffrir que Mélésandre, parce que je n'avais la liberté de parler de ma passion qu'avec lui et qu'il avait la complaisance de m'écouter favorablement, ce qui est sans doute une des plus sensibles consolations dont l'on peut jouir pendant l'absence de ce que l'on aime.

Mais enfin, après avoir longtemps soupiré, Diophante revint et ramena Télésile, résolue d'éviter la conversation des hommes autant que la bienséance le lui permettrait. Je ne sus pas plus tôt qu'elle était revenue à Delphes que je fus chez Diophante, qui me reçut avec beaucoup de civilité. Taxile fit la même chose, aussi bien que son adorable fille, avec cette différence toutefois que la civilité de Télésile était froide et sérieuse. Néanmoins j'eus une si grande joie de la revoir, et de me trouver chez elle sans pas un de mes anciens rivaux, que je ne fis réflexion sur ce que je dis qu'après en être sorti. Cette première visite ne fut pas fort longue, car, comme ils étaient arrivés tard, la discrétion ne me permit pas de demeurer davantage auprès d'eux. Ce ne fut donc que des yeux que je parlai de ma passion à Télésile, qui ne voulut ni entendre, ni répondre à un langage qu'elle seule m'avait fait apprendre, puisque je n'avais jamais rien aimé qu'elle et que je n'aimerai sans doute jamais rien autre chose.

Mais, comme je fus retourné dans ma chambre, la froideur de Télésile me donna de l'inquiétude et je crus que peut-être elle s'était trouvée offensée du dernier discours que je lui avais tenu en partant. Néanmoins je ne laissai pas d'espérer que ma persévérance la toucherait. Le lendemain, je fis tout ce que j'avais accoutumé de faire auparavant que d'aller à Milet et je fus au temple où je savais qu'elle devait aller. J'y trouvai Androclide et la plus grande partie de ceux qui aimaient Télésile avant mon départ. Mais ils avaient tous changé de place, car, au lieu de se mettre vers certaines colonnes de marbre où Télésile se met toujours et où elle était lorsque j'entrai dans ce temple, ils étaient dispersés en plusieurs autres endroits. Pour moi, qui n'avais pas changé comme eux, je fus me mettre, selon ma coutume, en lieu où je pouvais voir Télésile et être vu d'elle. D'abord, elle n'y prit pas garde, parce qu'elle priait les dieux avec beaucoup d'attention, mais, ayant tourné les yeux de mon côté, je la saluai avec je ne sais quel respect, qui fait, ce me semble, que l'on peut discerner une révérence de simple cérémonie d'avec une qui s'adresse à une personne dont l'on est amoureux. Télésile me rendit mon salut en rougissant et il me sembla qu'elle chercha des yeux Androclide, comme pour lui dire qu'elle n'était pas encore abandonnée de tout le monde. Et en effet, s'étant assez tournée pour rencontrer ses regards, quoique son action parût être sans dessein, Androclide changea de couleur et de place et, un moment après, il sortit du temple comme un homme qui avait honte de sa lâcheté et qui eût été bien aise que j'eusse été lâche comme lui. J'ai su depuis que certainement ma constante passion pensa* renouveler la sienne et surmonter tous les sentiments avares de son cœur. Mais, à la fin, il se contenta de fuir Télésile et de me fuir moi-même.

Ne perdant donc pas une seule occasion de voir la personne que j'aimais, il eût été bien difficile qu'elle ne m'eût pas fait la grâce de faire quelque distinction de moi à tous les autres qui l'avaient quittée. Néanmoins elle s'était si fort résolue de ne rien aimer qu'elle s'obstina à me traiter avec indifférence. Je vécus donc de cette sorte durant quelque temps, sans pouvoir jamais trouver une occasion de lui parler en particulier, parce qu'elle me les ôtait toutes. Mais enfin, je la trouvai un jour sur les bords de la rivière de Céphise, qui passe à Delphes, où les dames se promènent souvent à pied, laissant leurs chariots au bout d'une grande prairie bordée d'une espèce d'alisiers fort agréables. Elle y était avec deux de ses amies seulement et, lorsque après divers tours de la promenade nous eûmes trouvé des hommes de leur connaissance qui leur aidèrent à marcher, je demeurai en état de

rendre ce même service à Télésile et de lui pouvoir
parler sans être entendu que d'elle. Car la liberté est
beaucoup plus grande à Delphes qu'à Athènes et
même encore un peu plus qu'à Corinthe, à cause de
ce grand abord* d'étrangers qui y viennent de toutes
les parties du monde et qui y font insensiblement
couler quelque chose des coutumes de leur pays.

Mais, ô dieux, que je me trouvai embarrassé lorsque
je voulus commencer la conversation ! Je n'avais pas
plus tôt résolu de lui dire une chose que j'en pensais
une toute contraire, et nous fûmes assez longtemps
sans parler ni l'un ni l'autre. Mais enfin, poussé par
ma passion, je commençai de l'entretenir par un
soupir : "Plût aux dieux, lui dis-je, adorable Télésile,
que vous voulussiez vous épargner la peine d'entendre, en des termes mal propres et peu significatifs,
les sentiments que j'ai pour vous ; et que vous voulussiez prendre celle de lire dans mon cœur et de deviner
mes pensées. – Je puis facilement, me dit-elle, faire ce
que vous souhaitez, car, Timocrate, je connais si
admirablement le cœur de tous les hommes que je ne
saurais manquer de connaître le vôtre. – Eh, madame,
lui dis-je, ne me traitez pas si cruellement et ne con-
fondez pas, s'il vous plaît, Androclide et Timocrate.
– Androclide, dit-elle, croit être fort prudent*. – Et
Timocrate est fort amoureux, lui dis-je. – Timocrate,
répliqua-t-elle, est peut-être un peu plus dissimulé
qu'un autre, mais, après tout, il a sans doute l'âme
pleine de faiblesse comme les autres hommes, dont la
plupart commencent d'aimer sans y penser, conti-
nuent par coutume, cessent de le faire par caprice et
font presque toutes choses sans raison.

– Ah, madame, lui dis-je, vous connaissez mal
Timocrate, si vous le croyez tel que vous dites ! Car
enfin, j'ai commencé de vous aimer malgré moi, je
l'avoue, mais j'ai continué par inclination et par raison
tout ensemble. Je suis parti d'auprès de vous le plus
amoureux des hommes, j'ai passé cette cruelle
absence avec toute la douleur imaginable et je suis
revenu ici avec une passion qui s'est encore aug-

mentée depuis mon retour, quoique, dès le premier instant que je vous aimai, je ne crusse pas qu'il fût possible qu'elle augmentât. – Timocrate, me dit-elle, Androclide disait, il y a trois mois, les mêmes choses que vous dites à tout ce qu'il y a de gens à Delphes, lorsqu'il leur parlait de moi ; cependant cette prétendue beauté de Télésile a perdu tous ses charmes, dès que Crantor m'a ôté l'espérance de ses trésors. – Il est vrai, lui dis-je, mais c'est qu'Androclide n'aimait Télésile qu'à cause des richesses d'autrui et que je ne l'adore qu'à cause de ses propres richesses. Non, divine personne, lui dis-je, ce ne sont que vos yeux, ce n'est que votre esprit que je regarde et ce n'est enfin que pour votre seul mérite que je vous aime, que je vous sers et que je vous servirai toute ma vie.

– La beauté, Timocrate, me dit-elle, quand il serait vrai que j'en aurais, est un bien que l'on peut perdre tôt, encore plus facilement que tous les autres biens ; il a même cela de fâcheux que l'on est assuré de le perdre infailliblement. Ainsi, quand je croirais que votre âme ne serait pas sensible à cette basse et honteuse passion qui s'oppose à toutes les grandes actions et qui fait préférer les richesses à la gloire et à la vertu, je ne m'assurerais pas encore en votre affection ; et je suis persuadée que vous feriez un jour par faiblesse et par inconstance ce qu'Androclide a fait par avarice. – Non, divine Télésile, lui répondis-je, vous ne me connaissez pas ; j'avoue, ajoutai-je, parce que je suis sincère, que la perte de votre beauté me causerait une douleur inconcevable, mais elle me la causerait principalement pour l'amour de vous et non pas comme étant absolument nécessaire à entretenir la passion qu'elle a fait naître dans mon cœur. Votre esprit, charmante personne, a des lumières qui brilleraient encore quand celles de vos yeux seraient éteintes, et votre âme a des beautés qui raviraient toujours la mienne, quand même vous ne seriez plus belle [1]. Mais, pour-

---

1. Cette primauté des qualités de l'esprit sur la beauté sera réaffirmée et développée dans l'« Histoire de Sapho » (*infra*, p. 489 *sq.*).

suivis-je, Télésile la sera toujours et elle a encore si peu
vu de printemps que le sien n'est pas prêt de finir.

– C'est par ce peu d'expérience, répliqua-t-elle en
souriant, que je me dois défier de tout ; et c'est pourquoi, Timocrate, pour ne vous abuser* pas, sachez
que, toute maltraitée de la fortune que je suis, je ne
laisse pas d'être glorieuse* et que je suis beaucoup
plus difficile à persuader que je n'étais auparavant.
Tout m'est devenu suspect et je me la suis à moi-
même ; c'est pourquoi changez de dessein, si vous
m'en croyez. Vous le pouvez faire sans honte à mon
avis, car, quand on se jette parmi la multitude, poursuivit-elle en riant, on cache sa fuite par celle des
autres. Mais, si vous vous étiez obstiné à me servir et
qu'après vous vinssiez à changer, vous seriez chargé
de cette inconstance tout entière. Allez donc, Timocrate, allez, laissez Télésile en paix, elle ne veut ni
aimer ni être aimée et elle se trouve si riche de sa
propre vertu qu'elle ne veut rien acquérir davantage.
– Vous possédez pourtant mon cœur malgré vous, lui
dis-je. – Et je le connaîtrai peut-être aussi malgré
vous", reprit-elle en riant encore. Et se mêlant alors
dans la conversation des autres personnes avec qui
nous étions, le reste de la promenade se passa sans
que je lui pusse rien dire de particulier et sans que
même je pusse parler à propos. Car j'avais l'esprit si
occupé à juger si j'avais lieu de craindre ou d'espérer
que je ne savais pas trop bien ce que l'on disait.

Mais, pour accourcir mon discours, je vous dirai en
peu de paroles que cent mille soins que je rendis touchèrent enfin le cœur de Télésile, qui savait bien que
son père approuvait mon affection, et elle trouva
quelque chose de si obligeant en mon procédé auprès
d'elle qu'elle eut peut-être autant de reconnaissance
pour ma respectueuse passion qu'elle avait de mépris
pour ceux qui l'avaient abandonnée. En un mot, j'en
vins au point avec elle qu'elle croyait que je l'aimais et
qu'elle souffrait que je le lui disse.

Cependant Androclide, ne pouvant plus endurer ni
la vue de Télésile ni la mienne, s'en alla aux champs,

une partie de ses autres amants firent la même chose, et j'étais presque heureux. Car je voyais tous les jours Télésile et elle avait la bonté de me témoigner qu'elle me voyait agréablement. Elle ne m'avait pourtant jamais dit précisément qu'elle ne me haïssait pas. Mais un jour que j'allai chez elle et que je trouvai l'occasion de lui parler, elle me dit qu'il venait d'arriver une nouvelle qui ferait qu'Androclide la haïrait encore davantage, qui était qu'Atalie était en état de donner bientôt un successeur à Crantor. Elle dit cela comme il était, mais elle le dit en me regardant avec assez d'attention, afin de voir sur mon visage les mouvements de mon esprit. "Non, non, lui dis-je, malicieuse* Télésile, vous ne trouverez rien dans mes yeux qui n'exprime les sentiments de mon cœur, et vous ne pouvez rien trouver dans mon cœur qui soit indigne de la possession du vôtre. – Je le souhaite", me dit-elle avec précipitation. À peine eut-elle prononcé cette dernière parole qu'elle en rougit comme d'un crime et qu'elle voulut en affaiblir le sens obligeant que j'y pouvais donner. Mais ce fut avec une si agréable confusion que je mets ce moment-là au nombre des plus heureux de toute ma vie.

Bien est-il vrai qu'il fut suivi d'un assez grand malheur, puisque je ne fus pas plus tôt au logis que mon père me fit appeler et me dit qu'il avait besoin de moi en un voyage qu'il commencerait le lendemain, et que je me préparasse à partir. Je tâchai inutilement de m'en excuser, sans comprendre la raison pourquoi on me refusait ; mais je sus un moment après par Mélésandre que mon père s'était plaint à un de ses amis de l'amour que je continuais d'avoir pour Télésile, lui disant qu'il l'avait soufferte quand elle devait être riche, mais qu'il ne la voulait plus souffrir aujourd'hui qu'elle ne l'était pas. Ainsi, quand j'eus vaincu la rigueur de Télésile et que je fus presque assuré du contentement de Diophante, auquel j'avais fait parler par Mélésandre, je vis naître un obstacle nouveau. Et il fallut recommencer d'éprouver toute la rigueur de l'absence. Car enfin, quitter ce que l'on aime est sans doute un grand supplice ; mais quitter ce que l'on aime et dont l'on est aimé en est un incomparablement plus grand.

Il fallut toutefois s'y résoudre et m'en aller avec mon père à l'extrémité de la Phocide, du côté de Mégare. Je ne sais si je dois dire que j'eus le bonheur de prendre congé de Télésile, puisque c'est un instant si rigoureux que celui qui suit le moment où l'on se sépare de la personne aimée que je ne puis pas bien déterminer comment on doit parler d'une semblable chose. J'eus même le malheur, pendant ce voyage, que la république donna un emploi à mon père, qui augmentait de beaucoup le bien de sa maison, de sorte que je voyais naître obstacle sur obstacle et j'étais si affligé de ma bonne fortune qu'on ne peut guère l'être davantage de la mauvaise. Durant ce temps-là, mon père me parla plusieurs fois pour me détourner de cette amour ; et plusieurs fois aussi, je fis ce que je pus afin de lui persuader qu'il devait préférer la vertu de Télésile à toute chose. Mais, venant à m'apercevoir que, plus je témoignais de fermeté, plus je reculais mon retour à Delphes, je tâchai de déguiser mes sentiments et de lui faire croire que l'absence m'avait guéri. Mais hélas, qu'il fut trompé en son opinion, car je ne fus de ma vie si amoureux que je l'étais alors. Je savais que Télésile ne me haïssait pas, j'apprenais par Mélésandre que mon absence la touchait et je m'imaginais un si grand plaisir à la revoir que je ne pensais à autre chose.

Cependant je sus de certitude que mon père ne retournerait de très longtemps à Delphes, s'il ne croyait absolument que je fusse guéri de ma passion. Je me fis donc violence et, commençant de faire plus de visites qu'à l'ordinaire (car nous étions dans une ville où la compagnie est assez grande et assez belle), je m'attachai à voir plus souvent que les autres une personne assez aimable, mais pour laquelle je n'avais pourtant pas un sentiment qui pût affaiblir la passion que j'avais pour Télésile. Cette fille avait de l'esprit, mais c'était un esprit mélancolique et doux qui parlait peu, qui rêvait souvent et qui, par conséquent, me donnait lieu de pouvoir plus commodément penser à Télésile, lorsque j'étais auprès d'elle, que si j'eusse été avec une personne plus enjouée et plus brillante. Les visites que je lui rendis firent sans doute l'effet que j'en attendais dans l'esprit de mon père, puisqu'il crut que je n'aimerais plus Télésile et que j'aimais Phérétime (c'est ainsi que cette fille se nommait). Mais, comme il n'eût guère plus approuvé cette seconde passion que la première, parce que Phérétime, quoique noble, n'était pourtant pas des plus illustres races de son pays, il résolut de retourner à Delphes.

Cependant, si cette innocente fourbe me réussit bien avec mon père, elle me réussit mal avec Télésile, à laquelle Androclide, comme je l'ai su depuis, fit savoir avec adresse, sans qu'elle sût que ce fût par lui, que j'étais fort attaché à Phérétime. De sorte que, lorsque je retournai à Delphes, je trouvai son esprit changé et j'appris par Mélésandre qu'il y avait plus de quinze jours qu'elle n'avait voulu souffrir qu'il lui parlât de moi comme à l'ordinaire. Diophante même me parut changé aussi bien qu'elle, car, ayant su que mon père avait témoigné une si forte aversion pour son alliance, il en avait l'esprit aigri, et je fus quelques jours aussi malheureux qu'on le peut être en la présence de ce que l'on aime. Mais enfin, ayant trouvé Télésile un jour chez elle avec assez de liberté pour lui pouvoir parler bas : "Qu'ai-je fait, madame ? lui dis-je, l'absence m'a-t-elle détruit dans votre cœur ? et seriez-vous capable de la faiblesse que je vous ai tant entendue condamner ? – Timocrate, me dit-elle, ne me chargez point de votre crime et contentez-vous que Télésile ne se plaigne pas sans vous plaindre. Ce n'est pas qu'elle n'en eût sujet, mais c'est qu'elle est trop glorieuse* pour le faire. Ainsi, dit-elle avec un sourire un peu forcé, vous ne devez pas craindre que mes reproches troublent le plaisir que vous avez à vous souvenir de Phérétime.

– Phérétime ! lui dis-je tout surpris et comprenant alors le sujet de son changement pour moi ; ah,

madame, vous ne me connaissez pas, vous ne la connaissez point et vous ne vous connaissez pas vous-
même, si vous pouvez croire que je puisse penser à
elle en vous voyant. J'ai toujours pensé à vous,
madame, lorsque j'ai été auprès de Phérétime, mais je
ne me suis point souvenu de Phérétime depuis que je
suis à Delphes. Ah, injuste personne que vous êtes, lui
dis-je encore, quel est cet ennemi caché qui a fait un
crime d'une chose dont je pouvais demander récompense, puisque je n'ai vu Phérétime qu'afin de venir
plus tôt revoir Télésile ?" Je lui contai alors sincèrement comme la chose s'était passée, je la suppliai
ensuite de me dire qui lui avait appris cette fausse
nouvelle et, après avoir bien prié, pressé, conjuré et
importuné Télésile, elle me nomma la personne qui lui
avait dit la chose, qui était une amie particulière
d'Androclide.

Cependant, comme mon cœur était fidèle et que
toutes mes paroles étaient véritables, je fis ma paix
avec Télésile, à laquelle il ne demeura plus nul soupçon
de ma confiance. Elle avait toutefois un secret dépit
contre elle-même de m'avoir donné quelques légères
marques de jalousie, ce qui fut cause qu'il me fallut
quelque temps auparavant que de retrouver dans son
âme la franchise* et la quiétude avec laquelle elle avait
accoutumé de vivre avec moi. Mais enfin je me
retrouvai heureux et je fis même comprendre à Diophante que je ne devais pas être puni de l'obstacle que
mon père apportait à mon dessein. Je n'avais donc
plus rien qui me fâchât, sinon qu'il fallait malgré moi
ne visiter pas si souvent Télésile, de peur que mon
père ne m'exilât de nouveau, comme il avait déjà fait.
Mais, si je ne la voyais pas chez elle, je la rencontrais
ailleurs, et je la voyais tous les jours. Je voulus alors
diverses fois obtenir d'elle la permission de l'épouser
sans le consentement de mon père, mais, comme elle
était sage et glorieuse*, elle ne le voulut jamais et me
dit toujours qu'elle savait bien que Diophante n'y consentirait non plus qu'elle et qu'ainsi il fallait attendre
en repos que le cœur de mon père fût changé.

Je ne jouis pourtant pas longtemps de ce calme, pendant lequel j'avais de si doux moments et, par un caprice de la fortune, nous fûmes presque toujours séparés : tantôt il y avait un de mes amis qui avait querelle, à qui par un sentiment d'honneur il fallait que je m'attachasse et que je le suivisse hors de Delphes ; une autre fois, Diophante demeura malade aux champs, où Télésile le fut trouver ; ensuite une fête publique l'y retint ; et il y eut même des absences sans sujet et où il semblait que la fortune n'eût autre dessein que de nous persécuter. Il y en eut de longues, de courtes, d'imprévues, de préméditées ; je ne revenais pas plus tôt à Delphes qu'elle en partait ; elle n'y revenait pas aussi plus tôt que j'en partais ; et je puis dire, de plus, que je n'ai jamais quitté Télésile, qu'il ne me soit arrivé quelque malheur. Nous avions toujours quelque petite querelle, que la seule absence nous causait, et je me souviens même qu'un jour je fus assez bizarre* pour me plaindre de ce que je la trouvais trop belle à mon retour. "Car, lui disais-je, adorable Télésile, si mon absence vous avait touchée, comme la vôtre m'a affligé, je verrais que la fraîcheur de votre teint serait un peu ternie, et je verrais encore dans vos yeux quelque impression de mélancolie, qui me donnerait une joie étrange*, où*, au contraire, j'y vois une joie qui m'inquiète, par la crainte que j'ai qu'elle n'y ait toujours été pendant que je n'étais pas auprès de vous, et que ce ne soit pas mon retour seul qui la cause."

En un mot, j'éprouvai l'absence de toutes les façons dont on la peut éprouver et je souffris sans doute tout ce qu'un amant peut souffrir. Mais, soit que je m'éloignasse par une raison qui me fût avantageuse, ou par quelque cause qui me dût fâcher, je puis dire n'avoir jamais eu l'âme sensible ni à la douleur ni à la joie que ces divers sujets me devaient donner, et n'avoir jamais senti en ces fâcheuses séparations nul autre mouvement dans mon cœur que celui que mon amour y causait.

Après donc cent mille douleurs et une absence d'un mois, je revins à Delphes, où j'appris qu'Atalie, sœur d'Androclide et femme de Crantor, était morte en accouchant d'un fils, et que ce fils était mort lui-même peu de jours après sa mère. De sorte que Télésile se retrouva avec plus d'apparence que jamais de devoir être une des plus riches personnes de toute la Grèce, car on savait que Crantor s'était repenti de s'être marié et n'avait pas été satisfait d'Atalie ; si bien que, mon père n'ayant plus à me reprocher le peu de bien de Télésile, il y avait lieu de croire que je serais bientôt heureux. Pour moi, je ne soupçonnai jamais cette admirable fille de changer de sentiments en changeant de fortune, mais j'eus un peu de peur que Diophante ne se servît pour me nuire du prétexte que mon père lui avait donné. De sorte que, pour hâter la chose, après avoir vu Télésile, je fus en diligence à une terre que mon père avait à deux journées de Delphes et où il était alors, pour le supplier très humblement de se souvenir qu'il avait autrefois approuvé ma passion pour Télésile. Mais, par malheur, je ne l'y trouvai plus et il fallut que j'attendisse huit jours auparavant qu'il revînt, car les gens qu'il avait laissés chez lui savaient seulement qu'il y reviendrait et ne savaient pas où il était allé.

À son retour, je lui dis ce que j'avais résolu de lui dire, et il me répondit ce que j'avais espéré, si bien que je m'en retournai à Delphes le plus satisfait de tous les hommes. Je sus même, en y arrivant, que Crantor était mort subitement depuis un jour, de sorte qu'après avoir été chez moi me mettre en état de paraître devant Télésile, je fus chez elle pour lui faire une visite de cérémonie. Mais je fus un peu surpris d'y trouver toute la ville et d'y revoir principalement tous mes anciens rivaux, et même Androclide. Néanmoins, comme la bienséance voulait que l'on rendît cette civilité à la condition de Diophante en une occasion de deuil, je fis ce que je pus pour croire que la chose en demeurerait là et que tous ces amants avares qui avaient abandonné Télésile quand elle n'était plus riche n'auraient pas la hardiesse d'oser jamais lui parler de leur passion après une semblable lâcheté. Mais je fus bien trompé en mes conjectures, car, aussitôt que les premiers jours du deuil furent passés, Télésile se vit environnée, et de tous ceux qui l'avaient quittée auparavant, et de tous ceux qui même n'avaient pas encore pensé à elle. J'obligeai alors Mélésandre à parler à Diophante pour lui dire qu'il devait faire quelque distinction de moi aux autres prétendants de Télésile. Mais, soit que, se voyant en état de choisir, il ne voulût pas se hâter, ou qu'il voulût se venger de mon père, il répondit biaisant sans rien conclure et me mit au désespoir. J'avais pourtant la consolation de ne remarquer nul changement en l'esprit de Télésile et de voir avec quel mépris elle traitait tous ceux que sa richesse, plutôt que sa beauté, avait rappelés.

Mais, pour mon malheur, il revint en ce temps-là à Delphes un homme de grande qualité appelé Ménécrate, qui en était [1], qui avait été très longtemps à voyager, qui devint amoureux de Télésile et qui, n'ayant point de part au crime* des autres, me donna aussi plus d'inquiétude. Car, comme il est bien fait, que sa naissance est illustre et sa maison très puissante en biens, je trouvais lieu de m'en affliger. Néanmoins, Télésile agissait si sagement que sa seule vue dissipait toutes mes frayeurs et me laissait quelquefois assez de liberté d'esprit pour rire des actions contraintes de tous ces lâches amants qui n'osaient presque parler, tant la honte les possédait et abattait leur esprit. Toutefois ils suivaient toujours Télésile et la voyaient malgré elle.

Pour Androclide, il fut plus prudent, car il ne songea pas moins à gagner Diophante qu'à pouvoir apaiser sa fille, et je ne sais de quels moyens il se servit. Mais je fus averti qu'il avait assez de part dans son esprit et que peut-être serait-il bientôt choisi par Diophante pour être le mari de Télésile. Je fus à l'instant même chez elle, afin de lui apprendre ma crainte et de

---

1. Comprendre : « qui était de Delphes ».

lui demander quelque nouveau témoignage d'affection pour me rassurer ; mais j'y trouvai Androclide
qui, devenu plus hardi par l'espérance que Diophante
lui avait donnée, lui avait parlé de sa passion plus
ouvertement qu'il n'avait fait depuis la mort de Crantor.
Comme je sus en bas qu'Androclide était seul avec
elle, je montai avec précipitation et, arrivant à la porte
de la chambre, je m'arrêtai, ne sachant si je devais
écouter ce qu'ils disaient ou entrer sans les écouter.
Mais, comme la porte était ouverte et que la tapisserie
qui me cachait n'empêchait pas que je n'entendisse ce
que l'on disait dans la chambre, j'ouïs que Télésile lui
disait avec un ton de voix assez fier* : "Non, Androclide, ne vous y trompez pas, ce n'est point à moi à
vous récompenser des soins que vous me rendez, ni de
ceux que vous m'avez rendus ; car, comme ce n'est
point Télésile que vous avez aimée, ni que vous aimez,
ce n'est point aussi à elle à vous en avoir obligation."
J'avoue qu'entendant un discours qui m'était si
agréable, je me résolus de n'entrer pas si tôt et c'est la
seule fois que j'ai pu comprendre que l'on pût préférer
quelque chose à la vue de la personne aimée. J'entendis donc qu'Androclide, reprenant la parole, lui dit
qu'il n'avait considéré les trésors de Crantor que pour
l'amour d'elle.

"Dites plutôt pour l'amour de vous, lui répliqua
Télésile, et sachez que, quand vous emploieriez toute
votre vie à me vouloir persuader que vous m'aimez, je
ne le croirais pas. Non, non, lui dit-elle, Androclide, je
ne m'estime pas si peu que je veuille un cœur partagé,
et partagé encore pour une chose indigne d'être
balancée avec Télésile, et qui est l'objet de toutes les
âmes basses. Enfin je pardonnerais bien plutôt à un
inconstant qui m'aurait quittée pour une plus belle
que moi, qu'à un avare qui m'a abandonnée dès que je
n'ai plus été riche. Car avouez la vérité, lui dit-elle, si
j'avais assez de folie pour vous épouser, et que par
malheur je vinsse à perdre tout ce qui cause votre passion, qu'il ne me restât ni grandes terres, ni pierreries,
ni magnifiques meubles, ni superbes maisons et que

Télésile demeurât seulement avec tous les charmes que vous trouvez en elle depuis qu'elle est riche, avouez la vérité, Androclide, l'aimeriez-vous encore et la trouveriez-vous belle en ce temps-là ? – Je n'en doute nullement, lui répondit-il tout confondu. – Et je ne le crois point du tout, répliqua-t-elle. Mais, Androclide, ajouta Télésile, je veux vous faire voir que je ne suis pas coupable du crime* que je vous reproche et que ce n'est pas l'état présent de ma fortune qui me fait vous parler si fortement. Sachez donc…"

Je confesse que, lorsque Télésile en fut là, j'eus un battement de cœur étrange*, je m'approchai davantage de la tapisserie et je fis même assez de bruit pour être entendu, si ce n'eût été que Télésile était en colère et qu'Androclide était fort interdit. Mais, après m'être un peu remis, j'entendis que, poursuivant son discours : "Sachez donc, lui dit-elle encore une fois, que ce n'est point du tout par le changement avantageux qui est arrivé à mes affaires que je vous traite comme je fais, et que, quand je ne serais que ce que j'étais il y a un mois, je ne vous pardonnerais pas ce que vous avez fait. Car enfin je ne puis jamais épouser qu'un homme que j'estimerai et je ne puis jamais estimer celui qui ne m'estime que par des choses que je crois beaucoup au-dessous de moi."

À peine Télésile eut-elle achevé de parler que, craignant qu'Androclide ne l'adoucît par des soumissions, j'entrai promptement dans la chambre et surpris si fort mon rival qu'il ne se remit pas aisément. Comme j'avais la joie dans le cœur, à cause de ce que j'avais entendu, ma conversation fut, si je l'ose dire, plus agréable que celle d'Androclide. Ce n'est pas qu'il sentît avec délicatesse les mépris de Télésile, puisque, ne l'aimant presque que par considération [1], ses sentiments étaient sans doute plus grossiers et sa douleur était moins vive, joint qu'il espérait toujours en Diophante. Mais aussi la honte de sa mauvaise action

---

1. Comprendre : « par réflexion, par calcul » (et donc non par « inclination »).

l'interdisait* et faisait qu'il n'avait pas la liberté de son
esprit. Pour moi, il me semblait que je le menais en
triomphe ce jour-là.

Un moment après, il vint beaucoup de dames et la
conversation générale ne se passa pas sans que je disse
plusieurs choses piquantes pour Androclide. Il m'en
répondit aussi quelques-unes qu'il avait dessein qui le
fussent, mais il ne savait par où s'y prendre, parce
qu'il ne me pouvait rien reprocher et que j'avais cent
choses véritables à lui faire entendre qui ne lui plai-
saient nullement. Télésile prenait sans doute quelque
plaisir à le voir maltraité ; néanmoins, comme elle est
fort prudente, elle détourna la conversation à diverses
fois, de peur qu'elle ne devînt trop aigre. Ce n'est pas
que je perdisse le respect que je lui devais et que je
voulusse quereller Androclide chez elle, mais c'est
qu'il était si aisé de le toucher sensiblement*, à cause
qu'il savait bien qu'il était coupable, que la raillerie la
plus fine et la plus délicate l'irritait jusqu'à la fureur et
que, de plus, j'éprouvai ce jour-là qu'il est fort difficile
de n'insulter pas sur [1] un rival malheureux, quand on
en trouve l'occasion, quelque générosité que l'on
puisse avoir.

Au sortir de chez Télésile, il fut trouver Diophante,
qui se promenait vers la fontaine* Castalie, si bien
que, lorsque j'en sortis à mon tour, j'appris fortuitement par Mélésandre que mon rival était avec le père
de ma maîtresse et, le lendemain, je sus que Diophante, considérant plus le grand bien d'Androclide
que le mépris qu'il avait fait de Télésile, et l'excusant
peut-être par une inclination pareille à la sienne, avait
effectivement commandé à sa fille de mieux vivre
qu'elle ne faisait avec Androclide, parce que enfin il
avait à l'avertir qu'il était absolument résolu qu'elle
épousât ou lui ou Ménécrate. Je sus cela par une
femme qui était à elle, que Mélésandre m'avait acquise
et qui avait ouï le discours que Diophante avait fait à

---

1. L'expression, absente des dictionnaires d'époque, est attestée
chez plusieurs écrivains de la seconde moitié du XVIIᵉ siècle.

sa fille, de sorte que, désespéré de mon malheur, je n'avais plus pour ma consolation que la seule Télésile, que je savais bien qui méprisait Androclide, qui n'aimait pas Ménécrate et qui ne me haïssait point. Mais son extrême vertu me faisait pourtant craindre qu'elle ne fût pas capable de résister au commandement absolu de son père ; car cette même femme qui m'avait averti de ce que Diophante avait dit ne m'avait point rapporté la réponse de Télésile, disant qu'on ne lui avait pas donné loisir d'en faire.

Me trouvant donc en cet état, je fus un soir chez Mélésandre, afin de résoudre* avec lui quel remède je pourrais trouver à un si grand mal. Ses gens me dirent qu'il se promenait derrière le temple des Muses, à une grande place qui y est. Je m'y en allai donc aussitôt, mais, au lieu d'y rencontrer mon ami, comme je l'espérais, j'y trouvai Androclide, qui s'y promenait seul. Les gens de Mélésandre m'avaient dit si fortement que leur maître y était que, comme il était déjà tard et que j'avais l'esprit préoccupé*, je crus que c'était lui. De sorte que, m'en approchant : "Eh bien, lui dis-je, Télésile sera toujours persécutée par l'avare Androclide. – Androclide, me répondit-il, m'ayant reconnu à la voix, persécutera toujours Télésile, quand ce ne serait que pour persécuter Timocrate. – Et Timocrate, lui répliquai-je, fort surpris et fort en colère de voir que je m'étais trompé, se défera aisément, quand il lui plaira, des persécuteurs de Télésile et des siens." En disant cela, je portai la main sur la garde de mon épée et Androclide, sans perdre temps, ayant tiré la sienne, et moi la mienne après lui, il vint fondre sur moi en prononçant quelques paroles peu distinctes, dont je n'entendis pas le sens.

Je ne m'arrêterai point à vous particulariser un combat qui se passa presque tout entier sans témoins, et ce sera par l'événement* que vous jugerez de ce que j'y fis. Androclide était sans doute brave et adroit, de sorte que, si je n'eusse été plus heureux que lui en cette occasion, je ne l'eusse pas vaincu sans peine. Cependant notre combat ne fut pas long et, après lui

avoir donné quatre coups d'épée qui entraient tous
dans le corps, il lâcha le pied et fut, en parant toujours, tomber contre une petite porte du temple, qui
ne servait que les jours des sacrifices à certaine cérémonie. Je fus aussitôt à lui, pensant qu'il n'était que
blessé et voulant lui faire avouer mon avantage [1], mais
je trouvai qu'il n'avait plus de mouvement ni d'apparence de vie. Pendant que, par un sentiment de générosité, je voulais effectivement m'éclaircir s'il n'était
plus en état d'être secouru, Ménécrate passa, suivi de
quelques-uns des siens et, comme la lune s'était dégagée des quelques nues qui l'obscurcissaient auparavant,
il vit briller mon épée auprès de la porte de ce temple.
De sorte que, sachant bien que ce n'était pas un lieu où
l'on dût voir une pareille chose, il vint droit à moi. Mais,
ayant aperçu des gens, je me retirai en diligence et
même sans pouvoir être reconnu, quoique Ménécrate
me fît suivre par quelques-uns des siens, qui me perdirent bientôt de vue. Pour lui, il était occupé auprès
d'Androclide, qu'il reconnut, mais, quoiqu'il fût son
rival, il ne laissa pas d'en prendre soin. Quelques sacri-
ficateurs qui logeaient assez près de là, ayant ouï du
bruit, y accoururent et furent étrangement* surpris de
cette profanation. Car le lieu où nous nous étions battus
était de l'enceinte du temple, quoiqu'il ne fût fermé que
par une balustrade, et la porte du temple même était
toute couverte de sang, parce que en tombant Androclide avait glissé tout du long. On porta ce blessé à la
maison la plus proche, où il ne fut pas plus tôt qu'il
donna quelques signes de vie, de sorte qu'à force de
remèdes il recouvra la parole et avoua la vérité de la
chose à Ménécrate et, par conséquent, mon action fut
sue, telle qu'elle était, par mes deux rivaux, c'est-à-dire
par deux témoins irréprochables. Androclide, sentant
bien qu'il n'avait plus de part à Télésile, ne voulut pas
se noircir par un mensonge et Ménécrate, m'ayant
l'obligation de lui avoir ôté un rival que Diophante pré-

---

1. Une des conclusions possibles d'un duel est lorsqu'un des
deux adversaires, blessé, reconnaît l'avantage de l'autre.

férait à beaucoup d'autres, voulut aussi m'en récompenser par sa sincérité [1].

Mais cela n'empêcha pas que ce combat ne fît un grand bruit : Androclide avait beaucoup de parents, le lieu où il avait été blessé augmentait le crime, la Pythie se plaignait hautement, le peuple de Delphes disait que cela était de mauvais présage et, dès qu'Androclide fut mort, ce qui arriva le lendemain au soir, je sus qu'il n'y avait plus de sûreté pour moi dans la ville. Aussitôt après le combat, je m'étais retiré chez Mélésandre et, la même nuit, il m'avait conduit chez un de ses amis, qui n'était pas un homme chez lequel apparemment on me dût chercher. De vous dire quelle fut ma douleur, quand je pus raisonner sans préoccupation* sur mon aventure, il ne me serait pas aisé ; car, quand je vins à connaître qu'il faudrait m'éloigner et abandonner Télésile, en un temps où Diophante la voudrait infailliblement marier bientôt et en un temps où elle avait cent mille amants, j'eusse voulu pouvoir ressusciter Androclide, tout mon rival qu'il était ; et, quand j'eusse tué le plus cher de mes amis, je n'aurais pas paru plus affligé que je l'étais d'avoir tué mon rival. Télésile, de son côté, en eut une douleur extrême, et par sa bonté naturelle, et pour les dangereuses suites que ce funeste accident pouvait avoir.

Cependant on me poursuivit, on me chercha et ce fut en vain que mon père employa tous ses soins et tous ses amis pour pouvoir calmer cet orage. Tout ce qu'il put faire fut de tirer les choses en longueur et d'empêcher que l'on ne me condamnât pas [2] si promptement.

---

1. Timocrate courait le risque qu'on l'accuse d'avoir tué Androclide, non en combat singulier, mais dans une embuscade. Personne ne peut heureusement lui imputer une telle action, puisque deux témoins, qui, en tant que rivaux, ne peuvent être soupçonnés de complaisance, assurent que l'affrontement s'est déroulé à la régulière.

2. Comprendre : « empêcher que l'on me condamnât ». Cette construction de la complétive du verbe « empêcher » est une tournure archaïque au XVIIᵉ siècle (voir G. Spillebout, *Grammaire de la langue française du XVIIᵉ siècle, op. cit.*, p. 375).

Comme le conseil des Amphictyons était fini, j'avais moins de protection que s'il eût encore duré. J'en eus néanmoins assez pour faire que l'on ne me condamnât pas à la mort, et mon arrêt portait que j'étais banni pour trois ans de toute la Phocide, à peine de perdre la vie, si durant ce temps-là j'étais trouvé en lieu défendu. Cet arrêt de grâce fut pour moi un arrêt de mort, car, quand je venais à penser à la joie qu'en auraient mes rivaux, combien j'avais travaillé pour eux et comment je m'étais détruit, ma raison se troublait et je n'étais pas maître de mes sentiments. Je disais hardiment à Mélésandre que je ne sortirais point de Delphes, que j'y voulais demeurer caché, et effectivement j'y fus encore plus d'un mois après ma condamnation. Je savais durant ce temps-là que mes rivaux voyaient tous les jours Télésile, sans que j'eusse sujet de me plaindre d'elle, parce qu'elle ne le pouvait pas éviter et, quoique je susse par Mélésandre qu'elle était fort touchée de mon malheur, que par bonté elle nommait le sien, je ne pouvais souffrir la privation de sa vue.

Cependant je pensai* être pris trois ou quatre fois et il fallut changer le lieu de ma retraite plus de six, parce que nous étions avertis, Mélésandre et moi, que l'on avait découvert où j'étais. Et certes, il [1] n'était pas fort étrange* ni fort difficile, car, à mon avis, tous mes rivaux étaient les espions de ceux qui me poursuivaient. De sorte que Télésile, ne pouvant plus endurer que je m'exposasse inutilement pour elle, m'écrivit un billet par lequel elle me commandait absolument de sortir non seulement de Delphes et de la Phocide, mais de m'éloigner même le plus qu'il me serait possible de toute la Grèce. Depuis que j'étais caché, j'avais écrit très souvent à Télésile, sans qu'elle eût voulu me répondre ; toutefois, apprenant par Mélésandre que je m'obstinais à ne vouloir point sortir de la ville, quoique mon père y fît tous ses efforts, elle se résolut de le faire, comme je viens de le dire. Après

---

1. Comprendre : « cela ». Le pronom « il » a ici une valeur impersonnelle (voir *ibid.*, p. 152).

avoir lu son billet, je lui répondis que, si elle voulait que je partisse, il fallait du moins qu'elle me permît de la voir et de lui dire adieu. Mélésandre fit tout ce qu'il put pour m'empêcher de lui demander une grâce qui m'exposerait beaucoup et que peut-être Télésile ne m'accorderait pas ; mais je lui dis que je n'en ferais autre chose et qu'absolument je ne partirais point de Delphes, que* je n'eusse parlé à Télésile.

Ce fidèle ami fut donc la trouver et lui dire ma dernière résolution ; elle s'en fâcha, elle m'en dit presque des injures en parlant à Mélésandre, elle lui dit que mon affection était inconsidérée, que sa gloire* ne m'était pas chère, que je n'avais point de raison, que je lui demandais une chose qu'elle ne devait pas m'accorder et, pour conclusion, elle protesta qu'elle ne s'y pouvait résoudre. "Mais, lui dit Mélésandre, si on trouve Timocrate et qu'on le fasse mourir, le souffrirez-vous mieux ? – Ah, Mélésandre, lui dit-elle, vous n'êtes guère moins fâcheux que votre ami de me presser d'une chose que je ne veux pas faire et de me contraindre presque à la vouloir malgré moi." Enfin, après une assez longue contestation, elle lui dit que, pourvu qu'il trouvât une voie qui ne m'exposât pas et qui ne lui fît rien faire contre la bienséance, elle se résoudrait à me voir, quand ce ne serait, disait-elle, que pour me gronder de mon opiniâtreté. Mélésandre, songeant alors à ce qu'il avait à lui dire, lui proposa de faire une visite chez une de ses parentes qu'elle voyait quelquefois, qui était une personne de mérite et de vertu, chez laquelle il me mènerait la nuit auparavant qu'elle y dût aller. "Mais, lui dit-elle, que penserait de moi votre parente, qu'en penseriez-vous vous-même et qu'en penserait Timocrate ? Non, non, Mélésandre, je ne saurais me résoudre à cette innocente assignation." Et en effet, il ne gagna rien sur son esprit de tout ce jour-là. Mais, le lendemain, ayant encore pensé* être pris et ayant été contraint de changer de nouveau le lieu de mon asile, la crainte d'être cause de ma mort l'y fit résoudre et elle consentit à me voir chez la parente de Mélésandre, pourvu qu'elle et lui fussent présents à notre conversation. De vous représenter ma joie, lorsque je sus que je verrais Télésile, il ne me serait pas aisé : elle fut si grande que je ne songeai pas seulement que je ne la verrais que pour lui dire adieu.

Mais, pour achever promptement de vous apprendre mon malheur, je fus donc mené la nuit chez cette parente de Mélésandre, où l'adorable Télésile devait venir le lendemain, suivie seulement de cette même femme qui était de mes amies et de notre confidence, car c'était dans son voisinage. De vous dépeindre combien cette scrupuleuse vertu dont elle faisait profession lui donna de répugnance à cette visite, il ne serait pas facile. Elle entra dans la chambre où j'étais seul avec Mélésandre ct sa parente, comme si elle eût fait un crime effroyable et, ne voulant pas en faire une finesse à cette personne : "Que direz-vous de moi, lui dit-elle, de venir chez vous avec intention d'y quereller un de vos amis ? – Je dirai, lui répondit-elle [1] (car nous lui avions dit la vérité), que vous êtes bien inhumaine d'avoir voulu exposer une vie qui vous doit être aussi chère que celle de Timocrate. – Madame, dis-je alors à Télésile, sans lui donner loisir de répondre, pardonnez, s'il vous plaît, à la violence que je vous ai faite ; croyez que si j'eusse pu faire autrement, je n'aurais pas voulu forcer votre inclination."

Après cela, nous nous assîmes et parlâmes assez longtemps du malheur qui m'était arrivé et de l'opiniâtreté de mes ennemis à me poursuivre, sans que Télésile me donnât lieu de l'entretenir en particulier. Mais, quelqu'un ayant voulu parler à la parente de Mélésandre pour quelque affaire assez importante, elle pria Télésile de lui donner la permission d'aller trouver ceux qui la demandaient dans une autre chambre. Si bien que, sans perdre temps : "Madame, dis-je à Télésile, pendant que Mélésandre fut vers les fenêtres entretenir la fille qui l'accompagnait, vous

---

1. Le pronom « elle » se rapporte ici à la parente. Celui de la phrase précédente se rapportait, en revanche, à Télésile.

avez donc résolu que je parte, que je m'éloigne de
vous et que je m'en éloigne même sans savoir s'il
demeurera dans votre mémoire quelque léger souvenir
de Timocrate ; mais, madame, poursuivis-je, Timocrate ne partira pas de cette sorte : l'affection qu'il a
pour vous est trop violente pour souffrir qu'il en use
ainsi ; et si vous n'avez la bonté de lui dire quelque
chose d'assez obligeant pour le consoler des maux
qu'il endurera en ne vous voyant pas, il ne partira
point du tout. – Je vous dirai, pour vous satisfaire, me
répliqua Télésile, que je plains votre malheur, que je
suis au désespoir d'en être cause, que votre absence
me sera très fâcheuse et que je souhaiterai ardemment
votre retour. – C'est beaucoup, madame, lui dis-je
avec une action* très respectueuse, mais ce n'est
pourtant pas assez pour conserver la vie d'un homme
qui doit être un siècle éloigné de vous. – Je ne sais pas,
dit-elle, si ce que je vous dis d'obligeant n'est pas assez
pour vous, mais je suis persuadée, Timocrate, que
c'est un peu trop pour moi. Néanmoins je ne veux pas
me repentir de ce que j'ai dit, reprit-elle en souriant, et
je vous le redirai même encore si vous voulez.

   – Pour ne vous donner pas la peine, lui dis-je,
madame, de faire deux fois un même discours,
accordez-moi la grâce de dire quelque chose de plus
que ce que vous avez déjà dit. – Et que voudriez-vous,
dit-elle, que je disse ? – Je voudrais, lui répliquai-je,
que l'adorable Télésile m'assurât que l'absence ne me
détruira point dans son cœur et que Ménécrate, ni pas
un de mes rivaux, n'y occuperont jamais nulle place.
– Je vous promets le premier sans scrupule, répliqua-
t-elle, et je vous permets d'espérer l'autre, sans crainte
d'être trompé. Car, Timocrate, j'ai si mauvaise opinion de tous les hommes que je ne sais pas comment
vous êtes si bien avec moi. – Vous me comblez de
gloire et de plaisir, lui dis-je, en ne me refusant pas ce
que je vous ai demandé. Mais, madame, malgré une
grâce si douce et si glorieuse que celle que vous venez
de m'accorder, votre vertu m'épouvante* et je crains
que, si Diophante veut vous obliger à épouser Méné-

crate, je crains, dis-je, que Timocrate absent ne soit pas assez puissant dans votre cœur pour vous empêcher de lui obéir.

– Timocrate, me dit-elle alors, il me semble que vous deviez vous contenter de ce que je vous avais dit, sans me forcer comme vous faites à ne vous répondre pas agréablement. – Ah, madame, lui dis-je tout transporté de douleur, je vous entends bien : vous ne choisirez pas Ménécrate, mais vous le recevrez si Diophante le veut. – S'il le veut absolument, reprit-elle, il faudra bien s'y résoudre. – Cela étant, lui dis-je, il ne faut plus songer à me faire partir de Delphes : j'y demeurerai, madame, j'y demeurerai et, quoique vous me puissiez dire, je ne m'éloignerai jamais de vous dans une si cruelle incertitude.

– Mais, Timocrate, dit-elle, vous avez perdu la raison, de parler comme vous faites. – Mais, inhumaine Télésile, lui répliquai-je, vous avez perdu la bonté, de me répondre comme vous me répondez. Car enfin, que voulez-vous que devienne un homme qui vous adore et qui, s'en allant, vous laissera dans la disposition d'épouser sans répugnance celui de tous ses rivaux qu'il plaira à Diophante de vous proposer ? De quoi voulez-vous, cruelle personne, que je tire quelque consolation, pendant une si rigoureuse absence ? Me souviendrai-je agréablement de votre beauté, dans la pensée qu'elle fera peut-être la félicité de Ménécrate ? Me souviendrai-je avec plaisir de la douceur que vous avez eue pour moi en diverses occasions, dans la crainte que j'aurai que vous ne soyez obligée de m'être éternellement rigoureuse ? Me souviendrai-je avec satisfaction des favorables paroles que je viens d'entendre, dans la pensée de ne les entendre peut-être plus ? Enfin, madame, pourrai-je vivre éloigné de vous, dans une incertitude si étrange* ? Non, je ne le pourrais pas et j'aime mieux mourir devant vos yeux et par les mains de mes ennemis que de m'en aller de cette sorte.

– Mais encore, dit-elle, Timocrate, que prétendez-vous ? – Je ne demande pas, madame, lui dis-je, que

vous promettiez au malheureux Timocrate de l'épouser ; mais je demande que vous lui assuriez que, tant
que son exil durera, vous n'épouserez ni Ménécrate,
ni pas un de ceux qui vous adorent ou qui vous peuvent adorer. – Vous voulez tellement prendre vos
sûretés, dit-elle en souriant malgré la mélancolie qui
paraissait dans ses yeux, que, quand ceux avec qui
vous traitez vous auraient trompé en quelque chose,
vous ne pourriez pas faire autrement. Mais, après
tout, Timocrate, dit-elle prenant un visage fort
sérieux, tout ce que je puis est de vous dire que je ferai
tout ce que la bienséance me permettra de faire pour
rompre tous les desseins que mon père pourrait avoir
de me marier. Mais, de vouloir que je vous promette
de me déshonorer, en désobéissant ouvertement à
mon père, c'est ce que je ne ferai pas. Et peut-être, me
dit-elle presque contre son intention, que, si vous vous
en rendez digne par une obéissance aveugle, je ferai
plus que je ne vous promettrai. Mais enfin, Timocrate,
ajouta cette vertueuse personne, il ne faut pas mériter
notre infortune par une faiblesse et il ne faut jamais se
fier tant en sa prudence* que l'on ne laisse quelque
chose à la conduite des dieux qui, aussi bien malgré
toutes nos résistances, nous mènent où ils veulent que
nous allions."

J'avoue que, de la façon dont Télésile me fit ce discours, j'avais quelque sujet d'en être content. Cependant je ne le fus pas et je la pressai encore si opiniâtrement qu'elle pensa* s'en mettre en colère, voyant que
je ne voulais point partir si elle ne me promettait tout
ce que je voulais. Elle appela alors Mélésandre à son
secours, et sa parente aussi, qui revint où nous étions
et, quoi que je pusse faire, je n'en pus jamais obtenir
autre chose. Elle me commanda donc si absolument
de partir et de m'éloigner le plus que je pourrais qu'il
fallut enfin s'y résoudre. Mélésandre me voulut faire
espérer qu'aussitôt que j'aurais obéi, on travaillerait à
faire révoquer mon arrêt, mais un homme désespéré
de s'en aller n'était pas capable de recevoir nulle
consolation.

Cependant, Télésile me quitta sans que je pusse prononcer une seule parole, car, dès que j'eus remarqué par son action qu'elle avait dessein de se retirer, la raison m'abandonna et je ne sais plus ni ce qu'elle me dit, ni ce que je fis. Je sais seulement qu'elle me tendit la main, que je lui baisai avec respect et qu'elle disparut à mes yeux un moment après, de sorte que, n'espérant plus de revoir Télésile, je ne songeai plus qu'à partir. J'eusse pourtant bien voulu me battre contre Ménécrate, mais Mélésandre me fit comprendre que, Télésile ayant cent amants, ce serait une bizarre* chose si j'entreprenais de les vouloir tous tuer.

Enfin je partis deux jours après cette entrevue avec Léontidas, que vous voyez ici présent, que le roi de Chypre avait envoyé à Delphes et qui s'en retournait en ce temps-là. Comme toute terre m'était égale où n'était pas Télésile, je suivis Léontidas, qui avait fait amitié avec Mélésandre, et je me résolus d'aller errer par toutes les îles de la mer Égée, comme j'ai fait toujours depuis, jusqu'à ce que le roi de Chypre et le prince Philoxipe m'aient fait l'honneur de me donner le commandement de leurs troupes avec Philoclès. Vous jugez donc bien que cette dernière absence a pour moi tout ce que l'absence peut avoir de rigoureux, car elle doit être encore longue. Ménécrate, comme je l'ai su, et cent autres qui sont venus depuis que je suis parti de Delphes, sont toujours auprès de Télésile ; Diophante la presse continuellement de se résoudre et de choisir un mari. Ménécrate est un fort honnête homme, mes ennemis sont toujours plus animés contre moi et tous mes rivaux sollicitent secrètement, de peur que l'on n'accourcisse mon exil en révoquant mon arrêt, car il s'est épandu quelque bruit que je suis la cause de la résistance de Télésile, et je ne vois enfin rien qui m'assure. Bien que Télésile jusqu'ici ne soit pas mariée, que sais-je ce qui doit arriver : elle ne m'a donné que de l'espérance et, par conséquent, elle m'a donné sujet de craindre que, soit par vertu ou par faiblesse, elle ne me rende malheureux, ou en obéissant à son père, ou en se laissant gagner à* Ménécrate.

Voilà, ô mon équitable juge, par quelle expérience j'ai connu toute la rigueur qu'il y a d'être éloigné de ce que l'on aime, et il ne me sera pas difficile de faire voir par raison, aussi bien que par exemple, que c'est un mal qui comprend tous les autres maux. En effet, comme l'amour prend naissance par la vue et qu'elle s'entretient par elle [1], il s'ensuit sans doute que l'absence est ce qui lui est le plus opposé et que, comme il n'est rien de plus doux que de voir ce que l'on aime, il n'est aussi rien de plus cruel que de ne le voir pas. Les absences, quand elles sont courtes, augmentent l'amour ; quand elles sont longues, elles la changent en fureur et en désespoir ; quand elles ont un terme limité, l'impatience fait que l'on n'a point de repos ; et quand leur durée est incertaine, le chagrin* trouble toute la douceur de l'espérance. Enfin, soit qu'elles soient longues, courtes, sans terme, ou limitées, préméditées ou imprévues, je soutiens qu'à quiconque sait aimer elles sont insupportables et, bref, que l'absence comprend tous les autres maux et est la plus sensible de toutes les douleurs.

En effet, celui qui soutient que n'être point aimé est le plus grand supplice de l'amour n'a-t-il pas tort de mettre sa souffrance en comparaison de la mienne ? puisque, à parler de ces choses en général, celui qui voit ses services méprisés, durant un temps considérable, doit trouver le remède de son mal dans son propre mal et, par un généreux* ressentiment, se guérit d'une passion si mal reconnue. Mais, à un amant absent et aimé, que lui reste-t-il à faire qu'à souffrir ? car, de s'imaginer que le souvenir des plaisirs passés soit doux, c'est une erreur en amour, quand on est absent, puisque, au contraire, la juste mesure des douleurs, en ces rencontres*, est celle des

---

1. Le premier « elle » se rapporte à « amour » ; le second à « vue ». Ce lieu commun, d'origine néo-platonicienne, a connu une nouvelle faveur dans la littérature galante du XVIIᵉ siècle.

félicités dont on a joui et dont on ne jouit plus. Celui
qui regrette une maîtresse morte est sans doute digne
de compassion ; mais, après tout, il y a encore une
notable différence de lui à un amant absent, de la
façon dont je l'imagine. J'avoue toutefois qu'à ne
considérer que les premiers jours de cette absence
éternelle que la mort cause entre les amants qu'elle
sépare, c'est la plus grande douleur de toutes les
douleurs ; mais il faut aussi que l'on m'accorde que le
plus grand mal de la mort en ces funestes rencontres*
est l'absence de l'objet aimé. Après cela, je ne craindrai point de dire qu'aussitôt que ce grand coup qui
étourdit la raison a fait son premier effet, l'âme, se
trouvant en état de ne plus rien craindre et de ne plus
rien espérer, vient peu à peu, malgré elle, dans un certain calme qui apaise insensiblement le tumulte de ses
passions et qui affaiblit insensiblement aussi la douleur de celui qui la souffre. De sorte que tous les
moments de sa vie, les uns après les autres, empor-
tent, ou du moins diminuent, quelque chose de son
déplaisir. Mais l'absence, où l'espérance et la crainte,
et toutes les autres passions agissent, est un supplice
qui augmente tous les jours et qui n'a point de remède
que sa propre fin ou celle de celui qui la souffre.

Mais, me dira-t-on, la jalousie l'emportera du
moins sur l'absence. Mais, répondrai-je à ceux qui le
diront, qui est-ce qui a été longtemps absent sans être
jaloux ? et quels effets peut causer la jalousie, que
l'absence ne cause aussi bien qu'elle ? Il y a toutefois
cette distinction à faire, qu'un jaloux qui voit sa maîtresse a d'heureux moments et qu'un amant qui ne la
voit point n'en saurait avoir. Et puis, il y a une si
grande différence entre une douleur qui quelquefois
n'est fondée que sur un caprice et une que la raison
appuie et autorise*, qu'il ne faut que considérer la
chose pour la connaître. Un jaloux, quand il est auprès
de sa maîtresse, quoique malheureux, a des instants
où il a sans doute quelque plaisir, soit à traverser les
desseins de son rival, soit à préméditer sa vengeance et
soit même à découvrir quelque intrigue qu'il a voulu

savoir. Car, encore que ces plaisirs ne soient pas plaisirs tranquilles, ils sont pourtant toujours plaisirs. Mais un amant absent est en un état si malheureux qu'il ne trouve plaisir à rien.

Ainsi je demande du moins, ô mon équitable juge, que, comme j'ai éprouvé l'absence de toutes les façons dont on la peut éprouver et que je suis le plus malheureux de tous les amants, j'aie aussi le plus de part en votre compassion. »

Timocrate ayant cessé de parler, Martésie se tourna vers Cyrus, comme pour lui demander ce qu'il lui semblait de son récit et de ses raisons, et Cyrus, répondant à son intention : « En vérité, lui dit-il en soupirant, vous seriez injuste si vous refusiez à Timocrate la compassion qu'il vous demande, car son discours m'a si sensiblement touché que je ne saurais l'exprimer. – Seigneur, lui répondit-elle, Timocrate a obtenu ce qu'il souhaite de moi, dès le premier de ses malheurs qui est venu à ma connaissance, n'étant pas possible de connaître un aussi honnête homme affligé sans s'intéresser dans son déplaisir. – Ne prenez pas tant de part à sa douleur, interrompit Philoclès, que vous ne réserviez quelque sentiment de pitié pour la mienne. – Pour moi, poursuivit le prince Artibie, je n'ai que faire de demander que l'on me plaigne, puisque mon mal est si grand qu'il ne faut que le savoir pour m'en plaindre. – Je ne sais, ajouta Léontidas, si je serai plaint, mais je sais bien qu'il n'y a point de comparaison des maux que j'ai soufferts à ceux qu'endure Timocrate. – Vous me permettrez d'en douter, répliqua cet amant absent. – Pour en juger, interrompit Érénice, il faut entendre vos malheurs. – Et pour les entendre, dit Aglatidas, il faut ne parler plus et les écouter. – Il est vrai, reprit Martésie, mais comme Timocrate par ses raisons, poursuivit-elle, a, ce me semble, parlé le premier de Philoclès, qui soutient que n'être point aimé est le plus grand mal de l'amour, qu'ensuite il a répondu à ce que pourrait dire le prince Artibie, qui croit que le plus rigoureux supplice de cette passion est de voir mourir ce que l'on

aime, et qu'ainsi Léontidas, qui met la jalousie pour le
tourment le plus cruel de tous, a été nommé le dernier, il me semble, seigneur, dit-elle regardant Cyrus,
qu'il faudrait suivre cet ordre et que Philoclès devrait
parler le premier des trois qui restent. »

Cyrus ayant approuvé son opinion, et Philoclès
s'étant placé vis-à-vis de lui et de Martésie qui le
devait juger, il commença son discours en ces termes.

L'AMANT NON AIMÉ [1]
SECONDE HISTOIRE

« Comme vous savez la fin de mon aventure, auparavant que d'en avoir appris le commencement ni la
suite, et que, par conséquent, cette agréable suspen-
sion, qui fait que l'on écoute même quelquefois les
choses fâcheuses avec plaisir [2], ne se peut trouver dans
mon récit, je pense qu'il est à propos de n'abuser pas
de votre patience par une narration extrêmement
étendue. Je vous dirai donc seulement qu'encore que
je sois né sujet du roi de Chypre, ma maison ne laisse
pas d'être originaire de Corinthe et que j'ai l'honneur
d'être allié du sage Périandre [3], qui en est aujourd'hui
souverain. À peine eus-je donc atteint ma dixième
année que mon père m'envoya en cette cour-là, chez
un oncle que j'y avais, et sous la conduite d'un gouverneur qu'il me donna en partant, avec intention que
j'y demeurasse ; car, comme il avait alors plusieurs

---

1. On pourra lire, en contrepoint à ce récit, une seconde histoire
d'amant non aimé, celle de Méréonte et de Dorinice, contenue dans
le trentième et dernier livre du *Grand Cyrus* [Partie X, Livre 3].

2. L'idée que l'on puisse trouver du plaisir à regarder ou écouter
des choses pénibles possédait ses lettres de noblesse pour avoir été
formulée dans la *Poétique* d'Aristote (chap. IV, 48b10-11).

3. Roi de Corinthe, Périandre est l'un des sept sages de Grèce et,
à ce titre, est protagoniste du « Banquet des sept sages » [Partie IX,
Livre 2].

enfants, il fut bien aise que son nom ne s'éteignît pas en son ancienne patrie, comme il allait faire, n'y ayant plus que mon oncle qui le portât, et qui était déjà assez vieux.

Je ne m'amuserai* point à vous dire ce qu'est la fameuse Corinthe, car je parle devant des personnes si intelligentes et si bien instruites de tout ce qu'il y a au monde digne d'être su que ce serait faire une chose absolument inutile que de les entretenir de la beauté, de la magnificence et de la splendeur de Corinthe. Il n'y a donc personne ici qui n'aie sans doute ouï parler de cet isthme célèbre si connu par toute la mer Égée, de ce superbe château qui commande cette belle ville et qui la défend, de ce port si grand et si bon qui l'embellit infiniment, de ce grand commerce qui la rend si peuplée, qui cause sa richesse, qui y met l'abondance et les plaisirs, et qui ne sache en effet que tout ce qui peut rendre une ville agréable se trouve sans doute en celle-là [1]. Le prince qui la gouverne est un homme de grand esprit, la reine sa femme, qui s'appelle Mélisse, est encore une très belle princesse, quoiqu'elle ait une fille qui est sans contredit des plus belles et des plus accomplies personnes du monde.

Voilà donc l'état où était la maison royale lorsque j'arrivai à Corinthe. Ce n'est pas que Périandre n'eût un fils, mais il demeurait à Épidaure, auprès de son aïeul maternel qui en était prince. Ainsi, tout le divertissement de la cour était attaché à Mélisse et à la princesse Cléobuline sa fille. Et certes, je suis obligé de dire que, si je fusse né avec beaucoup de disposition au bien, j'étais en lieu pour profiter extrêmement. Car la cour de Périandre était toujours remplie des plus grands hommes de toute la Grèce et il aime tellement à faire honneur aux étrangers que son

---

1. Ces informations proviennent de Strabon (VIII, 6, 20), à la réserve du château, dont aucune source antique ne fait mention. Il s'agit sans doute d'une confusion avec Thèbes, dominée par la forteresse Cadmée (voir p. 348, note 1).

palais était toujours plein de gens de nations différentes. Mais, comme je n'étais pas alors en un âge
qui me permît de chercher la conversation des sages
et des savants, je m'arrêtai bien plus à apprendre ce
qui me pouvait divertir que ce qui me pouvait instruire. Le fameux Arion, de qui l'admirable voix,
soutenue par les accords ravissants de sa merveilleuse lyre, l'a rendu célèbre par tout le monde [1],
fut mon maître et mon ami tout ensemble, et j'eus
une si forte passion pour la musique qu'au lieu d'être
mon divertissement, elle devint presque mon occupation. En effet, mon gouverneur me reprit quelquefois d'une chose très louable de soi, parce que, par
l'attachement extraordinaire que j'y avais, je la pouvais rendre blâmable.

Je commençai donc de partager un peu mon cœur
et, le célèbre Thespis [2] étant venu à Corinthe, je fus
charmé de sa poésie et de ses belles comédies. De
sorte que, comme j'avais un peu appris à chanter avec
Arion, je devins poète avec Thespis, y ayant sans
doute je ne sais quelle facilité dans mon naturel qui
fait que je me change aisément en ce que j'aime. La
peinture ayant ensuite touché mon inclination, j'appris aussi à dessiner et, sans être excellent en pas une
de ces choses, je puis dire que j'en savais un peu de
toutes. Ce fut donc de cette sorte que je me divertis,
jusqu'à ce qu'il plût à l'amour de troubler mes plaisirs,
par les mêmes choses qui les avaient faits durant si
longtemps. Et voici comme* ce malheur m'arriva.

Cléobule, un de ces fameux sages de Grèce et
prince des Lindes [3], avait envoyé vers Périandre pour

---

1. L'histoire d'Arion fait l'objet d'un bref récit d'Hérodote (I, 23-
24). Voir p. 334, note 1.
2. Thespis était considéré, dès l'Antiquité, comme l'inventeur de
la tragédie, ainsi que l'atteste une mention dans *L'Art poétique*
d'Horace (v. 276). On ne sait rien de plus de cet auteur.
3. Cléobule est l'un des sept sages participant au célèbre banquet
relaté par Plutarque (*Œuvres morales et mêlées*, XXX), qui fera également l'objet de l'histoire de la Partie IX, Livre 2. La population
des Lindes est établie sur l'île de Rhodes.

une affaire assez importante. Mais, son agent étant mort à Corinthe, je fus choisi pour aller vers Cléobule, car j'avais déjà plus de vingt ans et, comme ce prince a une fille nommée Eumétis, que le peuple appelle quelquefois Cléobuline à cause de son père, quoique ce nom ne soit pas le sien et que ce soit celui de l'illustre fille de Périandre [1], j'avoue que ce voyage me donna quelque plaisir, parce que j'avais une si forte envie de connaître la princesse des Lindes que l'on n'en peut pas avoir davantage, ayant tant entendu dire tant de choses de son esprit et de sa vertu que, comme je n'avais encore nul attachement à Corinthe, je fus bien aise d'en partir. Comme la princesse Cléobuline [2] me faisait l'honneur de m'estimer plus que je ne méritais et qu'elle avait un commerce* très particulier* avec cette excellente personne, à cause de la conformité qui se trouvait en leur esprit et en leur humeur, elle me fit la grâce de lui écrire une lettre, avec intention de me la donner afin que j'en fusse mieux reçu. Et, comme cette flatteuse et obligeante lettre a été la cause de mon amour, je l'ai si bien retenue que je ne pense pas y changer une parole en vous la récitant. Ce n'est pas que je ne rougisse de confusion d'être obligé de vous la dire pour vous faire mieux comprendre la naissance de ma passion. Mais, puisqu'elle est le commencement de mon aventure, il faut que je vous la dise. Voici donc comme* elle était.

---

1. Il y a donc deux Cléobuline : la princesse Cléobuline, fille de Périandre, reine de Corinthe, à qui sera consacrée une histoire [Partie VII, Livre II], et Cléobuline, de son vrai nom Eumétis, princesse des Lindes, fille de Cléobule. Cette seconde Cléobuline provient directement de Plutarque (*Œuvres morales et mêlées*, XXX, trad. Amyot, Paris, Macé, 1587, p. 151). La première est vraisemblablement imaginaire. De tels « doublets » ne sont pas rares dans *Le Grand Cyrus*. Dans l'« Histoire d'Arpasie » [Partie X, Livre 1], l'héroïne sera successivement courtisée par deux amants portant le même nom : Astidamas.

2. Il s'agit ici de Cléobuline reine de Corinthe, qui recommande Philoclès à Eumétis (la seconde Cléobuline), princesse des Lindes.

La princesse Cléobuline à la princesse Eumétis.

Quelque part que je prenne à la joie que va recevoir Philoclès en vous voyant, et à celle que sa connaissance vous donnera, je connais bien que je ne suis ni assez bonne amie, ni assez bonne parente, pour préférer les intérêts d'autrui aux miens, puisque je ne me réjouis pas assez, ce me semble, de ce que vous aurez le plaisir de connaître, en la personne de Philoclès, ce que Corinthe a de meilleur, et de ce qu'il verra, en la vôtre, ce que la Grèce a de plus illustre. Ce petit sentiment jaloux ne m'empêchera pourtant pas de vous dire ce que sa modestie lui fera sans doute cacher : c'est qu'outre toutes les qualités essentielles qui ont accoutumé de faire toutes seules un honnête homme, il possède encore celle de disciple d'Apollon et de favori des Muses [1]. *Mais j'entends principalement de ces Muses galantes* [2], *qui sont tant de vos amies. Obligez-le donc à vous faire confidence de ce qu'il cache avec soin à toutes les personnes qui ne vous ressemblent pas et faites qu'il vous montre des vers, des crayons et des airs de sa composition. Je l'ai chargé de m'apporter le portrait de votre visage et de votre esprit* [3] *; ne le forcez pas, s'il vous plaît, à vous le dérober malgré vous et donnez-lui tout le temps qui lui sera nécessaire pour s'acquitter dignement d'une si agréable commission. Faites de plus un échange de ses vers avec ces admirables énigmes* [4] *que vous faites et qui causent une si grande inquiétude à ceux qui les veulent*

---

1. C'est-à-dire de poète (« disciple d'Apollon ») et d'artiste (« favori des Muses »), en vertu de la formation qu'il a reçue de Thespis et de ses aptitudes au chant et à la peinture.
2. Le terme est propre à l'esthétique de la seconde moitié du XVIIᵉ siècle : il définit la conception de la littérature privilégiée des milieux mondains, plaçant au premier plan les valeurs de politesse et d'enjouement. Voir, pour un développement approfondi de la question, D. Denis, *Le Parnasse galant, op. cit.*
3. Les portraits constituent un des « genres mondains », favorisés par l'esthétique galante. Voir J. Plantié, *La Mode du portrait littéraire en France dans la société mondaine (1641-1681)*, Champion, 1994.
4. Autre « genre mondain ». Au bénéfice d'une tradition classique, l'énigme est remise au goût du jour, dès 1638, par Charles Cotin qui s'en fera une spécialité (voir *Les Énigmes de ce temps, op. cit.*).

deviner. Mais, après tout, souvenez-vous que je ne fais que
vous confier le trésor que je vous envoie et que je ne pré-
tends pas vous le donner. Renvoyez-le-moi donc généreu-
sement et ne détruisez pas Corinthe, en retenant Philoclès
auprès de vous. Comme je vous ai découvert ce qu'il vous
aurait peut-être caché, apprenez-moi aussi, à son retour,
quel progrès il aura fait dans votre esprit, quelles belles
choses il aura écrites auprès de vous et quelles conquêtes il
aura faites parmi vos dames. Car il est trop modeste pour
croire [1] *que je puisse rien apprendre de lui qui lui soit*
avantageux, et trop judicieux aussi pour me parler d'autre
chose que de vous quand il reviendra. Je vous en dirais
davantage, mais je veux vous laisser encore quelques
vertus à découvrir en son âme, dont je ne vous parle point,
quoiqu'elle soit plus belle que son esprit. Après cela, vous
vous souviendrez, s'il vous plaît, qu'il est mon parent, que
vous m'avez promis d'estimer tout ce qui m'est cher et que
je suis toujours

CLÉOBULINE.

Cette flatteuse lettre étant écrite, la princesse,
comme je fus prendre congé d'elle, me dit, avec autant
de galanterie que de civilité, qu'elle m'engageait à bien
des choses par la lettre qu'elle écrivait à l'illustre
Eumétis, mais qu'elle n'en était pourtant pas en peine,
sachant bien que je ne la ferais pas passer pour personne préoccupée*. "Madame, lui dis-je, ce que vous
me dites me fait peur et j'appréhende bien que, voulant m'être favorable, vous ne me détruisiez. – Voyez,
me dit-elle en me donnant sa lettre ouverte, si vous ne
soutiendrez pas dignement ce que je dis de vous." Je
voulus alors m'excuser de la voir [2]. Toutefois, me l'ayant
commandé [3], je me mis en état de lui obéir. Mais, à

---

1. Le sujet du verbe n'est pas « Philoclès », mais un indéterminé
omis. Il faut donc comprendre : « il est trop modeste pour qu'on
croie que je puisse rien apprendre de lui... ».

2. Comprendre : « refuser de lire la lettre ».

3. Anacoluthe : le sujet du verbe est « la princesse », et non le « je »
narrateur.

peine eus-je lu la première page que, rougissant de honte et n'osant plus continuer de lire : "Ah, madame, lui dis-je, que faites-vous ! et que vous ai-je fait, que vous veuillez me rendre un mauvais office*, d'une manière si ingénieuse ? Non, madame, lui dis-je encore en la lui voulant rendre, je ne saurais me résoudre de porter moi-même ce qui me doit déshonorer. – Vous le verrez du moins, me dit-elle en riant, quand ce ne serait que pour vous apprendre comme* vous devez être, si vous ne voulez pas tomber d'accord que vous soyez ce que je dis." Et, comme je m'en défendis encore, elle reprit la lettre et la lut tout haut.

J'avoue que j'en étais si confondu que je ne pouvais m'empêcher de l'interrompre et, quoique la louange soit une douce chose, principalement aux jeunes gens, j'eus pourtant peur effectivement que je ne pusse soutenir par ma présence le bien que la princesse Cléobuline disait de moi. Voyant donc ma résistance, elle se servit de son pouvoir absolu pour me la faire prendre. Ainsi, après m'avoir commandé de la fermer, il fallut que je la prisse et que je lui promisse de la rendre. Je ne pus toutefois m'y résoudre, quoique je ne pusse non plus la supprimer. Ce n'est pas que je ne susse bien qu'elle me pouvait nuire, étant certain que c'est une assez dangereuse chose que les louanges excessives dans les nouvelles connaissances, même aux personnes les plus accomplies, mais c'est enfin qu'il n'est pas aisé de résister à la flatterie. De sorte que, sans savoir bien précisément ce que je ferais de cette lettre, je la portai et je partis avec un homme de qualité appelé Antigène, de même âge que moi, qui venait faire le même voyage et qui est assurément un aussi agréable homme qu'il y en ait jamais eu à Corinthe. Nous étions amis fort particuliers* en ce temps-là, nous étions de même taille, à peu près de même air et de même mine, nous aimions les mêmes choses et il se mêlait aussi bien que moi de vers, de peinture et de musique. Si la princesse Cléobuline eût su qu'il eût dû faire ce voyage, elle aurait sans doute parlé de lui dans la lettre, car elle l'estimait assez ; mais il s'en cacha à tout le monde, ne voulant pas que son père sût où il allait, à cause de quelque intérêt de famille qui serait opposé à sa curiosité.

Nous nous embarquâmes donc, Antigène et moi, et nous arrivâmes à Ialyse [1], qui est la ville où le prince Cléobule fait ordinairement son séjour. Je lui donnai le paquet que je lui apportai de la part de Périandre, je lui rendis compte de l'affaire qui était entre eux et je lui présentai Antigène, qu'il reçut très bien, et dont il connaissait le nom. Mais il se trouva que la princesse sa fille était aux champs, à deux journées du lieu où nous étions, accompagnée de beaucoup de dames de la ville, avec intention de s'y divertir quelques jours. Trouvant donc cette occasion, je m'en voulus servir et, faisant connaître à Cléobule que j'avais une lettre pour la princesse Eumétis et que j'étais bien fâché de n'oser partir d'auprès de lui pour la lui aller porter, il me répondit, selon mon intention, qu'il n'était pas juste de priver si longtemps sa fille du plaisir qu'elle aurait de recevoir des nouvelles d'une princesse qu'elle honorait beaucoup, mais qu'aussi ne serait-il pas à propos, me dit-il fort civilement, qu'il se privât du plaisir qu'il avait de me voir, en me donnant la permission de l'aller porter moi-même ; qu'ainsi il donnerait ordre à un des siens de la venir prendre de mes mains, afin de la lui rendre [2], et que, par cette même voie, il ordonnerait à la princesse sa fille de revenir, voulant que je visse sa cour avec tout son ornement, car il était veuf depuis quelques années. La chose se passa donc de cette sorte : on vint prendre la lettre que j'avais pour cette princesse, je la donnai et elle la reçut par une autre main que la mienne, obligeant celui qui la lui rendit de lui faire savoir que j'en usais ainsi par le commandement du prince son père.

Cependant, il faut que vous sachiez qu'il y avait une famille de Corinthe de gens de la première qualité, habituée* en ce lieu-là, dont le chef se nommait Alasis,

---

1. Port de l'île de Rhodes.
2. Ici, dans le sens d'« apporter », sans idée de restitution.

qui avait une fille appelée Philiste, que la princesse des
Lindes avait menée avec elle. Cette personne a sans
doute une beauté fort éclatante. Ce n'est pas que ce
soit un visage dont tous les traits soient régulièrement
beaux, mais elle est jeune, blonde, blanche, de belle
taille, de bonne mine et, comme je l'ai déjà dit, d'un
fort grand éclat et d'un abord surprenant. Cette personne a aussi beaucoup d'esprit, et de l'esprit agréable
en conversation. Étant donc auprès d'Eumétis, lorsque
celui qui portait la lettre de la princesse Cléobuline la
lui rendit, après qu'elle [1] l'eut vue, elle se tourna vers
Philiste et, la lui montrant : "Voyez, lui dit-elle, ce que
la princesse de Corinthe me mande d'un de ses
parents." Philiste, ayant lu cette lettre : "En vérité, dit-
elle, madame, si Philoclès est fait comme il est dépeint,
la princesse Cléobuline a raison de l'appeler un trésor
et de vous le redemander bientôt. – Oui, répliqua-
t-elle en souriant, mais, pour le lui pouvoir rendre, il
faudra que la belle Philiste ne le retienne pas par ses
charmes, comme il y a apparence* qu'elle fera, s'il est
vrai que la ressemblance fasse naître l'amour.

   – Ce discours est bien obligeant et bien flatteur,
répondit Philiste, mais, ajouta-t-elle, madame, il n'est
pourtant pas tout à fait mal fondé ; car, si Philoclès
avait autant d'envie de me voir que j'en ai de le
connaître, ce serait déjà un assez grand commencement d'amitié. Je vous assure, ajouta-t-elle, que je pré-
vois que, si vous ne retournez bientôt à Ialyse, cette
curiosité me donnera de l'inquiétude. Enfin, dit-elle
en riant (car c'est une personne assez gaie), si Philoclès ressemble [2] son portrait, il a sans doute tout ce
que je lui pourrais souhaiter si je voulais choisir un
ami agréable, un galant accompli ou un mari très parfait. – Et Philiste, reprit la princesse, a sans doute aussi
tout ce qu'il faut pour conquérir le cœur d'un aussi

---

   1. Le pronom se rapporte à « Eumétis » ; en revanche, le sujet de
la participiale « étant donc… » est « Philiste ».
   2. Construction fréquemment attestée dans la langue du XVIIᵉ siècle,
mais perçue comme vieillie vers 1650.

honnête homme que Philoclès paraît l'être, par ce que m'en dit la princesse de Corinthe. Mais, lui dit-elle, Philiste, il ne serait pas juste qu'étant venu libre, il s'en retournât esclave ; c'est pourquoi j'ai presque envie de n'obéir point au prince mon père, qui m'ordonne de m'en retourner demain. – Ah, madame, lui dit alors Philiste, ne me désespérez pas, s'il vous plaît ; car je vous assure que je ne sais pas trop bien si je pourrais demeurer auprès de vous, si vous ne vous en retour- niez point : j'ai une forte impatience de connaître un homme comme on vous représente celui-là."

Ce fut de cette sorte que ces deux personnes se divertirent en parlant de moi (car la princesse des Lindes me l'a raconté depuis). Mais, pour demeurer dans les termes que je me suis prescrits au commen- cement de mon discours, je vous dirai donc que, le reste de ce jour-là et celui qui le suivit, je fus le sujet de l'enjouement de Philiste, qui ne parla que de moi et, tant que le chemin dura, mon nom entretint toute la compagnie. Les filles de la princesse faisaient la guerre à Philiste et témoignaient toutes une si forte envie de me connaître que je pense que, si j'eusse su ce qui se passait, je m'en serais retourné à Corinthe sans voir la princesse des Lindes.

Enfin elle arriva à Ialyse. Il est vrai que ce fut si extraordinairement tard, à cause de quelque accident qui était arrivé à ses chariots, que, passant devant le logis de Philiste, elle l'y laissa, quelque résistance que par respect elle lui pût faire. Et, pour continuer de lui faire encore la guerre : "Philiste, lui dit-elle en la quit- tant, souvenez-vous que je vous ai priée de cacher demain la moitié de vos charmes, quand vous vien- drez au palais." Alors, sans donner loisir à Philiste de répondre, le chariot marcha et Eumétis fut trouver le prince Cléobule dans son cabinet, où il était retiré il y avait déjà longtemps, de sorte que je n'étais plus auprès de lui et ce ne fut que le lendemain qu'Anti- gène et moi eûmes l'honneur de la saluer.

Mais ce qu'il y eut d'admirable* fut que, lorsque le prince Cléobule nous fit la grâce de nous présenter à

elle, le matin, comme elle allait au temple et qu'elle
traversa un jardin où nous étions auprès du prince son
père, elle trouva tant de conformité entre Antigène et
moi que, n'ayant pas entendu nos noms bien distinctement, elle douta lequel des deux était celui dont la
princesse Cléobuline lui avait parlé dans sa lettre. De
sorte que, nous en faisant un compliment qui nous
obligeait tous deux, elle me mit dans la nécessité de
me faire connaître, en lui disant que j'étais celui pour
qui la princesse Cléobuline lui avait parlé comme en
ayant seul besoin. "Joint, lui dis-je, madame, qu'elle
n'a pas su qu'Antigène dût venir ici." Elle redoubla
alors sa civilité et Antigène, ayant fait connaître, par ce
qu'il lui dit, qu'il n'était pas une personne ordinaire,
nous l'accompagnâmes au temple et, l'après-dînée*,
nous fûmes chez elle, où elle me parla très longtemps
de la princesse Cléobuline, avec tous les témoignages
d'estime et d'amitié qu'il est possible de rendre. Elle
me demanda si elle n'était pas toujours la plus belle
chose du monde. Elle s'informa de ses plaisirs et de
ses occupations et, passant d'un discours à l'autre, elle
eut la civilité de me dire, durant qu'Antigène parlait à
d'autres dames, qu'elle commençait de me reconnaître et qu'elle se voulait un grand mal de ce qu'elle
avait pu douter un moment lequel d'Antigène et de
moi était Philoclès. "Mais, me dit-elle, pour me punir
de cette faute, je veux voir si une belle Corinthienne
que nous avons ici et qui se pique* avec raison d'avoir
l'esprit fort éclairé, vous connaîtra sans qu'on le lui
dise. Car, si cela arrive, je serai punie de mon erreur
et, s'il n'arrive pas, j'en serai du moins consolée."
   Je répondis à cela comme je devais, mais elle, sans
m'écouter, envoya savoir de la santé de Philiste et lui
demander pourquoi elle ne la voyait pas ce jour-là.
Celui qui eut ordre d'aller faire ce message, s'en étant
acquitté, revint lui dire à demi bas, mais non pas tant
que je ne l'entendisse bien, que Philiste la remerciait
très humblement de la grâce qu'elle lui faisait, que si
elle ne se fût pas trouvée un peu mal, elle aurait eu
l'honneur de la voir, mais que son miroir ne lui ayant

pas persuadé le matin qu'elle fût en état de faire des
conquêtes, elle ne la verrait point qu*'elle n'eût mieux
dormi. Cette princesse se mit à rire de ce message.
"Certainement, dit-elle en parlant à une dame nommée Stésilée, qui était alors auprès d'elle, Philiste est
admirable* [1]." Et, abaissant la voix, elle lui dit en peu
de mots le message qu'on lui venait de faire de sa part
et ce qui l'avait causé. "Il faudrait, madame, lui dit
Stésilée, que vous lui fissiez l'honneur de l'aller visiter
et que, pour la surprendre, vous y menassiez ces deux
étrangers." La princesse, qui ne cherchait qu'à se
divertir et qui ne savait pas qu'il y avait un sentiment
d'envie entre Stésilée et Philiste, qui faisait qu'elle souhaitait qu'elle fût vue négligée, y consentit et nous
mena, Antigène et moi, chez cette belle Corinthienne.
Mais auparavant, elle nous dit beaucoup de bien de
cette personne et nous n'eûmes alors guère moins
d'envie de la connaître qu'elle en avait de me voir.
Pour Antigène, elle n'avait point ouï parler qu'il fût à
Ialyse et ne l'avait même jamais vu, car, comme je l'ai
dit, elle n'était pas née à Corinthe, quoique son père
en fût, et elle était née à Ialyse.

Nous suivîmes donc le chariot de la princesse dans
un autre et, comme nous fûmes arrivés à la porte de
Philiste, elle se fit malicieusement* donner la main par
Antigène, afin de la mieux tromper et, m'obligeant
d'aider à marcher à Stésilée et de la suivre de bien
près, nous trouvâmes que Philiste était effectivement
en habit de personne qui se trouvait mal, quoiqu'elle
n'en eût ni le teint ni les yeux et qu'elle fût aussi
propre* que si elle eût été en santé parfaite. Cette belle
personne était seule dans sa chambre, fort occupée à
accommoder des pierreries, comme si elle eût eu dessein de se parer le soir ou le lendemain pour aller au
bal. "Quoi, Philiste, lui dit la princesse, je croyais vous
trouver au lit et je vous trouve sans doute prête d'aller
à quelque fête publique ! – Pardonnez-moi, madame,
lui dit-elle en riant aussi bien qu'elle, mais vous me

1. Sur l'adjectif « admirable », voir p. 444, note 2.

trouvez avec le dessein de me préparer à la guerre ; car
vous savez bien que c'est avec de pareilles armes, dit-
elle en abaissant la voix et en montrant les perles et les
diamants qui étaient sur sa table, que celles qui ne se
fient pas à la beauté de leurs yeux ont recours aux
occasions [1] importantes. – En voici une qui l'est beaucoup, lui dit la princesse répondant tout haut, car je
vous amène deux Philoclès au lieu d'un."

En disant cela, elle nous fit avancer, Antigène et
moi, également. Mais Philiste, faisant l'étonnée : "Deux
Philoclès, madame ! lui dit-elle, ah, cela n'est pas possible et j'ai bien peine à croire qu'il y en ait seulement
un en toute la terre. – Non, non, lui dit la princesse,
qui nous avait défendu de rien dire qui pût apprendre
à Philiste lequel était véritablement Philoclès, vous
n'en serez pas quitte à si bon marché, car il faut que je
voie si vous, qui aimez tant la peinture, vous connaissez effectivement en portraits. C'est pourquoi,
dit-elle, je vous donne deux heures à connaître lequel
de ces deux illustres étrangers ressemble au portrait
que je vous ai fait voir dans la lettre de la princesse
Cléobuline. Vous savez qu'il est de bonne main,
ajouta-t-elle, et qu'ainsi il ne peut manquer de ressembler parfaitement. – Mais, madame, lui répondit Philiste, l'avez-vous connu, vous qui voulez que je le
connaisse ? – Vous le saurez après", répliqua-t-elle et,
s'étant alors assise à la ruelle [2] de Philiste, elle voulut
que cette belle personne fût entre Antigène et moi.

Je vous avoue que cette fille me charma d'abord*, et
par le grand éclat de sa beauté, et par la manière dont
elle parlait. Je savais même déjà qu'elle souhaitait de
me voir, et le message que j'avais entendu me flatta et
disposa mon cœur à désirer ardemment qu'elle ne prît
pas Antigène pour moi. Il me sembla même qu'Anti-

---

1. Le terme est utilisé ici dans son acception militaire de
« rencontres de la guerre » (Furetière).
2. Espace séparant le lit de la paroi de la chambre. Philiste, selon
l'usage répandu dans les salons du XVIIe siècle, reçoit ses visiteurs
étendue sur son lit.

gène désirait, au contraire, d'être pris pour ce qu'il
n'était pas et nous étions tous deux si interdits qu'à
parler sincèrement, nous fûmes quelques moments
que lui ni moi ne ressemblions guère le Philoclès de la
lettre de Cléobuline. "Mais encore, dit alors la princesse, qu'en croyez-vous, Philiste ? et lequel des deux
pensez-vous être cet homme si accompli, qui est universellement savant en toutes les choses agréables, et
pour lequel votre curiosité vous a déjà donné tant d'inquiétude ? – Comment voulez-vous, madame, reprit-
elle, que j'ose le nommer après ce que vous dites ? et
pourquoi voulez-vous que je me fasse un ennemi de
celui que je ne nommerais pas ? – Vous ne songez pas
bien à ce que vous dites, lui répliqua la princesse, car
si vous ne dites rien, vous les désobligerez tous deux
et, de l'autre façon, vous en obligerez du moins un.

– Pour moi, lui dit Antigène, l'esprit tout ému, je
suis fort assuré que, quoi que vous disiez, je ne serai
jamais votre ennemi, car, si je suis Philoclès, je sais
bien que je ne suis pas celui de la lettre de la princesse
de Corinthe. – Et, si je ne le suis pas, repris-je, je sais
bien aussi que j'aurais tort de me plaindre de n'être
pas pris pour un autre. – Non, non, dit la princesse, je
ne saurais souffrir que vous parliez davantage : je ne
veux point que vous aidiez à Philiste à vous connaître,
elle de qui l'esprit pénétrant se vante quelquefois de
découvrir les sentiments du cœur les plus cachés [1].
Elle vous voit, elle vous a entendu parler, il n'en faut
pas davantage. Répondez donc précisément, Philiste,
lui dit-elle en nous montrant de la main, lequel est
Philoclès de ces deux prétendus Philoclès ?

– Je ne sais, madame, lui dit Philiste, avec le plus
agréable chagrin* du monde, lequel est véritablement
Philoclès. Mais je sais bien, ajouta-t-elle en se tournant cruellement pour moi vers Antigène, que je souhaite que ce soit celui-ci. – Vous faites bien de le souhaiter, lui dit la princesse, ravie qu'elle n'eût pas
deviné, car vous ne pouvez pas faire qu'il le soit effec-

---

1. La même qualité sera attribuée à Sapho (voir *infra*, p. 449).

tivement et tout ce qu'il peut pour votre satisfaction est qu'en effet* il est digne de l'être. – Plût aux dieux, madame, reprit Antigène avec beaucoup de joie, que ce que vous dites fût vrai. – Et plût aux dieux, reprisje tout confus, n'être [1] point Philoclès et être à la place d'Antigène."

Jamais il ne s'est vu de sentiments plus mêlés que le furent ceux de toutes les personnes de cette compagnie. La princesse des Lindes était bien aise que Philiste n'eût pas deviné et elle était pourtant marrie de voir qu'il avait paru quelque léger chagrin* dans mes yeux. Philiste, de son côté, était fâchée qu'Antigène ne se nommât pas Philoclès et qu'on lui pût reprocher de s'être trompée. Stésilée était fort satisfaite de ce que Philiste n'avait pas bien deviné. Antigène était ravi de joie, quoique, à ma considération, il n'osât le témoigner. Mais, pour moi, je n'avais que de la confusion et du dépit. Cependant ces deux sentiments, qui ont accoutumé de n'être pas fort propres à contribuer* quelque chose à faire naître et à entretenir l'amour, servirent pourtant à ma passion, et je crus d'abord que je ne me déterminais à faire connaître à Philiste que je n'étais pas tout à fait indigne d'être Philoclès, que par un sentiment de gloire*, mais, en effet, ce fut par un sentiment fort tendre et fort passionné.

"Belle Philiste, lui dis-je avec un sérieux qui paraissait malgré moi sur mon visage, vous ne vous êtes trompée qu'au nom, étant certain qu'Antigène a toutes les qualités du Philoclès de la princesse de Corinthe. – Antigène, reprit mon ami, qui était déjà devenu mon rival, n'a pas tant d'obligation que vous pensez à cette belle personne. – Et comment l'entendez-vous ? reprit la princesse. – C'est, madame, répliqua-t-il, qu'elle n'a pas dit positivement* qu'elle croyait que je fusse Philoclès et qu'elle s'est contentée de souhaiter que je le fusse. – Cela est, ce me semble,

_____

1. L'usage de l'infinitif en complément de « plût aux dieux » est une tournure fréquente au XVIIᵉ siècle (voir A. Haase, *Syntaxe française du XVIIᵉ siècle, op. cit.*, p. 202).

encore plus obligeant, interrompit Stésilée, car, si elle avait dit simplement qu'elle croyait que vous l'étiez, ce n'aurait été qu'une marque de son estime ; mais, ayant fait un souhait qui vous est si avantageux, c'en est une de son inclination. – Il n'est pas nécessaire, interrompit Philiste en souriant, que vous preniez la peine d'expliquer mes sentiments en ma présence, car, si quelqu'un en doute, je les lui expliquerai moi-même. – Non, madame, lui dis-je, ne vous expliquez pas davantage, s'il vous plaît, puisque je craindrais qu'Antigène ne mourût de joie et moi de douleur, si vous lui donniez plus de marques de votre inclination et si j'en recevais davantage de votre aversion pour le véritable Philoclès."

Philiste, m'entendant parler ainsi, voulut me dire quelque chose de civil pour se raccommoder avec moi, mais, plus elle voulait parler et plus elle s'embarrassait. Car, voyant l'obligation que lui avait Antigène, elle ne voulait pas la diminuer, si bien que, ne pouvant trouver précisément à s'exprimer dans cette juste médiocrité* qu'elle cherchait, la princesse en riait avec Stésilée et prenait un fort grand plaisir de remarquer son inquiétude. De sorte que s'en apercevant : "Je vois bien, madame, lui dit-elle, que vous vous moquez de moi, de ce que je voudrais en obliger deux au lieu d'un. Mais sachez, poursuivit-elle toute en colère, que puisque Antigène n'est pas Philoclès pour tout le reste du monde, il le sera pour Philiste ; et je suis bien trompée, dit-elle, si, quand il n'aurait pas toutes les qualités que la princesse de Corinthe attribue au véritable Philoclès, ma conversation ne les lui donne en peu de temps. – J'en ai grand besoin, lui dit Antigène, et ce n'est que par là que je puis prétendre à quelque gloire. – Vous en êtes déjà si couvert, lui dis-je, que je ne vous connais plus."

Mais enfin, pour n'abuser pas de votre patience, le reste du jour se passa de cette sorte et, après avoir accompagné la princesse jusqu'à sa chambre, nous nous retirâmes ensemble, Antigène et moi, car nos appartements se touchaient. Mais nous nous reti-

râmes tous deux sans nous parler et, après avoir été
ainsi quelque temps dans ma chambre où il était entré :
"Vous rêvez sans doute à votre gloire, lui dis-je, Antigène. – Je pense, me dit-il, comment je pourrai faire
pour soutenir le grand nom que la belle Philiste m'a
donné ; mais vous, poursuivit-il en riant, ne me plai-
gnez-vous pas de me voir si changé ? et ne voulez-vous
point m'inspirer pour quelques jours seulement toutes
vos bonnes qualités, afin de sauver l'honneur de
Philiste ? – Philiste, lui dis-je, a tant de gloire d'avoir
connu votre mérite comme elle a fait, et d'avoir peut-
être encore conquêté [1] votre cœur, que je ne la trouve
pas fort à plaindre, et Philoclès aurait plus de besoin du
secours d'Antigène qu'Antigène n'a besoin du sien." Je
voulais par ce discours obliger mon ami à me découvrir
ses sentiments, mais il ne le voulut pas, si bien qu'agissant à son exemple, je ne lui parlai plus de Philiste.

Cependant, admirez un peu, je vous prie, le caprice
de ma fortune : comme Philiste était une personne
fort glorieuse* et un peu bizarre*, elle eut un si sensible* dépit de s'être trompée qu'elle en eut effectivement de l'aversion pour moi et se résolut tellement de
faire valoir les bonnes qualités d'Antigène que, quand
il eût été de ses plus anciens amis, elle ne se fût pas
plus intéressée à sa gloire* qu'elle faisait ; joint aussi
qu'à mon avis, son inclination pencha de ce côté-là.
Ce qui causait son plus grand dépit était que, lorsqu'elle avait nommé Antigène, elle avait dû effectivement avoir connu par finesse qu'il était Philoclès et
c'est pourquoi elle s'était hasardée à prononcer* si
hardiment. Car, comme elle avait entendu dire que je
ne chantais pas mal, elle avait pris soin d'obscurcir le
son de sa voix et celui de la mienne en parlant et, ayant
trouvé plus de douceur en celle d'Antigène, elle avait
cru qu'il était Philoclès. Car, pour les choses que nous
avions dites l'un et l'autre, il y avait assez d'égalité.

Cependant je revis cette belle personne plusieurs
fois et, comme toute la cour sut cette petite aventure,

---

1. Voir p. 249, note 1.

tout le monde lui en faisait la guerre, ce qui augmenta tellement sa bizarre* résolution qu'elle ne pouvait plus souffrir qu'on lui dît du bien de moi. Ce n'est pas qu'elle ne fît semblant qu'elle n'agissait ainsi que par galanterie, mais, en effet*, je suis persuadé qu'elle eut de l'aversion pour ma personne et de l'inclination pour Antigène dès le premier moment qu'elle nous vit. Nous voilà donc tous deux bien occupés : lui, à faire voir qu'il ressemblait mieux que moi au Philoclès de la lettre de la princesse de Corinthe, et moi aussi à montrer que je n'étais pas tout à fait indigne de ses louanges. Or il est certain que, soit à la considération de la princesse Cléobuline, ou par mon propre bonheur, la princesse des Lindes me fit la grâce de prendre mon parti et que toute la cour, à son exemple, fit quelque différence de Philoclès à Antigène. Mais, en récompense* aussi, la belle Philiste en fit notablement d'Antigène à Philoclès. Car, soit en conversation, en promenade, ou en bal, je voyais tous les jours faire mille choses qui me déplaisaient à la personne du monde qui me plaisait le plus malgré moi. Je dis "malgré moi", parce qu'il est certain que je fis tout ce que je pus pour ne l'aimer pas, mais il me fut impossible, et il y avait je ne sais quel air galant et enjoué dans son esprit, qui faisait que je ne lui pouvais résister. De sorte que je me trouvai très malheureux dès les premiers jours de ma passion, et plus malheureux que ceux qui le sont par cent mille accidents qui peuvent arriver en amour, étant certain que l'aversion toute simple est une chose que l'on ne saurait presque jamais vaincre par adresse. La cruauté se laisse fléchir par des larmes, la fierté par des soumissions, une humeur impérieuse se gagne par une obéissance aveugle, une personne inconstante revient quelquefois de sa faiblesse par une fermeté sans égale et l'on sait au moins ce qu'il faut faire pour se soulager. Mais, lorsqu'il s'agit de vaincre une aversion sans sujet, toute la prudence* humaine n'y saurait rien faire, puisqu'il est vrai que c'est une chose qui change tous les objets, aussi bien que la jalousie. Cependant je ne

trouvais pas même que je pusse avoir la consolation de
me plaindre de Philiste. "Car, disais-je, que veux-je
qu'elle fasse ? Elle a un sentiment qui est né dans son
cœur sans son consentement et où sa raison n'a rien
contribué* et, puisqu'il y a des gens qui haïssent les
roses, que tant d'autres personnes aiment, comment
puis-je vouloir mal à Philiste de la haine secrète qu'elle
a pour moi ?" Aussi fut-ce par ce raisonnement que je
m'obstinai à l'aimer.

   La chose en vint pourtant aux termes que, quoique
Philiste ne fût pas incivile, elle ne put toutefois être
dissimulée et l'on s'aperçut en même temps, et de
quelque légère inclination qu'elle avait pour Antigène,
et d'une assez forte aversion qu'elle avait pour moi.
Pour peu qu'il dît quelque chose d'agréable, elle le
louait avec excès* et, quand j'eusse dit les plus belles
choses du monde, elle n'en aurait jamais fait apercevoir aux autres, ni fait semblant de s'en apercevoir
elle-même. Si elle dansait dans quelque assemblée
avec Antigène, c'était d'un air qui faisait aisément
connaître qu'elle était menée par une main qui lui
plaisait : elle en avait meilleure grâce, ses yeux en
étaient plus brillants et plus gais, elle en dansait plus
légèrement et plus agréablement, elle attirait les
regards de toute la compagnie et leur donnait autant
de plaisir qu'elle me causait de chagrin* et d'admiration tout ensemble. Mais, au contraire, lorsque je
l'allais prendre, quelque contrainte qu'elle se fît, ce
n'était plus la même personne et je pense que, si elle
n'eût eu peur qu'Antigène l'eût vue mal danser, elle
n'eût pas même été en cadence, tant elle avait une
action languissante et négligée.

   Et la chose en fut à tel excès que la princesse lui en
parla un jour : "Philiste, lui dit-elle, je vous avais priée
de cacher la moitié de vos charmes à Philoclès ; mais
je n'avais pas entendu que vous lui montrassiez toute
votre incivilité, et il me semble, vous ne feriez pas mal
de partager un peu plus également les grâces que vous
faites à quelques autres. – Mais, madame, lui répondit-elle en riant, ne m'avez-vous pas dit qu'il ne fallait

point que Philoclès s'en retournât esclave à Corinthe ?
– Oui, répliqua la princesse, mais je ne veux pas qu'il
s'en aille mal satisfait de Ialyse ; c'est pourquoi, si vous
me voulez obliger, encore une fois, Philiste, soyez un
peu plus égale en vos civilités." Philiste rougit à ce discours, car elle comprit bien que la princesse l'accusait
adroitement de quelque complaisance pour Antigène.
Néanmoins, faisant semblant de ne s'en apercevoir pas,
elle lui dit simplement qu'elle apporterait soin à se corriger. Et en effet, je fus quelques jours que je la trouvai
un peu plus civile. Et comme je ne savais pas encore le
discours que la princesse lui avait fait, j'eus une joie
extrême de ce changement ; et Antigène, qui n'était pas
moins amoureux de Philiste que moi, en eut un
déplaisir fort sensible*. Comme il avait eu plusieurs
occasions de lui parler, il avait déjà eu quelques conversations particulières* avec elle où, à mon avis, il lui avait
fait comprendre une partie de ses sentiments ; mais,
pour moi, il ne m'avait pas été possible d'en faire autant.

Pendant cet heureux intervalle où elle fut un peu
plus complaisante, ayant trouvé moyen de l'entretenir
à une promenade, je me résolus de ne perdre pas un
temps si précieux, de sorte qu'à la première occasion
qu'elle me donna de pouvoir changer la conversation
indifférente en une un peu plus particulière : "Est-il
possible, lui dis-je, belle Philiste, que vous ne vous
soyez pas opposée au bonheur dont je jouis présentement ? Et avez-vous pu vous résoudre enfin à
connaître Philoclès pour ce qu'il est ? c'est-à-dire, poursuivis-je, sans lui donner loisir de m'interrompre,
pour le plus fidèle et le plus passionné de vos serviteurs. – Ah, Philoclès, dit-elle, je vous connais encore
bien mieux dans la lettre de la princesse de Corinthe
que par le discours que vous me faites. – Le portrait
dont vous me parlez, lui dis-je, est un portrait flatté et
je n'ai pas dû trouver [1] étrange* que vous n'ayez pas

---

1. Comprendre : « je ne dois pas trouver étrange que vous n'ayez
pas cru ». Le caractère passé et achevé de l'action de « croire » s'est
diffusé à l'auxiliaire modal.

cru qu'il fût fait pour moi ; mais le discours que je
vous fais est un discours sincère. – J'en serais bien
fâchée, interrompit-elle assez fièrement*, et pour
votre intérêt, et pour le mien. – Vous n'avez donc qu'à
vous en affliger, lui dis-je, car il n'est pas plus vrai que
vous êtes la plus belle personne du monde qu'il est
certain que je suis... – N'achevez pas dit-elle, Philoclès, de peur de me forcer à vous répondre aigrement,
et soyez persuadé que, puisque je ne vous ai pu
connaître quand je le voulais, je ne vous connaîtrai pas
non plus quand vous le voudrez.

– Vous me connaîtrez, lui dis-je, malgré vous, en
vous connaissant, n'étant pas possible que vous puissiez ignorer l'inévitable force des charmes de votre
beauté et de votre esprit, et de quelle sorte ils m'ont
attaché à votre service. – Non, Philoclès, me dit-elle,
ne vous y trompez pas : je ne sais jamais que ce que
je veux savoir, mes yeux ne me montrent que ce qui
me plaît et ma raison même s'accommode quelquefois à mes désirs, parce qu'ils ne sont pas injustes, et
cède aussi quelque chose à ma volonté. – Il me serait
peut-être plus avantageux, lui dis-je froidement, que
votre volonté cédât quelquefois à votre raison. – Que
voulez-vous que j'y fasse ? dit-elle en riant, et que ne
prenez-vous le conseil que vous me donnez, s'il est
vrai que vous en ayez besoin ? – Si ma raison me
disait, lui répliquai-je, que ce fût un crime* de vous
aimer, je pense que je tâcherais de ne le commettre
point, quoique ce fût sans doute inutilement. – Et
quand la mienne me voudrait persuader, reprit-elle,
que Philoclès serait le plus aimable de tous les
hommes, Philiste ne l'aimerait pourtant pas. – Par
quel chemin peut-on donc aller à votre cœur ? lui
dis-je. – Je n'en sais rien moi-même, répondit-elle, et
s'il est vrai qu'il y ait quelque sentier détourné qui
puisse un jour y conduire quelqu'un, il faudra que le
hasard le lui fasse peut-être trouver. – Puisque cela
est, lui répondis-je, je me résous à le chercher toute
ma vie. – Vous ne le trouverez pas en le cherchant,
dit-elle, c'est pourquoi, Philoclès, ne vous y obstinez

pas plus longtemps." Je lui en eusse dit davantage, mais, diverses personnes nous ayant joints, il fallut changer de conversation et, depuis cela, elle m'ôta avec soin toutes les occasions de lui parler en particulier.

Cependant nous vivions, Antigène et moi, avec assez de contrainte, car nous ne parlions jamais ensemble que de choses indifférentes et le nom de Philiste, qui nous était si cher à tous deux, n'était jamais prononcé par nous quand nous étions seuls. Antigène remarquant aisément que la civilité de Philiste pour moi n'eut pas de suite, son déplaisir se dissipa bientôt, de sorte que, voyant qu'il n'avait rien à craindre de mon côté, au lieu de me haïr comme son rival, il me plaignit comme son ami et résolut de me parler un jour sans déguisement. En effet, étant venu un matin dans ma chambre, il me dit qu'il s'estimait le plus malheureux homme du monde de ce qu'il s'imaginait que j'étais amoureux de Philiste aussi bien que lui, qu'il me protestait que, s'il eût eu quelque disposition à souffrir mon amour, il se serait résolu à la mort plutôt que de faire obstacle à ma félicité, mais, qu'ayant vu son esprit si éloigné de tout ce qui me pouvait être avantageux, il n'avait pas cru me faire un outrage de ne cesser pas d'aimer une personne que je ne pouvais avoir aimée plus tôt que lui, puisque nous l'avions vue ensemble la première fois et que le premier moment de sa vue avait été le premier de sa passion. Enfin, il me parla avec toute la générosité* qu'un amant qui ne veut point quitter sa maîtresse peut avoir et je lui répondis aussi avec toute la retenue dont un homme désespéré, et qui a quelque vertu, peut être capable, en parlant à un rival plus heureux que lui et pour lequel il avait eu beaucoup d'amitié.

Je lui avouai donc ingénument* que je n'avais pas un sujet légitime de me plaindre de lui. Mais je lui dis ensuite qu'encore que cela fût de cette sorte, il ne m'était pas possible de n'être pas infiniment fâché de son bonheur, que c'était une raillerie de penser que deux rivaux pussent jamais être véritables amis et que tout ce que la générosité* et la prudence* pouvaient faire en ces rencontres* était de les empêcher d'être mortels ennemis ; qu'au reste, comme j'étais assez équitable pour ne lui demander pas qu'il abandonnât son dessein, je le suppliais aussi de ne trouver pas mauvais que je continuasse le mien ; qu'il pouvait m'accorder d'autant plus tôt cette liberté qu'il y avait peu d'apparence que cela me servît à rien. Enfin, après une assez longue conversation, nous demeurâmes d'accord de ne nous plus parler de Philiste, de faire de part et d'autre tout ce que nous pourrions pour en être aimés, et que celui de nous deux qui pourrait obtenir cet honneur obligerait cette belle personne à prononcer un arrêt de mort à celui qu'elle n'aimerait pas. Depuis cela, nous vécûmes un peu mieux ensemble, Antigène et moi, parce que nous ne nous cachions plus l'un de l'autre et nous vivions avec assez de civilité pour des gens qui faisaient toutes choses possibles pour s'entre-détruire.

Comme le prince Cléobule me retint assez long-temps auprès de lui et que, de plus, je reçus de nouveaux ordres de Périandre, qui m'y arrêtèrent encore davantage, j'eus le loisir d'essayer une partie des choses qui ont accoutumé d'être utiles en amour. Je suivais Philiste en tous lieux, je parlais d'elle éternellement à toutes les personnes de sa connaissance, je ne louais jamais nulle autre beauté devant elle et louais incessamment la sienne quand je le pouvais faire à propos. Je fis des vers pour sa gloire, qui furent trouvés plus supportables de toute la cour que ceux qu'Antigène fit, quoique peut-être ils fussent plus beaux ; j'ajoutai la musique à la poésie, je fis des airs comme des paroles et je les chantai moi-même avec tout l'art dont j'étais capable. Ainsi, joignant les charmes de l'harmonie à mes expressions, je soupirai en chantant et je tâchai d'enchanter son cœur par les oreilles. Je fis une dépense prodigieuse en habillements, en bals, en collations et en libéralités [1]. J'acquis l'amitié de tous ses amis et de toutes ses amies : Alasis son père m'aimait beaucoup, un frère qu'elle avait ne me haïssait pas, ses femmes et tous ses domestiques furent gagnés par des présents que je leur fis. Je lui parlai presque toujours avec un respect qui approchait de celui que l'on rend aux dieux, je l'entretins de ma passion en vers et en prose, mes larmes lui parlèrent aussi fort souvent pour moi, la violence de mon amour me mit quelquefois, malgré que j'en eusse [2], quelques marques de fureur dans les yeux et de désespoir dans mes discours. Elle me vit inquiet, jaloux, le visage changé et, pour tout dire en peu de paroles, le plus malheureux homme du monde, sans que je pusse vaincre dans son cœur cette puissante aversion qu'elle avait pour moi.

Je me souviens même qu'une de ses plus particulières* amies, qui fut depuis assez des miennes, lui demanda un jour s'il était possible qu'elle ne m'estimât point, puisque j'avais le bonheur d'avoir quelque part en l'estime de tout le monde. Elle lui avoua lors qu'elle connaissait bien que je ne méritais pas le mauvais traitement qu'elle me faisait, mais qu'après tout elle ne pouvait faire autrement ; que, comme il y avait des gens qui devenaient amoureux sans savoir presque par quelle raison ils l'étaient, il ne fallait pas trouver étrange s'il y en avait aussi quelquefois qui haïssaient sans sujet. "Mais, lui disait cette personne, ceux qui aiment comme vous dites combattent pour l'ordinaire leur passion. – Il est vrai, répliqua-t-elle, mais c'est parce qu'elle pouvait les obliger à faire des choses honteuses. – Et n'en faites-vous pas d'injustes ? reprit son amie. – Nullement, répondit Philiste, car je ne suis pas obligée d'aimer tous les honnêtes gens qui sont au

---

1. Par ces diverses dépenses, Philoclès s'efforce de se comporter en « amant magnifique » (cf. la pièce homonyme de Molière, représentée en 1670). Le comportement opposé correspondrait au défaut d'avarice, ainsi que l'illustrera l'exemple contrasté des deux galants Abradate et Mexaris, dans l'« Histoire d'Abradate et de Panthée » [Partie V, Livre 1].

2. Voir p. 248, note 1.

monde et je m'estime très heureuse d'avoir un si puissant secours à opposer à un ennemi si redoutable. – Mais, lui dit encore cette charitable confidente, que ne vous défendez-vous avec les mêmes armes contre Antigène que contre Philoclès, si vous ne combattez que pour votre liberté ? – Cruelle amie, lui dit-elle, ne me pressez pas tant, je vous en conjure, et ne me forcez pas de vous dire ce que je n'oserais penser sans rougir. Contentez-vous que je vous assure seulement que l'amour et la haine sont deux passions tyranniques, qui se moquent souvent de la raison et de la prudence* ; et tout ce que je puis vous dire, c'est que je ne combattrai point l'aversion que j'ai pour Philoclès, parce qu'elle ne me peut causer aucun malheur, et que je combattrai l'inclination que j'ai pour Antigène, parce qu'elle pourrait m'être nuisible."

Voilà comme* cette conversation se passa, que je ne sus que longtemps depuis. Cependant nous étions tous les jours chez la princesse, où toutes les dames se rendaient. Mais, entre les autres, Stésilée, qui était sans doute une fort belle personne, y était très assidue. Cette fille avait de l'esprit, mais un esprit jaloux et envieux, qui eût voulu qu'elle eût été seule belle en toute la terre. Néanmoins, j'avais le cœur si rempli de Philiste, que je ne m'apercevais pas des choses les plus visibles, de sorte que, sans savoir que cette fille ne pouvait souffrir la gloire de sa rivale en beauté, je lui parlais quelquefois. Comme elle est adroite et spirituelle, voulant m'ôter à Philiste ou du moins faire croire au monde qu'elle m'avait effectivement assujetti, elle commença à me faire la guerre de ma passion, ensuite à me plaindre, à blâmer l'incivilité de Philiste pour moi et son indulgence pour Antigène. Enfin, elle conduisit la chose avec tant d'art que sa conversation me devint agréable et nécessaire pour me consoler. Je lui découvris alors le fond de mon cœur, je lui montrai toutes mes faiblesses, je la conjurai de me donner part à son amitié, je lui demandai des conseils et l'obligeai de souffrir que je lui racontasse mes malheurs, la priant d'avoir du moins pour moi quelques sentiments de pitié, puisque Philiste n'en pouvait pas avoir. Elle reçut cela comme une bonne personne qui se laissait toucher à mon mal et me fit valoir avec tant d'art l'obligation que je lui devais avoir d'endurer que je lui fisse confidence d'une pareille chose que j'en fus abusé* et que j'eus effectivement pour elle une amitié très sincère.

Après cela, je n'avais pas un sentiment jaloux que je ne lui disse : à peine Philiste m'avait-elle regardé avec indifférence ou avec rudesse que je m'en allais plaindre à Stésilée. De sorte que, comme Philiste m'ôtait autant qu'elle pouvait les occasions de lui parler et que Stésilée, au contraire, m'en donnait toute la liberté possible, en peu de jours toute la cour remarqua l'attachement que j'avais à parler en secret avec cette fille. Et comme on savait qu'il y avait une haine cachée entre ces deux personnes, l'on ne s'imagina pas que j'eusse fait ma confidente de l'ennemie de Philiste et on crut que j'avais changé de sentiments et que les soins que je continuais de rendre à Philiste n'étaient plus que pour cacher la nouvelle passion que j'avais pour Stésilée. Antigène en eut une joie extrême et toute la cour était bien aise que je me fusse guéri d'une passion par une autre. Stésilée, à qui on en faisait la guerre quand je n'étais pas auprès d'elle, se réjouissait fort de voir que son dessein eût un si heureux événement* et Philiste seule, par un sentiment glorieux* où je n'avais point de part et qui ne regardait que Stésilée, en eut un dépit fort sensible*. Ce fier et inflexible esprit ne se porta pourtant pas à s'adoucir pour moi et elle forma seulement le dessein de me faire haïr de Stésilée si elle pouvait, par quelque voie détournée qu'elle se résolut de chercher.

Mais, afin qu'il ne manquât rien à mon malheur et que, n'étant pas aimé de la seule personne que je pouvais aimer, je le fusse encore d'une autre pour laquelle je ne pouvais avoir que de l'amitié, il faut que je vous dise malgré moi que Stésilée trouva quelque chose de si beau, de si pur, de si grand et de si vertueux dans la passion que je lui disais avoir pour Philiste qu'insensiblement elle vint à désirer que j'eusse en effet* pour

elle ce que je ne pouvais avoir que pour l'autre. De
sorte qu'agissant en personne intéressée, elle me
donna cent conseils malicieux* et adroits, que je suivis
parce qu'ils paraissaient bons et qui me détruisaient
pourtant encore davantage auprès de Philiste.

Comme les choses en étaient donc là, Antigène vint
un matin dans ma chambre et, venant à moi les bras
ouverts : "Mon cher Philoclès, me dit-il, quel plaisir
prenez-vous à me cacher votre bonne fortune [1] et la
mienne ? – Antigène, lui dis-je, sans répondre que
froidement aux marques de tendresse qu'il me donnait, s'il était vrai que je fusse heureux, vous n'en
seriez pas si aise. – Je vous proteste, me dit-il, que
votre contentement m'est aussi cher que le mien et
que je n'aurai guère plus de joie, s'il arrive jamais que
la belle Philiste m'aime, que j'en ai de ce que vous ne
l'aimez plus et de ce que vous êtes aimé de Stésilée
que vous adorez. – Je n'aime plus Philiste ! lui dis-je
tout étonné. Ah, Antigène, ne vous y trompez pas, car
c'est un sentiment que je n'abandonnerai qu'avec la
vie. – Mais, me répliqua-t-il, encore plus étonné que
moi, toute la cour, et Philiste même, vous croient
amoureux de Stésilée. – Philiste, lui répliquai-je tout
surpris, me croit amoureux de Stésilée ! – Oui, répondit-il, et je l'ai cru comme tout le reste du monde." Ce
discours m'étonna de telle sorte que je ne fus jamais
guère plus affligé que je l'étais, par la crainte que j'eus
que cela ne m'eût encore mis plus mal avec Philiste, et
par la douleur que j'avais d'être obligé de me priver de
la consolation que je trouvais dans la conversation de
Stésilée. Si bien que, sans faire un plus long discours
à Antigène, je me séparai de lui, en lui protestant toutefois que je n'avais jamais été plus amoureux de Philiste que je l'étais et que je donnerais bon ordre à désabuser* tout le monde de l'opinion qu'il avait que je
fusse amoureux de Stésilée.

---

1. Le terme est utilisé à l'époque pour désigner une aventure
amoureuse.

Cependant, comme j'avais de l'amitié pour cette personne, que je croyais lui avoir de l'obligation et que j'en avais été consolé, je crus que je ne devais pas changer ma forme de vivre avec elle sans l'en avertir. Étant donc allé chez elle par un chemin détourné, et apportant soin que l'on ne m'y vît pas entrer, je la trouvai seule dans sa chambre avec deux de ses femmes. D'abord qu'elle me vit, elle remarqua aisément que j'avais quelque nouveau déplaisir : "Qu'avez-vous Philoclès, me dit-elle, Philiste vous a-t-elle fait quelque nouvelle injustice ? – Philiste, lui dis-je, n'a pas beaucoup contribué au mal qui me fait plaindre présentement et la belle Stésilée, sans y penser, y a plus de part que Philiste." Elle rougit à ce discours, n'osant pas y donner un sens aussi obligeant que la tendresse qu'elle avait pour moi lui eût peut-être fait désirer. "Il ne m'est pas aisé, dit-elle, de deviner quel mal je vous puis avoir fait ; et je n'en sache qu'un, que je fusse capable de souhaiter de vous avoir causé, qui est d'ôter de votre cœur la passion qui vous tourmente ; car je ne doute pas que vous n'appelassiez ainsi le remède qui vous guérirait. Mais Philoclès, poursuivit-elle, ne me laissez pas plus longtemps en peine et dites-moi, s'il vous plaît, comment je puis avoir contribué à la douleur que je vois dans vos yeux.

– Votre beauté, lui dis-je, est la véritable cause de ce que je souffre. – Philoclès, dit-elle en souriant, souvenez-vous que vous parlez à Stésilée. – Je m'en souviens aussi, lui dis-je, et si elle n'était pas si belle qu'elle est, toute la cour ne se serait pas imaginé comme elle a fait que j'en suis amoureux, Philiste, qui est assez glorieuse*, ne l'aurait pas pensé et Antigène ne l'aurait pas cru. Mais, parce qu'en effet sa beauté est extrême et qu'il est difficile de comprendre qu'on la puisse voir souvent sans lui donner son cœur tout entier, on a cru que je l'aimais et on le croit encore. Toute la cour m'estime heureux d'avoir changé de chaînes, Antigène s'en réjouit et Philiste en est en colère (car je l'avais en effet appris en allant chez Stésilée). Enfin, lui dis-je, la chose en est venue au point

que je suis forcé de me priver de la seule consolation
que j'avais, qui était sans doute de vous entretenir souvent. – Quoi, Philoclès, reprit-elle toute surprise,
parce que l'on dit que vous m'aimez, vous me voulez
haïr !

– Je n'ai garde, lui dis-je, d'être capable d'un sentiment si injuste, car je vous estimerai toute ma vie et
mon amitié pour vous ne sera pas moins ferme que
mon amour le sera pour Philiste. Mais, aimable Stésilée, comme vous n'avez eu la bonté de souffrir ma
confidence que pour mon intérêt, il faut encore que
vous enduriez que je me prive de votre vue par la
même cause, afin de désabuser* Philiste. Les dieux
savent, lui dis-je, quelle peine j'ai à m'y résoudre. – Et
les dieux savent, répondit-elle en soupirant à demi, si
vous avez raison de prendre cette résolution. – Mais
que pourrais-je faire ? lui dis-je, car enfin, si Philiste
continue de croire que je vous aime, elle ne m'aimera
jamais et votre beauté est si grande que je ne pourrais
pas la détromper, si j'attendais plus longtemps à le
faire. Joint aussi, lui dis-je encore, aimable Stésilée,
que, quand l'intérêt de ma passion n'y serait pas, le
vôtre me devrait toujours obliger à me priver de votre
vue. Car, puisqu'il n'a pas plu au destin que mon
cœur pût être à vous, je n'ai garde de contribuer* rien
à cette croyance que le monde a prise et j'ai une amitié
trop véritable pour vous pour me servir d'une feinte
passion qui vous pourrait nuire. De sorte que je suis
l'homme de toute la terre le plus affligé de voir que, de
peur de déplaire à une personne qui ne m'aime pas, je
suis forcé d'en quitter une autre qui m'a donné cent
témoignages de bonté et qui a sans doute encore celle
de me plaindre de ce dernier malheur.

– Je vous en plains véritablement, répliqua-t-elle en
rougissant, et peut-être plus que je ne devrais. Mais je
m'en plains aussi bien que vous, poursuivit-elle, car
enfin, s'il est vrai que la cour croit que vous êtes
amoureux de moi, quels contes n'y fera-t-on pas à
mon désavantage, si vous cessez de me voir ainsi tout
d'un coup ? Ne pensera-t-on pas que vous avez voulu

vous moquer de Stésilée ou que nous en usons de
cette sorte par finesse ? Non, non, Philoclès, il ne faut
pas que la chose change si promptement ; ou, si vous
voulez qu'elle aille ainsi, il faut que, du moins pour ma
gloire*, il paraisse que je vous aie maltraité. – Si cela
allait de cette sorte, disais-je, je ne me justifierais pas
dans l'esprit de Philiste, puisqu'elle aurait lieu de
croire que je ne vous quitterais que parce que vous
m'auriez chassé (et en effet c'était l'intention de Stésilée que Philiste le crût ainsi). – Mais, reprit-elle, Philoclès, croyez-vous que la jalousie soit un mauvais
moyen pour se faire aimer ? Pour moi, ajouta-t-elle,
je le crois si bon que je suis persuadée que, si vous
aimiez véritablement quelque autre personne que Philiste, elle vous en aimerait plus tôt. – Oui, lui dis-je,
mais vous ne songez pas que son affection me serait
alors indifférente si je ne l'aimais plus. – Il est vrai,
répliqua-t-elle toute interdite, mais si cette autre était
moins injuste que Philiste, vous seriez toujours
heureux."

Stésilée prononça ces paroles d'une certaine façon,
qui me fit connaître que la tendresse de son amitié
était d'une nature différente de la mienne, et j'en eus
une inquiétude si grande que le reste de la conversation se passa avec une ambiguïté de paroles de part et
d'autre, qui nous persuada pourtant, à mon avis, que
nous nous entendions bien tous deux. Mais, comme je
ne pouvais changer mon cœur et que je ne voulais pas
aussi tromper une personne pour qui j'avais une véritable amitié, je me séparai d'elle en me plaignant et en
lui donnant sans doute, selon ses sentiments, beaucoup de sujet de se plaindre, par la cruelle résolution
que je prenais de ne lui parler plus en particulier et de
ne lui parler même que rarement.

Cependant, comme cette visite fut sue d'Antigène
et qu'elle fut fort longue, le changement que j'apportai
à ma forme de vivre avec Stésilée ne fit pas l'effet que
j'en attendais et il courut un bruit que cet éloignement
était une chose concertée entre elle et moi. De sorte
que Philiste n'en était pas désabusée* et Stésilée se

plaignait aigrement, quand elle en trouvait l'occasion, disant que c'était une étrange* chose que j'eusse eu si peu de soin de sa réputation que je l'eusse voulu sacrifier pour une personne qui ne m'aimait pas. Pendant ce temps-là, Philiste, d'autre côté, faisait tout ce qu'elle pouvait pour me faire haïr Stésilée, bien qu'elle ne me voulût pas aimer ; mais, quoi qu'elle pût faire, je conservai toujours beaucoup d'amitié pour elle. Il est vrai que cela ne servit qu'à me persécuter davantage, car j'étais désespéré de voir que je lui causais quelque inquiétude.

Les choses étaient en ces termes, lorsque je reçus un ordre exprès de m'en retourner à Corinthe : je vous laisse donc à juger en quel état était mon âme. Je laissais une personne que j'aimais et qui ne m'aimait point, j'en abandonnais une autre qui m'aimait un peu trop et que je ne doutais pas qui n'achevât [1] de me détruire dans l'esprit de Philiste pendant mon absence. Mais, par bonheur pour moi, le père d'Antigène ayant su où il était, lui commanda si absolument par une lettre de s'en retourner qu'il fut contraint de revenir à Corinthe, ce qui ne me fut pas une petite consolation, non plus que la nouvelle que j'appris du retour d'Alasis à sa patrie, qui devait être dans peu de temps, et j'en fis un grand secret à Antigène, car je l'avais su par une voie assez détournée. Le prince Cléobule me caressa* fort en partant et la princesse sa fille, qui est sans doute une admirable personne, me donna une lettre pour la princesse de Corinthe, qui ne m'était pas moins avantageuse que celle que je lui avais portée.

Mais, lorsqu'il fallut dire adieu à Philiste, ce fut une étrange chose, et Antigène et moi nous donnâmes bien de la peine, car nous nous y trouvâmes ensemble et je le contraignis par mon opiniâtreté à en partir en même temps que moi. J'eus donc la satisfaction de l'empêcher de dire rien de particulier* à Philiste, mais j'eus aussi le déplaisir de voir une notable différence dans les adieux de cette belle personne. Toutes les fois

---

1. Relative imbriquée (voir p. 236, note 1).

qu'elle rencontrait les yeux d'Antigène en cette dernière conversation, je voyais dans les siens, malgré elle, je ne sais quel nuage mélancolique qui, sans en diminuer l'éclat, en augmentait la douceur ; et, quand par hasard elle rencontrait les miens, je n'y voyais que de l'indifférence ou du chagrin*. Elle me dit adieu presque sans me regarder et suivit, ce me sembla, des yeux le trop heureux Antigène le plus loin qu'il lui fut possible, car je me retournai deux fois après l'avoir quittée.

De vous dire de quelle façon nous vécûmes durant notre navigation, Antigène et moi, il serait superflu, étant aisé de vous l'imaginer. Nous rêvions presque toujours et ne parlions jamais de la chose du monde à quoi nous pensions le plus. J'avais pourtant une sensible consolation de ce que j'emmenais mon rival. Pour Stésilée, je ne pus prendre congé d'elle, quoique j'en cherchasse les occasions, et le dépit, la douleur et la gloire* firent qu'elle ne voulut pas me donner de nouvelles marques de faiblesse. Enfin, nous arrivâmes à Corinthe, où Périandre et la princesse Cléobuline me reçurent avec joie, mais il n'y avait plus de plaisirs pour moi et je fuyais autant la conversation que j'avais accoutumé de la chercher. Le seul Arion était ce qui me consolait un peu, car, comme il a beaucoup d'esprit et qu'il a l'âme très passionnée, je trouvais dans son entretien et dans ses chansons je ne sais quel charme puissant, qui suspendait mes douleurs et qui m'empêchait de mourir. Cependant j'étais désespéré de ce qu'Antigène ne s'engageait point à quelque nouvelle passion.

Je vécus donc près d'un an de cette sorte, mais, à la fin, on sut qu'Alasis, père de Philiste, venait avec sa fille (car il n'avait plus de femme) habiter à son ancienne patrie. Dieux, que cette nouvelle me causa de joie ! Il est vrai qu'elle fut tempérée, parce que j'appris en même temps qu'un frère aîné de Philiste avait épousé Stésilée, quelques jours auparavant que de partir de Ialyse, et qu'elle venait aussi. J'eus sans doute quelque douleur de ce mariage ; néanmoins,

j'espérai que, comme Stésilée avait de la vertu, le
changement de sa condition en aurait apporté à son
âme et qu'au contraire il me serait avantageux d'avoir
une amie si proche parente de Philiste. Antigène, de
son côté, était si aise que sa joie paraissait en toutes ses
actions, ce qui ne troubla pas peu la mienne.

Mais enfin, cette belle compagnie arriva. Je vous
laisse à penser si j'avais préparé l'esprit de Périandre,
celui de l'illustre Mélisse et celui de la princesse Cléobuline à bien recevoir une personne qui m'était si
chère. Et je fus même assez heureux pour n'ignorer
pas que Philiste sut que je lui avais rendu cent bons
offices*. Mais, quoiqu'elle avouât m'en être obligée,
elle ne m'en aima pas davantage et elle arriva à
Corinthe la même personne que je l'avais laissée à
Ialyse, c'est-à-dire belle, très fière* pour moi et assez
douce pour Antigène. Quant à Stésilée, j'y vis un
notable changement, car sa beauté était un peu dimi-
nuée et elle avait une mélancolie si profonde sur le
visage que je n'osai jamais lui en demander la cause ;
joint aussi que, comme je ne cherchai pas à lui parler en
particulier, elle, de même, l'évita de son côté. Cependant, il n'est rien que je ne fisse pour divertir Philiste,
car elle n'osait pas refuser ouvertement mes civilités,
parce que son père, m'ayant quelque obligation, l'aurait
trouvé fort mauvais. Je lui fis donc voir tout ce qu'il y a
de beau à Corinthe et le pauvre Arion chanta si souvent
auprès d'elle pour l'amour de moi que je suis étonné
qu'une voix et qu'une lyre qui ont trouvé de la compassion parmi les dauphins et parmi les flots [1] ne purent
m'adoucir la fierté de son âme insensible.

Cependant elle demeura inébranlable. Stésilée, de
son côté, quoique résolue de ne me donner jamais nulle
marque d'affection particulière, ne laissait pas d'être
déterminée à entretenir l'aversion de Philiste pour moi.
Et en effet, cette injuste personne, depuis leur alliance,

---

1. Selon Hérodote (I, 23-24), le chanteur, jeté à l'eau en pleine
mer par des matelots, aurait été sauvé par un dauphin que sa voix
suave avait charmé.

lui avait persuadé que j'avais effectivement été amoureux d'elle. De sorte que Philiste, qui était glorieuse*, me maltraitait encore un peu plus à Corinthe qu'elle n'avait fait à Ialyse. Je ne pouvais donc jamais aller chez Philiste que je ne trouvasse que Stésilée était dans sa chambre ou que Philiste ne fût dans celle de Stésilée, ce qui me donnait bien du chagrin*. Car je ne pense pas qu'il y ait rien de plus incommode que de voir toujours ensemble une personne que l'on aime et de qui l'on n'est point aimé, et une autre de qui l'on est aimé et que l'on ne peut aimer et de laquelle encore la personne que l'on aime croit que l'on est amoureux. Cependant j'éprouvai ce supplice très longtemps, sans trouver consolation en nulle part et sans pouvoir obtenir une favorable parole de Philiste.

Il me souvient qu'un jour, comme j'étais auprès de cette cruelle fille et que quelqu'un fut venu demander Stésilée, je voulus profiter de cette occasion et la supplier de me dire s'il était possible qu'elle pût se souvenir de toutes les peines qu'elle m'avait fait souffrir à Ialyse, sans en avoir quelque léger sentiment de repentir. Et je me mis alors à repasser la naissance de ma passion et cent mille petites choses qui avaient fait une si forte impression dans mon cœur que je les sentais comme si elles fussent venues d'arriver. Mais Philiste, sans presque m'écouter, me répondait hors de propos et d'une façon assez désobligeante pour faire perdre patience à tout autre qu'à moi. Comme je voulus m'en plaindre avec respect : "En vérité, Philoclès, me dit-elle avec un sourire malicieux*, vous me devez pardonner, car je ne me souviens point de ce que vous me dites. Je sais bien, ajouta-t-elle, que j'ai eu l'honneur de vous voir à Ialyse, mais de s'imaginer que je me souvienne ici ni de ce que vous m'y dîtes, ni [1] de ce qui s'y passa quand vous y étiez, ce serait s'abuser* ; car je charge ma mémoire de fort peu de choses,

---

1. L'usage de la conjonction *ni* est dû au caractère totalement improbable de l'hypothèse formulée (voir G. Spillebout, *Grammaire de la langue française du XVIIᵉ siècle, op. cit.*, p. 364).

et le passé et l'avenir sont deux temps où mon esprit
ne s'occupe guère à penser. – Quoi, lui dis-je, injuste
personne, il ne vous souvient point que je vous ai dit
aussi souvent que je l'ai pu que je vous aimais passionnément ? – Vous en devez être bien aise, reprit-
elle, car, quand je m'en souviendrais, vous n'en seriez
pas mieux avec moi." Et, venant alors à lui repasser les
endroits où je l'avais entretenue de ma passion, tantôt
dans un jardin, une autre fois chez la princesse des
Lindes et diverses fois chez elle, je vis qu'en effet elle
ne se souvenait pas de la moitié des choses que je lui
disais, ce qui m'affligea plus que si elle m'eût dit cent
paroles fâcheuses, n'y ayant rien de si offensant, ni qui
marque davantage le mépris ou l'indifférence, que
l'oubli.

"Quoi, lui dis-je, fort touché et fort affligé, je me
souviendrai de toutes les actions de Philiste, de toutes
ses paroles et même jusqu'à ses regards, et Philiste ne
se souviendra pas de cent mille tourments qu'elle m'a
fait endurer et de cent mille preuves de passion que je
lui ai données ! Ah, cruelle personne, m'écriai-je, je
suis bien encore plus malheureux que je ne pensais
l'être ! – Et que pensiez-vous ? dit-elle en riant de ma
colère et de mes plaintes. – Je pensais du moins n'être
que haï, lui dis-je, mais, par ce cruel oubli où vous êtes
de tout ce qui me regarde, je vois bien que je suis
encore en un état plus déplorable que je ne croyais,
puisque assurément je suis méprisé. Oui, lui dis-je
encore, vous avez une âme, non seulement insensible
pour moi, mais une âme morte, s'il m'est permis de
parler ainsi. Vous me regardez sans doute sans me
voir, vous m'écoutez sans m'entendre et je ne sais seulement si vous m'oyez à l'heure que je parle. – Oui, me
répondit-elle, et je comprends fort bien que vous me
dites la plus bizarre* chose du monde ; mais je ne
vous promets pas de m'en souvenir quand je ne vous
verrai plus. – Au nom des dieux, lui dis-je, ne me
traitez pas de cette sorte ; haïssez-moi, si vous ne me
pouvez aimer, et n'oubliez pas si cruellement tout ce
que je fais pour vous, ni tout ce que je dis.

– Quoi Philoclès, me dit-elle, vous aimeriez mieux être haï qu'oublié ? – N'en doutez nullement, lui répondis-je. – Mais cependant, répliqua-t-elle, rien n'est plus éloigné de l'amour que la haine. – Pardonnez-moi, lui dis-je, car tous les extrêmes se touchent et ce cruel oubli dont je me plains l'est infiniment davantage. Il y a du moins quelque sentiment dans une âme qui hait et il n'est pas absolument impossible que l'amour naisse parmi le feu de la colère. Mais d'un esprit froid et insensible, qui ne conserve nul souvenir de tout ce que l'on a fait pour l'obliger, le moyen d'en espérer de la tendresse et de la reconnaissance ? Et le moyen enfin que vous puissiez aimer ceux à qui vous ne penserez jamais ? – Après tout, interrompit-elle, je ne puis comprendre qu'il ne vaille mieux être oublié que d'être haï. – C'est, belle Philiste, lui dis-je, que vous n'avez jamais été ni haïe ni oubliée ; mais, pour moi, à qui vous avez fait connaître ces deux sentiments par expérience, je vous déclare que j'aime encore mieux que vous vous souveniez de moi en me haïssant que de ne vous en souvenir point du tout.

– La haine est pourtant, à mon avis, un grand obstacle à l'amour, dit-elle. – Et l'oubli, répliquai-je, en est encore un bien plus grand, puisque enfin il est absolument impossible que l'amour naisse dans l'oubli et qu'elle peut naître parmi la colère et malgré la haine. En un mot, je trouve quelque chose de si inhumain, poursuivis-je, à chasser même de son souvenir un amant malheureux que je ne trouverais pas si cruel de le faire mourir effectivement. Chassez-moi donc de votre cœur, si vous ne m'y pouvez souffrir, mais laissez-moi du moins occuper quelque place en votre mémoire. Ne vous souvenez de moi, si vous voulez, que pour en dire du mal, que pour vous plaindre de mon opiniâtreté à vous aimer malgré vous. Cherchez même les voies de vous venger, et vengez-vous en effet*. Mais, de grâce, ne m'oubliez pas jusqu'au point de ne vous souvenir même plus que mon amour vous importune. Est-ce trop, Philiste, lui dis-je, que ce

que je vous demande ? – Oui, me répliqua-t-elle, car la
haine est une passion inquiète, qui trouble tout le repos
de ceux qu'elle possède ; où* l'oubli, au contraire, est
un certain endormissement d'esprit qui n'a rien de
fâcheux et qui fait que l'on passe sa vie fort doucement. – Au moins, lui dis-je tout irrité, et n'étant plus
maître de mon ressentiment, oubliez les plaisirs que
vous donne la conversation d'Antigène, aussi bien que
les chagrins que vous cause celle de Philoclès. – Mon
secret est bien encore meilleur que cela, reprit-elle
avec une raillerie piquante, car je me souviens toujours de ce qui me plaît et ne me souviens jamais de ce
qui me fâche."

Comme je lui allais répondre, la princesse Cléobuline arriva et je sortis bientôt après, m'étant impossible
de pouvoir demeurer davantage auprès d'une personne qui me refusait toutes choses jusqu'à sa haine et
qui n'avait que de l'indifférence pour moi, sans que
j'en pusse comprendre la raison. Il semblait, à cela
près, que la fortune me voulût favoriser autant qu'elle
pouvait, mais, en effet*, c'était pour me faire mieux
connaître l'opiniâtreté de mon malheur, comme vous
le saurez bientôt*. Il arriva donc qu'Antigène fut
obligé d'aller à Thèbes, pour quelque affaire importante, de sorte que, pendant son absence, j'avais du
moins la consolation de ne voir point de rival favorisé
auprès de Philiste et de pouvoir lui parler avec plus de
liberté. Mais, plus je l'entretenais, plus j'augmentais
son aversion, et la chose alla à tel excès* qu'elle ne me
pouvait plus souffrir. Cependant je ne laissais pas
d'agir comme si je n'eusse point perdu l'espérance : je
cultivais l'amitié de son frère et celle d'Alasis fort soigneusement, et je l'acquis de telle sorte qu'ils témoignaient l'un et l'autre ouvertement qu'ils eussent été
bien aises que j'eusse épousé Philiste. Mon oncle, qui
souhaitait cette alliance et qui savait que j'étais fort
amoureux de cette personne, leur en fit parler, après
en avoir écrit à mon père et ne m'en parla à moi
qu'après qu'ils eurent répondu favorablement. Ainsi,

je ne voyais nul obstacle à mon bonheur que la seule Philiste. Mais il était si grand qu'il en était invincible.

En effet, son père ne lui eut pas plutôt commandé de me regarder comme celui qui devait être son mari et ne lui eut pas plus tôt témoigné qu'il voulait être obéi sans résistance, qu'elle entra en un désespoir extrême. Elle employa Stésilée auprès de son frère, mais ce fut inutilement et elle sut enfin que ses larmes, ses plaintes et ses prières seraient inutiles. Cependant, comme il s'épandit un assez grand bruit de ce mariage dans la cour, tout le monde s'en réjouissait pour l'amour de moi et tout le monde fut chez elle pour lui en faire compliment. Mais, pour éviter une semblable persécution, elle feignit de se trouver mal durant quelques jours et, par cet artifice malicieux*, elle me priva de sa vue aussi bien que les autres. Stésilée, pendant cela, était toujours auprès d'elle où, par un sentiment que l'on ne saurait exprimer, elle me nuisait autant qu'elle pouvait et servait Antigène à mon préjudice.

Comme le chagrin de Philiste fut très violent, elle devint malade effectivement en feignant de l'être et elle la fut de telle sorte que les médecins crurent qu'elle en mourrait. Néanmoins, étant enfin échappée malgré elle, s'il faut ainsi dire, elle revint en état de pouvoir souffrir la conversation. Mais, quoi qu'on pût pourtant faire, elle demeura avec une santé languissante et une mélancolie si grande que son humeur n'était pas connaissable. Je la voyais alors comme les autres, car elle n'osait pas m'en empêcher, mais je la voyais presque sans plaisir, par l'opinion que j'avais que j'étais cause de son mal.

Durant ce temps-là, diverses personnes lui parlèrent en ma faveur et la princesse Cléobuline, entre autres, voulut savoir au vrai par quel mouvement elle agissait avec moi comme elle faisait. Mais il lui fut impossible d'en savoir autre chose, sinon qu'elle-même n'en savait rien. Elle tombait d'accord avec la princesse que j'étais d'une maison qui honorait la sienne par notre alliance, que j'avais plus de bien

qu'elle n'en pouvait espérer, que j'avais acquis quelque
estime dans le monde, que même je la méritais et que
j'avais sans doute pour elle une affection très forte,
puisqu'elle avait pu résister à tous ses mépris. Mais,
après tout cela, elle disait toujours qu'il lui était impossible de m'aimer jamais, qu'il y avait quelque chose
dans son cœur qu'elle ne pouvait vaincre, qui s'opposait à tout ce qui pouvait m'être avantageux et qui le
détruisait même entièrement. "Mais, lui disait la princesse, n'est-ce point que le choix secret que vous avez
fait d'Antigène est la seule chose qui défend l'entrée
de votre cœur à Philoclès ? – Nullement, lui disait-elle,
et quand je n'aurais aucune complaisance pour Antigène et que mon cœur serait absolument libre, j'aurais
toujours la même aversion pour Philoclès. Car enfin,
comme je ne hais point par raison et que c'est un sentiment dont moi-même je ne comprends point la
cause, il n'y en faut point chercher."

La princesse, qui me faisait l'honneur de m'aimer,
voyant le caprice de Philiste, fit ce qu'elle put pour me
détacher de son affection, mais, mon âme étant aussi
fortement portée à l'aimer que la sienne l'était à me
haïr, elle n'en put venir à bout. J'avouais malgré moi à
la princesse qu'il y avait à Corinthe d'aussi belles personnes que Philiste, d'aussi spirituelles et d'aussi
nobles ; mais je lui disais, en même temps, qu'il n'y en
avait point que je pusse aimer. Ainsi, trouvant autant
d'impossibilité à me la faire oublier qu'il y en avait à
l'obliger de ne me haïr plus, nous étions tous deux
malheureux et la seule Stésilée, dans le fond de son
cœur, trouvait quelque maligne satisfaction à notre
infortune, prenant sans doute quelque plaisir à voir un
homme qu'elle avait aimé ne l'être point de ce qu'il
aimait et à voir aussi celle qui, selon son opinion,
l'avait empêchée d'être aimée, être malheureuse par
ma passion aussi bien que par la sienne.

Cependant, Alasis était si irrité contre Philiste qu'il
lui fit dire qu'il ne la verrait plus, qu*'il n'ait su qu'elle
était résolue de m'épouser et de bien vivre avec moi.
Son frère ne lui était pas plus favorable et, tout enfin

l'affligeant et ne lui laissant nulle espérance, elle
menait une vie si mélancolique que l'on ne parlait plus
d'autre chose dans toute la cour. Il est vrai qu'elle ne
souffrait pas seule et que je partageais ses maux d'une
façon bien cruelle : quelquefois je me résolvais à ne
l'aimer plus et je m'imaginais presque que je le pourrais faire ; mais hélas, à peine avais-je pris la résolution
de n'aller plus chez elle que mes pas m'y conduisaient
malgré moi. Antigène était cependant toujours absent
et je n'avais que la seule Philiste pour cause de mes
inquiétudes.

   Un jour que je fus chez elle et que, contre sa coutume, Stésilée n'y était pas, après que quelques dames
que j'y trouvai s'en furent allées, nous fûmes l'un et
l'autre quelque temps sans parler, Philiste rêvant très
profondément sans me regarder et moi la regardant
toujours, sans oser presque commencer de l'entretenir. Je voyais sur son visage une altération si grande
que j'en étais tout ému. Mais, lorsqu'elle vint à lever
les yeux et que je les vis tout couverts de larmes,
qu'elle ne pouvait qu'à peine retenir quoiqu'elle fît
tout ce qui lui était possible pour cela, j'en fus si sensiblement touché que l'on ne peut l'être davantage.

   "Madame, lui dis-je tout hors de moi, oserais-je
prendre la liberté de vous demander si ces larmes que
je vois ont une cause que je puisse savoir ? – Vous
pouvez même encore plus, dit-elle avec une action
languissante, car vous les pouvez faire tarir. – Moi,
madame ! lui dis-je. – Oui, reprit-elle, et si vous étiez
aussi généreux* que vous devriez l'être, je serais bientôt en repos, et vous aussi. Car enfin, poursuivit-elle,
pourquoi ne me haïssez-vous pas ? – Mais, madame,
lui répliquai-je, pourquoi ne m'aimez-vous point ?
– C'est parce que je ne le puis, dit-elle. – Et c'est par
cette même raison, lui dis-je, que je ne saurais non
plus cesser de vous aimer que vous, cesser de me haïr.
– Connaissez du moins, dit-elle, par cette impossibilité, que je ne suis pas coupable. – Connaissez aussi
par la même raison, lui répondis-je, que je suis bien
malheureux, puisque je ne puis vivre sans vous et que

vous ne pouvez vivre avec moi. Je comprends pourtant beaucoup mieux, lui dis-je encore, par quelle
cause je vous aime, que je ne comprends par quelle
cause vous ne pouvez souffrir ma passion. – Ne cherchez ni raison ni excuse à ce que je fais, dit-elle, car je
n'y en cherche pas moi-même. – Peut être, lui dis-je,
que le temps et mes services vous changeront. – Non,
Philoclès, répliqua-t-elle, ne vous y trompez pas : jusqu'ici j'ai conservé encore quelque bienséance, j'ai
inventé des prétextes pour différer le mariage que
mon père a résolu de faire de vous et de moi, j'ai feint
d'être malade et je la suis devenue en effet*. Mais,
après tout, s'il ne change et si vous ne changez, je me
résous à lui désobéir ouvertement et, par conséquent,
à être blâmée de tout le monde ; cependant je ne saurais faire autre chose.

– Quoi, madame, lui dis-je, vous êtes absolument
déterminée de vous opposer à mon bonheur ? – N'ap-
pelez point ainsi, dit-elle, un mariage qui vous serait
désavantageux aussi bien qu'à moi ; car quelle douceur trouveriez-vous à me voir dans une mélancolie
continuelle et à recevoir cent marques d'indifférence ?
Non, Philoclès, vous ne seriez point heureux ; et si
vous étiez sage, vous en useriez autrement. Je suis
même assez généreuse, dit-elle, pour ne vouloir pas
punir cruellement un homme qui m'aime comme
vous m'aimez, et votre intérêt ne se trouve pas moins
que le mien en cette rencontre*. Je sais bien, ajouta-
t-elle, que je ne vous épouserai jamais, quand toute la
terre entreprendrait de m'y faire consentir ; mais je
sais bien aussi qu'aimant la gloire comme je l'aime, je
vous aurais beaucoup d'obligation, si vous ne me
réduisiez pas dans la fâcheuse nécessité de faire une
résistance ouverte à mon père et que, de vous-même,
vous prissiez la résolution de m'abandonner.

– De vous abandonner, madame ! lui dis-je avec
une douleur extrême, eh dieux ! comment vous pourrais-je obéir ? – Mais aimerez-vous mieux, dit-elle,
que je vous regarde comme mon persécuteur ? que,
de l'indifférence où je suis pour vous, je passe à la

fureur contre vous et au désespoir contre moi-même ?
et qu'enfin vous me rendiez aussi malheureuse que
vous êtes infortuné ? Vous pouvez bien juger, me dit-
elle, que si je vous pouvais aimer, j'obéirais à mon père ;
car si cela était, que manquerait-il à mon bonheur ?
Mais, ne le pouvant pas, quelle justice y a-t-il à vouloir
de moi des choses qui n'en dépendent point ? Y a-t-il
jamais eu de domination si tyrannique que celle que
l'on prétend avoir sur mon âme ? Pensez à vous, Philoclès, pensez à vous, et s'il vous reste quelque raison,
servez-vous-en pour adoucir vos malheurs et pour
faire cesser les miens.

   – Quoi, madame, lui dis-je, vous prétendriez que je
vous laissasse dans la liberté d'épouser Antigène ! Ah !
non, non, je vous aime trop pour y consentir. Si j'étais
persuadé, poursuivis-je, que le mépris que vous avez
pour moi fût causé par une simple aversion naturelle
que vous ne pourriez vaincre, j'ai une passion si respectueuse pour vous que je serais capable de me
résoudre à mourir, en me résolvant de ne vous donner
plus jamais aucune marque de mon amour et de ne
vous persécuter plus. Mais, injuste personne que vous
êtes, cette aversion que vous avez pour moi est forti-
fiée par l'inclination que vous avez pour Antigène et
vous ne voulez bannir Philoclès que pour lui donner la
place qu'on lui destine. Cependant sachez que c'est ce
qui n'arrivera jamais : Antigène a été mon ami, il est
vrai, mais dès qu'il a été mon rival, il a dû se préparer
à voir rompre tous les nœuds de cette amitié. J'ai
retenu jusqu'ici mon ressentiment, je l'ai vu favorisé,
je l'ai vu aimé, mais je ne le verrai point mari de Philiste. C'est pourquoi, si ce n'est que pour vous donner
à Antigène que vous voulez vous ôter à Philoclès,
changez de dessein, Philiste, et pour obliger Philoclès
à n'attaquer pas Antigène, rendez-le heureux.

   – Il faudrait que les dieux changeassent mon cœur,
répondit-elle, et comme je ne pense pas qu'ils le fassent, tout ce que je puis est de vous dire que, quand
Antigène ne serait plus au monde et que je ne l'aurais
jamais connu, je serais pour vous ce que je suis. – Mais

avouez du moins la vérité, lui dis-je, Antigène aurait la
gloire d'être choisi par la belle Philiste, si Alasis y consentait. – Je suis trop sincère, répliqua-t-elle, pour
vous nier ce que vous dites. – Ah, cruelle personne, lui
dis-je, voulez-vous me désespérer ? – Mais vous-
même, Philoclès, dit-elle, voulez-vous me faire perdre
la raison ? Quel droit avez-vous sur mes volontés ?
Vous ai-je donné quelque espérance, depuis le temps
que je vous connais ? – Non, lui dis-je, mais vous
m'avez donné beaucoup d'amour. – En suis-je coupable ? reprit-elle, et ne vous ai-je pas prié mille fois
de n'en avoir plus pour moi ? Enfin, dit-elle encore,
tout ce que vous me pourriez dire serait inutile, car je
ne serai jamais à Philoclès.

– Et je jure par les dieux, interrompis-je, qu'Antigène ne sera jamais possesseur de Philiste, tant que
Philoclès sera vivant. – J'aimerai encore mieux ce mal-
heur-là que l'autre, répliqua-t-elle. – Le voulez-vous
ainsi ? lui dis-je, l'esprit rempli de colère, de jalousie et
d'amour tout ensemble. – Je vous l'ai déjà dit, répondit-elle. – Puisque cela est, poursuivis-je, sachez que
vous pouvez vous délivrer du malheureux Philoclès. Il
ne vous persécutera plus et ne vous verra même plus
si vous voulez. – Et par quelle voie, dit-elle, puis-je
obtenir un si grand bonheur ? – En rompant avec
Antigène, lui dis-je, et en me promettant solennellement de ne le voir jamais non plus que moi. Car de
s'imaginer que je vous quitte et que je vous laisse en
état de passer cent heureux jours avec mon rival, c'est
ce qui n'arrivera jamais. Je sais bien, madame, que je
sors en quelque façon du respect que je vous dois,
mais quiconque n'a plus de raison n'est plus assujetti
à aucune bienséance. Parlez donc, madame, voulez-
vous que Philoclès ne vous voie plus ? Vous le pouvez
présentement.

– Quand vous seriez mon mari, reprit-elle, que
pourriez-vous faire davantage que ce que vous faites ?
– Si je possédais cet honneur, lui dis-je, je me confie-
rais à votre vertu. Mais, n'étant que l'objet de votre
aversion, je ne me dois fier qu'à moi-même. Ainsi,

madame, si vous voulez que je n'oblige pas Alasis à vous forcer d'accomplir la parole qu'il m'a donnée, écrivez une lettre à Antigène, qui lui défende absolument de vous voir à son retour, et je vous laisserai en paix. À condition toutefois que la promesse que vous me ferez sera sincère et que vous n'épouserez jamais Antigène. – Vous me dites de si étranges* choses, me répondit-elle, que je ne sais comment je les puis endurer. – Vous m'en répondez de si cruelles, répliquai-je, que je m'étonne comment je les puis entendre sans mourir. Quoi qu'il en soit, lui dis-je, Antigène ne profitera point de ma disgrâce.

– Mais puisque je ne puis être à vous, reprit-elle, que vous importe à qui je sois ? – Que m'importe ! lui dis-je, madame. Ah, que vous connaissez mal la passion qui me possède ! de croire qu'il n'y ait aucune différence entre un rival aimé et un autre qui ne l'est pas. Je sais bien, poursuivis-je, que perdre la possession de ce que l'on aime est un mal fort grand ; mais en voir jouir un rival, et un rival aimé, en est un incomparablement plus terrible. Ainsi ne pensez pas que je puisse jamais changer de sentiments. – Donnez-moi du moins quelques jours, dit-elle, à raisonner sur une proposition si bizarre*. – Je vous les accorde, madame", lui dis-je en soupirant, puis revenant tout d'un coup de mon transport, "et veuillent les dieux, poursuivis-je, que pendant ce temps-là vous puissiez changer de sentiments pour moi".

Ce fut de cette sorte que je quittai Philiste, que je laissai dans une inquiétude extrême, car elle voyait que je lui avais donné un moyen de se délivrer de mes importunités, mais, pour l'accepter, il fallait quitter Antigène, qu'elle ne haïssait pas. D'autre part, elle craignait que, si elle s'obstinait davantage là-dessus, il n'arrivât de deux choses l'une : ou que son père la forçât à m'épouser, comme il y avait grande apparence qu'il ferait, ou que je ne tuasse Antigène. De mon côté, je n'étais pas moins en peine qu'elle, car je voyais Philiste si malade, si changée et si mélancolique que je craignais d'être enfin cause de sa mort. De plus,

j'imaginais quelque chose de si fâcheux à violenter ses
inclinations en l'épousant, malgré qu'elle en eût [1], par
l'autorité de son père, que je ne m'y pouvais résoudre.
Quelquefois un généreux* dépit me faisait avoir honte
de ma lâche persévérance, mais, un moment après,
l'amour reprenait sa première place et chassait aussitôt de mon cœur tout autre sentiment. Il y avait des
instants où la colère me transportait de telle sorte que
je ne la voulais épouser que pour la maltraiter après et
pour l'ôter à Antigène, toute autre voie ne me semblant pas si sûre que celle-là. Il y en avait d'autres
aussi où, devenant un peu plus tranquille, je ne voulais
agir que par de simples soumissions. Mais, quoi que je
voulusse et que je pensasse, je voulais toujours
qu'Antigène n'épousât point Philiste.

Cependant Alasis, qui se fâchait du procédé de sa
fille, commença de vouloir hâter notre mariage et de
lui faire dire par son frère qu'il voulait absolument
qu'elle y consentît. Se voyant donc alors au désespoir,
elle m'envoya quérir et, la trouvant toute en larmes :
"Philoclès, me dit-elle, vous avez vaincu. – Ah,
madame, lui dis-je, serait-il bien possible ? – Oui, dit-
elle, et pourvu que vous rompiez avec mon père, je
vous promets de rompre avec Antigène. – Eh dieux,
madame, lui dis-je, que cette victoire est funeste et
qu'elle me coûtera de larmes ! Mais, madame, ajoutai-
je, vous voulez bien faire la moitié de ce qu'il faudrait
pour me rendre heureux ; que n'achevez-vous ? et que
ne dites-vous que vous romprez avec Antigène pour ne
rompre jamais avec Philoclès ? – Demeurez, dit-elle,
dans les termes de votre proposition, si vous ne voulez
que je me porte à quelque résolution désespérée."
Philiste prononça ces paroles d'une manière qui me
donna de la pitié malgré ma colère, de sorte que, faisant un grand effort sur moi-même : "Mais, madame,
lui dis-je, qui m'assurera que vous romprez avec
Antigène ? – Cette lettre, dit-elle, que vous lui rendrez
ou que vous lui ferez rendre. Mais, de grâce, ajouta-

---

1. Voir p. 248, note 1.

t-elle, comme je fais pour vous tout ce que je puis, faites pour moi tout ce que vous devez et ne me voyez plus, je vous en conjure."

En disant cela, elle me quitta et rentra dans son cabinet, mais si pâle, si changée et avec tant de douleur dans les yeux que je connus aisément, malgré la mienne, qu'Antigène était encore mieux avec elle que je ne pensais. De vous dire en quel état était alors mon âme, il ne serait pas aisé. Je sortis de sa chambre et m'en allai chez moi, où je ne fus pas si tôt qu'ouvrant la lettre de Philiste, j'y lus ces paroles :

Philiste à Antigène.

Si Philoclès cesse de me voir, comme il me l'a promis, je vous conjure, par le pouvoir que vous m'avez donné sur vous, de faire la même chose. C'est par cette seule voie que je puis m'empêcher d'être à lui, et c'est seulement par sa volonté que la mienne n'est pas entièrement tyrannisée par mon père. Pour n'épouser pas celui que je n'aime point, il faut me priver de celui que j'eusse sans doute aimé, s'il m'eût été permis de le faire. Mais qu'y ferais-je ? ma cruelle destinée le veut ainsi. Cependant souvenez-vous que je prétends être obéie et que je ne veux point du tout, ni que vous querelliez Philoclès, ni qu'il vous querelle à ma considération. Car, comme il se prive de tout ce qu'il aime pour l'amour de moi, qui est moi-même, il est juste que vous en fassiez autant que lui, pour le repos de

PHILISTE.

Dieux, que cette lettre me donna de divers sentiments ! Tantôt j'avais quelque plaisir à penser qu'Antigène ne verrait plus Philiste et, un moment après, j'étais très affligé de voir combien j'étais mal dans son esprit. Je pensai cent et cent fois changer de résolution et cent et cent fois aussi je demeurai déterminé à suivre celle que j'avais prise. Et, en effet, j'obligeai un de mes amis d'aller trouver Alasis et de le supplier très humblement de ne vouloir pas forcer Philiste et de lui

donner du moins quelque temps à se résoudre ; qu'aussi
bien fallait-il que je fisse un voyage, pour une affaire
qui m'était survenue, qui me forçait à partir de
Corinthe dans peu de jours. D'abord, cet homme
soupçonna quelque chose de la vérité et voulut absolument que, sans s'arrêter à l'aversion de sa fille, je
l'épousasse ; mais, à la fin, il crut ce que je lui fis dire
et je partis sans dire adieu à personne, pour m'en aller
où était Antigène. Je fis ce voyage, comme vous
pouvez penser, avec une douleur extrême. Aussitôt
que je fus à Thèbes, je m'informai du lieu où logeait
Antigène et je fus l'y chercher, mais on me dit qu'il
était allé dans les jardins qui sont au-delà du château
de la Cadmée [1].

M'en étant donc fait montrer le chemin, j'y fus et je
le trouvai effectivement avec de fort belles personnes,
qui se promenait dans de grandes allées dont les palis-
sades étaient fort épaisses. Comme je le connus d'une
allée, je passai dans une autre, ne voulant pas lui parler
devant tant de monde et, arrivant vis-à-vis de l'endroit
où il était, j'entendis à travers la palissade que la
conversation de ces dames et de lui était fort galante et
fort enjouée, et il me sembla que, pour un homme
amoureux à Corinthe, il était un peu bien gai et bien
galant à Thèbes. Mais, comme je ne l'étais pas tant
que lui, je ne voulus pas me mêler dans une conversation de personnes où je ne connaissais que mon rival
et je m'en retournai l'attendre à son logis. Comme il
revint fort tard ce soir-là, il s'en fallut peu qu'il ne
lassât ma patience. J'avais pourtant une si forte envie
de lui donner une mauvaise nouvelle que je l'attendis.

Il ne fut pas plus tôt venu que, montant à sa
chambre, où ses gens, qui me connaissaient, m'avaient
mis, je m'avançai vers lui avec assez de froideur. Mais
je fus fort surpris de voir qu'il s'en vint à moi avec un
visage presque aussi ouvert que du temps que nous
n'étions pas rivaux. "Philoclès, me dit-il, est à Thèbes !
Eh, dieux, est-il bien possible ? – Oui, lui répondis-je,

---

1. Forteresse célèbre qui domine Thèbes.

et il y est seulement pour Antigène et par les ordres de Philiste. – Êtes-vous présentement assez bien ensemble, me dit-il, pour vous donner de semblables commissions ? – Vous le verrez par sa lettre, lui dis-je en la lui donnant." Antigène rougit en la prenant de ma main et, s'approchant de la table où il y avait des flambeaux : "J'avoue, dit-il, que je ne puis comprendre tout ceci." Mais, après avoir lu cette lettre, sans une aussi grande émotion que je m'étais imaginé qu'il la devait avoir : "Non, non, Philoclès, me dit-il, repassant quelques paroles de la lettre de Philiste, Antigène ne vous querellera point ; et quand vous le voudriez quereller, vous n'en viendriez pas à bout."

Je confesse que le discours d'Antigène me surprit, mais, après m'avoir embrassé : "Enfin, me dit-il, les dieux m'ont guéri et, quoique je ne puisse l'avouer sans quelque honte, il faut pourtant pour votre repos que je vous avoue ma faiblesse et que je vous dise que je suis aussi amoureux à Thèbes que je l'étais à Corinthe. – Quoi, lui dis-je, Antigène, aimé de Philiste, est inconstant, et Philoclès, haï et méprisé, est fidèle ! – Cela est ainsi, répliqua-t-il, sans que je puisse en dire d'autre raison, sinon que sans doute les dieux n'ont pas voulu que je fusse plus longtemps rival d'un de mes plus chers amis."

Je ne crus pourtant pas d'abord* aux paroles d'Antigène et, le lendemain, il me fit voir la personne qu'il aimait alors, qui en effet était un miracle de beauté [1]. Je m'en informai encore dans la ville avec adresse et je sus qu'effectivement, depuis qu'il était à Thèbes, il en avait toujours paru fort amoureux. Nous renouâmes donc notre ancienne amitié et je m'en retournai à Corinthe, avec la permission de faire savoir son inconstance à Philiste, espérant que peut-être cela me pourrait servir. Mais hélas, cette espérance fut bien mal fondée ! car, ne pouvant se venger sur Antigène de son infidélité, elle s'en vengea sur moi et me

---

1. Cette personne est en fait Léontine, héroïne de l'histoire suivante, celle de l'« amant en deuil » (voir p. 355 *sq.*).

traita plus cruellement qu'elle n'avait encore fait. En
ce temps-là, son père mourut, si bien que, n'ayant
plus nul espoir, et elle agissant avec plus d'autorité
qu'elle ne faisait pendant qu'Alasis était en vie, il fallut
ne la plus voir. Et, pour achever mon malheur, cette
cruelle fille, qui était revenue en santé et plus belle que
jamais, s'en retourna à Ialyse, chez une tante qu'elle y
avait (car sa mère était de ce pays-là) et elle y fut
mariée quelque temps après, sans m'avoir jamais
donné que des marques d'aversion, ou, à tout le
moins, d'indifférence.

Et, par conséquent, je puis dire que non seulement
j'ai été privé de toutes les douceurs de l'amour, mais
que j'en ai éprouvé tous les supplices, n'y en ayant
point sans doute qui égale celui-là. Aussi ne pus-je
plus souffrir le lieu où je l'avais si longtemps enduré
et, malgré tout ce que l'on me put dire, je quittai
Corinthe et je m'en retournai en Chypre, où j'ai
continué d'adorer, comme je fais encore, cette rigoureuse personne. De sorte que, sans pouvoir jamais
espérer d'être aimé, je vois bien que j'aimerai toujours
et que, par conséquent, je serai toujours malheureux.

L'absence est sans doute un mal très sensible*, mais
être absolument éloigné du cœur de la personne que
l'on aime est une chose bien plus cruelle que de n'être
éloigné que de ses yeux. Ce mal a cent mille remèdes
qui le soulagent, du moins, s'ils ne le guérissent pas :
le souvenir des choses agréables, accompagné de
l'espérance du retour, donne certainement d'assez
douces heures, quoique Timocrate en veuille dire, et je
ne sais même si le plaisir de revoir ce que l'on aime,
après en avoir été privé quelques jours, n'est pas plus
grand que tous les maux que l'absence peut causer.
Mais de s'imaginer que l'on n'est point aimé et qu'on
ne le sera jamais, c'est un supplice que l'on ne peut
comprendre, à moins que de l'avoir éprouvé, et par
lequel l'absence toute simple ne peut entrer en comparaison de cette grande absence dont je parle, elle qui
comprend toute sorte d'absences, puisque même en la

présence de ce que l'on aime, on est éloigné de son
cœur et de son esprit.

Je confesse sans doute* que la mort d'une maîtresse
est plus rigoureuse que l'absence. Mais je n'endurerai
pas que l'on dise que celui qui n'est point aimé soit
moins malheureux que celui qui perd ce qu'il aime.
Ce dernier mal est certainement un mal violent. Toutefois, suivant l'intention de la nature, il perd quelque
chose de sa force, dès qu'il est arrivé à son terme.
Mais celui que je souffre, contre l'ordre de tout l'univers, est violent et durable. Plus il dure, plus il s'augmente, où* l'autre, au contraire, diminue en avançant.
L'impossibilité de pouvoir ressusciter une personne
morte fait que l'âme se repose malgré elle dans sa
propre douleur : elle s'enferme, pour ainsi dire, dans
le tombeau de ce qu'elle aime et, s'assoupissant parmi
l'épaisseur des ténèbres du cercueil, elle y languit à la
fin plus qu'elle n'y souffre et il y a même quelque sorte
de consolation à arroser de ses larmes les cendres de
sa maîtresse. Mais un amant méprisé, qui se voit mort
dans le cœur de ce qu'il aime, ne jouit d'aucun repos,
car, étant persuadé pour son malheur qu'il n'est pas
absolument impossible qu'il n'arrive quelque changement en ses affaires, il forme cent desseins différents
qui, ne réussissant point du tout, le désespèrent tous
les jours. Il espère autant qu'il faut pour être inquiet et
non pas pour être consolé. Ainsi, faisant tout ce que
les autres ont accoutumé de faire pour être aimés, il le
fait pourtant inutilement. Plus il aime, plus on le
méprise et, sans pouvoir guérir et sans même le pouvoir désirer, il endure un mal incroyable.

La jalousie est encore un poison bien dangereux,
mais il n'a pourtant pas toute sa malignité dans le
cœur d'un amant qui a cru quelquefois être aimé. Et si
la jalousie peut tenir rang parmi les grands maux, c'est
sans doute lorsque celui qui est jaloux est persuadé
que la personne qu'il aime n'a jamais eu de sentiments
avantageux pour lui. Cependant, tout rigoureux
qu'est ce supplice, il n'approche point encore de celui
que je sens. Car enfin, je suis persuadé que, si j'avais

cru seulement un jour avoir été aimé de Philiste, le
sentiment de cet heureux jour adoucirait tous mes
maux et fortifierait mon espérance pour toute ma vie.
Un homme jaloux peut même toujours s'imaginer que
peut-être ce qu'il pense n'est pas, car cette passion,
pour l'ordinaire, n'inspire que des sentiments incertains et mal affermis. Mais quand, par une longue
expérience, on sait de certitude qu'il y a une aversion
invincible dans le cœur de la personne que l'on aime,
que reste-t-il à faire qu'à désirer la mort ? Car enfin,
les soins, les services, les soupirs, les larmes et toutes
les autres choses que font les amants les plus fidèles ne
vont qu'à tâcher d'obtenir le bien d'être aimé : c'est la
seule récompense de l'amour, c'est le seul sentiment
qui donne le prix à toutes les faveurs, sans celui-là tout
le reste n'est rien et c'est pour l'acquérir que l'on
souffre des années entières. Faut-il donc s'étonner si,
étant privé de ce qui est le terme et le souhait de tous
les amants qui ont aimé, qui aiment et qui aimeront, je
soutiens que je souffre plus que personne ne saurait
souffrir ? et que, par conséquent, ce serait me faire
une injustice extrême que de ne me plaindre pas plus
que tous les autres malheureux. »

Ce fut de cette sorte que Philoclès acheva de raconter son histoire et de dire ses raisons, qui semblèrent si
fortes à Martésie qu'elle ne put s'empêcher de dire
tant de choses contre Philiste que Philoclès fut contraint
de prendre son parti et de la vouloir encore excuser.
« Pour moi, dit Cyrus, quoique je la blâme, je ne laisse
pas de la plaindre aussi bien que Philoclès, car il faut
que les dieux soient bien irrités contre elle de lui avoir
fait regarder comme un malheur ce qui pouvait la
rendre très heureuse. – Mais, puisqu'elle est elle-
même la cause de la perte de son bonheur, reprit Érénice, il me semble, seigneur, qu'elle a mérité de le
perdre. – Ainsi, Philoclès, interrompit Aglatidas, en est
sans doute* plus à plaindre, car si la fortune avait
toute seule traversé* ses desseins, il se consolerait plus
aisément que de voir que Philiste les a détruits. – Ce
mal est grand, reprit Timocrate, mais quand je songe

à celui que je souffre, il me paraît bien petit. – Je le trouve pourtant plus insupportable que le vôtre, lui répliqua le prince Artibie, et néanmoins mille degrés au-dessous du mien ; eh, plût aux dieux que l'adorable personne dont je regrette la perte fût en état de me le faire endurer. – Ce souhait est bien étrange*, ajouta Léontidas ; je ne sais toutefois si ceux que j'ai faits souvent dans mes jalousies ne vous le paraîtront point davantage. – Ce n'est pas encore à vous à parler, interrompit Martésie, et si vous le trouvez bon, seigneur, dit-elle en regardant Cyrus, le prince Artibie, suivant l'ordre que vous avez approuvé, parlera devant Léontidas. – Vous êtes leur juge, répliqua Cyrus, et ce n'est qu'à vous qu'ils doivent tous obéir ; aussi crois-je que le prince Artibie s'y dispose. »

En effet, après avoir rappelé en son esprit toutes les funestes idées de la mort de sa maîtresse, le visage lui changea, ses yeux devinrent encore plus mélancoliques qu'auparavant et, après avoir soupiré deux ou trois fois, il commença son récit de cette sorte.

L'AMANT EN DEUIL
TROISIÈME HISTOIRE

« Le souvenir des malheurs est sans doute assez agréable à ceux qui ne les souffrent plus et qui, comme des gens échappés du naufrage, racontent les périls qu'ils ont évités, n'étant plus en lieu ni en état de les pouvoir craindre. Mais, le mal que je souffre étant un mal éternel ou qui, du moins, ne finira qu'avec ma vie, il ne me serait pas aisé d'avoir l'esprit assez libre pour vous pouvoir raconter exactement la naissance et le progrès de ma passion. Joint que, quand il serait possible de trouver quelque douceur à se plaindre de semblables maux, il n'y en aurait point à se souvenir des plaisirs passés et dont l'on ne peut plus jamais jouir. Dispensez-moi donc, je vous en conjure, de m'étendre sur tout ce qui ne sera point funeste et ne trouvez pas mauvais que mon âme, accoutumée à ne penser qu'à la mort, ne vous entretienne que de choses mélancoliques et ne remplisse votre imagination que d'urnes, de cendres et de tombeaux.

Je ne vous dirai point par quelles raisons le prince de Cilicie [1], mon frère, m'envoya à Thèbes car, cela étant inutile à vous faire connaître quelle a été ma passion, il suffit que vous appreniez que j'y fus deux années entières. Mais il sera peut-être à propos que vous sachiez seulement que la princesse ma mère était de la race de Cadmus [2], fils d'Agénor, si illustre parmi les Thébains, afin que vous ayez moins de peine à croire qu'un Cilicien n'ait pas été traité en Barbare parmi des Grecs. Je fus donc à Thèbes avec un équipage* digne de ma naissance. J'y fus reçu avec beaucoup d'honneur et, en peu de jours, je connus tout ce qu'il y avait de grand et de beau en ce lieu-là. Celui qui était alors boéorarche, c'est-à-dire capitaine général de la Béoce, avait un fils nommé Polymnis, à peu près de même âge que moi, avec qui je fis une amitié très particulière, et qui me fit voir tout ce qu'il y avait de dames de qualité dans Thèbes, parmi lesquelles j'en trouvai grand nombre d'admirablement belles.

Mais, dans toutes les compagnies où je me trouvais, je n'entendais parler que de la maladie d'une fille de la ville que l'on disait être la plus belle chose du monde. Et, comme je demandai à Polymnis s'il était vrai que cette personne que l'on disait qui était en danger de mourir [3] fût plus belle que tout ce que j'avais vu à

---

1. Personnage d'importance tout à fait mineure dans le roman, occasionnellement mentionné sans être impliqué dans aucune histoire. La Cilicie antique est la région qui correspond à la côte sud-est de la Turquie actuelle.

2. Cadmus (ou Cadmos), héros venu de Phénicie, est le fondateur de Thèbes (Hérodote, V, 57-58 ; le récit figure également au troisième livre des *Métamorphoses* d'Ovide).

3. Relative imbriquée (voir p. 236, note 1).

Thèbes, il m'assura de nouveau qu'elle avait plus de beauté toute seule que toutes les autres ensemble. J'appris ensuite qu'elle était sa parente, qu'elle était descendue d'Étéocle, neveu de Créon et fils d'Iocaste [1], qui avaient porté la couronne avec tant d'infortunes, et que cette personne avait toutes les qualités qui pouvaient la rendre accomplie. Je commençai donc de m'intéresser à sa conservation sans la connaître, et il n'y avait point de jour que je ne demandasse à Polymnis comment se portait sa belle malade, sans en avoir pourtant, comme vous pouvez penser, une plus grande inquiétude que celle que l'amour des belles choses en général peut causer et que la compassion naturelle peut inspirer à un homme qui a l'âme tendre et l'imagination assez vive. Cependant, il était aisé de connaître ses amants, car ils étaient tous si mélancoliques que les plus discrets faisaient voir leur passion par leurs larmes ou, à tout le moins, par leurs soupirs.

Un jour que Polymnis et moi passions devant la porte de Léontine (car cette belle personne se nommait ainsi et c'était la même qui avait guéri Antigène de l'amour de Philiste), nous y vîmes entrer beaucoup de gens avec précipitation et nous en vîmes aussi sortir quelques autres le visage tout couvert de pleurs. Polymnis arrêtant une des femmes de Léontine qu'il vit être fort affligée, elle lui dit que sa maîtresse se mourait et qu'elle allait quérir une de ses amies qu'elle avait demandée auparavant qu'elle perdît la parole. Polymnis, qui était parent de cette personne et qui l'aimait fort, me demanda la permission d'entrer chez elle, mais, bien loin de la lui refuser, je lui dis que j'irais aussi. En effet, nous entrâmes dans cette maison, où il n'y avait plus aucune cérémonie à observer tant le mal de Léontine y causait de désordre. Toutes les portes

---

1. En effet, Jocaste, mère et femme d'Œdipe, et Étéocle, enfant issu de cette union incestueuse (de même que Polynice, Antigone et Ismène), sont les plus illustres représentants de la dynastie thébaine, dont les malheurs sont contés dans diverses pièces d'Eschyle, de Sophocle et d'Euripide.

étaient ouvertes, tous les domestiques étaient en
larmes, diverses chambres où nous entrâmes étaient
pleines de monde et, après avoir traversé plusieurs
appartements où nous trouvions toujours des personnes affligées, nous arrivâmes enfin à son antichambre.

Mais, Polymnis n'y ayant point encore trouvé de
gens qui pussent lui dire bien précisément en quel état
était sa parente, il m'y laissa et entra dans sa chambre
dont la porte était ouverte et qu'il vit toute pleine de
gens qui n'y devaient pas plutôt entrer que lui, car,
dans la douleur que le mal de Léontine causait, tout
était en confusion. Après l'avoir vu entrer, je ne sais
par quel sentiment je fus poussé, mais je sais bien que,
sans en avoir l'intention, je m'approchai de cette porte
et que, voyant encore entrer d'autres gens, j'entrai
comme eux et, me mêlant parmi la presse, je vis
d'abord un grand pavillon de drap d'or, retroussé tout
à l'entour et, sur un lit qui était dessous, l'incomparable Léontine évanouie. Mais, dieux, que cet objet
me surprit et me toucha, et que la vue d'une si grande
beauté en un si pitoyable état causa de trouble en mon
âme ! Elle était couchée négligemment sur le côté, la
tête un peu renversée, ses cheveux à demi dénoués, la
gorge un peu découverte, le bras droit pendant hors
du lit, le gauche nonchalamment étendu sur sa cou-
verture, les yeux fermés et la bouche un peu entrou-
verte, sans donner nul signe de vie que par une respi-
ration faible et précipitée qu'à peine on pouvait
discerner. Cependant, quoique la pâleur de la mort fût
sur le visage de Léontine, je puis pourtant dire que
jusqu'alors je n'avais jamais rien vu de si beau, étant
absolument impossible de trouver une plus grande
beauté que la sienne.

Je vous laisse donc à juger si j'eus de la douleur de
la voir en cet état et de remarquer que tous les
remèdes qu'on lui faisait ne servaient de rien. Je la vis
durant une heure, à ce qu'il me semblait, toute prête à
expirer. Polymnis, qui m'aperçut, s'étant approché de
moi, voulut me faire sortir à diverses fois afin de s'ôter

devant les yeux un objet si triste, mais voyant qu'on ne prenait pas garde à nous et que nous y pouvions demeurer, je l'y retins sans savoir pourquoi, car j'étais si touché de voir Léontine en cet état, quoique je ne l'eusse jamais vue en un autre, que je m'en étonnais moi-même. Mais enfin, comme on perdait presque tout à fait l'espérance, je vis en un moment je ne sais quel lustre incarnat se mêler à la blancheur de son teint et chasser cette pâleur mortelle qui s'était épandue sur son visage. Un moment après, elle ouvrit les yeux, mais quoiqu'elle les refermât aussitôt, je vis pourtant briller quelque chose de si éclatant que j'en fus ébloui. Ensuite elle soupira et, changeant de posture avec assez de vigueur, elle donna un signe évident d'un amendement* notable. De sorte que les médecins, reprenant quelque espérance, firent sortir tout le monde de sa chambre, à la réserve de ceux qui la pouvaient servir, afin qu'elle eût plus d'air et qu'ils pussent mieux l'assister. De vous dire comment Léontine à demi morte fit naître une passion immortelle dans mon cœur, ce me serait une chose impossible, et il suffit, ô mon équitable juge, que vous sachiez que j'aimai Léontine toute mourante qu'elle était et que la compassion attendrit tellement mon cœur que l'amour le blessa sans résistance. Depuis cela, je fus plus soigneux que Polymnis d'envoyer savoir de ses nouvelles, et même plus soigneux que tous ses anciens amants.

Cependant il plut aux dieux de la redonner à la terre : elle vécut, elle guérit et revint en santé parfaite, mais si belle, si charmante et si merveilleuse en toutes choses que je m'estimai heureux d'être son esclave. Polymnis me mena chez elle dès qu'elle fut en état d'être vue, j'en fus reçu avec beaucoup de civilité et je trouvai des grâces dans son esprit qui n'eussent pas eu même besoin de celles de sa beauté pour captiver le mien, s'il n'eût pas déjà été à elle. Je ne vous dirai point, suivant ce que je me suis proposé, que je fis toutes les choses qu'une amour naissante a accoutumé de produire et que je fis tout ce que je pus pour lui plaire, pour la divertir et pour en être estimé. Mais je vous dirai seulement, qu'encore que je ne réussisse pas trop mal en ces trois choses, je fus pourtant très longtemps sans recevoir nulle marque de complaisance pour la passion que j'avais dans l'âme. Léontine était très civile, mais, comme elle l'était pour tout le monde, mon amour n'était guère satisfaite.

Néanmoins, quoique je crusse fortement qu'elle ne m'aimait point du tout, je ne laissais pas de l'aimer infiniment et, en effet, je m'en aperçus quelque temps après sa guérison, car, étant allée à la campagne avec quelques-unes de ses amies, il courut un bruit à Thèbes qu'elles s'étaient noyées au passage du fleuve Ismène [1], leur chariot s'étant renversé au milieu de cette rivière. L'on racontait même toutes les circonstances de ce funeste accident : on disait que Léontine avait été trouvée morte, à cinq ou six stades [2] de l'endroit où le chariot avait été rompu et il n'y avait presque point lieu de douter de cette tragique nouvelle. De vous dire comme je la reçus, il ne me serait pas facile : j'en perdis la parole et j'en pensai* perdre la vie. Je ne saurais non plus vous raconter bien précisément ce que je dis et ce que je fis, car ma raison se troubla de telle sorte que ma douleur apprit à tout le monde ce que j'avais eu bien de la peine à cacher, parce que l'humeur de Léontine n'était pas d'aimer ces adorateurs publics qui font vanité de leur passion. Comme il y avait deux journées de Thèbes jusqu'au lieu où l'on disait que ce malheur était arrivé, il fallut quelque temps pour en avoir des nouvelles. Mais, dieux, toutes les heures mesurent des siècles, car je les passai sans espérance, et si Polymnis qui savait mon amour ne m'en eût empêché, j'aurais été moi-même au lieu où l'on disait que Léontine s'était noyée.

Mais enfin, l'impatience m'ayant pris, je sortis à cheval de la ville, ne sachant ce que je voulais faire, si

---

1. L'indication géographique est précise et correcte : Strabon (X, 2, 24) confirme l'existence de ce cours d'eau qui traverse la campagne proche de Thèbes.
2. Voir p. 90, note 2.

ce n'était que je voulais du moins aller le long du chemin par où l'on devait rapporter le corps de Léontine. Polymnis, qui sut que j'étais sorti, me suivit et, me voulant consoler, il me disait qu'après tout j'étais heureux de ce que sa parente ne m'avait pas été plus favorable, puisque, si elle m'eût aimé, j'en eusse été encore plus infortuné que je n'étais. "Ah, injuste ami, lui dis-je, vous ne savez pas aimer ! Quoi, poursuivis-je, vous croyez qu'il fût possible que je fusse plus affligé que je ne suis ! Non, non, lui dis-je encore une fois, vous ne savez ce que c'est qu'amour. Hélas, disais-je encore sans plus songer que Polymnis était là, Léontine n'est plus ! Léontine la plus belle chose du monde a péri misérablement ! Elle ne m'aimait pas, il est vrai, mais elle m'aurait peut-être aimé. Et puis, quand elle ne l'aurait pas fait et que je pourrais en être assuré présentement, devrais-je cesser de la plaindre et ne suffit-il pas que je l'aimais pour la regretter éternellement ? Non, non, poursuivais-je en me retournant vers Polymnis, il ne faut pas d'autre raison pour vous prouver que je dois être inconsolable : j'aimais Léontine et je l'ai perdue, que faut-il davantage pour se désespérer ? Nous ne regrettons guère ceux qui nous aiment quand nous ne les aimons pas et nous ne laissons pas de regretter ceux que nous aimons, encore qu'ils ne nous aiment point. Pleurons donc, pleurons éternellement l'incomparable Léontine."

Comme j'en étais là, je vis que Polymnis, sans m'écouter, s'arrêtait et jetait les yeux dans une grande plaine où nous étions, car la Béoce est un pays extrêmement plat et fort découvert [1]. Je m'arrêtai donc comme lui et, regardant du même côté, je vis paraître un chariot qui était escorté par quelques hommes à cheval. Après que Polymnis et moi eûmes regardé quelque temps, pendant quoi ce chariot approchait toujours, nous le reconnûmes pour être celui de la belle personne dont je regrettais la perte. "Ah,

---

1. Strabon (X, II, 15) décrit effectivement l'intérieur de la Béotie comme un pays de « plaines sèches ».

Polymnis, lui dis-je tout hors de moi, voici le corps de
Léontine que l'on rapporte !" En disant cela, cette
funeste idée s'empara si fort de mon esprit que mon
âme se trouva trop faible pour pouvoir supporter une
si grande douleur. Je voulus pourtant pousser mon
cheval vers ce chariot qui approchait toujours, mais,
ne sachant ce que je faisais et perdant absolument la
raison, je reculais au lieu d'avancer.

Polymnis, s'étant approché de moi, m'a dit depuis
qu'il me vit le visage tout changé, les yeux égarés et
que, lui tendant la main, je lui dis en paroles peu
distinctes : "Du moins, Polymnis, je la verrai morte",
et, après cela, il vit que j'abandonnais la bride de mon
cheval et que, s'il ne m'eût soutenu, je fusse tombé. Il
me prit donc par le bras et, un de mes gens qui m'avait
suivi lui ayant aidé, il me mit à terre fort doucement,
à deux pas du chemin, où je demeurai évanoui. Polymnis se trouva alors bien embarrassé de voir son ami
mourant et de voir arriver sa parente morte, mais,
comme il était fort occupé auprès de moi et que ce
chariot commença d'approcher, il fut étrangement*
surpris d'y entendre rire des femmes, dont il y en avait
même une qui chantait. Il se leva donc pour regarder
ce que ce pouvait être et il vit Léontine à la portière du
chariot qui, l'ayant reconnu, le fit arrêter pour lui
demander ce qu'il faisait là. Mais, ayant en même
temps jeté les yeux sur moi : "Bons dieux, dit-elle,
Polymnis, n'est-ce pas le prince Artibie que je vois ?
– Oui, lui répliqua-t-il, c'est lui-même, et qui a grand
besoin de secours. Mais, lui dit-il, comment êtes-vous
ressuscitée, vous que l'on croit morte à Thèbes ? – Il
n'est pas temps de vous le dire, répliqua-t-elle, et il
vaut mieux assister votre ami."

En disant cela, elle descendit du chariot, comme
firent aussi toutes ses amies et, ordonnant à un de
leurs gens d'aller en diligence à la première maison
quérir de l'eau pour me faire revenir de mon évanouissement, Léontine s'assit charitablement auprès
de moi et me porta même la main sur le bras (à ce que

l'on m'a dit depuis) pour connaître mieux en quel état j'étais.

Cependant, celui qui était allé quérir de l'eau étant revenu et, m'en ayant jeté sur le visage, je revins à moi peu à peu. Mais, dieux, que je fus surpris de me voir en cet état et de voir l'admirable Léontine vivante, moi qui pendant ce long syncope [1] n'avais eu l'imagination remplie que de sa mort ! Comme Polymnis vit que je revenais, il s'approcha de Léontine qui, se tournant vers lui, se mit à lui demander ce qui pouvait m'avoir causé cet accident. "C'est vous, inhumaine parente", lui dit-il, et alors il lui conta en peu de mots la fausse nouvelle de sa mort et ma véritable douleur. Mais, quoiqu'elle fît semblant de ne le vouloir pas croire, elle m'a pourtant fait la grâce de me dire, depuis, qu'elle en avait été pleinement persuadée, principalement par la manière dont je la regardai quand je fus revenu, par la confusion que j'eus de me voir en cet état et par cent choses que je fis ou dis en cette occasion.

Mais enfin, après que je me fus bien assuré que Léontine était vivante et que je l'eus remerciée du secours qu'elle m'avait donné, elle ne voulut pas que je remontasse à cheval et, faisant presser toutes ses amies, elle me donna une place dans son chariot que je fus contraint d'accepter, car je ne me remis pas aisément de ma faiblesse et de la douleur que j'avais eue. En nous en retournant à Thèbes, j'appris que ce qui avait donné fondement au bruit qui avait cours de sa mort était qu'effectivement elle avait trouvé le fleuve Ismène débordé et que, l'ayant voulu guéer, elle avait pensé* y périr, mais que, par bonne fortune, n'ayant pas voulu s'obstiner de le passer, elle était revenue sur ses pas et avait été si heureuse que son chariot n'avait versé que fort près du bord, de sorte qu'elle et ses amies avaient été promptement secourues et en avaient été quittes pour la peur et pour être un peu mouillées ; que cependant elles avaient tardé un jour

----

1. Les emplois de « syncope » au masculin sont extrêmement rares, mais attestés.

pour se remettre de cette frayeur, s'étant résolues de n'achever point leur voyage, que* le fleuve ne fut abaissé ; qu'ainsi il était à croire que quelqu'un, ayant seulement vu le chariot renversé, avait semé ce funeste bruit.

Cependant cet accident me fut favorable et le silence de mon évanouissement persuada mieux Léontine que toutes mes paroles n'avaient pu faire : je la trouvai, ce me sembla, un peu moins rigoureuse qu'à l'accoutumée et, s'il m'était permis de me souvenir de choses agréables, je pourrais vous dire que je fus deux mois avec toute la douceur que l'espérance d'être aimé peut donner. Mais, comme cela n'est pas, je vous dirai seulement qu'après tant d'heureux jours, Antigène, comme vous l'avez su par Philoclès, arriva à Thèbes et y devint amoureux de Léontine aussi bien que beaucoup d'autres l'étaient. Comme il a un esprit agréable, adroit et galant, il me donna de la jalousie, que je ne pus jamais cacher, quelque soin que j'y apportasse, et je pense même que j'en témoignai un jour quelque chose à Léontine, de sorte que, comme cette belle personne avait une vertu délicate, elle s'offensa bien plus de ma jalousie qu'elle ne s'était offensée de mon amour lorsque je l'en avais entretenue. Si bien que, pour m'en corriger et pour m'en punir tout ensemble, elle traita encore Antigène plus civilement qu'à l'ordinaire.

Enfin, la chose en alla au point que, comme Léontine savait bien qu'elle n'aimait pas Antigène, elle croyait que le monde ne le croirait pas et ne se souciait point, pour se venger de moi, de le traiter plus favorablement qu'elle n'avait jamais traité personne. Mais, comme on ne lisait pas dans son cœur, on crut qu'elle préférait Antigène à tous ses autres amants, et tous les amis que j'avais faits à Thèbes venaient m'en consoler, de sorte que j'en conçus une douleur mêlée de dépit qui me fit résoudre à vaincre ma passion. Je la combattis donc, et je la vainquis, ou, du moins, je crus que je l'avais vaincue, car je ne pouvais plus voir Léontine sans colère. Je la fuyais avec soin et, effectivement, je pense que je la haïssais, et que je passai d'une extrémité à l'autre. Je priai donc Polymnis que nous allassions à la chasse durant quelque temps à une belle terre qu'avait son père, à cent stades de Thèbes, au-delà du mont Hélicon [1]. Nous y fûmes donc, et mon âme était, ce me semble, assez tranquille et assez détachée de Léontine, lorsqu'il arriva un des amis de Polymnis, un jour que nous étions en festin et en joie avec diverses personnes de qualité du voisinage. J'avais même ce jour-là, injuste que j'étais, raillé deux ou trois fois de la complaisance de Léontine pour Antigène, sans avoir, ce me semblait, senti dans mon cœur d'autre sentiment que le plaisir d'avoir dit une chose malicieuse* contre une personne que je haïssais ou que je pensais haïr.

Après donc que cet homme fut arrivé, il s'en vint à moi et, pensant m'obliger, car mes sentiments étaient devenus assez publics depuis ma jalousie : "Eh bien, me dit-il, enfin le prince Artibie sera vengé, et Antigène ne possédera point Léontine. – Comment, lui dis-je, est-ce qu'elle l'a quitté pour un autre, comme elle m'avait quitté pour lui ? – Non, dit-il, mais c'est qu'elle est morte effectivement cette fois-ci. – Léontine est morte ! lui dis-je. – Oui, répliqua-t-il, elle est morte à Chalcis où son père l'avait menée." En effet, je savais qu'elle était en l'île d'Eubée pour quelques jours, car, comme elle n'est séparée de la Béoce que par un très petit bras de mer, toutes les maisons de qualité ont des alliances d'un lieu à l'autre, et Léontine avait une tante à Chalcis. Cet homme me dit donc qu'il était venu nouvelle certaine à Thèbes que Léontine était morte et qu'il y avait même un de ses amis qui lui avait assuré, dans le temple d'Apollon Isménien [2], qu'il avait vu faire ses funérailles à Chalcis. Je le regardai alors sans lui rien dire, puis, le quittant brusquement, je m'éloignai de la compagnie l'esprit fort

---

1. Le mont Hélicon est évoqué à de nombreuses reprises par Strabon dans sa description de la Béotie (IX, 2).
2. Lieu de culte célèbre de Thèbes.

troublé et sans savoir moi-même ce que je sentais. Je souffris pourtant beaucoup et je fus me perdre dans un bois qui était derrière la maison où j'étais, afin que Polymnis ne me pût trouver s'il me cherchait.

Je fus donc plus d'une heure en un état que je ne vous saurais représenter : mon âme était affligée, mon cœur était sensiblement* touché et ma raison même ne s'opposait pas au trouble de mon esprit. Je voulus pourtant me persuader que perdre celle qui m'avait maltraité et que je haïssais était plutôt un bonheur qu'une infortune, mais, hélas, mon imagination ne me représenta pas plus tôt cette admirable personne dans le tombeau que ma haine finit et que mon amour recommença. Je ne la considérai plus ni comme inconstante ni comme injuste, et je ne la regardai que comme la plus belle chose du monde et que comme la personne de toute la terre que j'avais le plus aimée. Je voulus néanmoins faire encore quelques légers efforts pour m'opposer à ma douleur, mais il me fut impossible de la vaincre, et l'amour revint dans mon âme avec toute la rigueur dont il est capable, puisqu'il y revint sans espérance. Dès que je m'imaginais que Léontine n'était plus, tout autre sentiment s'éloignait de mon esprit, et le désespoir s'emparait si fort que je n'étais plus maître de mes actions. Je m'apercevais, sans m'en pouvoir empêcher, que je marchais tantôt vite, tantôt lentement ; je me taisais en m'arrêtant, je parlais après fort haut, quoique je fusse seul ; il y avait des instants où je pleurais avec amertume et avec abondance, et il y en avait d'autres où j'avais le cœur si serré que je ne pouvais pleurer.

Mais enfin, Polymnis, ayant su la nouvelle de la mort de Léontine par le même homme qui me l'avait apprise, m'étant venu chercher, m'ayant trouvé, me vit en un état si déplorable qu'il m'a dit, depuis, qu'il n'avait jamais vu un plus grand changement en sa vie que celui qu'il remarqua sur mon visage. "Quoi, me dit-il en m'abordant, le prince Artibie pleure la mort d'une personne qu'il haïssait et est plus affligé que moi qui ai plus de raison de l'être que lui ! – Ma haine, lui dis-je en soupirant, est morte avec Léontine, et mon amour est ressuscité pour me punir de l'avoir haïe." Enfin, la douleur fit un si prodigieux renversement dans mon âme que je n'avais jamais été plus amoureux que je l'étais, ni, par conséquent, plus infortuné. Je fus deux jours de cette sorte, au bout desquels la fièvre me prit très violente.

Mais, pour mon soulagement, je sus que la nouvelle de la mort de Léontine était encore fausse, qu'il était véritablement mort à Chalcis une fille admirablement belle qui se nommait Léontine, mais qu'elle n'était que parente de celle de Thèbes qui se portait bien, et j'appris ainsi que la seule conformité du nom et de la beauté avait abusé* ceux qui avaient semé la nouvelle de la mort de ma chère Léontine. Polymnis ne sut pas plutôt la chose que, venant à moi les bras ouverts : "Courage, me dit-il en m'embrassant et en souriant, il faut recommencer de haïr Léontine, puisqu'elle n'est pas morte." Et alors il me conta la cause de cette erreur, ce qui me donna une si grande émotion que, passant en un moment de la douleur à la joie, la fièvre m'en redoubla et je pensai* mourir la nuit suivante.

Toutefois les dieux, qui n'étaient pas encore las de me persécuter, me redonnèrent la santé et ramenèrent Léontine à Thèbes, où je retournai aussi. J'eusse bien voulu recommencer de la haïr, mais il me fut impossible. "Quoi, disais-je quelquefois, pourquoi faut-il qu'une fausse nouvelle, qui n'a rien changé dans le cœur de Léontine, ait si fort changé le mien ? et pourquoi la haïssais-je il y a quelque temps, ou pourquoi ne la saurais-je plus haïr ?" Cependant il fallut céder malgré moi à cette passion ressuscitée qui s'était rendue maîtresse de mon esprit : j'en avais quelquefois de la honte et j'en avais aussi quelquefois de la joie, me semblant qu'être au monde sans aimer Léontine était la plus injuste chose de la terre.

Cependant, comme elle avait su par Polymnis que mon mal avait été causé pour l'amour d'elle, comme, effectivement, elle ne me haïssait pas, elle changea sa forme de vivre avec Antigène et avec moi, elle me donna ce qu'elle lui ôtait et, s'il n'eût été obligé de partir de Thèbes bientôt après, il eût éprouvé à son tour quelle est la douleur d'en voir un autre plus aimé que soi. Je touchai donc le cœur de Léontine, elle souffrit que je lui parlasse de ma passion et elle m'avoua enfin que, si ses parents y consentaient, elle préférerait le séjour de la Cilicie à celui de la Grèce, quoique ce soient des pays bien différents en beauté. Je ne fus pourtant pas sans traverses*, car le père de Léontine ne voulait point marier sa fille hors de sa patrie, et il n'est point de supplice que je n'aie éprouvé par cet obstacle qui paraissait invincible, puisque, si le père de Léontine ne voulait pas donner sa fille à un étranger, le prince de Cilicie, mon frère, n'eût pas souffert non plus que je fusse demeuré simple citoyen de Thèbes. J'eus donc le déplaisir de voir Léontine persécutée par ses parents pour l'amour de moi, ayant enfin connu que la résistance qu'ils faisaient à mes desseins l'affligeait sensiblement*.

Cependant, après mille et mille traverses, Polymnis entreprit la chose si ardemment qu'il surmonta cet obstacle et fit résoudre les parents de Léontine à me la donner, pourvu que le prince de Cilicie consentît à mon mariage. J'envoyai aussitôt vers lui et, par l'entremise de la princesse ma mère, qui était de Thèbes, j'obtins son consentement. Me voilà donc le plus heureux de tous les hommes : jamais Léontine n'avait été si belle qu'elle était et, comme elle vivait alors avec moi avec plus de franchise* qu'à l'ordinaire, elle me fit voir dans son âme des sentiments qui m'étaient si avantageux que je ne pense pas qu'il y ait jamais eu de félicité égale à la mienne. On ne me parlait donc que de fêtes et de plaisirs ; tous les préparatifs de notre mariage étaient faits, tant pour le festin qui devait être superbe que pour les habillements qui étaient magnifiques, pour les jeux publics qui devaient être solennels, ou pour le bal qui devait être général durant trois jours. Enfin, ce jour que je croyais devoir être si heureux pour moi arriva et je vis le matin Léontine parée admirablement, qui, toute modeste* qu'elle était, eut pourtant la bonté de me faire voir durant un moment dans ses yeux qu'elle prenait quelque part à ma joie. Elle fut conduite au temple par son père, suivie de toutes les dames de la ville et je l'y attendis, suivant la coutume, accompagné de tous mes amis.

Mais, à peine fut-elle arrivée au pied de l'autel qu'elle fut prise, à ce qu'elle dit, d'un battement de cœur effroyable. Un moment après, elle s'assit, ne pouvant plus demeurer à genoux et, se trouvant très mal, elle fut contrainte de se plaindre à celles de ses parentes qui étaient les plus proches d'elle. Comme je la regardais toujours, je la vis rougir tout d'un coup et je remarquai enfin qu'elle était malade. Mais, hélas, pourquoi m'arrêter plus longtemps à des circonstances inutiles ! Léontine ne put achever la cérémonie. Elle eut la bonté de m'en faire excuse, on la reporta chez elle dans une chaise, où, un grand tremblement l'ayant prise, la fièvre suivit bientôt. Et, malgré sa jeunesse et tout l'art des médecins, et malgré tous mes vœux, le septième jour elle fut malade à l'extrémité. Vous jugez bien qu'en l'état qu'étaient les choses, j'eus la liberté de la voir durant son mal, à toutes les heures où la bienséance le permettait. Je la vis donc souffrir avec une patience* admirable et ne témoigner avoir autre regret à la vie que celui de m'abandonner. Elle me cachait même une partie de son mal de peur de m'affliger trop et, quoiqu'elle crût toujours mourir dès le premier moment qu'elle tomba malade, elle ne me parla de sa mort que le dernier jour de sa vie. Mais, ô jour funeste et malheureux, que vous fûtes long et terrible pour moi ! Je la vis donc souffrir presque sans se plaindre et je reçus de sa belle bouche cent assurances d'une affection toute pure et toute innocente. Elle me demanda la continuation de la mienne après sa mort et, après avoir invoqué les dieux, elle me parla autant qu'elle le put, m'ordonnant, de leur part et de la sienne, de me conformer à leur volonté. Elle me regarda encore quand elle ne put plus parler et, ayant même perdu la vue, elle tendit encore la main du côté qu'elle m'entendait plaindre et, lui donnant la mienne tout désespéré, elle la serra faiblement. Puis, un moment après, la laissant aller et faisant un grand soupir, elle expira, sans avoir même perdu sa beauté ni fait une action indécente.

Ne me demandez point, ô mon équitable juge, ce que je sentis et ce que je devins, vous étant aisé de vous imaginer qu'un homme qui l'avait tant regrettée lorsqu'il n'en était point aimé, qui l'avait même tant pleurée lorsqu'il la pensait haïr, se désespéra lorsqu'il la vit mourir de ses propres yeux en un temps où il en était aimé et tout prêt de la posséder. Aussi en fus-je touché à tel point que, sans Polymnis, je me serais sans doute tué dans les premiers moments de ma douleur. Mais il prit un soin de moi si grand que je puis presque l'appeler la cause de toutes les douleurs que j'ai souffertes depuis ce temps-là et de toutes celles que je souffrirai encore à l'avenir. Il me sembla que tout l'univers changeait de face : je ne voyais plus rien comme j'avais accoutumé de le voir ou, pour mieux dire, je ne voyais plus que Léontine morte ou mourante. Lorsque l'on m'eut arraché par force auprès de ce beau corps, son image me suivait en tous lieux et, tout éveillé que j'étais, elle m'apparaissait en cent manières différentes. Son tombeau me fut plus sacré que nos temples, son beau nom presque aussi saint que celui de nos dieux, et ma douleur me devint si chère que je haïssais tous ceux qui voulaient entreprendre de me consoler. Quoique la vue des lieux où je l'avais entretenue autrefois augmentât mon déplaisir, je les visitais pourtant très souvent : toutes les personnes qu'elle avait tendrement aimées étaient les seules que je pouvais endurer, car, excepté celles-là, quand j'eusse été seul en tout l'univers, je n'eusse pas été plus solitaire.

Enfin, quiconque n'a pas éprouvé ce que c'est que de voir mourir ce que l'on aime, ne connaît sans doute point du tout la suprême infortune. J'avoue que l'absence est un grand mal, mais quelle absence peut entrer en comparaison avec cette terrible absence qui n'a jamais de retour et qui met la personne aimée en des lieux de ténèbres et d'obscurité que l'esprit humain ne peut pénétrer, en des tristes lieux d'où l'on ne peut jamais recevoir aucune nouvelle et qui, pour tout dire en peu de paroles, fait que la personne aimée n'est plus en l'être des choses ? En vérité, c'est un sentiment si étrange* que celui que j'ai, toutes les fois que je pense que Léontine toute belle et toute parfaite n'est plus qu'un peu de cendre, que je m'étonne qu'il y ait des gens qui osent me disputer le premier rang parmi les infortunés.

Je sais bien encore que n'être point aimé est un fort grand malheur. Mais perdre une personne qui nous aime, et la perdre pour toujours, en est un beaucoup plus sensible*. Car enfin, celui qui n'est point aimé souhaite un bien qu'il n'a jamais éprouvé et dont il ne connaît pas les douceurs ; au lieu que voir mourir une personne qui nous a honoré de son affection, c'est perdre un trésor que l'on possède et dont on sait toute la richesse. Après tout, l'espérance peut encore trouver place dans le cœur de l'amant de toute la terre le plus maltraité ; mais, dès qu'une maîtresse est dans le tombeau, il n'y a plus rien à espérer et l'âme, se trouvant abandonnée de tout secours, demeure dans un désespoir si horrible qu'il est assurément inconcevable à quiconque ne l'a pas souffert.

Je n'ignore pas non plus que la jalousie est un supplice effroyable. Cependant, qui considérera bien ce qui fait le tourment d'un jaloux verra que la seule crainte de perdre ce qu'il aime est ce qui fait sa plus grande inquiétude, car, s'il était assuré de ne perdre point sa maîtresse, il serait plus en repos et il ne se soucierait pas tant d'avoir des rivaux dans sa passion. Or est-il [1] que la mort va tout d'un coup où la jalousie ne fait seulement que vous donner quelque crainte d'aller. De plus, un amant jaloux a cent choses à faire qui, en l'occupant, le soulagent. Mais voir ce que l'on

---

1. La postposition du pronom après « or » est une formulation en voie de disparition vers le milieu du siècle (voir N. Fournier, *Grammaire du français classique, op. cit.*, p. 37).

aime dans le cercueil est un misérable état qui vous laisse dans un funeste repos, pire cent mille fois que toutes les peines du monde. Vous ne savez où aller ni que faire ; tout l'univers vous est indifférent ; plus le passé a été agréable pour vous, plus il vous rend le présent insupportable, et l'avenir, en toute sa vaste étendue, ne vous donne rien de plus doux à espérer que la mort. De plus, la jalousie, étant de sa nature une passion chancelante* et incertaine, fait craindre et espérer cent fois en un jour et donne par conséquent quelques moments de relâche à l'esprit. Mais la mort de la personne aimée est un mal toujours également rigoureux à qui le temps ne peut rien ôter, car enfin Léontine serait morte pour moi dans un siècle si je vivais, comme elle l'est aujourd'hui.

Au reste, que l'on ne s'imagine pas que l'habitude adoucisse un pareil mal : c'est aux médiocres* douleurs que l'accoutumance peut quelque chose. Mais, dans les grandes et violentes afflictions, plus elles durent, plus elles sont insupportables et plus elles redoublent. Après cela, je dirai encore que l'impossibilité de trouver du remède à une semblable douleur n'est un sujet de consolation qu'en la bouche des sages et des philosophes [1], car, en l'âme d'un amant, c'est le plus effroyable supplice de tous les supplices. Oui, la cruelle pensée de savoir que tous les rois de la terre, que toute la valeur des héros, que toute la prudence* humaine, ne sauraient ressusciter une amante morte, est proprement ce que l'on peut appeler l'abrégé de toutes les douleurs que peut causer l'amour. Déclarez donc, ô mon équitable juge, que je suis le plus digne de vos plaintes, par la grandeur de mes infortunes, et j'avouerai aussi que les malheurs de Timocrate, de Philoclès et de Léontidas méritent plus votre compas-

---

1. Voir, par exemple, la « Consolation à M. Du Périer sur la mort de sa fille » de Malherbe : « En un accident qui n'a point de remède/ Il n'en faut point chercher » (v. 71-72). Artibie dénonce ici le caractère factice d'un des lieux communs les plus répandus dans la tradition de la consolation, pratiquée, dans l'Antiquité, par Plutarque, Sénèque et Cicéron.

sion que les miens par la grandeur de leur mérite. Ainsi, rendant justice à l'infortune et aux infortunés tout ensemble, j'aurai autant de sujet de me louer de votre équité que j'en ai me plaindre de mon destin. »

Le prince Artibie acheva son discours avec un saisissement de cœur si grand qu'à peine put-il en prononcer les dernières paroles distinctement, tant le souvenir de la mort de Léontine toucha fortement son esprit. Sa mélancolie passa même de son âme dans celle de toutes les illustres personnes qui composaient cette compagnie et il fut plaint avec tendresse de ceux mêmes qui lui disputaient le premier rang parmi les infortunés. Ils ne manquèrent pas de prendre garde à cet ingénieux et passionné silence par lequel il avait supprimé le reste de ses aventures depuis la mort de la belle personne qu'il aimait : comme ayant voulu dire tacitement qu'après cette mort il n'avait plus de part à la vie et qu'il comptait pour rien tout ce qu'il avait vécu ou, plutôt, langui depuis. Ils ne se rendirent* pourtant pas et, après que cette humeur sombre qu'un récit si funeste avait causée dans leur esprit se fut un peu dissipée, chacun soutint encore son opinion et la soutint même avec chaleur. Mais Cyrus, qui voyait qu'il était déjà assez tard, dit à Martésie qu'il était temps que Léontidas dît ses aventures et ses raisons, si elle les voulait juger ce jour-là. De sorte que, leur imposant silence à tous en qualité de leur juge qu'elle était, elle ordonna seulement à Léontidas de parler, ce qu'il fit de cette sorte.

L'AMANT JALOUX
QUATRIÈME HISTOIRE

« Comme la douleur agit différemment selon les divers tempéraments de ceux qu'elle possède, qu'elle est tantôt muette et puis tantôt éloquente, vous ne devez pas vous étonner si elle ne fait point en mon

esprit ce qu'elle a fait en celui du prince Artibie qui
n'a pu s'étendre dans sa narration par l'excès* de ses
déplaisirs. Pour moi, qui ne suis pas de ceux que la
douleur fait taire et qui, au contraire, ne parle jamais
tant que lorsque j'ai sujet de me plaindre, je n'en saurais user de cette sorte et je ne saurais, ce me semble,
vous persuader en peu de paroles la grandeur de mes
souffrances.

Je ne vous dirai pourtant rien d'inutile, si je le puis :
c'est pourquoi je vous apprendrai en peu de mots que
je suis de l'île de Chypre et que j'ai l'honneur d'être
d'une maison assez illustre. Je vous dirai ensuite que je
partis si jeune de cette belle île qui est consacrée à la
Mère des Amours [1] que je n'eus pas le temps d'y rien
aimer, car la guerre qui était alors entre ceux de
Samos, de Prienne et de Milet m'ayant donné envie
d'aller apprendre en ce lieu-là un métier que la profonde paix dont on jouissait en notre royaume ne me
pouvait enseigner, je quittai ma patrie et, dans le choix
des trois partis, la réputation du vaillant Polycrate [2],
qui s'était fait souverain dans l'île de Samos, m'attira
dans le sien, quoiqu'il ne fût peut-être pas le plus
juste, si ce n'est que l'on veuille dire que le droit des
conquérants soit le plus ancien de tous.

Ainsi ç'a donc été dans cette île fameuse et dans la
cour de cet illustre prince que mon amour a pris naissance et que la jalousie m'a si cruellement traité. La
réputation de l'heureux Polycrate est si grande que je
n'ai pas besoin de vous former l'idée de ce prince pour
vous faire connaître ce qu'il est et quelle doit être sa
cour. Je dirai toutefois en peu de mots que la justice, à
la place de la fortune, aurait eu peine à trouver en
toute la Grèce un homme plus accompli que celui-là
pour distribuer ses faveurs équitablement et pour le

---

1. Vénus (ou Aphrodite).
2. Le personnage de Polycrate, souverain de Samos, fait l'objet
d'un développement chez Hérodote (I, 39). Il y est présenté comme
un grand guerrier, mais également comme un tyran impitoyable. Il
n'est pas question de sa cour.

rendre parfaitement heureux, sans donner sujet d'en murmurer*. Aussi l'est-il de telle sorte que jamais personne ne l'a tant été : il était né citoyen de Samos et il est devenu souverain sans être haï ; il a toute l'autorité des tyrans les plus absolus et il possède pourtant l'amitié de ses peuples comme s'il en était le père. Tous ses desseins de guerre lui ont réussi : il s'est rendu redoutable, non seulement sur la mer d'Ionie, mais sur toute la mer Égée ; les plus grands rois font gloire d'être ses alliés et tous les voisins l'aiment ou le craignent. Il est beau, de bonne mine et de beaucoup d'esprit, et d'humeur aussi douce durant la paix qu'il est fier* durant la guerre.

Vous jugez donc bien que la cour de Polycrate doit être agréable et galante, puisqu'il est certain que, pour l'ordinaire, tel qu'on voit être le prince, telle est sa cour. Quand j'arrivai à Samos, il était prêt de s'embarquer pour aller combattre le prince des Milésiens, de sorte qu'après lui avoir été présenté par un homme de condition nommé Théanor, que j'avais connu à Paphos, je m'embarquai le lendemain avec lui, sans avoir vu personne à Samos que les officiers des galères, avec un desquels, nommé Timésias, j'eus querelle en m'embarquant et deux autres petits démêlés pendant le voyage. Cette campagne ne fut pas longue, mais elle fut heureuse, et nous revînmes après avoir vaincu tous ceux que nous avions combattus. Polycrate fut reçu à son retour à Samos avec beaucoup de magnificence et, comme j'avais eu le bonheur d'en être assez aimé pendant notre navigation, j'eus ma part aux plaisirs qu'il voulait prendre à son retour.

Le soir même que j'arrivai à Samos, après toute la magnificence de l'entrée [1] qu'on avait faite à Polycrate, Théanor, pour lequel j'avais autant d'amitié que

---

1. Une entrée est une cérémonie d'accueil d'un souverain dans une ville qui lui est sujette. Le rituel implique cortège, discours, banquets, spectacles et édification de dispositifs scéniques. Il s'agit d'une coutume de l'Europe médiévale et moderne, qui ne possède pas d'équivalent dans la Grèce antique.

d'aversion pour Timésias, commença de me vouloir
faire voir comme à un étranger toutes les belles choses
de sa ville. Il me mena dans le temple de Junon, à qui
cette île est consacrée, qui est sans doute un des plus
grands et des plus beaux du monde [1] et qu'ils estiment
d'autant plus à Samos que l'architecte qui l'a bâti était
samien. De là, nous fûmes nous promener vers un
superbe aqueduc qui surpasse tout ce que j'ai vu de
grand au monde, car il a fallu percer de part en part
une montagne qui a cent toises [2] de hauteur, au-dessus
de laquelle l'on a fait un chemin qui a plus de sept
stades de long, huit pieds de large et autant de haut, et
auprès de ce chemin l'on a creusé un canal de vingt
coudées de profondeur, par lequel on conduit dans la
ville l'eau d'une des plus belles et des plus abondantes
fontaines* du monde. Après avoir bien admiré le prodigieux travail d'Eupaline (car l'entrepreneur de cet
aqueduc, qui était de Mégare, se nommait ainsi), nous
rentrâmes dans la ville pour aller nous promener sur
une levée haute de vingt toises et longue de deux stades
et davantage, qui s'avance du port dans la mer et qui est
bordée des deux côtés de deux balustrades de cuivre de
Corinthe à hauteur d'appui, ce qui fait le plus bel objet
du monde quand on aborde à Samos.

Comme nous n'étions qu'au commencement de
l'automne et que la saison était encore fort belle, grand
nombre de dames vinrent s'y promener vers le soir,
suivant la coutume du pays. Il y en vint même plus
qu'à l'ordinaire, car, comme nous avions pris quatre
galères aux ennemis, c'était faire honneur à Polycrate
que de témoigner quelque curiosité de voir les
marques de sa victoire. Tout ce qu'il y avait presque de
dames à Samos se vinrent donc promener où nous

---

1. Les informations sur les trois merveilles de Samos contenues
dans ce paragraphe – le temple de Junon (Héra), l'aqueduc construit par Eupalinos et la « levée » (un môle) – proviennent en droite
ligne d'Hérodote (III, 60).
2. La toise (approximativement 2 m), la coudée (50 cm) et le pied
ne sont pas des unités de mesure antiques, à la différence du stade
(environ 180 m).

étions, et tout ce qu'il y avait d'hommes de condition, et de ceux qui venaient d'arriver, et de ceux qui n'avaient pas été au voyage, y vinrent aussi. Le prince Polycrate voulut même y faire un tour ou deux, et certes je n'ai jamais rien vu de plus beau que le fut cette promenade. La mer était fort tranquille et, quoique le soleil fût couché, il y avait pourtant encore assez de jour quand nous y arrivâmes, Théanor et moi, pour pouvoir discerner la beauté de toutes les dames. Comme je n'en connaissais encore aucune, je les regardais toutes indifféremment et je me divertissais à voir les unes s'appuyer sur cette superbe balustrade et regarder les galères gagnées sur les ennemis, et les autres, moins curieuses et plus solitaires, regarder seulement du côté de la pleine mer. Quelques-unes faisaient cent civilités à quelques capitaines qu'elles n'avaient point encore vus depuis leur retour, quelques autres s'attachaient à une conversation plus particulière, quelques-unes encore, sans avoir autre dessein que de voir et d'être vues, se promenaient par troupes, et toutes ensemble n'avaient autre intention que de se divertir et de passer le soir agréablement. Théanor n'était pas peu occupé à me nommer toutes les belles, car, pour les autres, je lui épargnais cette peine en ne m'informant pas qui elles étaient.

Comme ce divertissement m'était nouveau et qu'il y avait longtemps que je n'avais vu de dames, je ne pouvais me résoudre à me retirer qu*'il ne fut fort tard. Cependant, la nuit venant peu à peu, à peine se pouvait-on plus connaître. Néanmoins, il ne laissait pas d'arriver encore des gens, parce que la lune allait commencer de se lever. Théanor m'ayant quitté pour parler à quelques dames, je me promenai quelque temps seul et, après divers tours, marchant derrière deux hommes que je crus ne connaître pas, je vis briller et tomber quelque chose de la poche d'un des deux. Mon premier sentiment fut de le lui dire, mais, sans savoir la raison pourquoi, le second fut de relever ce que j'avais vu tomber et puis de le lui rendre quand j'aurais vu ce que c'était. Je me baissai donc en diligence et, trouvant à terre ce que j'y cherchais, je vis, autant que l'obscurité me le pouvait permettre, que c'était une boîte de portrait. Le temps que je fus à la relever, à regarder ce que c'était et à résoudre* moi-même si je verrais ce qui était dedans, au clair de la lune, auparavant que de la rendre, ou si je la rendrais sans la voir, fit que celui qui avait perdu cette boîte se mêla parmi d'autres personnes, si bien qu'au lieu de voir encore deux hommes devant moi, j'y vis plusieurs dames et, par conséquent, je me vis dans l'impossibilité de rendre ce que j'avais trouvé à celui qui l'avait perdu.

Je cherchai après cela Théanor pour lui raconter mon aventure, mais l'obscurité nous sépara si bien que je ne pus le rejoindre et, sans attendre, comme beaucoup d'autres firent, que la lune qui se levait éclairât encore davantage, je m'en allai en diligence à une maison où j'avais logé en abordant à Samos et où, suivant mes ordres, mes gens m'attendaient. J'y fus donc fort promptement et avec assez de curiosité de voir ce que j'avais trouvé. Je ne fus pas plus tôt dans ma chambre que, m'approchant de la table et des flambeaux, je me mis à regarder cette boîte, que j'avais tirée de ma poche dès le haut de l'escalier afin de ne perdre point de temps, et je vis qu'elle était d'or, avec un cercle de rubis et de diamants tout à l'entour que je n'arrêtai guère à regarder, quoiqu'ils fussent très beaux. Mais, l'ayant ouverte en diligence, je fus bien plus ébloui de l'éclatante beauté que je trouvai dedans que je ne l'avais été des pierreries qui ornaient cette boîte.

J'y vis donc un portrait d'une jeune et belle personne, mais un portrait si vivant que je jugeai bien qu'il était impossible que ce fût un portrait flatté. Il était touché hardiment*[1], quoiqu'il fût pourtant très fin, et l'on

---

1. Le verbe « toucher » est un des termes essentiels du vocabulaire esthétique de l'époque. Dans un de ses emplois les plus fréquents, il est utilisé pour exprimer la réussite esthétique : « Ce peintre *touche* bien un arbre, un paysage pour dire qu'il réussit fort bien à les peindre. On dit de même qu'un poète a bien *touché* une passion, un tel caractère, pour dire qu'il en a fait des expressions vives et naturelles » (Furetière).

voyait bien, par l'excellence de l'art, que le peintre avait pris plaisir à travailler après un si beau modèle. Aussi faut-il avouer que rien au monde ne peut être plus beau que ce portrait. Je le regardai donc avec admiration et, rappelant les idées de tout ce que j'avais vu de belles à la promenade, je ne me souvins point d'y avoir vu personne qui ressemblât à cette peinture ; et, en effet, cela était ainsi. J'ouvris et fermai cette boîte plusieurs fois, ne pouvant me lasser d'admirer une si belle chose ; ensuite j'eus quelque compassion de celui qui l'avait perdue, et il y eut aussi quelques moments où je lui portai envie. Car enfin, je m'imaginai que ce portrait était un portrait donné à celui qui l'avait perdu, et je l'estimais si heureux d'être aimé d'une si belle personne que j'en étais presque en chagrin*. Néanmoins, après avoir bien encore des fois ouvert et fermé la boîte et m'être bien représenté quelle inquiétude devait être celle de celui qui avait laissé tomber ce portrait, je me couchai et je dormis, quoique ce ne fût pas sans songer à la peinture que j'avais trouvée.

Le lendemain au matin je me levai, mais avec une si forte curiosité de savoir qui était cette belle personne qui était peinte et qui était celui qui avait fait une perte si considérable, que cela se pouvait presque déjà nommer une curiosité jalouse. Je m'habillai donc en diligence, et je fus chez Théanor que je trouvai prêt à sortir. Il me fit alors excuse de ce qu'il m'avait perdu le soir dans la presse, mais, sans lui donner loisir de continuer son compliment et sans prendre garde d'abord qu'il était fort mélancolique, je lui dis que notre séparation m'avait été si heureuse que j'avais plutôt sujet de l'en remercier que de m'en plaindre. "Car, lui dis-je en lui baillant* la boîte du portrait ouverte, voyez ce que je trouvai hier au soir, et aidez-moi, je vous en conjure, à découvrir qui est l'heureux amant qui a pourtant eu le malheur de perdre une chose si précieuse, et apprenez-moi ensuite le nom de cette belle personne, si vous le savez."

Théanor rougit à la vue de ce portrait et, après l'avoir pris, il fut aussi longtemps à le regarder sans me répondre que s'il n'eut pas connu de qui il était. Mais enfin, l'ayant pressé de parler : "Pour le nom de cette belle personne, me dit-il, si vous n'étiez étranger à Samos, vous ne l'ignoreriez pas, car la belle Alcidamie l'a rendu trop célèbre pour faire qu'il ne soit pas connu de tout ce qu'il y a de gens raisonnables dans notre île. Mais, pour celui de cet heureux amant que vous dites qui l'a perdu, je ne le sais point ; et peut-être, ajouta-t-il, est-ce une peinture qu'elle a donnée à quelqu'une de ses amies. – Mais, lui dis-je, c'est un homme qui l'a laissée tomber, et non pas une dame. – Cela peut être encore, me répliqua-t-il, sans que pour cela ce soit une galanterie d'Alcidamie, car elle a des parents qui pourraient avoir son portrait sans choquer la bienséance ; et, si vous m'en croyez, dit-il, vous ne montrerez cette peinture à personne, de peur de vous faire une ennemie d'une aussi belle fille que celle-là. – Ce n'est pas mon dessein, lui dis-je, de la désobliger, mais j'aurais du moins bien envie de savoir à qui est véritablement ce portrait. – Je m'en informerai, me dit-il, et je vous en rendrai compte, mais cependant, encore une fois, n'en parlez pas si vous m'en croyez, et si vous vouliez même, dit-il encore, me laisser ce portrait, je pense qu'il serait mieux en mes mains qu'aux vôtres, car je vous vois une curiosité inquiète, ajouta-t-il en souriant à demi, qui me fait craindre que vous ne puissiez vous empêcher de le montrer à quelqu'un. – Pour n'en parler pas, lui dis-je, et pour ne le montrer point, je vous le promets, mais pour la peinture, je ne la rendrai qu'à celui qui l'a perdue. Encore ne sera-ce pas sans peine, parce qu'elle me plaît infiniment." Théanor fit encore tout ce qu'il put pour ne me rendre point ce portrait, mais je m'opiniâtrai de telle sorte à vouloir qu'il me le rendît, qu'il fut contraint de le faire, en suite de quoi nous fûmes ensemble au lever [1] de Polycrate et, de là, au temple avec lui.

---

1. Cérémonie quotidienne, au cours de laquelle les officiers et les courtisans les plus favorisés sont accueillis dans la chambre à coucher du souverain. C'est une pratique moderne, transposée à la Grèce antique par les auteurs.

L'après-dînée*, ce prince eut la bonté de me présenter à la princesse Hersilée, sa sœur, qui est une personne fort accomplie, chez laquelle il y avait alors beaucoup de dames et, entre les autres, une personne appelée Ménéclide, dont l'on disait que Polycrate était amoureux. J'y vis, de plus, la merveilleuse Alcidamie, mais si belle que je n'ai jamais rien vu de si aimable. La princesse Hersilée, qui voulut me traiter en nouveau favori du prince son frère, me fit mettre auprès de cette belle personne, de qui l'esprit seconda si puissamment les charmes de sa beauté que je ne pus conserver ma franchise*. Théanor, entrant dans la compagnie et me voyant auprès d'Alcidamie, comme je viens de le dire, m'en parut un peu interdit. Néanmoins, je ne fis pas alors une grande réflexion là-dessus, car j'avais l'esprit si inquiet qu'Alcidamie sans doute* n'eut pas lieu de trouver ma conversation fort agréable. "Quel est, disais-je en moi-même en regardant tous les hommes qui avaient suivi Polycrate chez la princesse sa sœur, cet heureux et malheureux amant qui a perdu le portrait que j'ai trouvé ?" Après, je venais à penser combien cette fille eût été étonnée si tout d'un coup je lui eusse montré sa peinture que j'avais sur moi. Ensuite, je songeais combien un homme serait infortuné d'aimer une aussi belle personne que celle-là, de qui le cœur serait déjà engagé.

Enfin, je pensai cent mille choses différentes en fort peu de temps, et l'on peut presque dire que la jalousie, qui a accoutumé de suivre l'amour dans l'âme de tous ceux qui en sont capables, la précéda dans la mienne, étant certain du moins que je fis tout ce que les jaloux ont accoutumé de faire, auparavant que j'eusse donné nul témoignage d'amour par aucune autre voie. Je m'informai adroitement de qui étaient les amants d'Alcidamie, espérant par là venir à la connaissance de celui à qui appartenait le portrait. Mais ceux à qui je le demandai me dirent qu'il n'y avait pas un homme de qualité dans Samos qui ne l'eût aimée, de sorte que, mes conjectures ne trouvant point où s'appuyer : "Mais, leur dis-je, n'en a-t-elle choisi aucun ? – C'est ce qui n'est pas aisé à découvrir, me répliquèrent-ils, car Alcidamie a un esprit adroit, capable de bien déguiser ses sentiments si elle veut, et tout ce que nous vous en pouvons dire, c'est que, si elle a quelque amant favorisé, il faut qu'il soit aussi discret qu'elle est habile, puisqu'il est certain qu'il n'y en a aucun bruit dans la cour."

Deux ou trois jours se passèrent de cette sorte pendant lesquels je voyais toujours Alcidamie, ou chez la princesse, ou au temple, ou à la promenade, ou chez elle, car je forçai Théanor à m'y mener. Je dis que je l'y forçai, étant certain qu'il s'en excusa autant qu'il put. Cependant je le conjurais continuellement d'apprendre, s'il y avait moyen, à qui appartenait le portrait d'Alcidamie, et il me répondait toujours que cette curiosité inutile devait du moins être bien intentionnée et que, quand il le saurait, il ne me le dirait jamais, si je ne lui promettais auparavant de bien user de cette connaissance et ne désobliger point Alcidamie. Comme je ne pensais pas encore être fort amoureux, je lui promettais tout ce qu'il voulait, de sorte qu'à quelques jours de là il vint un matin dans ma chambre et, feignant d'être bien aise : "Léontidas, me dit-il, j'ai enfin découvert à qui appartient le portrait que vous avez trouvé, et il est à une personne de si grande importance que vous devez être ravi de lui pouvoir donner la joie de le revoir." Je rougis au discours de Théanor qui, me voyant changer de couleur, en changea aussi et me demanda pourquoi je ne le remerciais pas de s'être mis en état de pouvoir satisfaire ma curiosité.

"C'est, lui répondis-je, Théanor, que j'ai changé de sentiments et que je crains présentement autant de savoir à qui est cette peinture que je l'ai désiré, parce que je ne puis plus me résoudre à la rendre. – Je m'y suis pourtant engagé, répondit Théanor tout surpris, car je n'ai pas cru que vous voulussiez savoir à qui elle était, avec autre dessein que celui de faire cette action de justice. – Mais, lui dis-je encore, Théanor, à qui est cette peinture ? – Je ne suis plus en termes de vous le dire, répliqua-t-il, puisque vous ne la voulez point rendre, car la personne qui m'a permis de vous confier son secret ne me l'a permis qu'à condition que vous lui rendissiez ce qui est à elle : autrement, il n'est pas juste de vous apprendre une chose aussi secrète que celle-là. – Mais, lui dis-je, celui à qui est cette peinture, est-il amoureux d'Alcidamie ? – Éperdument, me répliqua-t-il. – Et ce portrait, lui répliquai-je, lui a-t-il été donné par cette belle fille ? – Quand vous me l'aurez rendu, me dit-il, vous le saurez, mais jusqu'alors j'ai ordre de ne vous rien dire. – Cruel ami, lui répliquai-je, j'aime encore mieux ce portrait que votre secret et, si j'ai à rendre cette peinture, j'aime mieux aussi que ce soit à la personne qui l'a donnée qu'à celle qui l'a perdue. – Ah Léontidas, me dit Théanor, ne faites pas ce que vous dites, si vous ne voulez me désobliger sensiblement*.''

Comme nous en étions là, on me vint dire que Polycrate me demandait, de sorte que je fus contraint de quitter Théanor. Mais, dieux, que je passai tout le reste du jour avec chagrin* ! Car enfin, je ne doutais plus, après ce que Théanor m'avait dit, que toutes mes conjectures ne fussent bien fondées et que ce portrait eût été donné par Alcidamie à celui qui l'avait perdu. Je commençais même de sentir que je n'étais plus maître de ma raison et qu'il fallait me résoudre d'aimer Alcidamie malgré moi. ''Ne suis-je pas bien inconsidéré, disais-je, de ne m'opposer pas à une passion naissante qui, apparemment, ne me peut causer que de la douleur ? Je sais qu'Alcidamie aime ailleurs, que veux-je donc obtenir d'elle ? Léontidas souffrira-t-il un rival dans le cœur de cette belle personne ou sera-t-il assez fort pour l'en chasser ? Mais quel est ce rival ? disais-je. Hélas, poursuivais-je, je n'en sais rien. Peut-être est-ce un homme indigne de cet honneur, peut-être est-ce Théanor lui-même, et, quoi qu'il en soit, ajoutais-je, c'est un amant peu passionné, puisqu'il ne s'est pas fait connaître par sa mort après une telle perte''.

Cependant Théanor n'était pas moins en inquiétude que moi, car, pour vous découvrir la vérité, il

était amoureux d'Alcidamie et c'était véritablement lui
qui avait perdu ce portrait et qui n'avait osé me
l'avouer. Car, comme j'étais assez jeune, il n'avait pu
se résoudre à se confier d'abord à ma discrétion et il
avait cru pouvoir tirer cette peinture de mes mains par
adresse et sous le nom d'un autre. Mais, remarquant
enfin que je devenais son rival, il ne savait quelle résolution prendre et nous étions tous deux bien embarrassés. Car Théanor savait qu'Alcidamie le haïrait
étrangement*, si elle apprenait que ce portrait fût à
lui, et je craignais aussi extrêmement que la chose ne
fût de cette sorte. Je m'informai alors à diverses personnes si Théanor avait été amoureux d'Alcidamie et
je sus, pour mon malheur, qu'il l'avait été et qu'il
l'était encore. Je vous laisse donc à juger combien
j'étais affligé : j'aimais Théanor par inclination, par
raison et par devoir, étant certain qu'il m'avait rendu
office* de fort bonne grâce auprès de Polycrate et
qu'il avait pris mon parti avec beaucoup de chaleur
contre Timésias, dont je vous ai déjà parlé, de sorte
que je connaissais bien que c'était choquer la générosi-
sité* que de ne combattre pas ma passion. Aussi fis-je
tout ce que je pus pour m'y résoudre, mais il ne fut
pas en mon pouvoir, et l'amour, s'emparant absolument de mon âme, affaiblit tellement l'amitié que
j'avais pour Théanor qu'il y avait des moments où,
malgré moi, j'en avais quelque confusion. Alcidamie
pourtant était toujours la plus forte dans mon cœur et
il m'était plus aisé de me résoudre à perdre mon ami
que de quitter ce que j'aimais alors sans comparaison
plus que lui.

Je ne cherchai donc plus qu'à colorer cette infidélité.
Pour cet effet, je crus que je devais lui dire le premier
quelle était ma passion, feignant d'ignorer la sienne. Je
fus donc le chercher et je le trouvai seul dans sa
chambre, mais si inquiet que je ne l'étais pas plus que
lui, car il commençait de soupçonner que j'étais son
rival. "Théanor, à ce que je vois, lui dis-je en l'abordant, est aussi mélancolique que Léontidas, quoiqu'il
ne soit pas sans doute aussi amoureux. – Comme

nous avons presque toujours été à la guerre depuis
que nous nous connaissons, me répondit-il assez froidement, nous ne nous sommes guère entretenus de
choses galantes et je ne sais pas pourquoi vous pré-
supposez que vous êtes plus amoureux que moi ou
que je ne le puis être autant que vous. – C'est, lui dis-
je un peu interdit (car je sentais bien que ce que je faisais n'était pas trop généreux*), que s'il était vrai que
vous aimassiez aussi fortement quelque belle personne qu'il est certain que j'aime éperdument l'incomparable Alcidamie, vous vous en seriez plaint à
moi, comme je m'en viens plaindre à vous. – J'avais
bien cru, répliqua Théanor, avec une froideur qui me
surprit, que votre cœur n'échapperait pas à cette belle.
Mais Léontidas, ajouta-t-il après avoir un peu rêvé*,
vous n'aimez pas seul cette charmante fille et le portrait que vous avez trouvé, devait, ce me semble, vous
avoir guéri de cette passion naissante. – Au contraire,
lui dis-je, c'est lui qui me fait plus malade, car quand
je ne vois plus Alcidamie je le regarde et il conserve si
bien le souvenir de sa beauté dans mon âme que je n'ai
garde de l'oublier."

Après cela, Théanor fut quelque temps sans parler,
puis, prenant un visage fort sérieux, il me dit que,
m'aimant comme il faisait, il était au désespoir de me
voir engagé en une affection qui ne pouvait me
donner que de la peine et que, s'il lui eût été permis de
me nommer le rival à qui était la peinture que j'avais,
il m'aurait fait avouer* que je ne devais point continuer d'aimer Alcidamie. "Quand vous me l'auriez fait
avouer, lui dis-je, cela serait inutile, parce que présentement ma passion ne dépend plus de ma volonté, et
quand ce serait vous, lui dis-je tout hors de moi, qui
seriez cet heureux rival dont vous parlez, et quand ce
serait même Polycrate, il faudrait que je continuasse
d'aimer Alcidamie. – Aimez donc Alcidamie, me répondit-il en rougissant, mais n'espérez pas d'en être aimé
si promptement et ne vous persuadez point qu'elle
vous donne sitôt son portrait, car je puis vous assurer
que celui que vous avez n'a pas été obtenu sans peine,

quoiqu'elle ne haït pas la personne à qui elle le donna.
– Cruel ami, lui dis-je, pourquoi voulez vous que j'aie
autant de jalousie que d'amour ? – C'est, répondit-il,
que je voudrais vous guérir de votre amour par votre
jalousie. – Non, non, lui dis-je, ce n'est point à ce qui
l'entretient à la détruire, et plus vous me ferez
connaître qu'Alcidamie a favorisé cet heureux rival,
plus j'aurai d'envie de troubler sa félicité et plus je
m'opiniâtrerai à aimer Alcidamie. – Encore une fois,
aimez Alcidamie, me dit-il, mais encore une fois aussi
souffrez que je vous dise que vous n'en serez pas aimé
facilement."

J'avoue que la froideur de Théanor me pensa*
désespérer, car, après avoir bien raisonné, je conclus
en moi-même que cette froideur était un effet de
l'assurance qu'il avait de l'affection d'Alcidamie. De
sorte que tout d'un coup, ne regardant plus Théanor
comme cet ami officieux* avec qui j'avais du moins
résolu de garder quelque bienséance, je le regardai
comme un rival favorisé, c'est-à-dire comme un
ennemi mortel. Si bien que, changeant de dessein, de
visage et de ton de voix : "Au nom des dieux, Théanor,
lui dis-je, nommez-moi celui à qui est le portrait que
j'ai trouvé afin que je sache bien précisément qui je
dois haïr. – Je ne le puis, répliqua-t-il, que* vous ne
m'ayez rendu la peinture d'Alcidamie. – La peinture
d'Alcidamie ! repris-je, sans savoir presque ce que je
disais, tant la jalousie m'avait déjà troublé le sens. Non,
non, je ne le saurai point à ce prix-là, ce funeste secret
que je veux apprendre, car ne voulant savoir le nom de
mon rival que pour lui ôter le cœur d'Alcidamie, je
n'ai garde de lui en rendre le portrait. – Du moins, dit
Théanor, me promettrez-vous une chose juste, qui est
de ne montrer cette peinture à personne, puisque vous
feriez plus de tort à Alcidamie qu'à votre rival ; qui, à
mon avis, ajouta-t-il, ne sera point votre ennemi qu'il
ne sache que vous soyez plus favorisé que lui."

J'avoue qu'alors je pensai perdre patience et je ne
sais, s'il ne fût arrivé du monde, ce que nous eussions
fait Théanor et moi. Mais, diverses personnes étant

venues, nous nous séparâmes et je sortis de chez Théanor le plus chagrin* de tous les hommes. "Infailliblement, disais-je, ce cruel ami est assuré du cœur d'Alcidamie qu'il ne craint point de perdre, ou il méprise si fort Léontidas qu'il ne se soucie pas qu'il soit son rival. Mais peut-être, ajoutais-je, est-ce que mes conjectures me trompent et que ceux qui m'ont assuré que Théanor aime Alcidamie se sont trompés eux-mêmes. Enfin, concluais-je, ou Théanor n'aime point Alcidamie, ou il en est aimé, et veuillent les dieux que ce soit le premier."

Dans cette incertitude où j'étais, je pris la résolution, pour m'en éclaircir, d'entretenir cette belle personne et de lui parler de Théanor de diverses sortes pour tâcher de découvrir ses véritables sentiments. Ainsi, sans avoir encore pu trouver les voies de lui faire connaître ma passion, je cherchai seulement celles de lui parler de mon rival. Je fus donc chez la princesse Hersilée, où je sus qu'elle était. D'abord, je ne pus être auprès d'elle, mais, après que diverses personnes furent entrées et sorties, je fis enfin si bien que je me trouvai proche d'Alcidamie qui me reçut, suivant sa coutume, avec assez de civilité. Peu de temps après Polycrate arriva, suivi presque de tout ce qu'il y avait de gens de qualité à Samos, à la réserve de Théanor, de qui la mélancolie l'avait empêché d'y venir. Comme la conversation générale eut duré quelque temps, Polycrate, qui avait à entretenir la princesse sa sœur en particulier*, la tira vers des fenêtres qui donnent sur la pleine mer et, s'y appuyant l'un et l'autre, ils me laissèrent dans la liberté d'exécuter mon dessein. Il sembla même qu'Alcidamie contribuât à le faire réussir, bien est-il vrai que ce fut d'une façon qui redoubla mon inquiétude. Comme il y avait peu que j'étais à Samos, elle n'avait lieu de me parler raisonnablement que de choses générales et, comme elle avait remarqué que Théanor était plus de mes amis qu'aucun autre, elle devait aussi plutôt m'en parler que de ceux avec qui je n'avais nulle habitude* particulière.

Après avoir donc été tous deux quelques moments sans rien dire : "Qu'avez-vous fait de votre ami, me dit-elle, et d'où vient que Théanor n'est point ici, aujourd'hui que toute la cour y est ?" Cette demande que je n'attendais pas me surprit et je ne pus ouïr le nom de mon rival de la bouche d'Alcidamie sans en changer de couleur, car enfin je m'étais bien préparé à lui parler de Théanor, mais je n'avais pas cru qu'elle m'en dût parler la première. "Madame, lui dis-je, je l'ai laissé si mélancolique dans sa chambre que je ne pense pas qu'il soit présentement d'humeur à chercher la conversation. – Vous êtes donc un mauvais ami, dit-elle en souriant, de l'avoir quitté en cet état. – C'est que son humeur était si sombre, lui dis-je, que ma présence l'importunait et peut-être même plus que celle de beaucoup d'autres eût pu faire. – En vérité, Léontidas, vous me mettez en peine, répliqua-t-elle, car Théanor est un fort honnête homme et, s'il lui était arrivé quelque grand malheur, j'en serais extrêmement fâchée. – Madame, lui dis-je toujours plus inquiet, plus curieux et plus jaloux, comme il n'y a pas longtemps que je suis à Samos, je n'y sais pas encore bien les nouvelles du monde, mais, pour vous qui les savez toutes, je m'imagine que vous n'ignorez pas le mal de Théanor, qui, à mon avis, vient de quelque passion violente."

Alcidamie, qui crut lors que je lui voulais parler pour Théanor, changea de couleur et, me regardant plus sérieusement qu'auparavant : "Je n'ai point su, dit-elle, que votre ami fût amoureux, et je ne pense pas même qu'il le soit. Mais enfin, Léontidas, s'il n'a point d'autre cause de sa mélancolie que celle-là, je ne le plains plus tant que je faisais. – C'est peut-être, lui dis-je en la regardant assez attentivement, que vous savez qu'il n'est pas à plaindre et qu'il n'est pas haï de la personne qu'il aime. – Je ne sais, me répondit-elle, s'il est haï ou s'il est aimé, car je ne suis ni sa maîtresse ni sa confidente. – Plût aux dieux que la moitié de ce que vous dites fût vrai, lui dis-je en l'interrompant assez brusquement, car Léontidas en serait plus heu-

reux qu'il n'est. – Léontidas, dit-elle en souriant, vous
êtes d'une île consacrée à la Mère des Amours [1], où la
galanterie est une loi, où l'on ne parle que d'aimer, où
l'on n'entretient les dames que de choses flatteuses*,
douces et obligeantes. Mais, pour nous qui révérons
une autre divinité, qui sommes un peu moins galantes
qu'elles et même, si vous le voulez, un peu plus fières*,
j'ai à vous apprendre, comme à un étranger, qu'il ne
faut pas dire de semblables choses à toutes nos dames,
qui s'en offenseraient peut-être plus que moi, parce
qu'elles ne sauraient pas excuser la coutume de votre
pays comme je fais. – À toutes vos dames ! repris-je
avec précipitation. Ah, divine Alcidamie, vous ne connaissez pas Léontidas, si vous croyez qu'il dise jamais
à nulle autre personne qu'à vous qu'il est éperdument
amoureux. – Sérieusement, me dit-elle, Léontidas,
corrigez-vous de cette mauvaise habitude, ou je m'en
plaindrai à votre ami et le prierai de vous l'ôter s'il est
possible. – Il ne le pourrait pas, lui répondis-je, quand
il l'entreprendrait. – J'éviterai donc votre conversation,
reprit-elle, jusqu'à ce que vous ayez appris nos coutumes. – C'est l'usage partout, lui répliquai-je, d'adorer
les belles comme vous. – Et c'est aussi l'usage général,
répondit-elle, excepté en Chypre, que les belles dont
vous entendez parler sont glorieuses* et fières, et ne
souffrent pas qu'on leur dise de semblables choses.
– Mais est-il possible, lui répliquai-je, que toutes les
belles soient inexorables à Samos ? et n'y en a-t-il
jamais eu qui aient souffert d'être aimées, qui aient
permis d'espérer qu'elles aimeraient un jour, qui aient
donné leurs portraits et fait plusieurs autres choses
très agréables pour ceux qui les reçoivent ? – Je n'en
connais point, dit-elle, ne sachant pourquoi je lui faisais ce bizarre discours, et, quand j'en connaîtrais,
leur exemple ne serait pas suivi par Alcidamie. Mais
enfin, encore une fois, Léontidas, défaites-vous de

---

1. L'île de Chypre se dispute avec celle de Cythère la réputation
de lieu de culte principal d'Aphrodite (Vénus), née des flots voisins.

cette mauvaise habitude, si vous voulez que je vous accorde ma conversation."

Alcidamie dit cela d'une façon qui me fit craindre qu'elle ne me bannît et, quoique ma jalousie me persuadât qu'elle n'était fière* envers moi que pour être fidèle à mon rival, le dépit ne chassa pourtant pas l'amour de mon cœur, de sorte que, prenant la parole : "Si ce n'est qu'une mauvaise habitude, lui dis-je, vous seriez injuste de prétendre me l'ôter si tôt : c'est pourquoi je vous conjure de me donner quelques jours." Alcidamie, qui était bien aise de tourner la chose en raillerie, dit qu'elle m'accordait le reste du jour, mais je pressai tant, et dis tant de choses que j'en obtins huit, au-delà desquels je ne devais plus lui rien dire de trop galant ni de trop passionné, me disant toujours en riant qu'elle s'en plaindrait à Théanor, si je lui manquais de parole. Ce fut de cette sorte qu'au lieu de parler de mon rival, Alcidamie m'en parla [1], et qu'au lieu de bien découvrir ses sentiments pour lui, je déclarai mon amour à Alcidamie.

En sortant de chez la princesse, je me trouvai assez heureux durant quelques moments d'avoir pu faire savoir que j'aimais, mais, venant à repasser tout ce qu'Alcidamie m'avait dit, il me semblait avoir remarqué qu'elle n'avait jamais nommé Théanor sans changer de visage et qu'enfin je n'avais pas lieu de douter qu'elle ne l'aimât, ce qui me donnait une inquiétude étrange*. Si je n'eusse point eu d'obligation à Théanor, j'eusse cherché des voies plus violentes de m'éclaircir avec lui que celle que je prenais, mais, lui devant autant que je faisais, je ne savais quelle résolution prendre et j'étais très malheureux. "Que me sert, disais-je, d'avoir le portrait d'Alcidamie, si Théanor possède son cœur ? Quittons donc, quittons un dessein qui nous fera faire cent lâchetés inutilement. Mais peut-être, disais-je ensuite, ce portrait est-il dérobé ? Mais, s'il est dérobé, ajoutais-je, il l'est toujours par un

---

1. Comprendre : « au lieu que ce fût moi qui parlasse de mon rival, ce fut Alcidamie qui m'en parla ».

homme amoureux d'Alcidamie et, quoique ce fût un grand bonheur pour moi que la chose fût seulement ainsi, ce m'est toujours un grand malheur d'être rival d'un homme qui m'a obligé."

Cependant Théanor n'avait pas l'âme moins en peine que moi, car il faut que vous vous souveniez que je vous ai déjà dit qu'il avait aimé et qu'il aimait encore passionnément Alcidamie, de laquelle il n'avait jamais pu obtenir la moindre chose, comme je l'ai su depuis. Ce n'est pas que le portrait que j'avais trouvé ne fût à lui, mais c'est qu'il ne lui avait pas été donné par Alcidamie, qui ne savait pas même qu'il l'eût, car il faut que vous appreniez que cette belle personne avait fait faire son portrait pour le donner à une de ses amies nommée Acaste et qu'elle l'avait fait faire avec un fort grand soin. Et, en effet, elle le lui avait donné, mais, à quelque temps de là, Polycrate devant s'embarquer pour s'en aller à la guerre, chacun allant dire adieu à ses connaissances, il fut grand nombre de personnes de qualité chez Acaste pour prendre congé d'elle et, entre les autres, Théanor y fut, comme elle venait de sortir pour aller faire quelque visite. Et, comme il ne trouva personne en bas, il monta dans sa chambre et vit sur sa table le portrait d'Alcidamie qu'elle y avait oublié, de sorte qu'aimant passionnément comme il faisait, et étant prêt de s'éloigner de Samos, il fit ce que je pense que j'eusse fait comme lui, si j'eusse été à sa place : c'est-à-dire qu'il ôta la peinture de la boîte où elle était, qui était trop riche pour la prendre, et sortit si heureusement qu'il ne fut vu de personne.

Un moment après, Timésias, qui était parent d'Acaste et qui aimait aussi Alcidamie, entra dans la même maison, sans trouver personne non plus que lui et fut à la chambre de sa parente qu'il trouva au même état que Théanor l'avait laissée, je veux dire ouverte, et sur la table la boîte de portrait qu'il avait oublié de refermer. De sorte que Timésias, qui l'avait vue plusieurs fois entre les mains de sa parente, ne put comprendre pourquoi la peinture n'y était plus, si bien que, faisant du bruit pour faire venir quelqu'un à lui,

des femmes qui étaient dans une garde-robe* proche
de là sortirent et il leur demanda d'où venait que cette
boîte de portrait était sur la table, sans que la peinture
fût dedans. Ces femmes, toutes surprises, dirent
qu'elles n'en savaient rien, qu'il n'y avait pas un quart
d'heure qu'elle y était et qu'elles l'avaient même vue
depuis que leur maîtresse était sortie. Ensuite, elles
accusèrent Timésias, comme amant d'Alcidamie, de
l'avoir prise, et se mirent à le prier de la remettre dans
sa boîte. Lui s'en défendit avec chagrin* et, pendant
cette contestation, Acaste revint chez elle et apprit la
chose. D'abord, elle crut ce que ses femmes lui dirent
et s'imagina que son parent, qu'elle savait être très
amoureux d'Alcidamie, l'avait effectivement prise et,
quoi qu'il lui pût dire, elle ne voulut jamais le croire,
de sorte qu'elle s'en fâcha extrêmement contre lui.
Néanmoins, comme il lui jura fortement qu'il n'avait
pas pris ce portrait, on s'informa qui était venu chez
Acaste, mais ses femmes, qui voulaient s'excuser de
leur négligence, jurèrent et protestèrent aussi bien que
les autres domestiques qu'il n'y était venu que Timésias.

Cependant Théanor, pour ne laisser nul soupçon de
lui, retourna chez Acaste pour lui dire adieu et, sans
lui témoigner qu'il y était déjà venu auparavant, elle
lui fit ses plaintes de la perte qu'elle avait faite et il lui
répondit malicieusement*, au lieu de la consoler, que,
s'il en eût perdu autant, il en serait mort de douleur.
Enfin il partit avec ce trésor caché et, faisant servir à
ce portrait une boîte qu'il avait, qui s'y trouva assez
juste, parce que l'on fait presque tous les petits portraits de même grandeur, il s'embarqua aussi satisfait
que Timésias était chagrin, car il s'imaginait bien que
c'était quelqu'un de ses rivaux qui avait dérobé cette
peinture. Cependant Alcidamie, ayant su la chose,
soupçonna d'abord Acaste de l'avoir donnée à son
parent. Mais enfin, elle lui fit bien connaître que cela
n'était pas, car, étant toujours persuadée qu'il l'avait
prise, elle rompit avec lui à son retour. Alcidamie, de
son côté, qui est fort glorieuse*, trouva très mauvais

qu'il eût eu la hardiesse de faire ce larcin et le traita fort mal toutes les fois qu'il lui voulut parler après qu'il fut revenu. Comme elle vivait très civilement avec Théanor, quoiqu'elle ne le favorisât pas, elle s'en plaignit à lui comme aux autres et lui témoigna se tenir tellement offensée de la hardiesse de Timésias qu'il n'eut jamais celle de lui dire que c'était lui qui avait fait ce précieux larcin, de peur de se charger de la haine qu'il voyait qu'elle avait pour son rival, qui est le même qui devint mon ennemi dès le premier jour que j'arrivai à Samos.

Voilà donc de quelle façon Théanor, sans être favorisé, avait eu le portrait d'Alcidamie, car j'ai su toutes ces choses bien précisément depuis ce temps-là, et voilà aussi la raison pourquoi il ne pouvait se résoudre à me dire que ce portrait fût à lui, parce qu'il savait de certitude qu'Alcidamie le haïrait dès qu'elle saurait la chose. D'abord, ma seule jeunesse l'en empêcha, mais ensuite, apprenant que j'étais amoureux d'Alcidamie, il crut qu'il était bon que je m'imaginasse qu'elle aimait et qu'elle avait donné ce portrait à quelqu'un, espérant que cela m'obligerait à me délivrer de cette passion. Il ne pouvait pourtant se résoudre à me dire ce mensonge ouvertement et il me le laissait seulement croire sans m'en désabuser. De plus, il jugeait bien qu'encore qu'il eût avoué qu'il aimait Alcidamie, je n'eusse pas cessé de l'aimer après ce que je lui avais dit, si bien que, ne voulant pas me donner des armes pour le combattre et pour le détruire dans son esprit en m'avouant que ce portrait était celui qu'il avait dérobé ou en me disant avec mensonge qu'Alcidamie le lui avait donné, il ne savait quelle résolution prendre, non plus que moi, et nous fûmes quelques jours à nous fuir avec autant de soin que nous avions accoutumé de nous chercher. Durant ce temps-là, je voyais Alcidamie autant qu'il m'était possible et, me servant du privilège qu'elle m'avait donné, je lui parlais de ma passion et elle feignait toujours de croire que ce n'était encore que par habitude, me priant de nouveau de me souvenir de compter bien les jours qu'elle m'avait accordés.

Cependant, après avoir été un jour sans la voir, je fus me promener seul dans des jardins publics qui sont à la ville, et qui sont aussi beaux que ceux du prince Polycrate. Pour y rêver avec plus de liberté, je pris une allée fort couverte, où, quelque temps après, ne pouvant m'empêcher de regarder le portrait d'Alcidamie, je le tirai de ma poche et, trouvant un siège de gazon contre une palissade, je me mis à le considérer avec beaucoup de plaisir. Mais, à quelques moments de là, je le regardai avec beaucoup de chagrin* par la cruelle pensée que j'avais qu'il eût été donné à celui qui l'avait perdu, et je pense même que ma jalousie me fit prononcer quelques paroles qui obligèrent Timésias, qui se promenait sans que je n'en susse rien dans une allée qui touchait celle où j'étais, à regarder qui était celui qui parlait, car, comme je n'avais parlé qu'à demi haut et que je n'avais prononcé que trois ou quatre mots, il ne me connut pas à la voix. Il s'approcha donc de la palissade et, passant curieusement les yeux à travers l'épaisseur des branches et des feuilles, il vit d'abord que je tenais un portrait et, un instant après, il connut que c'était celui d'Alcidamie et le même qu'elle avait autrefois donné à Acaste et que l'on avait cru qu'il avait pris. Car il savait bien qu'Alcidamie n'avait jamais été peinte que cette seule fois-là, n'ayant plus voulu souffrir de l'être depuis la perte de cette peinture, quoique son amie l'en eût pressée. Comme il n'y avait pas fort longtemps que j'étais à Samos et que je n'avais nulle conversation particulière* avec Timésias depuis nos dernières brouilleries, il ne s'était pas aperçu que je fusse amoureux d'Alcidamie, de sorte qu'il fut étrangement* surpris de voir le portrait de la personne qu'il aimait entre les mains de son ennemi ; et un portrait encore qui l'avait fait haïr d'Alcidamie et que l'on avait cru qu'il avait pris. Ce qui l'embarrassait le plus, c'était qu'il savait bien que je ne connaissais pas encore Acaste ni Alcidamie lorsqu'il avait été perdu, puisqu'il le fut auparavant que je fusse à Samos, de sorte qu'il ne pouvait* que penser de cette aventure.

Néanmoins, étant résolu de s'en éclaircir, il fit le tour de l'allée en diligence et, passant dans celle où j'étais, il me trouva encore si attentif à regarder ce portrait que je tenais à la main, que tout ce que je pus faire fut de refermer la boîte auparavant qu'il fût près de moi. Comme nous étions en civilité, quoique nous ne nous aimassions pas, je me levai lorsqu'il approcha et, après nous être salués assez froidement, je me préparais à continuer ma promenade sans m'arrêter avec lui, lorsque, m'abordant, le visage assez ému : "Léontidas, me dit-il, quoique vous ne soyez pas mon ami particulier*, comme vous êtes homme d'honneur, j'espère que vous me direz une vérité que je veux savoir de vous, et qui m'importe extrêmement. – Je ne sais pas, lui répliquai-je, si je vous dirai la vérité que vous voulez savoir, mais je sais du moins que je ne vous dirai pas un mensonge. – Apprenez-moi donc, répondit-il, qui vous a donné un portrait d'Alcidamie que le hasard vient de me faire voir entre vos mains, en me promenant de l'autre côté de cette palissade. – Bien que la curiosité, lui dis-je, que vous avez de regarder ce que je fais, ne méritât peut-être pas tant de sincérité, je vous dirai toutefois que la fortune toute seule me l'a donné et que je n'en ai obligation à personne."

Timésias, entendant cette réponse, crut que je ne voulais pas lui dire ce qu'il voulait savoir, de sorte que s'en fâchant : "Je sais bien, me répondit-il, que vous le devez tenir de la fortune, plutôt que de l'incomparable Alcidamie qui sans doute* ne vous l'a pas donné, mais je demande par quelles mains cette aveugle fortune l'a mis entre les vôtres. – Comme je ne me suis pas obligé, lui répondis-je l'esprit fort irrité, parce qu'il me vint un soupçon que Timésias était mon rival, de vous dire toutes les vérités que je sais et qu'en qualité d'homme d'honneur je ne suis seulement engagé qu'à ne vous dire pas un mensonge, je ne vous dirai plus rien du tout et vous en penserez ce qu'il vous plaira. – Vous me direz pourtant, répliqua-t-il brusquement, de qui vous avez eu cette peinture. – Léontidas, répondis-je en le regardant fièrement*, n'est guère accoutumé de dire ce qu'il ne veut pas que l'on sache, principalement à des gens qu'il ne met pas au nombre de ses amis. – Aussi est-ce comme votre ennemi, me répliqua-t-il en mettant l'épée à la main, que je veux vous faire avouer qui vous a donné ce portrait, et même vous le faire rendre."

À peine eut-il achevé de parler et eut-il fait cette action que, sans lui répondre, je mis aussi l'épée à la main, et que nous commençâmes de nous battre. Comme il est très adroit et que je fus fort heureux, nous fûmes quelque temps sans nous rien faire, mais, passant tout d'un coup sur lui après lui avoir fait une légère égratignure au bras gauche, nous disputâmes la victoire opiniâtrement. Et, lorsque nous eûmes été chacun à notre tour, tantôt dessus, tantôt dessous, à la fin, comme j'étais prêt d'avoir l'avantage tout entier et que je tâchais de raccourcir [1] mon épée pour faire avouer ma victoire à Timésias, Polycrate, qui venait se promener en ce même lieu, arriva, suivi de beaucoup de monde et de Théanor même, qui, ne sachant du bout de l'allée qui c'était, fut le premier de tous à nous venir séparer. Dans la fureur où j'étais de voir que l'on m'arrachait d'entre les mains mon ancien ennemi et mon nouveau rival, j'en voulus quereller Théanor, mais, Polycrate arrivant un moment après, il fallut changer de discours et lui demander pardon de ce que, contre ses ordres, nous nous étions encore querellés Timésias et moi.

Comme il m'aimait alors plus que mon ennemi, que j'étais étranger et que l'autre était son sujet, ce fut à lui que s'adressèrent ses reproches. Mais Timésias, qui voulait se justifier et arriver à sa fin, lui dit : "Seigneur, si vous saviez la cause de notre querelle, vous m'excuseriez sans doute* et vous avoueriez que je n'ai

---

1. Terme d'escrime. Proche de la victoire, le combattant réduit sa garde et se rapproche de l'adversaire par une pression continue.

fait que ce que j'ai dû faire. – J'ai peine à croire,
répliqua Polycrate, que vous ayez raison de quereller
Léontidas. Et c'est pour cela, poursuivit-il, que je
veux apprendre toutes les particularités de ce démêlé.
– Seigneur, lui dis-je tout désespéré de ce que l'on
allait savoir que j'avais cette peinture entre les mains,
et craignant que Polycrate ne m'obligeât à la rendre,
vous perdrez un temps que vous pouvez mieux
employer à toute autre chose et il suffira que vous
soyez seulement persuadé que nous n'avons fait l'un
et l'autre que ce que des gens de cœur étaient obligés
de faire."

Mais, quoi que je pusse dire, Polycrate, sollicité par
Timésias qui souhaitait d'être justifié du larcin de ce
portrait, voulut être éclairci de la chose et se fit dire ce
que c'était. Alors Timésias, le faisant souvenir de la
perte du portrait d'Alcidamie (car toute la cour avait
su qu'il avait été pris), le faisant, dis-je, souvenir qu'il
avait été accusé comme amant d'Alcidamie d'avoir fait
ce précieux larcin et qu'Alcidamie l'en avait maltraité,
il lui dit ensuite qu'il m'avait vu ce même portrait
entre les mains et qu'il avait seulement voulu savoir de
qui je le tenais, pour se justifier auprès d'elle, sachant
bien que ce n'était pas moi qui l'avais pris, vu qu'il
n'ignorait pas que je n'étais pas encore à Samos quand
il fut dérobé à Acaste. Pendant le discours de Timésias, j'eus des sentiments bien différents, car j'eus une
joie extrême de connaître certainement, par ce qu'il
disait, que ce portrait n'avait point été donné à celui
qui l'avait perdu, et je fus quelques moments que ma
jalousie diminua d'autant que mon amour augmenta.
Mais, voyant ensuite avec quelle ardeur parlait mon
ennemi, et que j'allais servir à sa justification, et peut-
être à le remettre bien avec Alcidamie, j'en étais désespéré.

Cependant, après qu'il eut cessé de parler, comme
il semblait avoir quelque raison, Polycrate qui a infiniment de l'esprit, n'imaginant pas la vérité de la chose
et croyant seulement que j'avais voulu cacher le nom
de celui qui m'avait donné le portrait, me dit qu'il ne

voulait pas m'obliger à dire devant tout le monde qui
il était, mais seulement à lui en particulier, et que, si
même je ne voulais pas le lui dire, il suffirait encore,
pour la justification de Timésias, que j'avouasse publiquement que quelqu'un, qui vraisemblablement pouvait l'avoir pris chez Acaste, me l'avait donné. Je vous
laisse à penser quelle joie j'eus de ne pouvoir justifier
mon rival et mon ennemi tout ensemble, de sorte que
je commençai alors de conter avec toute l'ingénuité
que la vérité peut avoir, comment j'avais trouvé ce
portrait en me promenant, me gardant bien de faire
connaître les soupçons que j'avais que c'était Théanor
qui l'avait perdu, car, outre qu'en effet ce n'étaient
que des soupçons, je n'avais pas encore bien déterminé dans mon esprit auquel de ces deux rivaux
j'eusse mieux aimé nuire.

D'abord mon discours surprit un peu Polycrate, de
sorte que, pour l'appuyer mieux, je lui dis que
Théanor qu'il voyait auprès de lui, savait bien que je
ne mentais pas, puisque je l'étais allé trouver pour lui
dire l'aventure que j'avais eue le premier soir que
nous étions arrivés à Samos, que je lui avais montré
ce portrait et l'avais même prié, par un sentiment de
curiosité, de s'informer qui pouvait l'avoir perdu et
de me nommer même la personne pour qui il avait été
fait. Ainsi Théanor fut contraint de me servir de
témoin et Polycrate ne douta point du tout que la
chose ne fût comme je la disais, de sorte que ne pouvant pas trouver que j'eusse eu tort de ne dire point
un mensonge à Timésias, et trouvant aussi que
Timésias avait eu sujet de croire que je ne parlais pas
sincèrement, il nous commanda de nous embrasser.
Mais auparavant Timésias supplia Polycrate de vouloir que je rendisse à Alcidamie le portrait que j'avais
trouvé. "Vous me ferez croire, dis-je alors en riant à
Timésias, que c'est peut-être vous-même qui avez
perdu ce portrait en vous promenant et que, vous
repentant d'un larcin qui ne noircirait pourtant pas
votre réputation quand vous l'auriez fait, vous voulez
qu'il soit restitué." Timésias rougit de colère à ce dis-

cours, sans y répondre, et ce qu'il y eut d'admirable*
fut que quelques personnes crurent que la chose était
ainsi et le publièrent* et, à mon avis, Théanor y con-
tribua tout ce qu'il put.

Pour moi qui fus ravi de voir que Polycrate riait de
ce que je disais, je lui dis en lui adressant la parole que
ce serait une étrange* chose, si, n'ayant rien pris à
personne, on m'obligeait à rendre ce que la fortune
toute seule m'avait donné, et que, n'ayant point fait de
crime, je ne devais pas être puni ni être traité de la
même sorte que le pourrait être le véritable voleur du
portrait, s'il était connu. Timésias voulut encore dire
quelque chose, mais Polycrate, prenant la parole et
voulant tourner toute cette querelle en galanterie, me
dit que, pour toute punition de m'être battu, il voulait
que du moins je montrasse cette peinture.

"Seigneur, lui dis-je, il est si glorieux à Alcidamie
qu'elle soit vue que je n'en ferai pas de difficulté,
pourvu que vous me fassiez l'honneur de m'assurer de
me la rendre." Et, comme il me l'eut promis, je la lui
montrai. Mais à peine l'eut-il vue que, regardant la
boîte : "Léontidas, me dit-il, ne vous étonnez pas du
chagrin* de Timésias, car, par la magnificence des
pierreries dont cette boîte est ornée, il s'est sans doute
imaginé que vous étiez peut-être son rival, puisqu'on
ne fait guère une telle dépense pour une personne
indifférente. – Seigneur, lui répliquai-je, j'ai trouvé ce
portrait dans la boîte où vous le voyez, mais, pour
montrer que je ne suis pas avare, je suis prêt de la
rendre sans peinture à Timésias, si c'est lui qui l'a
perdue."

Polycrate, craignant que ce discours n'aigrît la
conversation, nous commanda alors absolument de
nous embrasser, ce que nous fîmes sans incivilité,
quoique ce fût assez froidement. En suite de quoi, me
rendant le portrait d'Alcidamie après l'avoir considéré
avec autant d'attention que s'il n'eût jamais vu la personne qu'il représentait, il me dit en riant qu'un amant
d'Alcidamie serait bien heureux d'être en ma place et
d'avoir obtenu de la fortune ce qui ne serait pas si aisé

d'obtenir d'elle. Ensuite, il fut chez la princesse sa
sœur, où il voulut que j'allasse, mais, pour Timésias, il
se retira bien fâché que son combat n'eût pas été plus
heureux, et bien aise toutefois de s'imaginer que ce
qu'il avait fait pourrait désabuser* Alcidamie. La
chose n'alla pourtant pas ainsi, car, effectivement, cette
belle personne s'imagina toujours que Timésias avait
autrefois pris ce portrait et l'avait perdu depuis en se
promenant, et que c'était seulement pour le recouvrer
qu'il s'était battu contre moi.

Je vous laisse à juger quel bruit fit cette aventure
dans la cour : comme nous arrivâmes chez la princesse, où Théanor ne vint pas, on l'y savait déjà, parce
que quelqu'un de la compagnie avait devancé le
prince et l'y avait publiée*. Alcidamie, qui s'y trouva
par hasard, ne me vit pas plus tôt qu'elle rougit comme
si elle eût eu quelque confusion de savoir que j'avais sa
peinture. D'abord* que Polycrate entra, il me fit approcher de la princesse Hersilée, auprès de laquelle était
Alcidamie et, leur racontant ce qu'elles savaient déjà :
"Il ne faudrait plus, dit-il, pour achever cette aventure,
sinon que Léontidas fût effectivement amoureux
d'Alcidamie, aussi bien que Théanor et Timésias le
sont, dont l'un est son ami et l'autre son ennemi, pour
voir un peu comment un homme né en l'île de Chypre
se démêlerait de toutes ces choses. – Seigneur, lui dis-
je en rougissant et en souriant, s'il ne faut que cela
pour rendre cette aventure belle, vous pouvez n'y souhaiter plus rien. – N'écoutez pas Léontidas, interrompit Alcidamie, comme s'il parlait sérieusement,
car, seigneur, comme vous le savez, c'est la coutume
de son pays de traiter de cette sorte toutes les dames.
Il y a déjà six jours, poursuivit-elle, que je tâche de l'en
corriger et il m'a promis que, dans deux au plus tard,
il ne me parlera plus ainsi. – Quoi, dit Polycrate parlant à Alcidamie, il y a six jours que Léontidas vous dit
de semblables choses de votre consentement ? – Oui,
Seigneur, répliqua-t-elle en rougissant, mais c'est à
condition qu'il ne m'en dira plus jamais. – Nous en
croirons ce qu'il vous plaira, dit alors la princesse Her-

silée en souriant. – Non ferai pas [1], moi, reprit Polycrate en regardant Alcidamie, car je suis persuadé que,
puisque Léontidas vous a dit une fois qu'il vous aime,
il vous le dira toujours. – Mais il me le dira inutilement, répliqua Alcidamie, puisque je ne l'écouterai
point. Cependant, seigneur, lui dit-elle encore, il n'est
pas temps de railler, lorsque j'ai à me plaindre d'une
injustice que vous m'avez faite. Car enfin, ajouta-
t-elle, vous n'avez pas encore ordonné à Léontidas de
me rendre mon portrait."

Polycrate, qui imagina quelque plaisir, comme je
l'ai su depuis, à me voir en peine, lui répondit que
c'était parce que ce ne devait pas être à la prière de
Timésias, mais à la sienne, qu'il devait accorder une
chose de cette nature. "S'il ne faut que cela, dit-elle, je
vous supplie très humblement de lui ordonner donc
de me le rendre à l'heure même. – Je ne puis, dit alors
Polycrate, que l'en prier, car je ne suis pas son maître.
– Vous me pouvez commander toutes choses, lui dis-
je, mais pour celle-là, elle serait si injuste que je
n'appréhende pas que vous me l'ordonniez. – Et quelle
injustice y a-t-il, répliqua Alcidamie, à me rendre ce
qui m'appartient ? – En vérité, dit la princesse, vous y
avez moins de part que Léontidas, car ne l'avez-vous
pas donné à Acaste ? – Oui, madame, reprit-elle, mais,
puisque je l'ai donné à Acaste, il n'est pas à Léontidas.
– Pour moi, disait Polycrate, je trouve qu'Alcidamie
n'a pas tort. – Et je trouve, ajouta la princesse Hersilée, qu'elle n'a pas grande raison. Car enfin, Acaste
a si mal conservé son portrait et Léontidas l'a si bien
défendu qu'il me semble mieux entre ses mains
qu'entre les siennes. – Ah, madame, lui dis-je, que je
vous suis obligé et quelles grâces ne vous dois-je point
rendre !"

Durant que je la remerciais et que je lui exagérais*
mes raisons pour me la rendre encore plus favorable,

---

1. Formule de négation caractéristique de la langue du siècle précédent (voir G. Gougenheim, *Grammaire de la langue française du
XVIᵉ siècle, op. cit.*, p. 239).

je vis que Polycrate parlait bas à Alcidamie et qu'il riait avec elle. Il me sembla même que, depuis cela, je les vis sourire une fois ou deux d'intelligence et, en effet, Polycrate avait fait la guerre à Alcidamie de ce qu'elle avait avoué que je lui avais parlé d'amour et lui avait dit, pour m'obliger, qu'il croyait qu'effectivement je fusse amoureux d'elle. "Mais, pour l'éprouver, lui dit-il, obstinez-vous tout aujourd'hui à vouloir qu'il vous rende votre portrait. – Comment, lui dit-elle, seigneur, tout aujourd'hui ! lui parlant toujours bas, ce sera toute ma vie, ou du moins jusqu'à ce qu'il me l'ait rendu."

Cependant, comme je n'avais pas ouï ce qu'il avait dit et que, tant que dura encore la conversation, je vis Polycrate sourire à diverses fois, en attendant Alcidamie qui me pressait de lui rendre sa peinture, j'en eus quelque légère inquiétude. Mais enfin, comme la princesse était de mon parti et qu'elle était ravie que l'amitié que Polycrate me témoignait eût diminué celle qu'il avait eue autrefois pour Timésias qu'elle n'aimait point, elle dit qu'absolument elle ne permettrait pas que je rendisse cette peinture : "Car, dit-elle obligeamment pour moi à Alcidamie, vous n'y avez plus de droit, puisque vous l'avez donnée à Acaste ; elle n'y en a non plus que vous, puisqu'elle l'a perdue par sa négligence, et Léontidas y en a plus que vous deux, puisqu'il l'a trouvée par sa bonne fortune, qu'il l'a conquise par sa valeur, qu'il empêchera bien que celui qui l'a prise, quel qu'il soit, ne la possède jamais et que, de plus, il la mérite." Polycrate, qui voulait encore se divertir, dit alors à Hersilée qu'il serait beaucoup plus juste que ce portrait demeurât en ses mains, mais, sans lui donner loisir d'en dire les raisons, l'arrêt de la princesse fut suivi, Alcidamie déclarant pourtant toujours, sans perdre le respect qu'elle devait à Hersilée, qu'elle n'y consentait pas. Enfin le prince se retira, et je me retirai aussi dès qu'il fut à son appartement.

Ce fut lors, qu'après avoir repassé en ma mémoire tout ce qui m'était arrivé ce jour-là, je me trouvai plus de malheur que de bonne fortune. J'étais véritable-

ment ravi de ce que le portrait que j'avais n'était pas
un portrait donné et de ce que je pouvais presque dire
alors qu'il était à moi et le regarder sans en faire plus
un si grand secret. Mais aussi, j'étais très affligé de ne
pouvoir plus douter que mon meilleur ami et mon
plus mortel ennemi ne fussent mes rivaux. Car je connaissais bien que Théanor ne m'avait voulu persuader
que ce portrait avait été donné à celui qui l'avait perdu
que pour me faire changer de dessein, et je ne pouvais
pas ignorer, vu la façon dont Timésias avait agi, qu'il
ne fût encore très amoureux d'Alcidamie. Après,
venant à me souvenir de l'attention avec laquelle Polycrate avait regardé ce portrait, comment, au lieu de
prendre mon parti en parlant à Alcidamie, il avait pris
le sien et comment il lui avait parlé bas et ri diverses
fois d'intelligence avec elle, venant, dis-je, à me souvenir de toutes ces petites choses, je m'imaginai que
peut-être ce prince en était amoureux, de sorte que je
trouvai, à parler sincèrement, que je n'étais guère
moins jaloux de mon maître que de mon ami et de
mon ennemi.

J'eusse pourtant eu cette consolation, si j'eusse su la
prendre en ce temps-là, que je ne croyais pas fortement qu'Alcidamie aimât ni Polycrate, ni Théanor, ni
Timésias, mais je l'appréhendais de telle sorte que l'on
peut dire que la crainte que j'en avais me tourmentait
plus que si j'eusse su avec certitude qu'elle en eût aimé
un tout seul. Car si la chose eût été ainsi, toute ma
jalousie n'eût eu au moins qu'un même objet, au lieu
que, par ma jalouse prévoyance, je souffrais presque
tous les maux que j'eusse pu souffrir, si Alcidamie les
eût aimés tous ensemble, ou les uns après les autres.

"De quelque côté qu'elle ait l'âme sensible, disais-
je, j'ai grand sujet de craindre que quelqu'un de ces
trois redoutables rivaux ne touche son cœur : Théanor
est un fort honnête homme, sage, complaisant, discret
et capable par son esprit de faire toutes les choses que
l'amour la plus passionnée peut inspirer, mais de les
faire sans éclat et de me détruire sans que presque je
m'en aperçoive. De sorte que, si Alcidamie se plaît à

être aimée de cette manière, j'ai sujet de tout appréhender de ce côté-là. Au contraire, poursuivais-je, si
elle aime le bruit, la valeur et la libéralité, Timésias est
un enjoué, un brave, et un magnifique*, qui touchera
son inclination aisément. Mais, ô dieux, ajoutais-je, si
elle est ambitieuse, que ne trouvera-t-elle point en
Polycrate ? Si son âme aime la gloire, il en est tout
couvert ; si elle aime les richesses, comme il est le roi
de la mer, il peut lui en acquérir de nouvelles, si les
siennes ne suffisent pas à la contenter." Et, repassant
alors en mon esprit toutes les bonnes qualités de Polycrate, je souffrais des maux qui ne sont pas imaginables, principalement quand je venais à songer au
prodigieux bonheur de ce prince qui ne l'avait jamais
abandonné, quoi qu'il eût pu entreprendre. "Non,
non, disais-je, nous n'avons qu'à nous informer seulement si Polycrate aime Alcidamie, car si cela est, il en
est aimé ou le sera sans doute bientôt, vu quelle est sa
bonne fortune."

Après, quand je venais à penser que de ces trois
rivaux il n'y avait que Timésias contre lequel je pusse
témoigner tout mon ressentiment, et que des deux
autres l'un était mon ami et l'autre mon maître, je perdais presque la raison, de sorte que je passai la nuit
avec beaucoup d'inquiétude. Néanmoins, je n'avais
pas absolument déterminé en mon esprit que Polycrate fût amoureux d'Alcidamie : ce n'est pas que je
ne sois contraint d'avouer que, du simple soupçon,
dans mes jalousies, je ne passe aisément à la croyance
de la chose que je soupçonne, car je commence
d'ordinaire à craindre, puis à soupçonner et, peu de
temps après, à croire que ce que j'ai craint et que ce
que j'ai soupçonné est effectivement arrivé, ou qu'au
moins il arrivera bientôt.

Ayant donc passé une nuit très fâcheuse, je vis
entrer Théanor le matin dans ma chambre qui, s'étant
résolu de ne me dire jamais la vérité et de tâcher toujours de me guérir de la passion que j'avais pour Alcidamie, me vint dire qu'il était bien aise de l'avantage
que j'avais remporté le jour auparavant sur mon

ennemi, mais qu'il était bien fâché de ce qu'il remarquait que je m'attachais toujours de plus en plus à
aimer Alcidamie ; que, s'il lui eût été permis de me
dire les véritables raisons qui m'en devaient empêcher,
il était assuré que je n'y penserais plus. "La plus forte
de toutes, lui dis-je tout hors de moi, est que j'entendis
hier dire au prince Polycrate que vous en êtes amoureux aussi bien que Timésias. Mais, Théanor, je n'y
saurais plus que faire : il faut malgré moi que je sois
votre rival et, puisqu'il est bien permis à Timésias
d'aimer Alcidamie, il me semble que vous devez souffrir que Léontidas fasse la même chose. Quand j'ai
commencé de l'aimer, poursuivis-je, je ne savais pas
que vous l'aimassiez, mais aujourd'hui que l'amour est
maître de mon cœur, il n'est plus temps de le vouloir
combattre."

Théanor, voyant que je savais sa passion, ne la
voulut pas nier absolument : il me dit donc qu'il était
vrai qu'il avait aimé Alcidamie, comme tout le reste de
la cour l'avait aimée, mais qu'il était vrai aussi que, par
des raisons qu'il souhaitait que je devinasse, il faisait
tout ce qu'il pouvait pour vaincre sa passion. Enfin, il
sut si bien, à travers l'obscurité de ses paroles ambiguës, me faire entendre clairement que la raison pour
laquelle il se retirait de cette amour était parce que le
prince Polycrate en avait une secrète pour Alcidamie,
que je ne l'entendis que trop. "Ah mon cher Théanor,
lui dis-je en l'embrassant, tout mon rival qu'il était,
parce que Polycrate m'était encore plus redoutable
que lui, je sais déjà ce que vous dites et plusieurs
choses me l'ont appris." Théanor, qui pensait avoir
inventé ce qu'il venait de me dire afin de me détacher
du service d'Alcidamie, fut bien surpris de m'entendre parler ainsi et, par un sentiment jaloux, craignant à son tour d'avoir dit une vérité en pensant dire
un mensonge, il me pressa de lui apprendre ce que je
savais de cette amour de Polycrate qu'il pensait être si
secrète, disait-il, que personne du monde ne la sût que
lui. Mais moi, qui n'étais pas moins curieux qu'il
l'était, lui jurai qu'il ne saurait pas ce que je savais, s'il

ne me disait le premier comment il pouvait expliquer tout ce qu'il m'avait dit autrefois du portrait d'Alcidamie, qu'il m'avait assuré avoir été donné à celui qui l'avait perdu.

Théanor, se voyant alors pressé par l'extrême envie qu'il avait d'être éclairci de ce que je lui avais dit savoir de l'amour de Polycrate pour Alcidamie, et par la honte aussi de m'avouer qu'il eût dit un mensonge, se résolut d'en dire un autre qui confirmât le premier et qui servît à son dessein. Il me dit donc (après avoir été quelque temps sans parler, comme s'il eût eu peine à se résoudre de me faire cette confidence et après m'avoir fait jurer solennellement que je n'en parlerais jamais) que Polycrate était amoureux d'Alcidamie il y avait très longtemps ; que cette amour était ménagée* par une personne de la cour qui se nommait Ménéclide, que tout le monde croyait que Polycrate aimait, mais qu'elle n'était que la confidente de l'autre ; qu'Alcidamie, quoique très vertueuse, répondait toutefois à cette passion avec beaucoup de complaisance et qu'enfin le portrait dont il s'agissait était un portrait donné, bien qu'il parût être un portrait dérobé.

"Et comment, dis-je en l'interrompant, cela est-il possible ? – C'est, me dit-il, que Polycrate, devant faire un voyage, supplia Alcidamie de lui donner sa peinture, à quoi elle consentit. Néanmoins, comme elle ne voulait pas se faire peindre en secret, de peur que cela, étant découvert, ne parût trop mystérieux, elle fit semblant de vouloir donner son portrait à Acaste, avec intention d'en faire faire deux à la fois. Mais, le peintre étant tombé malade, comme il n'y avait encore que celui qui était pour Acaste qui fût achevé, et le départ de Polycrate pressant, Alcidamie donna ce portrait à Acaste, n'osant pas faire autrement après le lui avoir promis. Mais le prince, étant allé chez Acaste pour lui dire adieu et ayant remarqué qu'elle oubliait ce portrait sur la table de sa chambre, quoiqu'elle en sortît pour aller chez la princesse Hersilée, il me commanda d'y aller et de le lui dérober, ce que je fis, car en ce temps-là nous étions fort mal,

Alcidamie et moi, et je ne me souciais pas que Polycrate l'aimât. – Quoi, Théanor, lui dis-je, vous êtes le voleur du portrait d'Alcidamie et vous m'assurez qu'elle avait promis de le donner à Polycrate ? – Oui, me répliqua-t-il. – Mais, lui dis-je encore, ce ne fut point Polycrate qui le perdit, le soir que je le trouvai, car il y avait déjà longtemps que ce prince s'était retiré quand cette aventure m'arriva."

Théanor fut alors assez embarrassé à me répondre. Toutefois, après y avoir un peu songé : "Non, non, me dit-il, ne vous y trompez pas : le prince Polycrate est accoutumé quelquefois, quand il est nuit et qu'il veut avoir quelque conversation particulière avec quelqu'un pour quelque intelligence de galanterie, de retourner peu accompagné à cette promenade, et ce fut infailliblement lui que vous ne connûtes pas qui laissa tomber ce portrait ce soir-là. – Mais, lui dis-je, il me souvient que je vous trouvai si mélancolique le lendemain au matin : qu'aviez-vous donc dans l'esprit ? – Le déplaisir, répliqua-t-il, de voir que l'absence n'avait point changé le cœur de Polycrate, car, dès l'instant qu'il fut descendu de sa galère, il envoya savoir des nouvelles d'Alcidamie. – Et que vous importait cela, ajoutai-je, puisque vous ne l'aimiez plus, et pourquoi vous en affliger, si elle vous était indifférente ? – Je vous ai dit qu'elle me l'était quand je m'embarquai la première fois, me répondit-il, mais je ne vous ai pas dit qu'elle me le fût encore à notre second retour. – Je ne m'étonne donc plus, dis-je à Théanor, si Polycrate voulait que je rendisse le portrait d'Alcidamie."

Et alors je lui contai, pour satisfaire sa curiosité à son tour, comment ce prince s'était obstiné à vouloir que je remisse cette peinture entre les mains d'Alcidamie, comment il lui avait parlé bas et ri d'intelligence avec elle durant qu'elle me la demandait opiniâtrement. Enfin, je lui dis avec beaucoup d'exactitude toutes les petites observations que j'avais faites qui me paraissaient alors de si grandes preuves de l'amour de Polycrate, par la préoccupation* que j'avais dans l'esprit que je n'en doutais point du tout.

Pour Théanor, qui n'était pas si susceptible de jalousie que moi et qui savait mieux les choses que je ne les savais, il fut ravi d'apprendre que je ne savais rien qui le pût inquiéter. "Mais, lui dis-je, Théanor, à quoi vous résolvez-vous ? – À vaincre ma passion, me dit-il, croyant que je suivrais l'exemple qu'il me donnait, car, après tout, poursuivit-il, être rival de son souverain est une trop étrange* chose. – Je suis fort aise de votre sagesse, lui dis-je, et je ne m'estimerai pas tout à fait malheureux si mon ami cesse au moins d'être mon rival. – Étant étranger comme vous êtes, répliqua-t-il, vous vous exposez à quelque fâcheuse aventure d'aimer en même lieu que Polycrate à qui vous avez de l'obligation. – Étant son rival comme vous êtes, lui dis-je à demi en colère, vous prenez bien du soin à lui en vouloir ôter un. – Et il me semble toutefois, poursuivis-je, que, si vous aviez à servir un amant d'Alcidamie, ce devait plutôt être moi qu'aucun autre, si ce n'est que l'ambition puisse plus sur votre âme que l'amitié." Théanor souffrit ce discours sans y répondre aigrement, tant parce qu'il voulait ne rompre pas avec moi que parce qu'il sentait bien qu'il avait tort de me vouloir tromper comme il faisait. Cependant, nous nous séparâmes de cette sorte ; il me laissa un peu moins jaloux de lui, mais beaucoup plus de Polycrate, qui, tout aimable qu'il était, me devint insupportable, tant il est vrai que la jalousie change les objets.

Après que Théanor fut sorti, je fus chez Alcidamie, où je trouvai Timésias qu'Acaste y avait mené pour tâcher de lui persuader qu'elle l'avait accusé à tort d'avoir dérobé sa peinture et, quoique Alcidamie ne le voulût point croire, néanmoins sa parente la pressa tant de souffrir qu'il eût l'honneur de la voir à l'avenir qu'enfin elle le lui permit. De sorte que, lorsque j'arrivai chez elle, Timésias, qui était prêt d'en sortir, la remerciait de la grâce qu'elle lui accordait. Comme j'ouïs les dernières paroles de son compliment, je compris aisément ce que c'était et j'en eus un si grand chagrin* que toute la compagnie s'en aperçut. Après qu'il fut sorti, Alcidamie se tournant vers moi : "C'est vous, dit-elle, que Timésias devrait remercier de la permission que je lui accorde de me revoir, puisque, sans votre querelle, j'aurais toujours cru qu'il avait pris mon portrait et ne la [1] lui aurais jamais donnée. – Si c'est l'intention, lui dis-je, qui donne le prix aux bons offices*, Timésias ne doit point me rendre grâce de celui-là, car je n'ai pas eu dessein de le servir."

Un moment après, Polycrate arriva, suivi de Théanor et de beaucoup d'autres, et même de Timésias qui, voulant promptement profiter de la permission qu'il avait obtenue, rentra dans la chambre d'Alcidamie avec le prince Polycrate presque aussitôt qu'il en fut sorti. Me voilà donc, selon ma pensée, au milieu de trois rivaux dont le moindre m'était très redoutable : de quelque côté que je me tournasse, je ne voyais que des objets fâcheux, car, comme il était très difficile qu'Alcidamie ne regardât pas souvent ou Polycrate, ou Théanor, ou Timésias, sans en avoir même le dessein, je souffrais ce que je ne saurais exprimer. J'eusse voulu fixer ses yeux, s'il m'est permis de parler ainsi, et les attacher si fort dans les miens qu'ils n'eussent regardé que moi, mais, hélas, je n'étais pas assez heureux pour cela. Car vous saurez qu'Alcidamie est une personne de qui l'égalité d'humeur fait désespérer ceux qui la servent : elle a une certaine civilité sans choix, comme si elle ne faisait nul discernement des gens qui la visitent, quoique ce soit le plus délicat esprit du monde. Mais elle s'est mis dans la fantaisie qu'il faut tout gagner et tout acquérir par cette innocente voie, de sorte que, par conséquent, elle est et douce et civile pour tous ceux qui l'approchent et, sans être coquette [2], l'on ne peut pas avoir une complaisance plus universelle que celle

---

1. Le pronom se rapporte à « permission ».
2. Selon la typologie propre à la culture mondaine du XVIIᵉ siècle, la coquette est celle qui aspire à obtenir le plus grand nombre de faveurs masculines, ce qui peut l'amener à cultiver simultanément plusieurs relations amoureuses. Le modèle en est la Célimène du *Misanthrope* (1666) de Molière.

qu'elle a. Il ne paraît jamais qu'elle s'ennuie avec les
personnes qui l'importunent le plus, et elle est si fort
maîtresse d'elle-même qu'elle se change comme il lui
plaît et sait varier sa conversation comme bon lui
semble.

Je vous laisse donc à penser ce que je souffris ce
jour-là quand Polycrate l'entretenait : je ne pouvais
l'endurer et il me semblait que la joie qu'elle en avait
la faisait paraître plus belle. Si elle regardait Timésias,
je croyais que c'était pour le rengager plus fort qu'auparavant, et si elle se tournait vers Théanor, je craignais que ses regards ne l'empêchassent de guérir de
son amour, comme il m'avait dit en avoir le dessein.
Quand Polycrate parlait à Ménéclide qui était chez
Alcidamie, je croyais que c'était par finesse et comme
à la confidente de sa passion, et si Alcidamie me voulait faire quelque civilité et m'engager dans la conversation générale, je la regardais comme une personne
qui me voulait tromper et je lui répondais avec chagrin*. Enfin, je vous le confesse, j'eusse voulu qu'Alcidamie n'eût paru belle qu'à mes yeux ou qu'elle eût
été invisible à tout le reste de la terre. Je voulais pourtant qu'on l'estimât et sa gloire ne m'était pas indifférente, mais, après tout, je ne voulais point qu'on
l'aimât et je pense que j'eusse même plutôt souffert
qu'on l'eût haïe [1].

La conversation fut tout ce jour-là fort agréable
pour toute la compagnie, excepté pour moi : le prince
Polycrate, me raillant de mon chagrin, dit que j'étais

1. Le comportement de Léontidas révèle des analogies frap-
pantes avec celui d'Alceste dans *Le Misanthrope*, comédie créée une
quinzaine d'années plus tard (voir en particulier acte II, scène I).
Ces analogies ne sont pas dues au hasard : la comédie de Molière
manifeste clairement une volonté de mettre en scène certaines situations topiques de la culture mondaine, telles qu'elles apparaissent
dans *Le Grand Cyrus* (voir C. Bourqui, *Les Sources de Molière*,
SEDES, 1999, p. 146-152). Ces résonances intertextuelles s'éten-
dent également à *Don Garcie de Navarre* (1661), autre comédie de
Molière, et à sa source, *Le gelosie fortunate del principe Rodrigo* (vers
1640, publication 1654) de G.A. Cicognini (voir p. 425, note 1 et
p. 427, note 1).

sans doute très propre à être un amant discret, puisqu'il n'eût pas été aisé de deviner, à me voir si mélancolique, que j'avais le portrait d'une des plus belles personnes du monde. "C'est, seigneur, lui dis-je avec précipitation, que ce n'est pas être fort heureux que de ne tenir le portrait de la belle Alcidamie que des mains de la fortune ; et, si je l'avais reçu des siennes, cette peinture me semblerait plus achevée et me serait encore plus précieuse qu'elle n'est, quoiqu'elle me le soit beaucoup. – Pour la pouvoir un jour recevoir de ses mains, dit Polycrate en souriant, il faudrait qu'elle sortît des vôtres et qu'elle rentrât dans les siennes ; ainsi il eût fallu la lui rendre hier comme je le disais. – Et vous pouvez encore me la rendre aujourd'hui, dit Alcidamie. – Si j'étais assuré que vous me la donnassiez demain, lui répliquai-je, je vous la rendrais sans doute*, mais je suis trop malheureux pour me priver d'un bien que je possède par espérance d'un plus grand que peut-être vous ne m'accorderiez pas."

Ensuite, Ménéclide témoigna avoir de la jalousie de ce que j'avais un portrait d'Alcidamie et de ce qu'elle n'en avait point et même de ce qu'elle n'en pouvait pas avoir si tôt, car le seul peintre qui faisait bien des portraits à Samos était allé à Éphèse. Cette agréable contestation alla si avant entre ces deux belles personnes qu'Alcidamie, pour apaiser Ménéclide, lui donna un cachet d'émeraude admirablement beau, où le chiffre* de son nom était gravé, qu'elle portait ce jour-là attaché au bras avec un ruban de couleur de feu. Le présent était si magnifique, pour la beauté de l'émeraude et pour celle du travail, qui était du fameux Théodore [1], que Ménéclide ne le voulut point recevoir qu'à condition qu'elle prendrait un bracelet qu'elle portait alors, dont les fermoirs étaient de rubis, avec un très beau diamant au milieu. Ainsi, cet échange s'étant fait en ma présence, j'eus encore la hardiesse de dire que je préférais la peinture d'Alcidamie à l'un et à

---

1. Sur Théodore, voir p. 412, note 1.

l'autre de ces présents magnifiques. Ce n'est pas que
Théanor, pour continuer sa feinte, ne me fît signe que
je ne devais pas me déclarer si fort devant Polycrate,
mais je n'étais pas maître de ma passion et il fallait que,
du moins, ma jalousie fût soulagée par les marques
d'amour que je donnais devant mes rivaux.

Cependant je vous dirai, pour n'abuser pas de votre
patience, que le huitième jour étant arrivé, auquel
Alcidamie ne devait plus souffrir que je lui parlasse
comme étant amoureux d'elle, je lui en parlai si longtemps et si sérieusement qu'elle connut bien qu'elle
n'avait qu'à se préparer à une longue persécution.
Tout ce que je lui avais dit jusque-là pouvait être
expliqué à* simple galanterie, mais il n'en alla pas
ainsi de cette conversation, car il me fut impossible de
ne lui paraître pas jaloux, dès que je lui parus amoureux, et je pense même que je songeai bien plus à la
conjurer de n'aimer point mes rivaux qu'à la prier de
souffrir que je l'aimasse. Depuis cela, je vécus toujours avec un chagrin qui avait quelquefois des redou-
blements étranges* : ce n'est pas, si je l'ose dire, que je
ne trouvasse quelque apparence de bonté pour moi
dans le cœur d'Alcidamie, mais je ne m'y pouvais fier
et je pense qu'à moins que de demeurer seul avec elle
dans une île inhabitée et où n'abordât même jamais
aucun vaisseau, je n'aurais pas cru être en sûreté de
mes rivaux.

J'étais donc très malheureux, car il fallait malgré
moi que je visse Polycrate tous les jours, que je souffrisse la vue des visites de Théanor, qui ne put à la fin
si bien cacher ses sentiments que je ne connusse qu'il
était toujours plus amoureux d'Alcidamie, et il fallait
aussi que, pour n'être pas contraint de quitter Samos,
je souffrisse encore Timésias, qui était mon ennemi
mortel. À dire le vrai, quiconque n'a pas éprouvé ces
trois sortes de jalousies ne connaît pas ce qu'est véritablement la jalousie. La mienne n'en demeura pourtant pas encore là, car vous saurez qu'il y avait alors
dans la cour un homme d'assez basse condition qui
avait même été esclave chez le philosophe Xanthus du

temps que le fameux Ésope [1] l'était aussi, et qui fut affranchi le jour que cet illustre auteur de ces belles fables qui sont si célèbres le fut par leur commun maître. L'humeur agréable et divertissante de cet homme l'avait introduit dans la cour et lui avait acquis la liberté de railler impunément de tout le monde. Comme je vous ai dit qu'Alcidamie souffrait même ceux qui l'importunaient, il vous est aisé de penser qu'elle ne chassait pas ceux qui la divertissaient. De sorte que cet ancien ami d'Ésope, qui se nommait Hiparche, était continuellement chez elle. Or, comme il savait les nouvelles de toute la cour et qu'il les contait agréablement, il avait toujours quelque chose à lui dire en secret, et elle avait aussi toujours quelque chose à lui demander en particulier, si bien qu'il n'y avait point de jour que je ne les visse parler bas ensemble et rire bien souvent sans que je pusse jamais savoir de quoi c'était. Tant y a que je vis tant de fois ce que je dis que, malgré ma jalousie pour Théanor, pour Timésias et pour Polycrate, je fus encore jaloux d'Hiparche, qui était autant au-dessous de moi que le prince Polycrate était alors au-dessus. Cette espèce de jalousie m'incommoda même plus que les autres, parce qu'elle me portait quelquefois jusqu'à avoir du mépris pour Alcidamie. Pour moi, je sais bien que, depuis ce temps-là, Hiparche ne me fit point rire, quelques plaisantes choses qu'il dît. Et je connus certainement qu'il n'est pas possible d'être jamais bon bouffon pour son rival.

Je vivais donc de cette sorte, lorsque Polycrate (qui effectivement était amoureux de Ménéclide, quoiqu'il

---

1. Le personnage du fabuliste Ésope apparaît à plusieurs reprises dans *Le Grand Cyrus* : il est, entre autres, un protagoniste important du « Banquet des sept sages » [Partie IX, Livre 2] et de l'« Histoire de Palmis et de Cléandre » [Partie IV, Livre 1]. Cette faveur, étonnante pour un personnage dont il n'est fait aucune mention ni chez Hérodote ni chez Xénophon, est due à la parution en 1649 d'une édition française de la *Vie d'Ésope* par Planudes (trad. J. Baudoin) accompagnant une traduction des fables. Les démêlés du fabuliste avec son premier maître, le philosophe Xanthus, y tiennent une large place. L'épisode de l'affranchissement d'Ésope est narré au chapitre XXIII. Il n'y est cependant pas question d'un compagnon de misère dénommé Hiparche.

ne le témoignât pas ouvertement par quelque raison
d'État qui voulait qu'il le dissimulât pour un temps) fit
un dessein d'aller faire une promenade sur la mer, ou
plutôt une belle pêche, où toutes les dames se devaient
trouver. La princesse Hersilée les en convia toutes et,
quoique la fête fût sans doute faite pour la belle Ménéclide, je crus néanmoins qu'elle était pour Alcidamie,
avec qui elle avait une amitié très particulière en ce
temps-là. Car, depuis l'aventure du portrait, Acaste, qui
avait été autrefois sa principale amie, ne l'était plus tant,
et Méléclide avait la première place dans son cœur.

Toutes choses étant donc préparées pour cette
pêche et le jour en étant pris, on fut contraint de la différer parce qu'il arriva un ambassadeur d'Amasis, roi
d'Égypte, qui, aimant fort Polycrate, lui envoyait dire
que sa bonne fortune lui donnait de l'inquiétude et
qu'un très savant homme, lui ayant assuré qu'il était
impossible qu'il pût toujours être heureux, il lui con-
seillait de se préparer au malheur, par quelque perte
volontaire, afin que, s'il lui devait arriver quelque
chose de fâcheux, son âme n'en fût pas si surprise.
Polycrate reçut cet avis avec beaucoup de témoignages
de reconnaissance des soins qu'un si grand roi prenait
de lui : il n'en usa pourtant pas comme on l'a publié*
en Asie, car j'ai su que l'on a dit qu'il monta sur une
galère avec cet ambassadeur d'Égypte et qu'étant bien
avant dans la mer, il y jeta de dessein prémédité un
cachet d'un prix inestimable, afin de se causer à lui-
même un sujet d'affliction. Mais la chose n'alla pas
ainsi et voici positivement* ce qui a donné fondement
à cette nouvelle, qui s'est épandue, non seulement en
Asie, mais par tout le monde [1]. Le lendemain que cet

---

1. La version des faits contestée, à laquelle il est fait allusion ici,
est celle d'Hérodote (III, 40-42). Les Scudéry en reprennent les
principales péripéties (la prédiction d'Amasis, le cachet, œuvre du
fameux Théodore, jeté volontairement à la mer, puis, comme on va
le voir, retrouvé dans le ventre d'un poisson) et modifient les circonstances et les motivations, suivant les principes qu'ils énoncent
dans l'avis au lecteur du *Grand Cyrus* et dans la préface d'*Ibrahim*
(1642). Voir également le dénouement de l'« Histoire de Sapho »
(*infra*, p. 584), ainsi que notre Présentation, p. 22.

ambassadeur fut arrivé et qu'on l'eut traité avec toute
la magnificence possible, Polycrate voulut que la belle
pêche se fît pour lui donner sa part de ce divertissement. Comme c'était à la fin de l'automne, qui est
ordinairement très belle à Samos, la mer était aussi
calme qu'il le fallait pour s'y promener agréablement,
mais non pas aussi de telle sorte qu'il n'y eût lieu
d'espérer que l'on ne jetterait pas les filets inutilement
dans la mer, car le trop grand calme n'est pas fort bon
à la pêche. Douze galiotes [1] peintes et dorées furent
destinées pour cette belle et grande compagnie : elles
avaient toutes des tentes magnifiques sur la poupe et
mille banderoles ondoyantes de diverses couleurs les
environnaient de toutes parts. Mais, entre les autres,
celle qui fut destinée à porter le prince Polycrate, la
princesse Hersilée, l'ambassadeur d'Égypte, la belle
Ménéclide, l'incomparable Alcidamie et les principales dames de la cour était la plus belle et la plus
galante chose du monde.

Pour moi, qui croyais que toute cette magnificence
était un effet de l'amour de Polycrate pour Alcidamie,
je la remarquai mieux qu'aucun autre, mais elle ne me
donna pas même plaisir. Je fus pourtant dans la même
galiote où était Alcidamie, plus belle ce jour-là que
l'on ne peint Galatée, Thétis [2], ni Vénus. Tous les filets
qui devaient servir à cette pêche étaient de soie, tous
les pêcheurs étaient habillés en Tritons et toutes les
dames en Néréides et, pour leur faire avoir le plaisir de
pêcher de leur propre main, comme nous fûmes à un
endroit où la mer est extraordinairement poisson-
neuse, Polycrate leur fit présenter à toutes des lignes,
dont le bâton était d'ébène avec un fil de soie bleue et

---

1. Petites galères.
2. Galatée et Thétis sont les plus célèbres des Néréides, nymphes
de la mer, qui, avec les Tritons, forment la suite de Poséidon. Dans
son *Cabinet* (1646 ; éd. critique par C. Biet et D. Moncond'huy,
Klincksieck, 1991), Georges de Scudéry avait consacré un poème
au tableau de « Charles Vénitien », représentant Galatée, et un autre
à la naissance de Vénus, peinte par Véronèse. On trouvera, aux
pages 1172-1174 de l'édition en ligne du *Grand Cyrus*, la description d'une galerie de tableaux représentant Vénus.

des hameçons d'or. Ce prince, qui est naturellement très civil, mais qui, de plus, cachait autant qu'il pouvait la passion qu'il avait pour Ménéclide, prit une de ces lignes qu'il donna à Alcidamie auparavant que d'en donner à cette autre belle personne, ce qui, comme vous pouvez penser, m'affligea extrêmement, de sorte que, pendant que tout le monde ne songeait qu'à se divertir, j'étais très inquiet et très jaloux.

Théanor et Timésias, qui n'avaient pu être dans cette même galiote, étaient dans une autre, mais si attachés à regarder celle où était Alcidamie qu'ils ne surent guère, à mon avis, si la pêche avait été bonne dans la leur. Pour moi, je n'avais qu'une occupation, qui était de regarder ce que faisait Polycrate et, pour mon malheur, je n'étais guère moins inquiet quand il parlait à Ménéclide que quand il entretenait Alcidamie, parce que je m'imaginais que c'était la confidente de son amour. Je vis donc que, pendant que l'ambassadeur d'Égypte entretenait la princesse Hersilée sous la tente et que beaucoup de dames par des divertissements différents étaient toutes occupées, les unes à regarder pêcher, les autres à pêcher elles-mêmes avec leurs lignes et les autres à s'entretenir ou entre elles, ou avec des gens de la cour, ou avec quelques-uns de ceux qui avaient accompagné l'ambassadeur, je vis, dis-je, que Polycrate, après avoir présenté une ligne à Alcidamie, comme je l'ai déjà dit, en donna une autre à Ménéclide, et j'ai su depuis qu'il lui avait dit fort galamment en la lui donnant que, si elle était aussi heureuse à prendre des poissons qu'elle était adroite à prendre des cœurs, la pêche ne pourrait manquer d'être bonne.

Or je ne sais comment Ménéclide, prenant cette ligne, l'embarrassa dans le ruban où elle portait, attaché au bras droit, le cachet que la belle Alcidamie lui avait donné, mais je sais bien que, se dénouant tout d'un coup, elle fit un grand cri et que, si Polycrate ne se fût baissé en diligence et ne l'eût repris, il fût tombé dans la mer. Comme il l'eut entre les mains, il en témoigna beaucoup de joie, aussi bien que Ménéclide qui l'aimait infiniment, et pour sa beauté, et pour la main qui le lui avait donné. Mais, pour lui qui le considérait seulement parce qu'il avait été attaché au bras de Ménéclide, il lui dit, au lieu de le lui rendre, qu'il le lui conserverait jusqu'à la fin de la pêche, de peur qu'elle ne le perdît. Et m'appelant alors : "N'est-il pas vrai, Léontidas, me dit-il, que j'ai plus de droit à ce cachet que vous n'en avez au portrait d'Alcidamie ? Et que, si je voulais, je pourrais ne le rendre point à la belle Ménéclide ? Car enfin, vous avez trouvé cette peinture en un lieu où elle n'eût pas été perdue, quand vous ne l'eussiez pas prise, mais, si je n'eusse heureusement pris ce cachet, il était assurément perdu pour toujours, et toute ma bonne fortune, qui fait tant de bruit à la cour d'Égypte, ne l'aurait pas fait retrouver. – Seigneur, lui dis-je tout irrité, parce que je croyais qu'il n'aimait ce cachet qu'à cause qu'il avait été à Alcidamie, vous me fûtes si contraire, lorsqu'il s'agit du portrait dont vous parlez, que j'aurai bien de la peine, malgré le respect que je vous dois, à vous être favorable. – Il faut donc, dit-il, que ce soit la belle Alcidamie qui m'assiste et qui persuade Ménéclide de me laisser jouir de ce qu'elle a pensé* perdre. – Seigneur, reprit-elle cruellement pour moi, je ne m'opposerai jamais à tout ce qui vous sera avantageux, et je trouve en effet que Ménéclide a rendu le cachet que je lui ai donné si précieux, parce qu'elle l'a porté, que vous avez raison de le vouloir conserver. – Si le prince, interrompit Ménéclide, est de mon avis, il ne le considérera que de la même façon que je le considère : c'est-à-dire parce qu'il vient de vous." Enfin, après avoir bien contesté, Ménéclide consentit à demi que Polycrate portât le reste du jour son cachet, de sorte que, se l'attachant au bras, il semblait être aussi glorieux que s'il eût fait une grande conquête. En effet, il en était aussi aise que j'en étais affligé, car, de la façon dont je croyais voir la chose, il me semblait que ce cachet n'avait été donné à Ménéclide qu'afin qu'il fût donné à Polycrate. Je crus même que Ménéclide l'avait

détaché et laissé tomber exprès et je m'imaginai alors
tout ce qui me pouvait affliger.

Après que l'on eut pris tout le plaisir que la pêche
peut donner, que l'on eut vu à diverses fois tirer les
filets si chargés de poissons bondissants qu'ils en rom-
paient, et redonné la liberté à ces beaux prisonniers
que l'on ne prenait que pour le seul divertissement de
les prendre et pour voir leurs bonds et leurs belles
écailles d'argent, que l'on eut, dis-je, vu plusieurs
dorades se prendre aux lignes que tenaient les dames,
il y eut en chaque galiote une collation magnifique et
une musique agréable, en suite de quoi, le soleil ne
pouvant plus incommoder les dames, on leva les tentes
et cette illustre compagnie jouit avec satisfaction du
plus beau soir qui fut jamais. Toutes les dames avaient
levé leurs voiles, leur beauté était en son plus grand
éclat et la conversation succédant aux autres plaisirs,
quoique celui de la musique durât toujours, chacun
parlait par diverses troupes [1] et j'étais sans doute le
seul qui ne m'entretenais avec personne qu'avec moi-
même.

Je vis alors Polycrate, parlant tantôt à l'une, tantôt à
l'autre, s'arrêter enfin entre Alcidamie et Ménéclide
qui, voyant approcher la fin du jour, lui redemanda
son cachet. Et, comme il fit difficulté de le lui rendre,
elle l'en pressa encore, mais ce prince, s'en défendant
toujours, lui faisait entendre qu'il avait bien de la peine
à résoudre* de se défaire si tôt d'une chose qu'elle avait
portée. "Seigneur, lui dit-elle en souriant, à ce que j'ai
su depuis (car je ne voyais alors que leurs actions et
n'entendais pas leurs paroles), ce cachet est si beau et
d'un travail si admirable qu'il n'y a que le prince Polycrate au monde qui pût le demander comme une
faveur et que l'on ne soupçonnât d'une passion un
peu moins galante que l'amour. – Pour vous montrer,
dit-il, que je ne suis pas avare, je vous rendrai le
cachet, à condition que vous me donnerez seulement

---

1. Comprendre : « chacun passait d'attroupement en attroupement pour converser ».

le ruban qui l'attache." En disant cela, il le dénoua, quoiqu'elle y résistât, et il voulut lui rendre le cachet tout seul. Comme elle s'en défendait et qu'elle disait, pour s'en excuser, qu'elle ne pourrait* comment l'attacher si elle n'avait pas ce ruban, le cachet échappe des mains de Polycrate et tombe en un instant dans la mer, sans qu'il fût en son pouvoir de l'empêcher, car ils étaient appuyés sur une petite balustrade peinte et dorée, qui est tout à l'entour de la poupe des galères et des galiotes.

Polycrate était désespéré de cet accident, Ménéclide en était très fâchée et, quand il fut su, tout le monde prit part au déplaisir que le prince avait d'avoir causé cette perte à Ménéclide. Ainsi je fus le seul qui m'en réjouis et qui fus ravi qu'il ne jouît pas d'une chose qui avait été à Alcidamie, car je n'avais point compris qu'il le voulût rendre lorsqu'il l'avait laissé tomber. "Voilà, disait-il, cet heureux Polycrate qui commence d'éprouver la mauvaise fortune d'une manière assez étrange* ; puisque enfin, poursuivit-il, le premier malheur qui m'arrive est un malheur sans remède." Mais, plus il paraissait affligé, plus il m'affligeait et plus la jalousie s'augmentait dans mon âme. L'ambassadeur d'Égypte, pour le consoler, souhaitait qu'il ne lui arrivât jamais de plus grandes infortunes et, tant que le reste du jour dura, soit dans la galiote, soit dans le palais après notre retour, l'on ne parla d'autre chose.

Le lendemain au matin, je sus par Théanor, qui me le dit malicieusement* pour m'affliger, que Polycrate, pour réparer la perte que Ménéclide avait faite, avait envoyé dès le soir deux autres cachets de diamants à Alcidamie les plus beaux du monde, la suppliant d'en vouloir garder un et de donner l'autre à Ménéclide, afin que, du moins, elle pût avoir en celui-là ce qu'elle estimait le plus en celui qu'il lui avait perdu, c'est-à-dire quelque chose qui eût eu l'honneur d'être à elle. Cette galanterie pensa* encore me désespérer et, quoique j'apprisse presque en même temps, par un autre que par Théanor, qu'Alcidamie avait fait grande difficulté d'accepter ce qu'on lui avait envoyé, et qu'il

avait fallu que Polycrate employât l'autorité de la princesse sa sœur pour le lui faire prendre, je n'en étais pas
moins jaloux. Car enfin, je voyais qu'Alcidamie avait
un cachet qui venait de Polycrate, et je croyais assurément que celui qu'elle devait donner à Ménéclide
n'était que pour cacher la vérité de la chose et pour la
récompenser en quelque sorte des services qu'elle leur
rendait. De plus, ce ruban, qui était demeuré entre les
mains de Polycrate, et que je savais qu'il conservait
soigneusement, augmentait encore mes soupçons et je
n'avais pas un moment de repos.

Il arriva même encore le lendemain une chose qui
m'affligea extraordinairement et dont toute la terre a
entendu parler comme du plus merveilleux cas fortuit
et de la plus grande marque de bonheur que l'on ait
jamais vu arriver à personne. Polycrate, deux jours
après cette belle fête, s'étant levé assez matin avec
intention d'aller à la chasse, était sur un grand perron
de marbre qui est au milieu du château, tout prêt de
monter à cheval, lorsqu'un vieux pêcheur, s'approchant de lui avec un profond respect, lui présenta un
poisson qu'il avait pris, d'une grandeur prodigieuse,
que deux autres pêcheurs portaient sur une claie de
joncs marins. Comme ce poisson était admirablement
beau et extraordinairement grand, Polycrate le regarda
avec plaisir et, faisant magnifiquement récompenser
celui qui le lui avait offert, il monta à cheval et fut à la
chasse, comme il en avait eu le dessein. Mais, à son
retour, un de ses officiers, prenant la liberté de s'approcher de lui, comme il voulait rentrer dans le château, lui présenta le cachet de Ménéclide qu'il avait
laissé tomber dans la mer le jour de la pêche, et que
l'on avait retrouvé en accommodant ce merveilleux
poisson dont on lui avait fait présent, qui sans doute
l'avait englouti, à l'instant qu'il était tombé dans l'eau.

J'étais alors assez près de Polycrate, de sorte que je
pus remarquer aisément quelle agréable surprise fut la
sienne d'apprendre une aventure si prodigieuse et de
revoir en sa puissance une chose qu'il avait crue absolument perdue. En effet, ce bonheur était si extraordi-

naire que, quand Polycrate n'eût point été amoureux, il en aurait toujours eu de la joie, mais, comme il l'était infiniment de Ménéclide, et qu'il fut ravi de lui pouvoir rendre une chose qui lui était très chère, il témoigna la sienne avec tant d'excès* que j'en fus plus jaloux que je n'avais encore été, m'imaginant toujours que tout ce que je lui voyais faire était fait pour Alcidamie. Il fit donner à cet officier qui lui avait rendu le cachet de quoi l'enrichir pour toute sa vie, il redoubla encore sa libéralité au pêcheur qui lui avait présenté le poisson et, me choisissant, malheureusement pour moi, entre les autres, croyant me faire grâce, il m'ordonna d'aller porter cette agréable nouvelle à Alcidamie et à Ménéclide, en attendant qu'il pût les voir.

Cependant toute la cour admirait cette merveilleuse aventure et ne pouvait se lasser d'en parler. "Après cela, disait l'ambassadeur d'Égypte parlant à Polycrate, vous pouvez défier la fortune, car enfin, que vous ayez laissé tomber dans la mer un cachet que le plus beau de ses poissons ait pris, que ce même poisson se soit laissé prendre à* un pêcheur assez raisonnable pour vous en faire un présent et, qu'ensuite, il se soit trouvé un officier assez fidèle pour vous rendre une chose si précieuse, est un bonheur si grand qu'il en est presque incroyable et qu'il vous doit persuader que vous serez toujours heureux. – Si cela est ainsi, répondit civilement Polycrate, vous devez vous en réjouir comme d'une chose qui vous marque la prospérité du roi votre maître, puisque je ne m'estimerais pas heureux s'il ne l'était point."

Cependant je fus m'acquitter de ma commission malgré moi, mais ce fut d'une façon qui fit bien connaître à Alcidamie et à Ménéclide, que je trouvai ensemble, que j'avais l'esprit fort troublé. Je trouvai encore, pour m'affliger davantage, qu'Hiparche, qui n'avait pas été à la chasse, était avec elles, et que Timésias et Théanor, qui nous avaient quittés dès la porte de la ville, y étaient déjà. Je leur fis donc ce récit d'une manière qui donna un juste sujet à la raillerie d'Hiparche, car, voyant avec quelle mélancolie je leur apportais une nouvelle de joie et de plaisir, il leur dit cent choses malicieuses* pour moi et plaisantes pour elles ; et, si Ménéclide n'eût adroitement détourné la conversation, mon chagrin* aurait peut-être éclaté plus que je n'eusse voulu.

Après cela, il fallut aller rendre compte à Polycrate de ce que ces dames m'avaient dit, mais, quoiqu'elles m'eussent chargé l'une et l'autre de cent civilités pour lui, je les passai toutes légèrement et je lui dis seulement en peu de mots que Ménéclide était fort aise de pouvoir espérer qu'elle aurait bientôt son cachet. Polycrate était alors entré dans son cabinet sans y être suivi de personne, de sorte qu'y étant seul avec lui après avoir été quelque temps sans parler, il me demanda tout de nouveau, avec une curiosité extrême, ce qu'avaient précisément dit Ménéclide et Alcidamie. Et, quoique je ne lui répondisse pas trop à propos, il me faisait toujours demandes sur demandes et mettait mon âme tellement à la géhenne* que je fus tout prêt de perdre le respect à diverses fois. Mais enfin ce prince, remarquant le trouble de mon esprit, me demanda ce que j'avais et, comme je ne lui répondis qu'en biaisant, il se mit à rêver* et ensuite, me regardant attentivement : "Léontidas, me dit-il, vous êtes amoureux ou je suis le plus trompé de tous les hommes. Mais, si cela est, poursuivit ce prince, je voudrais bien pour votre repos que ce ne fût pas d'Alcidamie, car c'est une personne de qui l'humeur indifférente vous donnera bien de la peine."

Pour moi, entendant parler Polycrate ainsi, je crus qu'il voulait seulement savoir mes véritables sentiments et je fus si interdit que je ne pouvais lui répondre. Ce prince, voyant le désordre où j'étais, en sourit et, m'embrassant avec beaucoup de bonté : "Léontidas, me dit-il, ne craignez pas de me découvrir votre faiblesse, puisque je suis résolu de vous apprendre la mienne et, pour vous y obliger, ajouta-t-il, sachez que ce Polycrate que l'on croit si heureux a un tourment secret qui trouble bien souvent toute sa

bonne fortune. – Seigneur, lui dis-je alors tout transporté, il me semble qu'Alcidamie ne vous est pas fort
contraire. – Alcidamie, en effet, me dit-il, m'épargne
quelquefois quelques rigueurs de Ménéclide, mais,
après tout, elle ne fait rien pour moi que d'empêcher
que son amie ne me maltraite et elle ne l'oblige pas à
m'être absolument favorable."

J'avoue que, lorsque j'entendis parler Polycrate de
cette sorte, je crus d'abord que c'était pour me
tromper. Toutefois, ce prince s'étant à la fin aperçu de
ma défiance et ayant même deviné une partie de mes
sentiments, il eut la bonté de me commander de les lui
dire et j'eus la hardiesse de lui obéir, après avoir néanmoins en quelque façon connu, malgré toute ma préoccupation*, que je m'étais abusé*. Polycrate, apprenant donc mon erreur, la dissipa de telle sorte qu'il ne
demeura nul soupçon dans mon âme et je connus
enfin que tout ce que Théanor m'avait dit était faux,
ce qui me mit en une colère si étrange* contre lui que
je n'étais pas maître de mon ressentiment. Je ne dis
pourtant pas à Polycrate tout ce que je savais et je crus
qu'il serait plus noble de me venger par moi-même
que de le faire par l'autorité de ce prince. Comme il
m'aimait véritablement, afin de me bien guérir de ma
jalousie, il me fit le confident de sa passion pour
Ménéclide et, pour achever de m'obliger, il m'offrit
son crédit auprès d'Alcidamie. En effet, il lui parla
pour moi si avantageusement, lorsqu'il fut le lendemain reporter le cachet de Ménéclide, que cela obligea
cette belle personne à me considérer davantage.

Cependant, étant allé chercher Théanor, afin de lui
témoigner mon ressentiment, j'appris qu'il était allé
aux champs pour quelques jours, et je sus même
encore que Timésias s'était trouvé mal aussitôt qu'il
avait été chez lui et qu'il ne sortait point. Si bien que
me voilà sans jalousie pour Polycrate et défait de deux
rivaux pour quelques jours pendant lesquels, étant
favorisé du prince, je liai une amitié assez étroite avec
Alcidamie et je fus près d'une semaine assez heureux.
Mais hélas, le commencement de ma bonne fortune

fut celui de mon plus grand supplice, car, tant que je
n'avais point cru être aimé d'Alcidamie, ma jalousie,
quoique grande, n'avait pourtant rien été en comparaison de ce qu'elle devint, depuis qu'elle m'eut fait
la grâce de souffrir mon affection et de me permettre d'espérer un jour quelques témoignages de la
sienne. Car, la regardant alors comme une chose où
j'avais quelque droit, j'étais beaucoup plus tourmenté. Il fallut que j'augmentasse mon train, afin
d'avoir plus d'espions à observer ce qu'elle faisait et
ce que faisaient mes rivaux. Quand Théanor fut
revenu, je le querellai, nous voulûmes nous battre et
le prince Polycrate nous accommoda. J'eus encore
plusieurs démêlés avec Timésias et plusieurs soupçons
d'Hiparche.

Enfin, j'en vins aux termes que j'eusse voulu
qu'Alcidamie n'eût vu personne. Je la suivais en tous
lieux ou la faisais suivre. J'étais toujours chagrin* et
toujours rêveur, car, encore qu'Alcidamie eût eu la
bonté de me donner quelque espérance, elle ne laissait
pas de conserver l'égalité de son humeur pour tout le
monde et d'avoir une civilité universelle qui me faisait
désespérer et qui faisait aussi que je la persécutais
étrangement*. En effet, il m'était absolument impossible de ne lui donner pas éternellement des marques
de mes soupçons, quand même je n'en avais pas le
dessein. Si elle eût eu l'indulgence de m'en vouloir
guérir, peut-être l'aurait-elle fait, mais, comme au
contraire ma jalousie l'irrita, elle fit tout ce qu'il fallait
faire pour la rendre incurable. C'est-à-dire qu'elle ne
se priva pas un moment de la conversation de pas un
de mes rivaux, qu'elle ne perdit jamais nulle occasion
de promenade ni de divertissement, et qu'elle vécut
enfin comme bon lui sembla et comme si je n'eusse
point été jaloux. Ce n'est pas que je ne connusse quelquefois qu'elle ne faisait rien de mal à propos et que
toutes les autres personnes de sa condition ne fissent,
mais je pensais qu'elle devait avoir pitié de ma faiblesse, donner quelque chose à mon caprice et se
contraindre un peu davantage.

Cependant cette inhumaine fille vint à me regarder comme son persécuteur et à me traiter si cruellement que je sus qu'elle avait raillé de mes soupçons et de mes soins avec Polycrate, et même avec Hiparche, ce qui renouvela toutes mes jalousies jusqu'à celle du prince. De sorte que, l'esprit tout aigri, je fus la visiter un jour que je la trouvai seule. Néanmoins, quand j'étais auprès d'elle, la moitié de ma fureur me quittait et je lui parlais presque toujours avec beaucoup de respect. Cette conversation commença donc d'abord par des choses indifférentes, quoique ce ne fût pas ma coutume de l'en entretenir quand j'étais seul avec elle. Mais, ne sachant pas où commencer à me plaindre, de crainte de l'irriter trop, je gagnais du temps en parlant quelquefois hors de propos, dont Alcidamie ne put s'empêcher de rire.

Comme je le remarquai, j'en rougis de colère et, ne pouvant plus cacher mes sentiments : "Vous devriez, lui dis-je, madame, m'être bien obligée de vous donner si souvent matière de divertir le prince Polycrate et de railler avec Hiparche. – Ces deux personnes sont si différentes, dit-elle, que j'ai peine à croire qu'une même chose les puisse divertir également. – Et j'ai bien plus de peine, lui dis-je, à comprendre comment ils peuvent être tous deux dans un même cœur. – Ils y peuvent être, répondit-elle fièrement*, et même avec beaucoup d'autres encore. Car enfin, Léontidas, il y a quelquefois dans un même cœur de l'amour, de la haine, du mépris, de l'amitié, de l'indifférence et de l'aversion. – Je le sais bien, lui dis-je, et je sais aussi quelle part je dois prétendre à toutes ces choses. – Comme vous n'ignorez pas sans doute, reprit-elle avec un son de voix malicieux*, le prix des services que vous rendez, il vous est aisé de le deviner. – Je le devine bien mieux, répliquai-je, par le caprice d'autrui que par moi-même. – Et vous le devineriez encore plus précisément, répliqua-t-elle, par votre propre caprice que par nulle autre chose, s'il était possible que vous le pussiez connaître.

– Appelez-vous caprice, lui dis-je, madame, de vous adorer seule en tout l'univers ? De ne regarder que vous, et de ne souhaiter rien que d'en être aimé ? – Je sais bien, dit-elle, que vous ne regardez que moi. Et peut-être, si vous me regardiez un peu moins, en seriez-vous regardé plus favorablement. – Quoi, madame, répliquai-je, vous croyez qu'il soit possible d'aimer parfaitement et de ne chercher pas autant que l'on peut la vue de la personne aimée ? – Je crois, dit-elle, que pour se faire aimer il faut plaire et non pas s'occuper toujours à détruire tous les plaisirs de la personne que l'on aime [1]. – Mais si la personne que l'on aime aimait, répondis-je, elle ne trouverait point de plaisir à persécuter celui qu'elle aurait jugé digne de son affection et elle en trouverait beaucoup à avoir pitié de sa faiblesse et à la vouloir guérir. – Pour moi, dit-elle, je ne suis pas si bonne, car je ne saurais avoir compassion des maux que l'on se fait soi-même volontairement.

– Ah, madame, lui dis-je, que vous connaissez peu celui dont vous voulez parler si vous croyez qu'il soit volontaire. Non, non, ne vous y trompez pas, s'il vous plaît : la jalousie est une passion tyrannique, aussi bien que l'amour, qui naît malgré nous dans notre cœur, qui s'y augmente de la même sorte, et qui nous détruit enfin sans que nous y puissions que faire. – Puisque c'est un mal incurable, dit-elle, il ne faut penser qu'à le cacher si bien que personne ne s'en aperçoive. – Je voudrais le pouvoir faire, lui dis-je, mais le moyen de [2] vous voir éternellement environnée de personnes qui vous sont agréables, sans en témoigner du chagrin* ? – Quoi, dit-elle, vous voudriez que je ne visse jamais que des personnes incommodes ! Que je fusse toujours en des lieux fâcheux et peu divertissants, que je haïsse la musique, que je n'aimasse point la promenade, que la conversation me déplût et que je passasse enfin toute ma vie en solitude [3] ! – Je n'en souhaiterais

---

1. Voir *Le Misanthrope*, v. 523-529.
2. Pour le sens de cette expression, voir p. 477, note 2.
3. Voir *Le Misanthrope*, v. 457-464.

pas tant, lui dis-je, mais je vous avoue que je voudrais bien, s'il était possible, que le prince Polycrate, Théanor, Timésias, et même Hiparche, ne fussent pas si bien avec vous que Léontidas."

Alcidamie rougit à ce discours et, après avoir été quelque temps sans parler, elle commença de me dire qu'elle trouvait qu'il était à propos de me faire voir quel rang toutes ces personnes-là tenaient dans son cœur. Et alors elle me dit qu'elle estimait Polycrate comme un grand prince, qui, de plus, aimait passionnément Ménéclide son amie ; que, pour Théanor, elle n'avait pour lui ni haine ni amitié ; que, pour Timésias, elle avait plus de disposition à le haïr qu'à l'aimer ; et que, pour Hiparche, elle aimerait toujours sa conversation et n'aimerait jamais sa personne. Quand j'entendis parler Alcidamie de cette sorte, j'en fus transporté de joie et je voulus l'en remercier, mais elle, m'en empêchant : "Non, non, me dit-elle, ne vous hâtez pas Léontidas : je ne vous dis pas cela pour vous satisfaire, mais pour me satisfaire moi-même. C'est donc pour ma propre gloire, ajouta-t-elle, que je vous assure que toutes les personnes que vous m'avez nommées n'ont nulle place particulière dans mon cœur, mais c'est pour votre repos que je veux vous dire par bonté toute pure, afin que vous ne soyez pas abusé*, que vous n'y en aurez jamais non plus qu'eux [1]. – Quoi, madame, lui dis-je, vous n'aimerez jamais Léontidas ? – Non pas, du moins, répliqua-t-elle, tant qu'il sera jaloux et, comme je ne pense pas qu'il puisse jamais cesser de l'être, je ne pense pas aussi pouvoir jamais avoir nulle affection particulière pour lui.

– Mais songez, lui dis-je, cruelle personne, que cette jalousie n'est qu'un effet d'amour. – Si vous m'aimiez donc un peu moins, repartit-elle, je vous aimerais davantage. Car enfin, Léontidas, ajouta-t-elle encore, je vous déclare que j'aimerais incomparablement mieux épouser un homme qui me haïrait qu'un autre qui m'aimerait avec jalousie. C'est pourquoi ne

---

1. Voir *Don Garcie de Navarre*, v. 1032-1033.

vous obstinez pas plus longtemps à me servir, puisque ce serait inutilement. – Mais, lui dis-je, si vous m'aviez assuré que je serais choisi par vous pour être ce bienheureux dont vous parlez, ma jalousie cesserait. – Nullement, dit-elle, et je n'ai garde de m'exposer à un semblable péril. Il est plusieurs amants qui ne sont point du tout jaloux, qui le deviennent quand ils sont maris, mais je ne pense pas que ceux qui le sont quand ils n'ont encore aucun droit à la personne qu'ils aiment cessent de l'être quand ils l'épousent. Ainsi, Léontidas, vous avez mis un obstacle invincible à vos prétentions pour moi et quelque estime que je puisse avoir pour vous, je vous le dis encore une fois, je ne vous épouserai jamais."

Entendant parler Alcidamie de cette sorte, je voulus lui protester que je ne serais plus jaloux, mais, en lui parlant ainsi, j'avoue que, malgré moi, je voulais encore avoir certaines précautions qui faisaient aisément connaître que je n'étais pas encore en état d'être absolument guéri du mal qui me tourmentait. Cependant je ne pus faire changer de résolution à Alcidamie et, depuis cela, je n'en pus tirer autre chose. Je voulus durant quelques jours faire effort sur moi-même pour ne paraître point jaloux : je faisais semblant d'être gai, autant que je le pouvais, je parlais à Théanor, je saluais Timésias plus civilement qu'à l'ordinaire, je voulus même railler une fois ou deux avec Hiparche, mais, à vous parler sincèrement, ce fut d'une manière qui fit effectivement plus rire Alcidamie que si j'eusse dit de fort plaisantes choses. Cela me mit tellement en colère que je lui en fis des reproches tout bas. "Que voulez-vous que j'y fasse ? me répondit-elle, vous êtes si mal déguisé qu'il n'est pas possible que je n'en rie."

Cette façon d'agir m'offensa extrêmement ; néanmoins elle vivait toujours selon sa coutume, c'est-à-dire qu'elle était douce, civile et complaisante pour tout le monde, et je vécus aussi comme j'avais accoutumé, l'esprit fort inquiet, et très malheureux. Ne sachant donc plus que faire et sachant bien qu'effectivement Alcidamie avait pris la résolution qu'elle m'avait dite, je fus consulter le philosophe Xanthus, que je connaissais fort, et le conjurer de me dire par quelle voie on pouvait cesser d'être jaloux ; que, sachant à quel point il connaissait toutes choses, je ne doutais pas qu'il ne pût m'enseigner ce que je voulais savoir, puisqu'il y avait apparence qu'un homme qui passait toute sa vie à connaître la nature des passions me pourrait donner les moyens de vaincre ma jalousie [1].

"Le mal dont vous vous plaignez, me répondit-il, n'est pas si aisé à guérir que vous vous l'imaginez, et je ne sache qu'un remède pour cela. Bien est-il vrai qu'il est infaillible pour ceux qui s'en peuvent servir. – Hâtez-vous donc, lui dis-je, de me l'apprendre, car, quelque difficile qu'il soit, je me résoudrai à le faire. – Vous n'avez qu'à cesser d'aimer, répliqua-t-il, puisque, sans ce que je dis, ceux qui ont une fois l'âme fortement atteinte et saisie de cette dangereuse passion ne s'en peuvent jamais absolument délivrer. – Mais, lui répliquai-je tout en colère, il faudrait donc m'enseigner en même temps comment on peut cesser d'aimer. – En cessant de voir ce que l'on aime, répondit-il. – Vos remèdes sont bien fâcheux, lui dis-je. – Les maux que vous avez sont bien grands, reprit-il, et, dans les maladies de l'esprit aussi bien que dans les maladies du corps, quand elles sont extrêmes, il faut avoir recours aux extrêmes remèdes.

– Est-il possible, lui dis-je, que la jalousie ne se puisse guérir par nulle autre voie ? – Non pas quand elle est violente, reprit-il, et qu'elle est plus forte que l'amour qui la fait naître. Car enfin cette passion dérègle tellement la raison et l'affaiblit de telle sorte

---

1. La consultation du philosophe ami, suscitée par l'espoir de trouver un remède à la passion jalouse, est un motif qui, contrairement aux précédents (voir p. 424, notes 1 et 3 et p. 425, note 1), ne trouve de correspondant dans aucune des deux comédies moliéresques du *Misanthrope* et de *Don Garcie de Navarre*. En revanche, il figure en bonne place dans les *Gelosie fortunate* (vers 1640) de Cicognini. L'éventualité que les Scudéry, italianisants éminents, aient connu ce texte pourrait expliquer que Molière en procure une adaptation quelques années plus tard avec *Don Garcie de Navarre*.

qu'elle ne peut jamais juger de rien équitablement. Un homme jaloux avec excès* est comme un malade à qui la nature ne prête plus nul secours et à qui les remèdes sont inutiles. Dans les autres passions, la raison reçoit quelquefois les choses qu'on lui dit comme il les faut recevoir, mais un jaloux ne trouve nul secours de ce côté-là, parce que, n'étant accoutumée qu'à le tromper, elle ne peut lui faire discerner la vérité."

Tant y a qu'après une fort longue conversation où Xanthus me dit toujours que, pour cesser d'être jaloux, il fallait cesser d'aimer et que, pour cesser d'aimer, il fallait cesser de voir ce que l'on aimait, je le quittai et je fus me promener seul, fort occupé à déterminer ce que je voulais faire. Je n'en vins pourtant pas à bout ce jour-là et je pense que, si l'impitoyable Alcidamie n'eût encore augmenté ma jalousie par son procédé, j'eusse encore été longtemps irrésolu.

Mais, la grande fête de Junon étant arrivée, où toute l'île de Samos est en réjouissance, elle me donna tant de nouveaux sujets de me plaindre en toutes les assemblées où je la vis et elle me persuada si bien que, tant que je serais jaloux, je serais toujours haï, que je me résolus enfin, ne pouvant cesser de l'être, à cesser d'aimer si je le pouvais et à m'éloigner de Samos. J'inventai donc un prétexte pour en sortir et, ne disant la vérité qu'au prince Polycrate, de qui j'étais le moins jaloux, je quittai son île malgré toute la résistance qu'il y fit, et je la quittai même sans y dire adieu à personne. Mais, afin qu'il ne manquât rien à mon malheur, en passant devant le logis d'Alcidamie, j'y vis entrer Timésias et Hiparche, et je connus par le train de Théanor qu'il y était déjà devant* les autres. Je m'imaginai alors si bien la joie qu'auraient mes rivaux de mon absence que je pensai* ne partir pas. Néanmoins, faisant un grand effort sur mon esprit, je m'embarquai et je m'en retournai en Chypre, un peu auparavant que le prince Philoxipe fût amoureux de la belle Polycrite [1].

---

1. Voir « Histoire de Philoxipe et de Polycrite » [Partie II, Livre 3].

Depuis cela, j'ai mené une vie très inquiète et très malheureuse, car enfin l'absence ne m'a point guéri et je suis toujours amoureux et toujours jaloux et, par conséquent, le plus infortuné de tous les amants. Depuis même que je suis éloigné d'Alcidamie, je ne suis pas seulement jaloux de mon maître, de mon ami, de mon ennemi et d'un autre homme de qui la condition est fort au-dessous de la mienne, je le suis encore de tous ceux que je m'imagine qui la peuvent voir et, quand vous me voyez quelquefois rêveur et mélancolique, c'est que je les repasse tous les uns après les autres dans ma mémoire et que je m'imagine qu'Alcidamie les traite mieux qu'elle ne m'a traité. Que Timocrate ne prétende donc pas que l'absence toute seule approche de la rigueur de la jalousie, puisqu'il n'y a nulle comparaison de l'une à l'autre : le souvenir du passé et l'espérance de l'avenir, comme l'a fort bien remarqué le prince Artibie, donnent cent consolations à un amant absent quand il est aimé, mais un amant jaloux ne trouve rien, ni dans le passé ni dans l'avenir, qui ne lui donne de l'inquiétude. Un amant absent ne souhaite jamais que des choses agréables et dont l'espérance est douce, comme la vue de sa maîtresse, sa conversation et plusieurs semblables avantages, au lieu que la jalousie fait souvent désirer de ne la voir jamais, tant il est vrai qu'elle dérègle la raison. Je sais bien encore que n'être point aimé est un grand mal, mais c'en est encore un plus grand de croire non seulement n'être point aimé, mais de s'imaginer que la personne que l'on aime en aime cent mille autres au lieu d'un.

La mort même, tout effroyable qu'elle est en la personne aimée, ne tourmente pas tant que la jalousie. Un amant qui pleure sa maîtresse morte a du moins la triste consolation d'être plaint de tout le monde : il donne de la compassion à ses plus mortels ennemis, où*, au contraire, un amant jaloux ne donne pas le moindre sentiment de pitié à ses plus chers amis. Tout ce que peuvent faire les plus discrets est de n'en parler pas, mais, pour l'ordinaire, tout le monde en raille ouvertement. Cependant, quoiqu'il s'en aperçoive, il ne saurait y remédier. De plus, cette espèce de douleur qui est causée par la mort a des bornes : il n'arrive plus jamais rien de nouveau à celui qui la ressent. Mais un amant jaloux souffre tous les jours cent mille supplices qu'il n'a pas prévus, quoique bien souvent il les invente lui-même et qu'il soit son propre bourreau. Quand la mort a ravi ce que l'on a de plus cher, il y a du moins encore cet avantage que toutes les passions d'une âme, à la réserve de l'amour, demeurent en paix et que l'on pleure avec quelque espèce de tranquillité. Mais, dans un cœur que la jalousie possède, elles y sont éternellement en trouble et en confusion : la haine en dispute l'empire à l'amour, la crainte chasse l'espérance, la fureur prend la place de la tendresse, le désespoir la suit bien souvent, on se repent cent fois en un jour de ses propres souhaits, on désire la mort, non seulement à soi-même, mais à sa maîtresse, on ne voit plus les choses comme elles sont, car, au lieu que, dans l'ordre de la nature, les sens séduisent* quelquefois l'imagination, ici, au contraire, l'imagination séduit les sens et force bien souvent les oreilles et les yeux à croire, s'il faut ainsi dire, qu'elles entendent et qu'ils voient ce qu'effectivement ils ne voient ni elles n'entendent. Cependant, la connaissance de ces erreurs ne guérit pas l'esprit de ceux qui en sont capables, et la jalousie enfin a quelque chose qui tient bien plus du sortilège, de l'enchantement et de la magie que d'une simple passion. Prononcez donc en ma faveur, ô mon équitable juge, et ne refusez pas votre pitié au plus malheureux amant du monde. »

Léontidas ayant cessé de parler, Martésie voulut encore supplier Cyrus de prononcer l'arrêt de ces quatre illustres amants, mais, s'en étant défendu avec une civilité très obligeante et lui ayant même refusé de la conseiller, elle fut contrainte d'agir par ses propres sentiments. Après donc qu'elle eut un peu rêvé*, comme pour repasser dans son esprit ce qu'elle venait d'entendre, elle parla avec beaucoup de grâce en ces termes, quoique ce ne fût pas sans rougir.

Jugement de Martésie

Je sais bien que la curiosité de savoir les aventures de quatre illustres personnes m'a fait accepter la qualité de leur juge avec injustice, mais je sais bien aussi que vous m'avez tous si admirablement bien dit vos raisons, et si parfaitement bien dépeint vos souffrances, qu'il n'est presque pas possible que je ne m'abuse* dans mon opinion.

Je déclare donc hardiment que Timocrate, tout absent qu'il est, puisqu'il est aimé, est le moins malheureux des quatre, que Philoclès, quoique non aimé, n'est pourtant pas le plus infortuné de tous, puisque, après tout, ce qui fait son mal, pourra peut-être causer un jour sa guérison. Et, pour Léontidas, je soutiens qu'il est le moins à plaindre, bien que je sois persuadée qu'il souffre plus que tous les autres ensemble. Et je déclare enfin que le prince Artibie, en pleurant sa maîtresse morte, est le plus digne de compassion et celui de tous pour qui j'ai le plus de pitié, quoique je sente aussi les malheurs des autres, à la réserve du jaloux Léontidas, pour qui j'ai beaucoup d'estime et point du tout de compassion.

À peine Martésie eut-elle achevé de prononcer son arrêt que Léontidas, prenant la parole : « Ne vous ai-je pas dit, lui répliqua-t-il, que c'est un de mes malheurs de n'être plaint de personne ? – Quoi qu'il en soit, reprit Cyrus, je trouve que Martésie a été fort équitable en son jugement. – Le respect que j'ai pour elle, dit Timocrate, m'empêchera de m'en plaindre. – Je ne suis pas si raisonnable que vous, poursuivit Philoclès, puisque je vous avoue que je m'en plains un peu. – Je vais bien plus loin encore, ajouta Léontidas, car je m'en plains infiniment. – Et pour moi, dit Artibie, je m'en loue beaucoup, puisqu'il est vrai que la pitié que cette illustre personne a de mes maux est la première consolation que j'ai éprouvée depuis la perte que j'ai faite. »

Comme il était déjà fort tard, Cyrus se leva et, après qu'il eut encore fort loué Martésie, qu'Aglatidas et

Érénice eurent fait la même chose et qu'il eut encore un peu parlé bas de sa chère princesse avec cette excellente fille, il sortit, suivi de tous ces illustres malheureux et fut retrouver Cyaxare, l'esprit tout rempli de sa propre passion et de l'image de Mandane que rien ne pouvait éloigner de son cœur.

HISTOIRE DE SAPHO

NOTICE

Pour les contemporains de Madeleine et Georges de Scudéry, la poétesse grecque Sapho (VIIe siècle av. J.-C.) revêtait le caractère mythique associé aux origines de la littérature. Le nom (Sapphus ? Sappho ? Sapphon ? Sapho ?) tenait son rang dans la longue liste des poètes disparus dont la postérité n'avait conservé qu'une mention, une anecdote, un apophtegme [1]. De fait, à l'instar de la plupart des écrivains de cette époque – Homère, Hésiode, Ésope [2] ou Anacréon constituaient finalement des exceptions –, la poétesse de Lesbos était plus connue par sa biographie, constituée de diverses anecdotes recueillies et compilées dès l'époque alexandrine, puis reprises dans diverses variantes à la Renaissance [3], que par son œuvre

---

1. Madeleine de Scudéry elle-même, dans le « Songe d'Hésiode » proposé au tome VIII (1658) de la *Clélie*, déclinera une de ces longues généalogies poétiques (éd. critique par D. Denis, in *« De l'air galant » et autres conversations*, Champion, 1998, p. 181-244).

2. Les figures d'Ésope et d'Hésiode font elles-mêmes plusieurs apparitions, parfois assez développées, dans *Le Grand Cyrus* (voir p. 411, note 1) ou dans la *Clélie*.

3. La somme la plus vaste d'informations sur Sapho est contenue dans le *De historia poetarum* (1545) de l'érudit italien Lilio Gregorio Giraldi, ouvrage d'histoire littéraire largement diffusé en France. C'est ce texte qui fournira la matière de la *Sapphus vita* précédant l'édition d'Henri Estienne (voir p. 434, note 1).

elle-même. De Sapho, on ne pouvait guère invoquer que deux poèmes conservés dans leur quasi-intégralité (« Ode à une amie » et « Ode à Aphrodite »), généralement complétés de quelques fragments recueillis au travers de textes de rhéteurs antiques citant la poétesse. Et encore cette œuvre n'était-elle pas disponible en traduction française [1].

Sapho, il faut bien en prendre conscience, était donc, d'une certaine manière, un auteur sans œuvre, dont les maigres données biographiques, de surcroît, présentaient un caractère reconnu comme aléatoire. Un espace de liberté – textes fragmentaires à reconstruire, à *achever*, vie à *inventer* –, un potentiel de fictions, de projections. Et assurément de fantasmes.

De fait, la biographie de la poétesse, diffusée à travers l'Europe lettrée par le biais de la philologie naissante, ouvrait un champ de possibles troublant. Sapho passait pour avoir inventé le lyrisme – quelques vers, repris par Racine (« Je le vis, je rougis, je pâlis à sa vue [2] »), en révélaient la dimension passionnelle. Personne n'ignorait, au reste, les penchants sexuels qu'on lui attribuait depuis l'Antiquité [3]. Cette sensualité morbide avait été punie par l'amour envers un jeune homme insensible et infidèle, Phaon, passion inassouvie qui avait conduit la tribade

---

1. En 1653, la seule édition existante est celle procurée au siècle précédent par Henri Estienne dans son recueil de poètes grecs de 1566. Les premières traductions françaises ne paraîtront que dans le dernier tiers du XVIIᵉ siècle (La Crespelière, 1670 ; Mme Dacier, 1681 ; Longepierre, 1684). Néanmoins, le poème le plus célèbre de Sapho, « Ode à une amie », avait suscité nombre d'imitations de la part des poètes les plus prestigieux de la Renaissance (Louise Labé, Belleau, Ronsard, Baïf ; voir J. Dejean, *Sapho. Les fictions du désir 1546-1937*, Hachette, 1994, p. 35-39).

2. *Phèdre*, v. 273. Ces vers trouvent leur origine dans l'« Ode à une amie », l'un des deux poèmes de Sapho connus en version intégrale.

3. Nombre de textes de la Renaissance font explicitement référence à son homosexualité, à commencer par le passage de L.G. Giraldi (voir p. 433, note 3) et les poèmes, évoquant la poétesse, de Ronsard (1565) ou de Pontus de Tyard (« Élégie pour une dame enamourée d'une autre dame », 1573). Mais ce trait n'apparaît pas comme dominant dans les évocations de Sapho au siècle suivant. Cette homosexualité est-elle occultée ou la question est-elle indifférente ? La première hypothèse est examinée par J. Dejean qui discerne dans le texte de Madeleine de Scudéry des indices clairs d'une « ambiguïté » et d'une « instabilité sexuelle » procédant d'une subtile manipulation (*Sapho...*, *op. cit.*, p. 93).

repentie au suicide. Une héroïde d'Ovide, la quinzième, avait rassemblé ces éléments frappants pour les fixer dans une version qui constituait le principal vecteur de la *doxa* saphique.

Pour le public cultivé de l'époque, cependant, un autre trait était bien plus essentiel. Sapho représentait la plus célèbre et la plus prestigieuse des femmes auteurs, la seule pourvue d'une légitimité classique. Universellement célébrée dans la littérature grecque, gratifiée du titre de dixième muse, la poétesse de Lesbos faisait figure, en quelque sorte, de Virgile féminin, dignité à laquelle ne pouvaient prétendre les « personnes du sexe » qui, de Louise Labé à Isabella Andreini ou Maria de Zayas, avaient jusqu'alors illustré les « belles-lettres ». Les Scudéry eux-mêmes, dès 1641, ne s'étaient pas privés de célébrer ce rôle précurseur : une des harangues de leurs *Femmes illustres* avait mis en scène Sapho s'adressant à son épigone Érinne, qu'elle exhortait à s'engager dans le domaine de la création littéraire pour y faire la démonstration des potentialités féminines.

Enfin, la disparition de la quasi-totalité de l'œuvre « saphique » n'était pas sans faire écho au destin de l'abondante production mondaine, orale ou manuscrite, à laquelle s'adonnaient les contemporains. L'angoisse de l'éphémère, et son corollaire, l'obsession de la postérité, qui avaient motivé la publication de ces recueils tombeaux que constituaient les *Œuvres* de Voiture (1650) et celles de Sarasin (1656), trouvaient un écho rassurant dans le destin de la poétesse des temps reculés. Sapho, elle aussi, avait créé une œuvre périssable, transmise sur des supports fragiles qui ne lui avaient assuré qu'une survie très partielle, sans pour autant que cela fît obstacle à une reconnaissance immortelle par le biais de ses « filles [1] ».

Pour celle qui était en train de s'imposer dans le champ littéraire, au début des années 1650, en dépit du handicap

---

1. C'est par ce terme que les sources antiques désignent fréquemment les productions de Sapho (voir M. Williamson, *Sappho's Immortal Daughters*, Harvard University Press, 1995, p. 15-16). Ce souci de la postérité fait l'objet d'une mention explicite dans le texte de L.G. Giraldi : Sapho répond à une femme riche, mais ignorante, qu'elle « périra bientôt totalement, parce qu'elle n'aura laissé d'elle ni témoignage à la postérité, ni progéniture » (nous traduisons).

que constituait le « genre [1] », la poétesse de Lesbos représentait donc une figure tutélaire susceptible de projections et
d'identifications. D'autant que les points de rencontre entre
l'ancienne et la nouvelle Sapho ne manquaient pas : la *vita
Sapphus* qu'avaient transmise les sources semblait, par certains aspects, épouser les contours du vécu de Madeleine (les
deux femmes, réputées laides, étaient aux prises avec un frère
des plus incommodes) ; la dixième muse avait accédé au Parnasse sur la réputation d'une œuvre composite, formée de
genres mineurs, dont on vantait le « caractère amoureux et
passionné », souvent gratifié des qualificatifs latins de *dulcis*
(doux, agréable) et *lepidus* (charmant), et dont les quelques
vestiges laissaient entrevoir une compréhension féminine du
sentiment amoureux – première version, si l'on veut, des
conceptions de la future « Reine de Tendre ». On ne s'éton-
nera pas, par conséquent, que Madeleine de Scudéry, dès
cette époque, ait opté pour le nom de Sapho lorsqu'il s'est agi
de satisfaire au jeu des « baptêmes galants », ainsi que l'atteste
le témoignage des *Chroniques du samedi* [2].

En présentant une « Histoire de Sapho » au livre deuxième
de la dixième partie du *Grand Cyrus* [3], Madeleine et Georges
de Scudéry offraient une fiction d'un caractère encore inédit
au sein du roman d'Artamène. Certes, les lecteurs s'étaient
déjà familiarisés avec nombre de figures illustres de l'Antiquité – Solon, Pisistrate, les sept sages, Ésope, Pythagore –,
guest stars convoquées, pour un passage plus ou moins développé, auprès de leurs congénères totalement imaginaires. Et
ces figures avaient subi le même traitement que celui qu'im-

---

1. Les difficultés rencontrées par Madeleine de Scudéry en tant
qu'auteur féminin sont traitées au long par R. Kroll (*Femme poète…*,
op. cit., voir en particulier p. 91 *sq.* ; le point de vue est celui des
gender studies anglo-germaniques). Pour une vue d'ensemble des
carrières littéraires féminines au XVIIᵉ siècle, voir N. Grande, *Stratégies de romancières, op. cit.*

2. Il s'agit d'un recueil manuscrit de divers textes résultant direc-
tement ou indirectement de l'activité du salon de Madeleine de
Scudéry (éd. moderne par A. Niderst, D. Denis et M. Maître, Paris,
Champion, 2002). Sur les « baptêmes galants », voir D. Denis, *Le
Parnasse galant, op. cit.*, p. 192 *sq.*

3. Le texte est publié en septembre 1653. La poétesse Sapho
avait déjà été mentionnée à plusieurs reprises dans le roman, sans
que le long développement de son « histoire » ait pour autant été
annoncé.

posaient généralement les auteurs aux données fondées dans les sources historiques : un faisceau d'événements véridiques était entrelacé d'épisodes d'invention absolue, « ingénieuse tissure des fictions avec la vérité » (selon la formule de Corneille dans *Polyeucte*) qui rendait la matière historique véritablement profitable – et qui fera se dresser les cheveux des critiques du XIXe siècle. Mais le cas est cette fois différent, puisque c'est « Sapho » elle-même qui, seule ou assistée de son frère et de ses amis, écrit l'histoire de Sapho.

Il est vrai que ce n'était pas la première fois, dans *Le Grand Cyrus*, que la réalité du milieu humain entourant Madeleine de Scudéry venait se mêler à la fiction romanesque. Les lecteurs du *Grand Cyrus* avaient bien pris garde que les portraits de certains personnages reflétaient les traits de familiers des réunions du samedi ou ceux de protagonistes en vue des milieux mondains : le texte du roman se devait de satisfaire à un goût fort développé des contemporains pour ce qu'on appelait l'« application », qui incitait à chercher à propos de tout personnage la référence à une personne existante. Cette pratique des allusions cryptées avait même pris l'ampleur d'un petit jeu de société, qui présentait l'avantage de faire le tri des initiés et des autres [1], et de susciter l'engouement autour de l'œuvre, voire parfois d'obtenir des bénéfices *réels* en « monnayant » l'image diffusée par la fiction [2].

Néanmoins, dans l'« Histoire de Sapho », le brouillage des frontières de la fiction et de la réalité explore de nouvelles possibilités, facilitées au demeurant par les coïncidences

---

1. D'où la nécessité, pour ces derniers, d'une « clef » révélant les véritables identités. Il est fait occasionnellement mention de telles clefs au XVIIe siècle (il s'agit généralement de satisfaire des provinciaux). Mais ce seront surtout les érudits des XIXe et XXe siècles, autres curieux non initiés, qui seront avides de ces clefs et leur accorderont une grande importance. Pour un point de vue élargi sur la question, voir le numéro de *Littératures classiques* 54 (2005), dir. M. Bombart et M. Escola, consacré aux « lectures à clés ».

2. Les *Chroniques* rapportent par exemple le cas de Meliante-Artimas (*op. cit.*, p. 61 et 96). Le même individu fait l'objet de deux portraits successifs, mais différents, sous deux noms distincts. C'est sa réaction d'insatisfaction au contenu du premier portrait qui, après négociation et obtention de contreparties, motive celui du second (voir M. Maître, « Les escortes mondaines de la publication », in C. Jouhaud et A. Viala (éd.), *De la publication. Entre Renaissance et Lumières*, Paris, Fayard, 2002, p. 249-265).

avec la vie réelle de Madeleine. Il suffit de lire les *Chroniques* pour prendre la mesure de ces rencontres : tantôt on commente la réalité du salon de Madeleine au travers du voile de la fiction « saphique » (« Vers du Mage de Sidon pour prier Sapho à dîner », p. 80) ; tantôt on reprend les arguments de cette fiction pour en qualifier avantageusement la réalité (la Sapho antique se voit attribuer des qualités qui, par la suite, seront concédées à son épigone moderne ; par exemple, la capacité de procéder à l'« anatomie d'un cœur », p. 93) ; ailleurs, on joue de l'écart entre fiction et réalité (Pellisson, en dépit de sa laideur extrême, est appelé Phaon, p. 80) ; ailleurs encore, on évoque des lectures personnelles du roman (p. 144), on en cite le texte (p. 113 et 133), on attend avec impatience la parution de l'ouvrage (p. 70).

Mais ne nous méprenons pas sur la nature de ces interférences : c'est la réalité, en fait, qui s'amuse à se conformer à la fiction plutôt que la fiction qui reproduit la réalité. Ce qui explique que le texte de l'« Histoire de Sapho » nous fournit finalement très peu d'informations sur Madeleine de Scudéry elle-même (il ne s'agit pas d'un autoportrait !) : il n'y a aucun élément, aucun détail, ou peu s'en faut, dont on ne retrouve la trace, et donc la justification, dans les lieux communs de l'imaginaire mondain et, surtout, dans les sources antiques. L'« Épître de Sapho à Phaon », quinzième héroïde d'Ovide, y apparaît fortement sollicitée, et elle est loin d'être le seul texte convoqué. Il y a eu travail de collation des divers textes antiques et modernes mentionnant Sapho, entreprise d'une rigueur et d'une curiosité toutes philologiques, et d'une ampleur inconnue à l'époque [1]. Il est vrai que Madeleine disposait, en la personne de Paul Pellisson, son ami proche depuis 1652, de la collaboration d'un helléniste éminent, dont la compétence pouvait pallier les lacunes d'une instruction féminine rudimentaire.

Par un mouvement inverse, ce voisinage de la fiction et de la réalité est, à son tour, opportunément exploité pour la diffusion des conceptions scudériennes. Sapho se fait alors le porte-parole de « Sapho ». L'« Histoire » de la poétesse grecque apparaît ainsi comme un texte à vocation clairement axiologique, qui s'efforce, par diverses stratégies, d'exposer et

---

1. Dans les notes de bas de page qui accompagnent le texte de l'« Histoire de Sapho », nous nous sommes efforcés, dans la mesure du possible, de donner un aperçu de l'étendue des diverses sources.

de faire partager un certain nombre d'idées « engagées ». Le mode narratif, du reste, n'est pas la principale voie. Les portraits, les conversations, les anecdotes constituent de meilleurs vecteurs. Leur profusion inédite confère au texte un caractère composite, alanguissant la dynamique du récit. Seul un épisode, celui de la jalousie de Phaon, prend l'ampleur d'une véritable narration, ressortissant aux schèmes de « dépits amoureux » (disputes trouvant leur origine dans des malentendus ou des quiproquos) que les Scudéry avaient pour habitude d'emprunter à l'Espagne ou à l'Italie. Le but n'est plus de raconter, ni même de diffuser des valeurs par le moyen de la narration : il est désormais de diffuser des valeurs tout en conservant les apparences de la narration.

Les données ovidiennes y contribuent en fournissant une trame élémentaire : Sapho, poétesse entourée d'amies, tombe amoureuse du volage Phaon, qu'éloigne bientôt un voyage en Sicile. La péripétie la plus importante de l'héroïde latine, le suicide de la poétesse sur le rocher de Leucade, se voit toutefois substituer une fin heureuse : Phaon reprend le chemin de la fidélité et les deux amants quittent Lesbos en cachette pour un royaume utopique, le royaume des Nouveaux Sauromates, où ils auront toute latitude de développer une relation amoureuse d'un nouveau genre, fondée sur le parfait et durable équilibre des exigences réciproques.

L'histoire amoureuse de Sapho est ainsi revue et corrigée. La tribade désespérément éprise de l'éphèbe infidèle devient une jeune femme maîtrisant les aléas de la relation amoureuse hétérosexuelle, s'affirmant comme un nouveau type de « femme forte », ni Amazone (femme pourvue de tous les attributs masculins) ni Diane (femme refusant le contact avec le sexe opposé). Elle parvient à s'attirer les grâces de Phaon par des qualités autres que celles des traditionnelles vertus féminines – Phaon préfère cette compagne intelligente, dépourvue de beauté, à une « belle stupide » – et à lui faire accepter, jusqu'à l'agrément définitif, un type de relation s'écartant radicalement de la domination masculine qui caractérise le lien matrimonial [1]. De même que la Sapho ovidienne, Phaon éprouve ici, par une inversion des rôles, la jalousie et les tourments de l'absence, qu'avaient déjà

---

1. Le mariage est explicitement ou implicitement condamné à plusieurs reprises dans *Le Grand Cyrus*. Voir, par exemple, l'« Histoire de Cléobuline, reine de Corinthe » [Partie VII, Livre 2] et l'« Histoire d'Élise » [Partie VII, Livre 1].

connus les « amants infortunés » du tome troisième d'*Arta-*
mène. Puis c'est au tour de Sapho de prendre ombrage. Leur
union résiste. Car c'est une union d'un genre nouveau, une
forme de célibat marital, que ne viennent pas miner la lutte
des sexes, les dérèglements de la passion qui en résultent, le
carcan des usages sociaux.

L'« Histoire de Sapho » s'efforce ainsi de donner un prolongement à l'amour au-delà de l'*innamoramento*, de procurer une « suite » au roman traditionnel, qui prend fin par
la levée des obstacles amoureux, sanctionnée par le mariage.
Programme d'une ambition inédite, programme « précieux », programme proprement utopique, dont le plein
accomplissement appelle l'évasion dans un espace nouveau
et protégé, le phalanstère que constituera le pays des Nouveaux Sauromates. C'est là que peut s'opérer, en toute
liberté, l'union des contraires amoureux, scellée sous l'égide
du « Tendre », amitié amoureuse qui maintient l'amour dans
une tension continuelle, le désir dans une durabilité infinie,
« source inépuisable de nouveaux plaisirs, qui naissent en
foule de moment en moment et qui augmentent l'amour
avec le temps, au lieu que, pour l'ordinaire, le temps la
diminue » (p. 539).

Atteindre ce niveau de stabilité implique une fixation et
une clarification à grande échelle dans l'univers des liaisons
amoureuses, une fois que l'attirance des « sympathies » a
produit son effet. Coquetterie et inconstance sont bannies et
punies (c'est même juridiction au royaume des Nouveaux
Sauromates), et, surtout, les relations doivent atteindre l'état
de transparence qui dénote leur perfection : les paroles ne
sont entravées d'aucune équivoque, elles signifient tout ce
qu'elles laissent entendre ; dans le meilleur des cas elles
deviennent superflues : les « muets truchements » (Molière,
Les Femmes savantes, v. 384) font leur office (Phaon est
capable de « parler d'amour sans en parler », p. 519). L'amour,
dans sa version « tendre » est un dévoilement complet : « il
faudrait me montrer votre cœur comme je vous montre le
mien » (p. 562).

C'est au nom de cette quête de transparence que Phaon
succombera à la jalousie, dont il sera totalement « préoccupé »
jusqu'à l'aveuglement. Absorbé par la recherche obsession-
nelle des signes *évidents* de l'amour, il sera incapable de discernement, une fois confronté aux jeux de rôle de la création
littéraire : si le poème de Sapho dont il fait la lecture dépeint

de manière si convaincante la nostalgie de l'être aimé, c'est forcément que son auteur éprouve une passion amoureuse – « il est absolument impossible d'écrire des choses si tendres et si passionnées sans les avoir senties », affirme-t-il (p. 530). Car l'expression lyrique n'est autre que l'émanation du « fond du cœur » (p. 549) ; le destinataire accède directement aux sentiments du destinateur : c'est à cette condition que la littérature est capable de « toucher [1] ». Mais Phaon cherche partout l'amant qu'évoque Sapho dans ses créations littéraires : s'il n'a pas perçu que cet amant est lui-même, c'est justement qu'il n'a pas été frappé de l'évidence, qu'il n'a pas été capable d'interpréter les signes clairs que lui a adressés Sapho, sans que l'aveu explicite soit nécessaire [2]. Il n'est pas encore arrivé au pays de Tendre.

L'utopie amoureuse de Sapho, en s'attachant à l'évocation précise des conditions d'équilibre de la relation des amants, ne fait après tout qu'apporter une concrétisation réfléchie à ce que la fiction romanesque s'ingénie depuis toujours à proposer ingénument. À la réserve toutefois d'une différence notable : il s'agit d'un programme imposé à l'homme et clairement défini par les volontés expresses de la femme. Ce renversement des rôles participe d'une autre utopie, englobant la première, ébauchée dans le cadre favorable de Lesbos et réalisée au pays des Nouveaux Sauromates, dont le gouvernement est en mains féminines. Dans le nouveau royaume, le pouvoir féminin ne sera plus confiné à la sphère privée, mais reconnu et garanti par l'autorité publique : les plus hautes instances législatives, en donnant raison à Sapho en matière de droit conjugal, assureront une victoire symbolique sur la conception patriarcale de l'union des sexes (p. 586).

Mais auparavant, à Lesbos, Sapho et ses amies auront eu loisir d'énoncer les caractéristiques de l'idéal féminin nouveau : la beauté ne constituera plus un critère essentiel, les qualités de l'esprit prendront le pas sur toutes les autres et l'égalité amoureuse des sexes sera assurée. Les conversa-

---

1. « Il y a un caractère si amoureux dans tous les ouvrages de cette admirable fille qu'elle émeut et qu'elle attendrit le cœur de tous ceux qui lisent ce qu'elle écrit » (p. 449). La réussite esthétique implique la coïncidence parfaite du sentiment et de l'expression.

2. Cette problématique sera reprise et traitée amplement dans *Le Misanthrope* (1666) de Molière.

tions principalement, qui imposent des valeurs sous l'illusion de la variété d'opinions, sont l'occasion de ces déclarations et de ces souhaits. La définition de l'idéal féminin, cependant, ne saurait se dissocier de la conformité aux valeurs mondaines. La question des « femmes savantes » l'illustre clairement. L'instruction féminine, pas plus que l'instruction masculine, ne doit donner prétexte à la pédanterie – il importe par-dessus tout de ne pas « étaler sa science », la hantise absolue étant de « parler en style de livre » (p. 464). Et sans doute même la pédanterie est-elle plus condamnable chez une femme que chez un homme, dans la mesure où elle amène cette dernière à s'écarter plus spectaculairement des usages en vigueur et à contrevenir ainsi aux règles de bienséance.

L'auteur féminin, de même, est appelé à se conformer aux normes qui gouvernent le comportement de son homologue masculin. Elle doit être capable d'évoluer avantageusement en société (la pierre de touche étant la conversation), elle doit se distinguer par ses qualités humaines (indissociables des qualités d'auteur, comme le rappelle la postface de Paul Pellisson aux *Œuvres* de Sarasin [1]) : modestie, mesure et faculté de conciliation des contraires, disposition à l'amitié et, on vient d'en saisir l'importance, capacité de discernement et maîtrise de la communication : « quelque chagrin qu'elle [Sapho] puisse avoir dans l'âme, il ne paraît jamais dans ses yeux, si ce n'est qu'elle veuille qu'il y paraisse » (p. 452-453).

Les valeurs ainsi exposées ne souffrent pas l'ambiguïté : nous sommes, encore une fois, dans un monde transparent et univoque. Les qualités, de même que les défauts, s'agrègent et constituent autant de marqueurs explicites : Thémistogène, le rival de Phaon, qui, à l'opposé de ce dernier, goûte fort la pédanterie, a également « l'air contraint » et « l'esprit mal tourné » au point qu'« on est presque assuré de choisir toujours bien en prenant seulement ce qu'il ne choisit pas » (p. 482). Aux originaux s'opposent ainsi les copies, la fausse monnaie, ces « vicieuses imitations » qui dégradent les modèles : six ans avant la fameuse formule des *Précieuses ridicules*, Madeleine de Scudéry affirme un mode de pensée qui sera essentiel au comique moliéresque, de

---

1. « Discours sur les *Œuvres* de Monsieur Sarasin » (1656), éd. moderne par A. Viala, in *L'Esthétique galante*, Toulouse, Société de littératures classiques, 1989 (voir rubriques XVII et XVIII).

La Critique de L'École des femmes au *Bourgeois gentilhomme*. La distinction, du reste, assume le plus souvent la rigidité d'un système d'opposition binaire : Sapho contre Damophile, Phaon contre Thémistogène, aimer une femme instruite ou aimer une femme stupide, aimer une femme laide ou aimer une femme belle. La vertu principale de Sapho sera précisément de dissoudre ces alternatives, de proposer un moyen terme qui excède l'opposition des contraires en les subsumant : ni belle ni laide, ni savante ni stupide.

Le modèle saphique présente ainsi une valeur morale, satisfaisant aux ambitions, continuellement réitérées, du genre romanesque. Non seulement il énonce les principes qui doivent gouverner l'éducation et le comportement féminin, non seulement il fournit des modèles détaillés de comportements idoines dans des situations de la vie mondaine (comment réagir à la déclaration d'un soupirant ? comment « ménager » ses propres sentiments ?), mais encore il propose l'exemple, composite, d'une femme véritablement « illustre », se substituant avantageusement au modèle dépassé de la « femme forte ».

De ce point de vue, l'« Histoire de Sapho » constitue une sorte de couronnement du *Grand Cyrus*.

HISTOIRE DE SAPHO

Partie X, Livre 2

Comme il est assez naturel d'aimer à louer toutes les choses où l'on prend quelque intérêt, je ne sais, madame [1], si en vous louant l'admirable [2] Sapho, je ne vous louerai pas aussi sa patrie qui est mienne et si, pour vous faire remarquer tous les avantages de sa naissance, je ne vous apprendrai pas qu'elle est née en un des plus aimables lieux de la terre. En effet, madame, l'île de Lesbos [3] est si agréable et si fertile que la mer Égée n'en a presque point de plus belle, car enfin cette île est assez grande pour faire qu'on puisse se persuader aisément en divers endroits qu'on est en terre ferme, mais elle n'est pas aussi de celles qui sont si montueuses qu'elles semblent n'être qu'un grand amas de rochers au milieu de la mer et elle n'est pas

---

1. Le narrateur est Démocède, frère d'une amie de Sapho ; il s'adresse à Araminte, en présence d'une assemblée comprenant Cyrus et ses amis.

2. L'adjectif « admirable », que l'on retrouvera à de nombreuses occurrences dans les pages suivantes, sera reconnu, vers la fin de la décennie de 1650, comme typique du langage « précieux ». Molière en tirera des effets comiques dans *Les Précieuses ridicules* (scène IX).

3. Cette grande île de la mer Égée, proche de la côte turque actuelle, était bien connue des contemporains de Madeleine de Scudéry pour avoir été un brillant foyer de civilisation de la Grèce ancienne, illustré par les poètes et musiciens Sapho, Alcée et Arion (tous trois figurent en tant que personnages dans *Le Grand Cyrus*). La description de Lesbos provient pour moitié de Strabon (XIII, 2, 1-2) et pour moitié de Diodore de Sicile (V, 82).

non plus de ces autres îles qui, n'ayant aucune éminence en toute leur étendue, semblent être toujours
exposées à être englouties par les vagues qui les environnent. Au contraire, l'île de Lesbos a en son terroir
toutes les diversités qu'on peut voir en de grands
royaumes qui ne sont point îles, car, du côté de
l'orient, elle a des montagnes et de grands bois et, du
côté opposé, elle a des prairies et des plaines. L'air y
est pur et sain ; la bonté de la terre y produit l'abondance ; le commerce y est grand, et la terre ferme en
est si proche, du côté de la Phrygie, qu'en deux heures
on passe quand on le veut en une cour étrangère. De
plus, Mytilène, qui en est la principale ville, est si bien
bâtie et elle a deux ports si beaux que tous les étrangers qui y viennent l'admirent et en trouvent le séjour
fort agréable.

Voilà donc, madame, quel est le lieu de la naissance
de Sapho, mais par où il est encore le plus agréable,
c'est que le sage Pittacus [1] en est prince et que cela y
a attiré un nombre infini d'honnêtes gens. Il avait
même aussi un fils appelé Tisandre [2], qui était un aussi
honnête homme qu'il y en eût au monde, qui contri-
buait encore à rendre le séjour de Mytilène fort diver-
tissant. Néanmoins, comme il y a déjà assez longtemps qu'il est mort [3], je ne m'arrêterai pas beaucoup
à parler de lui, quoiqu'il ait été un des amants de
Sapho.

---

1. Le personnage historique du tyran Pittacus ou Pittacos, mentionné par Hérodote (I, 27), faisait partie des sept sages de Grèce,
dont le banquet, inspiré de Plutarque, est relaté dans *Le Grand
Cyrus* [Partie IX, Livre 2]. Dans les diverses biographies de la poétesse antérieures à l'histoire scudérienne (voir notice, p. 433 *sq.*),
Pittacus n'est que rarement mentionné en association avec Sapho.
L'information provient selon toute apparence de Strabon (XIII, 2, 3).

2. Le prince Tisandre est déjà apparu dans le roman : il est l'un
des principaux protagonistes de l'« Histoire de Thrasybule et
d'Alcionide » [Partie III, Livre 3], dans laquelle sont narrés des événements postérieurs à ceux qui vont être développés dans les pages
suivantes.

3. Voir « Histoire de Thrasybule et d'Alcionide : mort de Tisandre »
[Partie III, Livre 3].

Mais, madame, après vous avoir dit le lieu de la naissance de cette merveilleuse personne, il faut que je vous die* quelque chose de sa condition [1] : elle est donc fille d'un homme de qualité appelé Scamandrogine qui était d'un sang si noble qu'il n'y avait point de famille à Mytilène où l'on pût voir une plus longue suite d'aïeuls ni une généalogie plus illustre ni moins douteuse. De plus, Sapho a encore eu l'avantage que son père et sa mère avaient tous deux beaucoup d'esprit et beaucoup de vertu, mais elle eut le malheur de les perdre de si bonne heure qu'elle ne put recevoir d'eux que les premières inclinations au bien, car elle n'avait que six ans lorsqu'ils moururent. Il est vrai qu'ils la laissèrent sous la conduite d'une parente qu'elle avait, appelée Cynégirc, qui avait toutes les qualités nécessaires pour bien élever une jeune personne, et ils la laissèrent avec un bien beaucoup au-dessous de son mérite, mais pourtant assez considérable pour n'avoir non seulement besoin de personne, mais pour pouvoir même paraître avec assez d'éclat dans le monde. Sapho a pourtant un frère nommé Charaxe, qui était alors extrêmement riche, car Scamandrogine en mourant avait partagé son bien fort inégalement et en avait beaucoup plus laissé à son fils qu'à sa fille, quoique, à dire la vérité, il ne le méritât pas et qu'elle fût digne de porter une couronne.

En effet, madame, je ne pense pas que toute la Grèce ait jamais connu une personne qu'on puisse comparer à Sapho. Je ne m'arrêterai pourtant point, madame, à vous dire quelle fut son enfance, car elle

---

1. La plupart des informations contenues dans ce paragraphe sont issues des lieux communs de la biographie de Sapho, telle que les humanistes l'ont reconstituée à partir des sources antiques. Deux exceptions notables : l'existence d'une parente dénommée Cynégire et, surtout, le nom de « Scamandrogine » attribué au père, en contradiction avec tous les témoignages anciens, unanimes à le dénommer « Scamandronyme ». Cette dénomination singulière provient en fait de la traduction d'Hérodote par Du Ryer en 1645 (ce qui remet en cause l'interprétation de J. Dejean, *Sapho, op. cit.,* p. 93).

fut si peu enfant qu'à douze ans on commença de parler d'elle comme d'une personne dont la beauté, l'esprit et le jugement étaient déjà formés et donnaient de l'admiration à tout le monde. Mais je vous dirai seulement qu'on n'a jamais remarqué en qui que ce soit des inclinations plus nobles ni une facilité plus grande à apprendre tout ce qu'elle a voulu savoir.

Cependant, quoique Sapho ait été charmante dès le berceau, je ne veux vous faire la peinture de sa personne et de son esprit qu'en l'état qu'elle est présentement, afin que vous la connaissiez mieux. Je vous dirai donc, madame, qu'encore que vous m'entendiez parler de Sapho comme de la plus merveilleuse et de la plus charmante personne de toute la Grèce, il ne faut pourtant pas vous imaginer que sa beauté [1] soit une de ces grandes beautés en qui l'envie même ne saurait trouver aucun défaut, mais il faut néanmoins que vous compreniez qu'encore que la sienne ne soit pas de celles que je dis, elle est pourtant capable d'inspirer de plus grandes passions que les plus grandes beautés de la terre. Mais enfin, madame, pour vous dépeindre l'admirable Sapho, il faut que je vous die* qu'encore qu'elle se dise petite, lorsqu'elle veut médire d'elle-même, elle est pourtant de taille médiocre*, mais si noble et si bien faite qu'on ne peut y rien désirer. Pour le teint, elle ne l'a pas de la dernière blancheur, il a toutefois un si bel éclat qu'on peut dire qu'elle l'a beau. Mais, ce que Sapho a de souverainement agréable, c'est qu'elle a les yeux si beaux, si vifs, si amoureux et si pleins d'esprit qu'on ne peut ni en soutenir l'éclat, ni en détacher ses regards. En effet, ils brillent d'un feu si pénétrant et ils ont pourtant une douceur si passionnée que la vivacité et la langueur ne sont pas des choses incompatibles dans les beaux yeux

---

1. Le portrait qui suit est élaboré à partir des données procurées par l'épître ovidienne « De Sapho à Phaon », quinzième des *Héroïdes* (v. 31-35) : la petite taille et le teint hâlé, deux critères de laideur, compensés par le génie et la renommée. Voir, en parallèle, le portrait de Phaon (p. 480 *sq.*).

de Sapho. Ce qui fait leur plus grand éclat, c'est que jamais il n'y a eu une opposition plus grande que celle du blanc et du noir de ses yeux. Cependant, cette grande opposition n'y cause nulle rudesse et il y a un certain esprit amoureux qui les adoucit d'une si charmante manière que je ne crois pas qu'il y ait jamais eu une personne dont les regards aient été plus redoutables. De plus, elle a des choses qui ne se trouvent pas toujours ensemble, car elle a la physionomie fine et modeste, et elle ne laisse pas aussi d'avoir je ne sais quoi de grand et de relevé dans la mine. Sapho a de plus le visage ovale, la bouche petite et incarnate, et les mains si admirables que ce sont en effet des mains à prendre des cœurs ou, si on la veut considérer comme cette savante fille qui est si chèrement aimée des Muses, ce sont des mains dignes de cueillir les plus belles fleurs du Parnasse [1].

Mais, madame, ce n'est pas encore par ce que je viens de dire que Sapho est la plus aimable, car les charmes de son esprit surpassent de beaucoup ceux de sa beauté [2] : en effet, elle l'a d'une si vaste étendue qu'on peut dire que ce qu'elle ne comprend pas ne peut être compris de personne, et elle a une telle disposition à apprendre facilement tout ce qu'elle veut savoir que, sans que l'on n'ait presque jamais ouï dire que Sapho ait rien appris, elle sait pourtant toutes choses. Premièrement, elle est née avec une inclination à faire des vers, qu'elle a si heureusement cultivée qu'elle en fait mieux que qui que ce soit et elle a même inventé des mesures particulières pour en faire qu'Hésiode et Homère ne connaissaient pas

---

1. Le mont Parnasse était vénéré comme le lieu de résidence d'Apollon et des Muses ; les « fleurs du Parnasse » désignent donc les créations poétiques.

2. Le programme énoncé dans les lignes qui suivent mêle des éléments de la biographie traditionnelle de Sapho et des considérations sur les qualités nécessaires à l'écrivain, que Madeleine de Scudéry précisera dans sa conversation de la *Clélie* sur « La manière d'inventer une fable » (reprise dans le recueil de D. Denis, *« De l'air galant »…*, *op. cit.*, p. 161-180).

et qui ont une telle approbation que cette sorte de vers portent le nom de celle qui les a inventés et sont appelés « saphiques [1] ». Elle écrit aussi tout à fait bien en prose et il y a un caractère si amoureux dans tous les ouvrages de cette admirable fille qu'elle émeut et qu'elle attendrit le cœur de tous ceux qui lisent ce qu'elle écrit. En effet, je lui ai vu faire un jour une chanson d'improviste [2] qui était mille fois plus touchante que la plus plaintive élégie ne le saurait être et il y a un certain tour amoureux à tout ce qui part de son esprit que nulle autre qu'elle ne saurait avoir. Elle exprime même si délicatement les sentiments les plus difficiles à exprimer et elle sait si bien faire l'anatomie d'un cœur amoureux [3], s'il est permis de parler ainsi, qu'elle en sait décrire exactement toutes les jalousies, toutes les inquiétudes, toutes les impatiences, toutes les joies, tous les dégoûts, tous les murmures*, tous les désespoirs, toutes les espérances, toutes les révoltes et tous ces sentiments tumultueux qui ne sont jamais

---

1. L'un des principaux titres de gloire de Sapho, évoqué dès l'Antiquité à chaque fois qu'il est question de la poétesse, est d'avoir inventé une structure métrique particulière. La dimension amoureuse et « tendre » de ses créations, de même, est généralement reconnue. En revanche, l'idée que Sapho se serait également distinguée par des œuvres en prose est une invention de Madeleine de Scudéry.

2. La capacité d'improviser un texte est une des principales qualités de l'auteur mondain, selon la conception des contemporains de Madeleine de Scudéry (voir A. Génétiot, *Poétique du loisir mondain*, Champion, 1996, p. 415 *sq.*). Madeleine de Scudéry elle-même était célébrée par le père Bouhours, autorité en matière de goût, pour ses impromptus (voir R. Kroll, *Femme poète…, op. cit.*, p. 130). La chanson et l'élégie, du reste, font partie de ces « genres lyriques mondains » (voir A. Génétiot, *Les Genres lyriques mondains*, Genève, Droz, 1990, chap. I, 2). L'une et l'autre étaient réputées avoir été pratiquées par Sapho.

3. Cette compétence ne fait pas partie des qualités traditionnellement attribuées à Sapho. Elle représente un idéal que Madeleine de Scudéry défend, sur le plan des qualités humaines aussi bien que sur le plan de la création littéraire : le romancier doit « savoir le secret de tous les cœurs » (voir la conversation « De la manière d'inventer une fable », dans *Clélie*, 1656 ; éd. moderne in D. Denis, « *De l'air galant* »…, *op. cit.*, p. 177).

bien connus que de ceux qui les sentent ou qui les ont
sentis. Au reste, l'admirable Sapho ne connaît pas seulement tout ce qui dépend de l'amour, car elle ne
connaît pas moins bien tout ce qui appartient à la
générosité* et elle sait enfin si parfaitement écrire et
parler de toutes choses qu'il n'est rien qui ne tombe
sous sa connaissance. Il ne faut pourtant pas s'imaginer que ce soit une science infuse, car Sapho a vu
tout ce qui est digne de l'être et elle s'est donné la
peine de s'instruire de tout ce qui est digne de curiosité. Elle sait, de plus, jouer de la lyre et chanter ; elle
danse aussi de fort bonne grâce et elle a même voulu
savoir faire tous les ouvrages où les femmes qui n'ont
pas l'esprit aussi élevé qu'elle s'occupent quelquefois
pour se divertir [1].

Mais ce qu'il y a d'admirable, c'est que cette personne qui sait tant de choses différentes les sait sans
faire la savante [2], sans en avoir aucun orgueil et sans
mépriser celles qui ne les savent pas. En effet, sa
conversation est si naturelle, si aisée et si galante
qu'on ne lui entend jamais dire en une conversation
générale que des choses qu'on peut croire qu'une
personne de grand esprit pourrait dire sans avoir
appris tout ce qu'elle sait. Ce n'est pas que les gens
qui savent les choses ne connaissent bien que la
nature toute seule ne pourrait lui avoir ouvert
l'esprit au point qu'elle l'a, mais c'est qu'elle songe
tellement à demeurer dans la bienséance de son sexe
qu'elle ne parle presque jamais que de ce que les
dames doivent parler, et il faut être de ses amis très
particuliers* pour qu'elle avoue seulement qu'elle
ait appris quelque chose. Il ne faut pourtant pas

---

1. Parmi ces dernières qualités, seule la maîtrise de l'art de la lyre
fait partie des compétences traditionnellement attribuées à Sapho.
2. Le comportement social de la personne savante, tel qu'il est
exposé dans les lignes suivantes, résulte de la conformité aux qualités humaines constitutives de l'*ethos* mondain : naturel, enjouement, modestie. Les défauts symétriquement inverses définissent le
pédant et seront réunis dans le personnage de la « femme savante »
(voir p. 464, note 1).

s'imaginer que Sapho affecte une ignorance grossière en sa conversation. Au contraire, elle sait si bien l'art de la rendre telle qu'elle veut, qu'on ne sort jamais de chez elle sans y avoir ouï dire mille belles et agréables choses ; mais c'est qu'elle a une adresse dans l'esprit qui la rend maîtresse de celui des autres : ainsi, on peut assurer qu'elle fait presque dire tout ce qu'elle veut aux gens qui sont avec elle, quoiqu'ils pensent ne dire que ce qui leur plaît. Au reste, elle a un esprit d'accommodement admirable et elle parle si également bien des choses sérieuses et des choses galantes et enjouées qu'on ne peut comprendre qu'une même personne puisse avoir des talents si opposés.

Mais ce qu'il y a encore de plus digne de louange en Sapho, c'est qu'il n'y a pas au monde une meilleure personne qu'elle, ni plus généreuse, ni moins intéressée, ni plus officieuse*. De plus, elle est fidèle dans ses amitiés et elle a l'âme si tendre et le cœur si passionné qu'on peut sans doute mettre la suprême félicité à être aimé de Sapho, car elle a un esprit si ingénieux à trouver de nouveaux moyens d'obliger* ceux qu'elle estime et de leur faire connaître son affection que, bien qu'il ne semble pas qu'elle fasse des choses fort extraordinaires, elle ne laisse pas toutefois de persuader à ceux qu'elle aime qu'elle les aime chèrement. Ce qu'elle a encore d'admirable, c'est qu'elle est incapable d'envie et qu'elle rend justice au mérite avec tant de générosité* qu'elle prend plus de plaisir à louer les autres qu'à être louée. Outre tout ce que je viens de dire, elle a encore une complaisance qui, sans avoir rien de lâche, est infiniment commode et infiniment agréable et, si elle refuse quelquefois quelque chose à ses amies, elle le fait avec tant de civilité et tant de douceur qu'elle les oblige même en les refusant. Jugez après cela ce qu'elle peut faire lorsqu'elle leur accorde son amitié et sa confiance. Voilà donc à peu près, madame, quelle est la merveilleuse Sapho, de qui le frère a sans doute les inclinations bien diffé-

rentes de celles de sa sœur [1] : ce n'est pas que Charaxe n'ait quelques bonnes qualités, mais c'est qu'il en
a beaucoup de mauvaises. En effet, il a du courage,
mais c'est de celui qui rend les taureaux plus vaillants
que les cerfs, et non pas de cette espèce de courage
que l'on confond quelquefois avec la générosité* et
qui est si nécessaire à un honnête homme.

Mais enfin, madame, cette merveilleuse fille, étant
telle que je viens de vous la dépeindre, fit un bruit si
grand à Mytilène, malgré toute sa modestie et tout le
soin qu'elle apportait à cacher ce qu'elle savait, que la
renommée porta bientôt son nom par toute la Grèce
et l'y porta si glorieusement qu'on peut assurer que,
jusqu'alors, nulle personne de son sexe n'avait eu une
si grande réputation [2]. Les plus grands hommes du
monde demandaient de ses vers avec empressement
de toutes les parties de la Grèce et les conservaient
avec autant de soin que d'admiration. Elle en faisait
pourtant un si grand mystère, elle les donnait si difficilement et elle témoignait les estimer si peu que cela
augmentait encore sa gloire. De plus, on ne savait quel
temps elle prenait pour les faire, car elle voyait ses
amies fort assidûment et on ne la voyait presque
jamais ni lire, ni écrire [3]. Cependant, elle prenait le
temps de faire tout ce qui lui plaisait et ses heures
étaient si bien réglées qu'elle avait loisir d'être à ses
amies et à elle-même. Au reste, elle est si absolument
maîtresse de son esprit que, quelque chagrin* qu'elle

---

1. La plupart des sources antiques, dont Hérodote (II, 135) et
Ovide (v. 63-68), font état des mauvaises qualités de Charaxe (dis-
pendieux de son patrimoine, prompt au litige) et de ses rapports
conflictuels avec Sapho.
2. Les témoignages connus de la réputation de Sapho dans
l'Antiquité sont en fait postérieurs à sa mort. Ils sont toutefois nombreux et, en tant que tels, ils ont été pris au sérieux par les humanistes qui les ont recueillis.
3. Cette idée d'une activité créatrice ne requérant ni travail ni
« préoccupation », n'emportant aucun loisir, est caractéristique de la
conception mondaine de la création littéraire (voir A. Génétiot, *Poétique du loisir mondain, op. cit.*, chap. VI).

puisse avoir dans l'âme, il ne paraît jamais dans ses yeux, si ce n'est qu'elle veuille qu'il y paraisse.

Mais, madame, ce n'est pas assez de vous avoir dit ce qu'est l'admirable Sapho, car il faut que je vous die* encore quelles sont les personnes qu'elle a honorées de son amitié, afin que vous connaissiez mieux son jugement. Je vous dirai donc qu'entre celles qui la voyaient, il y en avait principalement quatre qui avaient le plus de part* à tous ses divertissements : la première se nomme Amithone, la seconde Érinne, la troisième Athys et la quatrième Cydnon, qui est ma sœur [1]. Cependant, la bienséance que l'usage a établie ne souffrant pas qu'on loue les personnes avec qui l'on a une alliance fort proche avec la même sincérité que les autres, je pense que je serai obligé, pour la gloire de Sapho, de ne laisser pas d'en parler avantageusement, car, comme elle a toujours été sa première amie, il est juste de justifier son choix. Je vous dirai donc, pour commencer de vous dépeindre ces quatre personnes, qu'Amithone est une grande femme de belle taille et de bonne mine et qui, sans être admirablement belle, ne laisse pas d'attirer les regards et de plaire infiniment. Son humeur est douce et commode ; elle parle agréablement et juste et sans avoir jamais rien appris que par la conversation de Sapho [2] et par

---

1. Les noms de ces quatres jeunes filles proviennent des sources antiques : Érinne (elle-même poétesse, dont certains fragments nous sont parvenus) est fréquemment associée à Sapho. Elle était déjà apparue dans *Le Grand Cyrus* sous le nom d'Erinna [p. 1338]. Cydnon et Athys figurent dans l'épître ovidienne de « Sapho à Phaon » au titre d'amies de Sapho. De même pour Amithone, dont le nom provient d'une mélecture du v. 17 du texte latin, reproduite dans les éditions se fondant sur celle de Calderinus (1478) : les philologues de la Renaissance déchiffraient « Amithone », là où les latinistes, de nos jours, lisent « Anactorie ». Les portraits de ces amies, en revanche, ne doivent rien aux textes dont leurs noms sont tirés ; peut-être s'agit-il de portraits de proches de Madeleine de Scudéry (pour une hypothèse d'identification, voir A. Niderst, *Madeleine de Scudéry, Paul Pellisson et leur monde*, PUF, 1976, p. 232-326).

2. L'idée qu'une femme puisse acquérir une formation culturelle par la seule fréquentation de cercles choisis sera réitérée à la p. 499 *sq.*

celle de tous les honnêtes gens qu'elle a vus ; elle entend assez finement les choses les plus difficiles à bien entendre et ce grand esprit naturel que les dieux lui ont donné et que la seule société du monde a éclairé lui fait parler de tout avec beaucoup de jugement. Pour Érinne [1], il n'en est pas de même, car elle a cultivé ce qu'elle a d'esprit fort soigneusement, si bien qu'encore qu'elle n'en ait pas naturellement un si grand qu'Amithone, l'art a si bien suppléé à la nature que sa conversation est infiniment charmante. Son imagination ne va pas toujours si loin que celle d'Amithone, mais elle marche encore plus sûrement ; elle fait même de fort agréables vers et, si l'on en voulait croire la modestie de Sapho, on les mettrait au-dessus des siens. Pour la belle Athys, on peut dire qu'elle a tout ce que les deux autres ont de bon, car elle a naturellement beaucoup d'esprit et elle s'est donné la peine de l'orner par mille belles connaissances et de le polir par la conversation de tout ce qu'il y a d'honnêtes gens à Mytilène. Sapho lui a même si bien inspiré cet air modeste qui la rend si charmante qu'Athys ne peut souffrir qu'on lui die* qu'elle sait quelque chose que les autres dames ne savent point, et elle ne veut rien avouer, sinon qu'elle juge de tout sans autre guide que le simple sens commun et le seul usage du monde. Au reste, sa personne est infiniment charmante, car elle est de belle taille : elle a les cheveux d'un châtain cendré, si clair et si beau qu'ils sont presque blonds ; elle a le tour du visage agréable, la bouche merveilleuse, le nez bien fait, les yeux brillants, l'air fort modeste et l'humeur fort douce.

Cependant, quoique ces trois personnes soient admirables, Cydnon a été plus aimée de Sapho que toutes les trois, bien qu'elle les ait pourtant beaucoup

---

1. Érinne était déjà l'interlocutrice de Sapho dans la « Harangue de Sapho à Érinne » qui clôt le premier volume des *Harangues héroïques ou les Femmes illustres*, paru sous le nom de Georges de Scudéry en 1642. Dans ce texte, la poétesse exhorte sa jeune épigone à mettre à profit ses talents poétiques pour illustrer la création féminine.

aimées. Après cela, madame, je ne sais comment faire le portrait de ma sœur, quoique je m'y sois engagé. Je pense pourtant, après avoir avoué que je ne lui ressemble point, qu'il peut être permis de la louer comme une autre pour justifier le choix de Sapho. Je vous dirai donc que tous ceux à qui la bienséance permet de parler de sa beauté la trouvent belle et agréable, quoiqu'elle soit petite et brune. Mais, comme ce n'est pas par l'agrément de sa personne qu'elle a acquis l'amitié de Sapho, il faut que je vous parle plus de son humeur et de son esprit que de sa beauté. Vous saurez donc que Cydnon est naturellement gaie, douce, flatteuse* et complaisante et qu'elle a un certain esprit d'expédient* qui fait qu'elle ne trouve jamais difficulté à rien entreprendre pour ses amies. De plus, elle connaît sans doute* assez bien toutes les belles choses et elle aime avec une tendresse si proportionnée à celle du cœur de Sapho qu'elles n'ont jamais pu convenir laquelle des deux sait le mieux aimer. Ce n'est pas que ce soit l'ordinaire des personnes enjouées d'être capables d'un grand attachement, mais c'est que l'enjouement de Cydnon n'est pas excessif* et qu'il n'a nul penchant à la raillerie [1], si elle n'est tout à fait innocente.

Ces quatre personnes étant donc toutes non seulement de Mytilène, mais du quartier de Sapho, elles s'accoutumèrent si bien à être toujours ensemble qu'elles étaient inséparables. Ce n'est pas qu'elles ne vissent aussi quelquefois toutes les autres dames de qualité, mais elles ne les voyaient pas avec la même assiduité qu'elles se voyaient, et cette union était si grande qu'on n'osait plus prier pas une d'elles d'aucune fête sans prier toutes les autres. Vous pouvez juger, madame, qu'il n'était pas aisé que cette belle

---

1. La notion complexe et ambiguë de raillerie, prise ici en mauvaise part, a fait l'objet d'une conversation au tome précédent [Partie IX, Livre 3, « Histoire de Pisistrate : Pisistrate et ses amis », puis « Conversation sur la raillerie »]. Pour une édition critique de ce texte, voir D. Denis, « De l'air galant »…, op. cit., p. 97-114.

troupe ne fût pas cherchée et suivie de la plus grande
partie des honnêtes gens qui n'étaient pas en petit
nombre. En effet, je puis vous assurer qu'il y a peu de
villes en Grèce où il y en eût plus qu'il y en avait à Mytilène, principalement du temps que le prince Tisandre,
fils de Pittacus, devint amoureux de Sapho. Comme ce
prince fut sa première conquête, je ne sais si je pourrai
demeurer dans les bornes que je m'étais prescrites et si
je ne serai pas obligé de vous en parler plus longtemps
que je n'avais résolu. Je ne m'arrêterai pourtant pas,
madame, à vous dépeindre exactement son mérite, car,
comme il n'est plus, cela ne servirait qu'à vous donner
compassion de son mauvais destin, mais je vous dirai
seulement qu'il était si honnête homme qu'il avait
mérité l'estime de l'illustre Cyrus qui m'écoute et qu'il
mérita d'être plaint de lui après sa mort.

Tisandre étant donc un des hommes du monde le
plus accompli, et étant dans cette première jeunesse
où l'amour est si sensible, il y eut une grande assemblée à Mytilène pour les noces d'Amithone qui épou-
sait un homme extrêmement riche et qui, pour certaines raisons d'État, était fort considéré de Pittacus.
De sorte qu'ayant honoré cette fête de sa présence et
le prince son fils s'y étant trouvé, Tisandre parla à la
belle Sapho pour la première fois, car, comme il y
avait encore peu que Cynégire, qui avait soin de sa
conduite, la laissait aller aux assemblées publiques, il
ne l'avait vue qu'au temple. Mais ce qui le surprit fort
fut de voir qu'elle paraissait assez triste, quoiqu'elle
fût à des noces, et que celle qui se mariait fût son
amie. De sorte que, se servant de cette aimable mélancolie qui paraissait dans ses yeux pour commencer sa
connaissance avec elle :

«Vous me trouverez peut-être bien hardi, aimable
Sapho, lui dit-il, de vouloir commencer ma conversation avec vous par une confidence que je voudrais que
vous m'eussiez faite ; cependant je ne puis m'empêcher de vous demander pourquoi vous êtes aujour-
d'hui plus sérieuse que je n'ai accoutumé de vous voir
au temple, où j'ai quelquefois le bonheur de vous ren-

contrer. Car enfin, lui dit-il encore, comme il y a longtemps que je souhaite de pouvoir avoir la satisfaction
de vous parler, je serai bien aise de savoir si je dois
vous plaindre de quelque petite disgrâce*, afin que,
dès le premier moment de notre connaissance, je vous
rende une preuve d'affection par la part* que je prendrai à ce qui vous touchera.

– Ce que vous me dites est si obligeant, répliqua
Sapho, qu'il mérite que je vous apprenne la cause de
ma tristesse, que vous trouverez peut-être si mal
fondée que vous aurez bien de la peine à la partager.
Car enfin, seigneur, lui dit-elle en souriant, il faut que
je vous apprenne que je n'ai encore jamais été à nulle
fête de noces sans chagrin* et que j'ai l'esprit si irré-
gulier que je n'ai jamais pu me réjouir de la satisfaction d'Amithone, quoique ce soit une de mes plus
chères amies et quoique je sois pourtant la plus sensible personne du monde à toutes les joies qui arrivent
à celles que j'aime. – Il faut donc sans doute, répliqua
Tisandre, que vous ne regardiez pas le mariage
comme un bien. – Il est vrai, répliqua Sapho, que je le
regarde comme un long esclavage [1]. – Vous regardez
donc tous les hommes comme des tyrans, reprit
Tisandre ? – Je les regarde du moins comme le pouvant devenir, répliqua-t-elle, dès que je les regarde

---

1. La condamnation du mariage, qui trouve ici sa première
occurrence dans l'« Histoire de Sapho », est réitérée à de multiples
reprises par Madeleine de Scudéry et les romancières de la généra-
tion suivante (voir N. Grande, *Stratégies de romancières, op. cit.*,
chap. II). Dans *Le Grand Cyrus*, on relèvera le passage de l'« Histoire d'Arpalice et de Thrasimède » : Arpalice, promise dès son
enfance à Ménécrate, qui la délaisse, est surnommée par raillerie « la
belle esclave » [Partie VI, Livre 3, « Histoire d'Arpalice et de Thrasimède : le mariage arrangé », puis « Arpalice dédaignée »]. Dans
l'« Histoire d'Élise » est développée une conversation sur le mariage,
qui avance des arguments similaires [Partie VII, Livre 1, « Histoire
d'Élise : des différentes manières de parler d'amour »]. L'idée que
l'union matrimoniale constitue un esclavage auquel la femme doit
refuser de se soumettre fait partie des opinions « étranges » qu'on
attribuera par la suite aux « précieuses ». On en retrouve la version
comique dans les deux premières scènes des *Précieuses ridicules*
(1659) de Molière.

comme pouvant être maris. De sorte que, comme cette fâcheuse idée ne manque jamais de me passer dans l'esprit, dès que je suis à des noces, je suis assurée que la mélancolie me prend, pour peu que je m'intéresse au bonheur de la personne qui se marie.

– Ce qui me fâche de ce que vous dites, reprit Tisandre, est que je crains étrangement* que la haine que vous avez pour le mariage en particulier ne vienne de celle que vous avez pour tous les hommes en général. Cependant, ajouta-t-il, vous seriez injuste si vous mettiez votre sexe tant au-dessus du nôtre. Véritablement, poursuivit-il, s'il y avait beaucoup de femmes comme vous, vous auriez raison de le faire et, s'il y en avait seulement deux ou trois en toute la terre, je consentirais encore que vous le fissiez. Mais, charmante Sapho, ajouta-t-il, puisque vous êtes seule au monde qui ayez trouvé l'art d'unir toutes les vertus et toutes les bonnes qualités des deux sexes, en une seule personne, contentez-vous d'être estimée ou enviée de toutes les femmes et d'être adorée de tous les hommes, sans vouloir les haïr en général, comme je crois que vous faites.

– Comme je ne suis pas injuste, répliqua-t-elle, je connais bien que je ne dois prendre aucune part* à toutes les louanges que vous me donnez et je connais bien ensuite qu'il y a des hommes fort honnêtes gens qui méritent toute mon estime et qui pourraient même acquérir une partie de mon amitié. Mais, encore une fois, dès que je les regarde comme maris, je les regarde comme des maîtres et comme des maîtres si propres à devenir tyrans qu'il n'est pas possible que je ne les haïsse dans cet instant-là, et que je ne rende grâce aux Dieux de m'avoir donné une inclination fort opposée au mariage.

– Mais s'il y avait quelqu'un assez heureux et assez honnête homme pour toucher votre cœur, reprit Tisandre, peut-être changeriez-vous de sentiments.
– Je ne sais si je changerais de sentiments, répliqua-t-elle, mais je sais bien qu'à moins que d'aimer jusqu'à perdre la raison, je ne perdrais jamais la liberté et que je ne me résoudrais jamais à faire de mon esclave mon

tyran [1]. – Je conçois si peu, répliqua Tisandre, qu'il y eût quelqu'un au monde qui osât avoir l'audace de cesser de vous obéir que je n'ai garde de pouvoir comprendre qu'il y eût quelqu'un qui osât vous commander. En effet, ajouta-t-il, le moyen de penser que cette fille admirable qui sait toutes choses... – Eh, de grâce, seigneur, interrompit modestement Sapho, ne me parlez point de cette sorte, car je sais si peu toutes choses que je ne sais pas seulement si j'ai raison de parler comme je fais. »

Comme elle disait cela, le prince de Mytilène ayant fait appeler Tisandre pour lui dire quelque chose, il fallut qu'il se séparât de Sapho. Il est vrai qu'il ne s'en sépara pas tout entier, car son cœur demeura dès ce moment-là en la puissance de cette belle personne. Cette amour ne fut pas même fort longtemps cachée, car, comme Tisandre était jeune et d'une condition à ne se pouvoir cacher aisément, tout le monde s'aperçut bientôt de sa passion pour Sapho. En effet, il fut chez elle dès le lendemain des noces d'Amithone et il lui rendit tant de devoirs qu'on ne put douter qu'il ne fût amoureux de cette admirable fille.

Ce fut alors que tous les plaisirs furent en leur plus grand éclat à Mytilène, car il n'y avait point de jour qu'il n'y eût quelque divertissement nouveau. Cependant, comme Tisandre n'était pas destiné à être aimé de l'admirable Sapho et qu'il n'avait pas pour elle ce qu'elle avait pour lui, je veux dire ce je ne sais quoi [2]

---

1. Selon la conception de l'amour courtois, qui tient lieu d'horizon de référence pour les rapports entre hommes et femmes dans les milieux mondains, l'amant se comporte comme un esclave, au sens figuré, de la dame qu'il courtise. Sapho craint que le mariage, en inversant les rapports de force, transforme l'homme en tyran, au sens propre, de celle qui sera désormais, à son tour, son esclave. La formulation, brillante et concentrée, du paradoxe correspond à ce qu'on appelle une « pointe ».

2. Le terme, utilisé dans le langage amoureux aussi bien que dans le langage esthétique (voir D. Bouhours, « Le je ne sais quoi », dans les *Entretiens d'Ariste et d'Eugène*, 1671), est caractéristique de l'esthétique mondaine. Ici, il sert à désigner ce qu'on nomme également ment « sympathie ».

qui fait plus aimer que le véritable mérite, elle n'eut
que de l'estime pour lui et de la reconnaissance pour
son affection, sans pouvoir se résoudre à suivre le
conseil de son frère qui voulait qu'elle sacrifiât sa
liberté à sa fortune en répondant à l'amour de ce
prince. Mais, comme Sapho haïssait naturellement le
mariage et qu'elle n'aimait point Tisandre, quand elle
aurait été assurée d'épouser ce prince du consentement de Pittacus, elle n'y aurait pas consenti. Cependant, comme il espérait toujours de la fléchir, il ne
laissait pas, comme je l'ai déjà dit, de donner mille
divertissements à toute la ville et cette petite cour était
si galante que nulle autre ne le pouvait être davantage.

En effet, l'admirable Sapho avait inspiré un certain
esprit de politesse à tous ceux qui la voyaient, qui se
communiquait même à une partie de ceux qui ne la
voyaient point, et je suis étonné qu'il ne se répandait
non seulement dans toute la ville de Mytilène, mais
dans toute l'île de Lesbos. La chose n'était pourtant
pas ainsi, car il y avait presque la moitié de la ville que
l'envie, l'ignorance et la malignité empêchaient de
profiter de la conversation de Sapho et de celle de ses
amies. Mais, à dire vrai, elle ne perdait guère à ne voir
pas ces sortes de gens à qui la grandeur de son esprit
faisait peur [1]. Il n'en était pas ainsi des étrangers qui
venaient à Lesbos, car il n'y en abordait aucun qui ne
fût à l'heure même chez l'admirable Sapho et qui n'en
sortît charmé de sa conversation ; et certes, à dire vrai,
ce n'était pas sans raison, car je ne crois pas possible
de l'entretenir deux heures sans l'estimer infiniment et
sans avoir une grande disposition à l'aimer. Aussi
étions-nous cinq ou six hommes qui en étions inséparables, qui suivions toujours le prince Tisandre quand
il allait chez elle et qui ne laissions pas d'y aller sans

---

1. Le phénomène des « cabales » est caractéristique de la culture
mondaine du XVIIᵉ siècle. La notion même de préciosité, qui connaîtra sa pleine faveur dès la fin de la décennie de 1650 et à laquelle
sera, bon gré mal gré, associée Madeleine de Scudéry, est grande-
ment tributaire de cette manière de concevoir les rapports sociaux.

lui, quand la rigueur de Sapho le rendait si chagrin qu'il n'y allait pas.

Cependant, toute cette cabale* ignorante ou envieuse, qui était opposée à la nôtre, parlait de nous d'une si plaisante manière que je ne m'en puis souvenir sans étonnement, car ils se figuraient qu'on ne parlait jamais chez Sapho que des règles de la poésie, que de questions curieuses [1] et que de philosophie, et je ne sais même s'ils ne disaient point qu'on y enseignait la magie. Il est vrai que ces ennemis déclarés du bon sens et de la vertu étaient d'étranges* gens, car après les avoir un jour repassés les uns après les autres, je trouvai que les plus raisonnables de tous ceux qui fuyaient Sapho et ses amies étaient de ces jeunes gens gais et étourdis, qui se vantent de ne savoir pas lire et qui font vanité d'une espèce d'ignorance guerrière qui leur donne l'audace de juger de ce qu'ils ne connaissent pas, et qui leur persuade que les gens qui ont de l'esprit ne disent que des choses qu'ils n'entendent point, de sorte que, sans se donner seulement la peine de savoir par eux-mêmes comment parlent ces personnes qu'ils fuient avec tant de soin, ils en font des contes extravagants qui les rendent eux-mêmes ridicules à ceux qui sont dans le bon sens.

Mais, outre ces sortes d'hommes qui ne sont capables que d'un enjouement évaporé et inquiet, qui les mène continuellement de visite en visite sans savoir ce qu'ils y cherchent ni ce qu'ils y veulent faire, il y avait encore des femmes que je mets en même rang, qui fuyaient Sapho et ses amies et qui en faisaient des railleries à leur mode. Il est vrai que c'étaient de ces femmes qui pensent qu'elles ne doivent jamais rien savoir, sinon qu'elles sont belles, et qu'elles ne doivent jamais rien apprendre qu'à se bien coiffer ; de ces

---

1. L'adjectif sert à désigner ce qui est recouvert par des « secrets particuliers » (Furetière), inaccessibles aux non-initiés : les contemporains y rangent, par exemple, la chimie, l'optique, mais aussi les matières ésotériques. Les « femmes savantes » de Molière seront adeptes de ce genre de savoirs.

femmes, dis-je, qui ne peuvent jamais parler que
d'habillements et qui font consister toute la galanterie
à bien manger les collations [1] que leurs galants leur
donnent, et à les manger même en ne disant que des
sottises et en se plaignant bien plus aigrement, si on ne
les traite pas assez magnifiquement*, que si on leur
avait manqué de respect en une chose plus importante. Il y avait encore aussi d'une autre espèce de
femmes qui, pensant que la vertu scrupuleuse voulait
qu'une dame ne sût rien faire autre chose qu'être
femme de son mari, mère de ses enfants et maîtresse
de sa famille et de ses esclaves, trouvaient que Sapho
et ses amies donnaient trop de temps à la conversation
et qu'elles s'amusaient à parler de trop de choses qui
n'étaient pas d'une nécessité absolue. Il y avait aussi
quelques-uns de ces hommes qui ne regardent les
femmes que comme les premières esclaves de leurs
maisons, qui défendaient à leurs filles de lire jamais
d'autres livres que ceux qui leur servaient à prier les
dieux [2] et qui ne voulaient pas qu'elles chantassent
même des chansons de Sapho. Et il y avait enfin
encore et des hommes et des femmes qui nous fuyaient,
qu'on pouvait sans injustice confondre parmi le
peuple le plus grossier, quoiqu'il y eût des personnes
de qualité.

Ce n'est pas qu'il n'y eût aussi quelques gens
d'esprit préoccupés* d'une fausse imagination, qui
avaient quelque disposition à croire que la société où
nous vivions était presque telle que tant de sottes gens
la disaient et qui, sans s'en éclaircir, demeuraient dans
cette erreur sans s'en désabuser*. Il est vrai qu'une des
choses qui servait à leur persuader qu'en effet il était
dangereux aux femmes de vouloir mettre leur esprit
au-dessus des rubans, des boucles et de toutes les
bagatelles de la parure des dames, fut une chose qui

---

1. La collation fait partie, avec le bal ou la comédie, des divertissements qu'un galant offre à la dame qu'il courtise.
2. Molière conférera son plein potentiel provocateur à ce type de
personnage sous les traits de l'Arnolphe de *L'École des femmes*.

arriva, qui était sans doute assez étrange*. Car imaginez-vous, madame, qu'il y a une femme à Mytilène
qui, ayant vu Sapho dans le commencement de sa vie,
parce qu'elle était alors dans son voisinage, se mit en
fantaisie de l'imiter. Et elle crut en effet l'avoir si bien
imitée que, changeant de maison, elle prétendit être la
Sapho de son quartier. Mais, à vous dire la vérité, elle
l'imita si mal que je ne crois pas qu'il y ait jamais rien
eu de si opposé que ces deux personnes. Je pense,
madame, que vous vous souvenez bien que je vous ai
dit qu'encore que Sapho sache presque tout ce qu'on
peut savoir, elle ne fait pourtant point la savante et que
sa conversation est naturelle, galante et commode.
Mais, pour celle de cette dame, qui s'appelle Damophile [1], il n'en est pas de même, quoiqu'elle ait prétendu imiter Sapho.

Cependant, pour vous la dépeindre et pour vous
faire voir l'opposition de ces deux personnes, il faut
que je vous die* que Damophile, s'étant mis dans la
tête d'imiter Sapho, n'entreprit pas de l'imiter en
détail, mais seulement d'être savante comme elle et,
croyant même avoir trouvé un grand secret pour
acquérir encore plus de réputation qu'elle n'en avait,
elle fit tout ce que l'autre ne faisait pas. Premièrement,
elle avait toujours cinq ou six maîtres, dont le moins
savant lui enseignait, je pense, l'astrologie [2] ; elle écrivait continuellement à des hommes qui faisaient profession de science ; elle ne pouvait se résoudre à parler
à des gens qui ne sussent rien ; on voyait toujours sur
sa table quinze ou vingt livres, dont elle tenait toujours
quelqu'un quand on arrivait dans sa chambre et
qu'elle y était seule, et je suis assuré qu'on pouvait dire

---

1. Dans le roman de la *Vie d'Apollonios de Tyane* (I, 30) de Philos-
trate (IIIe siècle apr. J.-C.), il est fait mention d'une Damophile, poétesse contemporaine de Sapho et imitatrice de celle-ci. L'« Histoire
de Sapho » du *Grand Cyrus* est toutefois le premier texte biogra-
phique de la poétesse de Lesbos qui fasse mention de ce personnage.

2. L'astrologie est une des disciplines « curieuses » évoquées
p. 461, note 1.

sans mensonge qu'on voyait plus de livres dans son cabinet* qu'elle n'en avait lu et qu'on en voyait bien moins chez Sapho qu'elle n'en lisait. De plus, Damophile ne disait que de grands mots qu'elle prononçait d'un ton grave et impérieux, quoiqu'elle ne dît que de petites choses et Sapho, au contraire, ne se servait que de paroles ordinaires pour en dire d'admirables. Au reste, Damophile, ne croyant pas que le savoir pût compatir avec les affaires de sa famille, ne se mêlait d'aucuns soins domestiques ; mais, pour Sapho, elle se donnait la peine de s'informer de tout ce qui était nécessaire pour savoir commander à propos jusqu'aux moindres choses. De plus, Damophile, non seulement parle en style de livre, mais elle parle même toujours de livres et ne fait non plus de difficulté de citer les auteurs les plus inconnus en une conversation ordinaire que si elle enseignait publiquement dans quelque académie célèbre [1].

Mais ce qu'il y a eu de plus rare* en la vie de cette personne est qu'elle a été soupçonnée d'avoir promis à un homme, à qui sa beauté avait donné quelques sentiments tendres, de l'écouter favorablement, quoiqu'il fût très désagréable, à condition qu'il ferait des vers qu'elle dirait qu'elle aurait faits, afin de ressembler mieux à Sapho. Jugez après cela si la passion de passer pour savante peut faire faire de plus bizarres* choses que celle-là. Ce qui rend encore Damophile fort ennuyeuse est qu'elle cherche même, avec un soin étrange*, à faire connaître tout ce qu'elle sait, ou tout ce qu'elle croit savoir, dès la première fois qu'on la voit. Et il y a enfin tant de choses fâcheuses, incommodes et désagréables en Damophile qu'on

---

1. Tous les travers de comportement dénoncés dans ce paragraphe se retrouveront dans les personnages de Philaminte, Armande et Bélise des *Femmes savantes* (1672) de Molière. Auparavant, certains d'entre eux auront été exploités dans un dialogue de Samuel Chapuzeau, *Le Cercle des femmes*. Ce texte, paru trois ans après l'« Histoire de Sapho » (1656), sera refondu sous la forme d'une comédie, *L'Académie des femmes*, jouée en 1661 au théâtre du Marais pour répliquer au succès des *Précieuses ridicules*.

peut assurer que, comme il n'y a rien de plus aimable, ni de plus charmant qu'une femme qui s'est donné la peine d'orner son esprit de mille agréables connaissances quand elle en sait bien user, il n'y a rien aussi de si ridicule, ni de si ennuyeux, qu'une femme sottement savante.

Damophile, étant donc telle que je vous la dépeins, était cause que ces sortes de gens qui ne voyaient ni Sapho ni ses amies s'imaginaient que notre conversation était telle que celle de Damophile, qu'ils disaient avoir imité Sapho, de sorte qu'ils en disaient mille bizarres* choses dont nous nous divertissions quand on nous les racontait, nous estimant bienheureux de ce que l'opinion que ces sortes de gens avaient de notre société les empêchait de nous importuner et de la venir troubler par leur présence. Pour Tisandre, comme il était amoureux, il eut bien de la peine à souffrir ces sots bruits et il y eut deux ou trois de ces mauvais railleurs de beaux esprits qui ne s'en trouvèrent pas bien, car, comme ce prince était chagrin* des rigueurs de Sapho, il les maltraita d'une telle sorte qu'ils furent contraints de quitter la cour.

Mais, madame, pour ne m'arrêter pas trop longtemps à l'amour de ce prince, je vous dirai qu'après avoir essayé toutes choses pour gagner le cœur de Sapho, comme il était dans un désespoir extrême de cette opiniâtre rigueur, le prince Thrasybule, qui était son ami, arriva à Mytilène, après avoir perdu son État et toute sa flotte et n'ayant plus que deux vaisseaux pour toutes choses [1]. Cependant, comme ce prince a le cœur grand et ferme, il ne laissa pas, quelque temps après qu'il fut arrivé à Mytilène, d'avoir la curiosité de voir l'admirable Sapho pour qui il eut beaucoup d'estime. Mais, madame, comme ce n'est pas l'amour de Tisandre qui est le principal sujet de l'histoire de

---

1. Les péripéties auxquelles il est fait allusion ici sont racontées dans « L'Histoire de Thrasybule et d'Alcionide » [Partie III, Livre 3, « Histoire de Thrasybule et d'Alcionide : l'exil de Thrasybule », puis « Thrasybule perd son royaume »].

Sapho, je ne m'y arrêterai pas davantage, et je vous dirai que, quoiqu'il semblât qu'elle le dût aimer, elle ne l'aima point et qu'il en fut si désespéré qu'il se résolut de s'embarquer avec le prince Thrasybule lorsqu'il partit de Lesbos, afin d'aller voir si l'absence ne le guérirait point. Et, en effet, madame, Tisandre partit, mais il ne partit du moins pas sans se plaindre et sans dire adieu à l'admirable Sapho. Comme ma sœur savait tous ses secrets et qu'elle m'a raconté depuis son départ de Lesbos tout ce que je ne savais pas de sa vie, j'ai su que cette conversation fut une des plus belles conversations du monde, car enfin Sapho agit avec tant d'art qu'elle fit comprendre à Tisandre qu'elle n'était pas coupable de ce qu'elle ne répondait point à son amour, et elle lui persuada presque qu'elle avait apporté autant de soin à tâcher de forcer son cœur à avoir de l'affection pour lui qu'il en avait apporté lui-même à se faire aimer d'elle, de sorte que, de cette manière, il se sépara de Sapho sans s'en plaindre, quoiqu'il fût le plus malheureux de tous les hommes. Lorsqu'il partit de Mytilène, il donna commission à un homme appelé Alcée [1], qui a infiniment de l'esprit et qui fait aussi fort joliment des vers, de parler de lui, autant qu'il pourrait, à l'admirable Sapho et de tenir un compte exact de tout ce qui se passerait durant son absence, afin de le lui redire à son retour. Mais, à dire la vérité, il ne pouvait choisir un homme plus assidu que lui chez la belle Sapho, car, comme il était amoureux de la charmante Athys, qui était éternellement en ce lieu-là, il lui était aisé d'être fidèle espion de Tisandre et il était d'autant plus propre à cela qu'Alcée est un garçon adroit, plein d'esprit et grand intrigueur.

---

1. Le personnage correspond au poète lyrique de Lesbos, contemporain de Sapho, dont l'œuvre est fréquemment éditée, depuis la Renaissance, en même temps que celle de la poétesse. L'amour entre Alcée et Athys est une invention de Madeleine de Scudéry.

Cependant, comme Sapho n'avait que de l'estime pour Tisandre, son absence ne troubla guère ses plaisirs et notre société redevint en peu de jours aussi divertissante qu'elle l'avait été, et même davantage, car les chagrins* de Tisandre la rendaient quelquefois un peu mélancolique. Nous étions donc tous les jours cinq ou six hommes ensemble qui n'avions rien à faire qu'à voir Sapho : ce n'est pas que nous ne fissions quelques autres visites, mais, à dire la vérité, nous les faisions courtes et nous les faisions de fort bonne heure, chacun en notre particulier, afin de revenir diligemment chez Sapho, où Amithone, Érinne, Athys et Cydnon étaient toujours. Quand il faisait beau, toute cette belle troupe s'allait promener, ou sur la mer ou sur le rivage, et, quand le mauvais temps ne le permettait point, nous demeurions chez l'admirable Sapho dont le logement était le plus agréable du monde, car enfin elle avait une antichambre, une chambre et un cabinet* de plainpied qui regardaient sur la mer.

Cependant, à dire les choses comme elles sont, peu d'hommes voyaient Sapho sans avoir de l'amour pour elle ou sans avoir du moins une amitié si tendre qu'elle ne pouvait être mise au rang de celle qu'on avait pour ses autres amies. En effet, quoique Alcée fût amoureux de la belle Athys, je lui ai ouï avouer que l'amitié qu'il avait pour Sapho n'était nullement de la nature de celle qu'il avait pour moi, quoiqu'il m'aimât fort, mais c'est assurément qu'il y a un certain feu subtil* et pénétrant dans les yeux de Sapho qui donne du moins de la chaleur aux cœurs qu'elle n'embrase pas.

Au reste, il ne faut pas s'imaginer que la conversation fût pleine de cérémonie en ce lieu-là, car elle y était entièrement libre et naturelle et, s'il y avait quelque contrainte, c'est qu'on avait une envie continuelle de louer Sapho sans l'oser faire, parce qu'elle ne le voulait pas. On était aussi quelquefois fort mutiné contre elle de ce qu'elle ne voulait ni montrer ni donner de ses vers et de ce qu'on était forcé d'avoir recours à mille sortes d'artifices pour en avoir [1]. En mon particulier, j'étais le moins malheureux, car, comme elle se confiait absolument à ma sœur, je voyais par elle tout ce qu'écrivait l'admirable Sapho et j'étais quelquefois si épouvanté* quand je voyais les belles choses qu'elle me montrait et le peu de vanité qu'en faisait son illustre amie que je ne croyais pas possible qu'on pût jamais assez estimer Sapho. En effet, Cydnon me montrait des élégies, des chansons, des épigrammes et mille autres sortes de choses si merveilleuses qu'à peine pouvais-je comprendre qu'il fût possible qu'une fille pût les faire, car les vers en étaient si beaux, l'expression en était si juste, les sentiments en étaient si nobles et les passions en étaient si tendres que rien ne leur pouvait être comparé. Au reste, on voyait qu'elle ne faisait pas les choses par hasard et qu'elle n'était pas comme ces dames qui, ayant quelque inclination à la poésie, se contentent de la suivre sans se donner la peine d'y chercher la dernière perfection, car elle n'écrivait rien que de juste et d'achevé.

Cependant, cette fille qui sait tout a plus de modestie que celles qui ne savent rien, et certes le hasard fit un jour une chose qui fit bien connaître ce que je dis à tous ceux qui se trouvèrent en un lieu où Sapho et Damophile se rencontrèrent. Mais, madame, pour vous dire ce qui se passa en cette occasion, il faut que vous sachiez qu'il y eut à Mytilène un concert admirable que toute la ville alla entendre un jour chez une femme de qualité où Sapho et toute sa troupe furent comme les autres dames. Mais, comme c'était une de ces assemblées sans choix, où la porte est ouverte à

---

1. Sapho s'efforce ici de respecter un des principes régissant la création littéraire mondaine : la retenue dans l'exhibition ou la diffusion des productions personnelles (c'est à ce principe que contreviendra Oronte, à l'acte I, scène II du *Misanthrope* de Molière, lorsqu'il voudra imposer la lecture de son sonnet). En revanche, comme le suggère la fin du paragraphe, la poétesse refuse de sacrifier au dilettantisme, qui peut être une conséquence néfaste de l'affectation de négligence.

tout le monde et où l'on voit quelquefois cent personnes qu'on ne vit jamais et qu'on ne voudrait jamais voir, et où l'on voit aussi tout ce que l'on connaît de gens fâcheux et incommodes, le hasard voulut que Sapho fût assise auprès de Damophile, de sorte qu'elle fut contrainte, en attendant que le concert commençât, de faire conversation avec elle et avec ceux qui l'environnaient. Si bien que, comme Damophile n'allait jamais sans qu'elle eût avec elle deux ou trois de ces demi-savants qui font plus les habiles que ceux qui le sont effectivement*, Sapho se trouva terriblement [1] embarrassée, car elle ne craignait rien davantage que ces sortes de gens ; et certes ce n'était pas sans raison qu'elle les craignait, principalement ce jour-là.

En effet, à peine fut-elle assise qu'un de ces amis de Damophile se mit à lui faire une question sur la grammaire, où Sapho répondit négligemment, en tournant la tête de l'autre côté, que, n'ayant appris à parler que par l'usage seulement, elle ne pouvait lui répondre [2]. Mais, dès qu'elle eut dit cela, Damophile lui dit à demi bas avec une suffisance insupportable qu'elle voulait la consulter sur un doute qu'elle avait touchant un vers d'Hésiode qu'elle n'entendait pas. « Je vous jure, répliqua modestement Sapho en souriant, que vous ferez bien de consulter quelque autre, car, pour moi qui ne consulte jamais que mon miroir pour savoir ce qui me sied le moins mal, je ne suis pas propre à être consultée sur des questions difficiles. »

Comme elle achevait ces paroles, un de ces hommes de qualité qui pensent que, dès qu'une personne se mêle d'écrire, il faut ne lui parler que de livres, vint de l'autre bout de la salle fort empressé, lui demander si elle n'avait point fait quelqu'une des chansons qu'on

---

1. Adverbe caractéristique du langage « précieux » (voir *Les Précieuses ridicules*, scène IX).

2. Le goût pour la grammaire et pour l'interventionnisme qu'elle suppose dans un domaine régi par « l'usage naturel » sera toujours attribué aux « femmes savantes », y compris chez Molière.

allait chanter. « Je vous assure, lui répondit-elle en rougissant de dépit, que je n'ai rien fait d'aujourd'hui que m'ennuyer, car j'ai une telle impatience que le concert commence, ajouta-t-elle en se reprenant, que je ne souhaitai jamais rien avec plus d'ardeur. – Pour moi, lui dit alors un de ces amis de Damophile, j'aimerais bien mieux que vous voulussiez nous réciter quelque belle épigramme que d'entendre la musique. »

Comme Sapho était prête de répondre à celui-là avec assez de chagrin*, il en vint un autre avec des tablettes* à la main, qui la pria de vouloir lire une élégie qu'il lui bailla* et de lui en dire son avis, de sorte que, comme elle aimait encore mieux lire les vers des autres que de souffrir qu'on lui parlât des siens d'une si bizarre* manière, elle se mit à lire bas ou, du moins, à faire semblant de lire, car elle avait tant de dépit d'être si mal placée qu'elle n'eût pas bien jugé des vers qu'on lui montrait si elle l'eût entrepris. Mais ce qui fit encore sa plus grande distraction fut que, pendant qu'elle avait les yeux attachés sur ces vers, elle entendit et des hommes et des femmes derrière elle qui parlaient de son esprit, de ses vers et de son savoir, la montrant à d'autres et disant chacun ce qu'ils en pensaient selon leur fantaisie. En effet, les uns disaient qu'elle n'avait pas la mine d'être si savante, les autres, au contraire, trouvaient qu'on voyait bien à ses yeux qu'elle en savait encore plus qu'on n'en disait. Il y eut même un homme qui dit qu'il n'eût pas voulu que sa femme en eût su autant qu'elle, et il y eut une femme qui souhaita d'en savoir seulement la moitié, si bien que chacun, suivant son inclination, la loua ou la blâma, pendant qu'elle faisait semblant de lire bien attentivement.

Cependant Damophile s'entretenait avec ces deux ou trois demi-savants qui étaient auprès d'elle et leur disait de si grandes paroles, qui ne voulaient rien dire, qu'à la fin, voulant avoir le plaisir d'ouïr parler quelque temps ensemble deux personnes aussi opposées que Sapho et Damophile, j'obligeai la première, malgré qu'elle en eût, à rendre l'élégie à celui qui la lui avait baillée*, afin de la forcer d'être de cette conversation. Et, en effet, Sapho étant bien aise de me voir auprès d'elle, parce qu'elle espérait qu'elle ne parlerait plus qu'à moi, rendit cette élégie à celui qui l'avait faite, à qui elle dit qu'elle ne s'y connaissait pas assez bien pour oser le louer. Après quoi, se tournant de mon côté : « Eh bien, Démocède, me dit-elle à demi bas, ne suis-je pas bien malheureuse de m'être trouvée si près de Damophile et de ses amis ? Mais, du moins, ajouta-t-elle, ai-je une grande consolation que vous soyez venu à mon secours. – Non, non, madame, lui dis-je en riant, ce n'est pas ce qui m'amène présentement ici, car, selon moi, il importe à votre gloire* que vous parliez, afin qu'on sache que vous ne parlez pas comme Damophile. » Et, en effet, après cela je me mêlai dans la conversation de Damophile et de ceux à qui elle parlait, adressant toujours la parole à Sapho, quelque dépit qu'elle en eût.

Cependant, comme parmi ces hommes qui étaient auprès de Damophile, il y en avait un qui parlait effectivement assez bien des choses qu'il savait, il se mit à parler de l'harmonie et ensuite de la nature de l'amour avec beaucoup d'éloquence. Mais, madame, ce qu'il y eut d'admirable fut de voir la différence de Sapho et de Damophile, car la dernière ne cessait d'interrompre celui qui parlait, ou pour lui faire des objections embrouillées, ou pour lui dire de nouvelles raisons qu'elle n'entendait point et qui ne pouvaient être entendues. Elle ne cessait pourtant pas de dire toutes ces choses d'un ton suffisant et avec un air de visage qui faisait voir la satisfaction qu'elle avait d'elle, quoique l'on connût clairement que, la moitié du temps, elle n'entendait point du tout ce qu'elle disait. Pour Sapho, elle ne parlait que lorsque la bienséance voulait absolument qu'elle répondît à ce que cet homme lui demandait, mais, quoiqu'elle dît toujours qu'elle n'entendait rien aux choses dont il parlait, elle le disait comme une personne qui les entendait mieux que celui qui se mêlait de les vouloir enseigner, et toute sa modestie et tout son chagrin* ne pouvaient empêcher qu'on ne connût, malgré la simplicité de ses paroles, qu'elle savait tout et que Damophile ne savait rien. Ainsi, cette dernière, en parlant beaucoup, disait peu de chose et l'autre, en ne disant presque rien, disait pourtant tout ce qu'il fallait dire pour se faire admirer.

Mais enfin, quand il plut aux dieux, le concert commença et, dès qu'il fut fini, Sapho se leva diligemment et, feignant d'avoir une affaire pressée, elle s'ôta d'auprès de Damophile, qui, ne pouvant encore la laisser partir sans lui donner quelque nouveau dégoût, lui dit que c'était sans doute qu'elle avait laissé quelque chanson imparfaite dans son cabinet* qu'elle voulait aller achever. Sapho entendit bien ce que lui dit Damophile, mais elle ne s'amusa* pas à y répondre. Au contraire, me tendant la main afin que je lui aidasse à marcher, elle fut de l'autre côté de la salle où Amithone, Athys, Érinne et Cydnon avaient été placées. À peine les eut-elle jointes que, les pressant de sortir avec une diligence extrême, elle les força en effet de s'en aller plus tôt qu'elles n'eussent fait.

« Mais encore, lui dit Cydnon qui la vit toute rouge et tout émue, que vous est-il arrivé qui vous fait sortir si diligemment ? – Quand nous serons dans ma chambre, lui dit-elle, je vous le dirai, car il me faut un peu de temps à me remettre de mon aventure. – Du moins, me disait Amithone, dites-nous ce qu'a Sapho, vous qui avez été auprès d'elle. – Pour moi, dit Athys, sans me donner loisir de répondre, j'ai bien de la peine à le deviner. – Peut-être, reprit Érinne, que Démocède ne le sait non plus que nous. – Pardonnez-moi, répliquai-je, je le sais, mais je ne sais pas si la belle Sapho veut que vous le sachiez. – Je ne veux pas seulement, reprit-elle, qu'Amithone, Athys, Érinne et Cydnon le sachent, mais voudrais encore, s'il était possible, que toute la terre sût combien je hais Damophile et tous ses amis, et combien je suis lasse de trouver tant de sottes gens par le monde. »

Sapho dit cela avec un chagrin* si agréable qu'elle m'en fit rire et, comme nous en étions là, Alcée qui, comme je vous l'ai, ce me semble, dit, était un homme qui passait pour bel esprit à Mytilène et qui en avait en effet beaucoup, nous joignit, aussi bien qu'un homme de qualité nommé Nicanor [1], justement comme nous arrivions à la porte de Sapho où nous trouvâmes une dame appelée Phylire [2], qui entra aussi. De sorte qu'entendant que toutes ces dames faisaient la guerre à cette admirable fille d'une chose qu'ils n'entendaient pas, ils se mirent à me demander ce que c'était, dès que nous fûmes dans la chambre de cette belle personne et que nous y fûmes assis.

Mais, dès que Sapho eut entendu ce qu'ils me demandaient, elle se tourna vers eux et, prenant la parole : « Non, non, leur dit-elle, ce n'est point à Démocède à dire quel est mon chagrin*, car il n'y a que moi qui le sache bien. – Dites-le-nous donc, afin que nous vous en plaignions, dit alors Nicanor qui est un fort honnête homme et qui n'a aucun des défauts de tous les jeunes gens de sa condition. – Ce que vous me demandez n'est pas si aisé à dire que vous vous l'imaginez, répliqua Sapho. – Mais encore, ajouta Alcée, qu'avez-vous et que pouvez-vous avoir, vous, dis-je, pour qui toute la terre a de l'admiration ?

– Puisqu'il vous le faut dire, reprit-elle, je suis si lasse d'être bel esprit et de passer pour savante qu'en l'humeur où je me trouve aujourd'hui, je mets la suprême félicité à ne savoir ni lire, ni écrire, ni parler et, si c'était une chose possible que de pouvoir oublier à [3] lire, à écrire et à parler, je vous proteste que je commencerais de me taire tout à l'heure*, pour ne parler de ma vie, tant je suis rebutée de la sottise du monde et de la persécution qui est inséparablement attachée à celles qui, comme moi, ont le malheur d'avoir la répu-

---

1. C'est la première apparition de ce personnage dans *Le Grand Cyrus*.

2. C'est également la première apparition de ce personnage dans le roman.

3. Le verbe « oublier » admet les deux constructions, en *à* et en *de*, tout au long du XVIIᵉ siècle.

tation de savoir quelque autre chose que faire des boucles et choisir des rubans. »

Sapho dit cela avec un chagrin* si aimable et d'un air si spirituel que cette agréable colère augmenta l'amour ou l'amitié qu'on avait pour elle, dans l'âme de tous ceux qui l'entendirent. « Mais encore, lui dit Cydnon, dites-nous précisément ce qui vous est arrivé. – Mais comment est-il possible, répliqua-t-elle, que vous m'ayez pu voir auprès de Damophile, environnée de tous ces savants qui la suivent toujours, sans me plaindre et sans songer que je passais fort mal mon temps ? – Si vous eussiez été du côté où j'étais, répliqua Phylire en souriant, vous n'eussiez pas été importunée par des dames trop savantes. – Je vous assure, répliqua-t-elle, que je ne sais où je ne l'eusse pas été aujourd'hui, car vous aviez à l'entour de vous quatre ou cinq femmes qui font une profession si ouverte de haïr toutes les personnes qui ont de l'esprit et qui affectent une ignorance si grossière qu'elles m'auraient encore dit quelque chose qui m'aurait déplu ou qui m'aurait ennuyée.

– Du moins, reprit Nicanor, si vous eussiez été où j'étais, vous y eussiez trouvé plus de complaisance, car, comme il n'y avait que des hommes à l'entour de moi, vous n'eussiez pu manquer d'en être louée. – Je l'aurais sans doute été, répliqua-t-elle, car on s'est mis dans la fantaisie qu'il me faut toujours louer, mais ce qu'il y a de vrai, c'est que je ne l'aurais pas été à ma mode, car enfin, Nicanor, la plus grande partie des gens de votre condition savent si peu ce qu'il faut dire à une personne comme moi que, la moitié du temps, ils me mettent en colère, lorsqu'ils pensent m'obliger et, à la réserve de ceux qui sont ici présentement, je ne sache presque personne qui ne m'ait dit quelque chose qui m'ait déplu. Encore ne sais-je, ajouta-t-elle, s'il n'y a point quelqu'un ici qui m'ait fâchée quelquefois. Du moins sais-je bien que j'ai sujet de me plaindre de ce que vous n'apprenez pas à tous les gens que vous voyez de quelle manière je veux qu'on me traite. Pour Alcée, ajouta-t-elle, je suis assurée qu'il entre mieux dans mes sentiments que tout le reste de la compagnie. – Il est vrai, dit-il en riant, que le métier de bel esprit, dont on dit que je me mêle, est sans doute assez incommode. – Mais encore, dit Phylire, quelle incommodité peut-il avoir ? Et quel mal peut faire à Sapho cette grande réputation qu'elle a par tout le monde ? En effet, ne doit-elle pas avoir bien de la joie de penser que tout ce qu'il y a de gens d'esprit à Athènes, à Corinthe, à Lacédémone, à Thèbes, à Argos, à Delphes et par toute la Grèce, ne parlent d'elle qu'avec admiration ?

– Pour tous les gens qui ne me connaissent point, répliqua Sapho, j'en suis fort contente, mais pour la plus grande partie de ceux que je vois, je n'en suis pas si satisfaite et, si vous voulez que je vous fasse toutes mes plaintes, je vous les ferai, afin que Nicanor instruise les gens de la cour comment il faut qu'ils vivent avec les gens d'esprit, que Phylire apprenne aux dames de son quartier à vivre bien avec celles du nôtre et qu'Amithone, Érinne, Athys et Cydnon ne m'accusent plus d'être bizarre* dans mes plaintes et dans mes chagrins*. C'est pourquoi, pour parler de la chose en général, je vous dirai encore une fois qu'il n'y a rien de plus incommode que d'être bel esprit ou d'être traité comme l'étant, quand on a le cœur noble et qu'on a quelque naissance. Car enfin, je pose pour fondement indubitable que, dès qu'on se tire de la multitude par les lumières de son esprit et qu'on acquiert la réputation d'en avoir plus qu'un autre et d'écrire assez bien en vers ou en prose pour pouvoir faire des livres, on perd la moitié de sa noblesse, si l'on en a, et on n'est point ce qu'est un autre de la même maison et du même sang qui ne se mêlera point d'écrire. En effet, on vous traite tout autrement et l'on dirait que vous n'êtes plus destiné qu'à divertir les autres et qu'il y a une loi qui vous oblige à écrire toujours des choses de plus belles en plus belles et que, dès que vous n'en voulez plus écrire, on ne vous doit plus regarder. Si vous êtes riche, on a bien de la peine à le croire ; si vous ne l'êtes pas, c'est la dernière infortune et, pauvre pour pauvre, on est bien traité plus doucement quand on n'est point bel esprit que quand on l'est [1].

– Je vois pourtant, répliqua Nicanor, que tous les hommes de la cour caressent* fort tous ceux qui se mêlent d'écrire. – Je vous assure, répliqua Sapho qu'ils les caressent d'une étrange* manière, car enfin, presque tous les jeunes gens de la cour traitent ceux qui se mêlent d'écrire comme ils traitent des artisans. En effet, ils pensent leur avoir rendu tout ce qu'ils doivent à leur mérite quand ils leur ont loué en passant, et bien souvent mal à propos, quelque chose qu'ils ont écrit, ou qu'ils leur ont demandé ce qu'ils font, quel ouvrage ils ont entrepris, s'il sera bientôt fait, et s'il ne sera point trop court, car c'est ce qu'ils y savent de plus fin que de dire toujours que ce qu'on leur montre n'est pas assez long. Cependant, il y a sans doute une grande distinction à faire entre ceux qui écrivent, car il y a assurément des gens dont il ne faut voir que les ouvrages, mais il y en a d'autres aussi dont la personne doit encore être préférée à leurs écrits. Cependant, ces gens qu'on appelle les gens du monde les confondent avec les autres et ne leur parlent point comme ils parlent à ceux qui ne se mêlent point d'écrire, quoique peut-être ils en soient plus dignes. Je consens donc que ces savants qui ne sont point du tout propres à la conversation ordinaire n'y soient point admis, quoique je veuille qu'on les respecte ou qu'on les excuse s'ils ont effectivement* du mérite. Mais, pour ceux qui

---

1. Sapho se livre à une description évocatrice du « premier champ littéraire » (cf. A. Viala, *La Naissance de l'écrivain*, Minuit, 1985), qui voit la littérature se constituer en valeur autonome, dotée d'institutions, au prix d'un dispersement social de l'auteur, contraint à fonder de « multiples alliances » pour s'assurer gloire et subsistance. L'auteur est en premier lieu confronté aux difficultés financières : s'il est noble, l'activité littéraire, soupçonnée de lui procurer des gains, le fait déchoir, et si, au contraire, il est pauvre, la nécessité de gagner de l'argent le discrédite davantage encore. L'auteur est de plus confronté à la pression suscitée par l'attente des lecteurs et, en particulier, des mécènes : contraint à produire des œuvres de qualité en grande quantité, l'auteur est perçu comme un être particulier, marginal.

savent parler aussi agréablement qu'ils savent écrire, je veux qu'on leur parle d'ordinaire comme s'ils n'écrivaient pas, et qu'on ne les accable point de demandes continuelles de leurs ouvrages. Je sais bien qu'il y a de ces gens-là qui en importunent les autres et qui ne cessent de persécuter ceux avec qui ils sont des productions de leur esprit, mais, à dire la vérité, je ne sais qui est le plus importuné, ou de celui qui trouve un de ces auteurs qui accablent ceux qu'ils voient de récits continuels, ou de celui qui se mêle d'écrire et qui trouve de ces gens de qualité qui ne lui parlent jamais d'autre chose que de ce qu'il écrit, principalement lorsqu'il a quelque naissance et qu'il a le cœur bien placé. Pour moi, j'avoue qu'on ne me saurait faire un plus grand dépit que de me venir parler, hors de propos, de vers que je fais quelquefois pour me divertir [1].

– Mais encore faut-il être équitable, dit Amithone, car le moyen [2] de ne louer jamais ce que vous écrivez ? – Mais le moyen que j'endure éternellement, reprit Sapho, que l'un me vienne demander si je fais une élégie, l'autre si j'ai fait une chanson, un autre encore si c'est moi qui ai fait une épigramme, et le moyen enfin d'endurer qu'on ne me parle point comme on parle aux autres, moi qui ne veux être que comme les autres sont et qui ne puis souffrir qu'on m'en distingue d'une si bizarre* manière ? Cependant, on ne me dit jamais rien comme on le dit à tout le reste du monde, car si on me fait excuse de ce qu'on ne m'est pas venu voir, on me dit qu'on a eu peur d'inter-

---

1. Les propos de Sapho expriment un refus de la professionnalisation de l'écrivain qui en ferait un « artisan », dont seule mériterait d'être prise en compte l'œuvre, la réalisation – de préférence sous l'angle quantitatif. Sapho plaide en faveur d'une conception mondaine de l'écrivain, dont la création littéraire ne constitue qu'une partie de l'activité sociale, et surtout dont la personne, au contraire de celle des « savants », ne se limite ni ne s'épuise dans l'œuvre.

2. Cette expression, dans son usage interrogatif, constituera, surtout à la suite des *Précieuses ridicules* de Molière, une des cibles privilégiées des parodies du langage précieux.

rompre mes occupations. Si on m'accuse de rêver, on me dit que c'est sans doute que je ne suis jamais mieux que lorsque je suis seule avec moi-même ; si je dis seulement que j'ai mal à la tête, je trouve toujours quelqu'un qui aime assez les choses communes et populaires pour me dire que c'est la maladie des beaux esprits, et mon médecin, même quand je me plains de quelque légère incommodité, me dit que le même tempérament qui fait mon bel esprit fait mes maux. Enfin, je suis si importunée de vers, de savoir et de bel esprit que je regarde la stupidité et l'ignorance comme le souverain bien [1].

– Il est vrai, reprit Alcée, que la belle Sapho a raison de se plaindre comme elle fait. Je ne sais même si elle en dit encore assez et, à parler sincèrement, si ce n'était qu'il faut chercher sa satisfaction en soi quand on est capable d'écrire quelque chose de supportable, je vous assure qu'on serait bien malheureux, car, pour moi, j'ai été en plusieurs cours du monde et j'ai vu presque partout une injustice effroyable [2] pour tous les gens qui écrivent. En effet, presque tous les grands

---

1. Voir Molière, *La Critique de l'École des femmes* (1663), scène II : « Je me souviens toujours du soir qu'elle eut envie de voir Damon, sur la réputation qu'on lui donne, et les choses que le public a vues de lui. Vous connaissez l'homme, et sa naturelle paresse à soutenir la conversation. Elle l'avait invité à souper comme bel esprit, et jamais il ne parut si sot, parmi une demi-douzaine de gens à qui elle avait fait fête de lui, et qui le regardaient avec de grands yeux, comme une personne qui ne devait pas être faite comme les autres. Ils pensaient tous qu'il était là pour défrayer la compagnie de bons mots, que chaque parole qui sortait de sa bouche devait être extra-ordinaire, qu'il devait faire des impromptus sur tout ce qu'on disait, et ne demander à boire qu'avec une pointe. Mais il les trompa fort par son silence ; et la dame fut aussi mal satisfaite de lui que je le fus d'elle. » Dans sa correspondance privée, Madeleine de Scudéry déplore également le statut de « bel esprit » qu'on lui conférait malgré elle. Voir la lettre à Pellisson du 10 octobre 1656 dans la correspondance de Madeleine de Scudéry, sur le site « Early French Women Writers » (voir bibliographie).

2. Qualificatif typique de ce qui sera, à la fin de la décennie, brocardé comme langage « précieux » (voir *Les Précieuses ridicules* de Molière, scène IX).

veulent bien qu'on les loue, mais ils reçoivent l'encens qu'on leur offre comme un tribut qui leur est dû, sans regarder seulement la main qui le donne et, en mon particulier, je fis un jour un grand poème pour un prince qui ne demanda pas même à me voir, quoiqu'il dît qu'il ne le trouvait pas mauvais. Mais, à dire la vérité, je me consolai bientôt de cette disgrâce*, car, vu comme il en usa, j'aimai mieux être l'auteur que le prince, et j'eus l'esprit plus satisfait d'avoir le cœur mieux fait que lui que si la fortune m'eût mis autant au-dessus de sa tête qu'elle l'avait mis au-dessus de la mienne.

– Ah, mon cher Alcée, répliqua Sapho, que vous me donnez de joie de parler comme vous parlez ! Car il est vrai que rien ne me donne plus de satisfaction que lorsque je me puis dire à moi-même que j'ai l'âme plus noble que ceux que le caprice de la fortune a mis au-dessus de moi ; mais, après tout, cela n'empêche pas qu'il n'y ait toujours quelques instants où je sens tous les dégoûts que la réputation que j'ai me donne, car enfin je vois des hommes et des femmes qui me parlent quelquefois, qui sont dans un embarras étrange*, parce qu'ils se sont mis dans la fantaisie qu'il ne me faut pas dire ce qu'on dit aux autres gens. J'ai beau leur parler de la beauté de la saison, des nouvelles qui courent, et de toutes les choses qui font la conversation ordinaire, ils en reviennent toujours à leur point et ils sont si persuadés que je me contrains pour leur parler, ainsi qu'ils se contraignent pour me parler d'autres choses qui m'accablent tellement, que je ne voudrais être plus Sapho quand cette aventure m'arrive. Car enfin, je le dis comme si vous pouviez voir mon cœur, on ne saurait me faire un plus sensible* dépit que de me traiter en fille savante : c'est pourquoi je conjure toute la compagnie de m'empêcher de recevoir cette persécution, en disant plutôt à toute la terre que je ne suis point ce qu'on me dit, que c'est Alcée qui fait les vers qu'on m'attribue et que je n'ai rien digne d'être estimé, afin qu'après cela on me laisse en repos, sans me chercher ni sans me fuir, car

je vous avoue que je n'aime guère, ni qu'on me
cherche, ni qu'on me fuie comme savante. »

Dès qu'elle eut dit cela, il arriva beaucoup de
monde qui fit changer la conversation, mais, pour
Sapho, elle parla peu le reste du jour, à ce que ma
sœur me dit, car, pour moi, je sortis dès que cette augmentation de compagnie arriva, parce qu'on m'avait
dit que deux de mes anciens amis qui étaient en
voyage depuis longtemps étaient arrivés, de sorte que,
ne voulant pas être des derniers à les visiter, je fus bien
aise de me dérober pour leur aller rendre ce devoir.
Mais, madame, comme il y en a un appelé Phaon [1],
qui a beaucoup de part à l'histoire que je vous
raconte, il faut que je vous en parle un peu plus particulièrement que de l'autre qui s'appelle Thémistogène. Je vous dirai pourtant qu'ils sont tous deux de
Lesbos, que nous avions appris tous nos exercices [2]
ensemble et que, durant nos premières années, je les
aimais presque également. Cependant, au retour de
mes amis, il arriva que je trouvai que j'en avais perdu
un, quoique je les revisse tous deux. Mais, madame,
pour vous expliquer cette énigme, il faut que vous
sachiez que, lorsque Phaon et Thémistogène partirent,
j'aimais un peu plus le dernier que le premier, parce
que en effet il avait alors quelque chose de plus
aimable dans l'humeur et même en sa personne. Mais,
à leur retour, je trouvai un grand changement, car l'un
était enlaidi et l'autre était beaucoup plus beau. De
plus, l'esprit de Thémistogène n'avait fait nul progrès
et celui de Phaon s'était tellement augmenté qu'on

---

1. Phaon, qui fait ici sa première apparition dans *Le Grand Cyrus*,
est le personnage le plus fréquemment associé à Sapho depuis
l'époque alexandrine. L'œuvre la plus célèbre prenant en compte ce
personnage est l'« Épître de Sapho à Phaon », quinzième des
Héroïdes d'Ovide. En revanche, il n'est jamais fait mention de Thémistogène dans les sources antiques.

2. « Au pluriel, se dit plus particulièrement de ce qui s'apprend
dans les académies d'écuyers aux gentilshommes : à monter à cheval,
à danser, à faire des armes, à voltiger, tracer des fortifications, etc.
Ce seigneur a fort bien appris tous ses exercices » (Furetière).

peut assurer qu'il y en a peu au-dessus du sien et, pour dire les choses comme elles sont, il est peu d'hommes plus aimables que lui.

Pour sa personne, on n'en voit guère qu'on lui puisse comparer, car il est sans doute extrêmement beau, mais c'est d'une beauté qui ne ressemble pourtant pas à celle des dames, et il conserve toute la bonne mine de son sexe avec toute la beauté du leur. Il a la taille belle et noble, quoiqu'il ne soit pas fort grand, les cheveux fort bruns, les yeux noirs et beaux, le tour du visage agréable, les dents belles, le nez bien fait et la mine haute. De plus, il a les mains belles pour un homme, l'air spirituel, la physionomie heureuse et il a je ne sais quoi de passionné dans les yeux, quoiqu'il n'y ait nulle affectation, qui sert encore à le rendre tout propre à être un fort agréable galant. Enfin, madame, Phaon est si beau et si bien fait que le peuple de Lesbos a fait une fable de lui la plus bizarre* du monde, car, comme il est fils d'un homme de condition de Mytilène qui avait commandé dans plusieurs vaisseaux à diverses guerres, ce peuple grossier dit que, comme il était encore assez jeune et qu'il se jouait dans un esquif, auprès d'un des vaisseaux de son père, Vénus le pria de la faire passer dans cet esquif jusqu'à une île où elle voulait aller et que, pour le récompenser de cet office* qu'il lui rendit, elle le fit devenir aussi beau qu'il est. Ainsi, sans qu'il y ait aucun fondement à cette fable [1], sinon que Phaon, contre l'ordinaire des hommes, n'était pas aussi beau, quand il était enfant, qu'il l'a été depuis, tout le peuple de Lesbos ne laisse pas de croire ce mensonge comme une chose véritable. Mais, madame, si la personne de Phaon est aimable, son esprit et son humeur ne le sont pas moins, car il est civil, doux et complaisant et, sans être ni enjoué, ni mélancolique, il a tout ce qu'il faut

---

1. Cette légende trouve son origine dans l'*Histoire variée* (XII, 18) d'Elien (Aelianus), écrivain grec du IIIe siècle après J.-C. C'est L.G. Giraldi qui, le premier, l'avait mise en relation avec les amours de Phaon et Sapho (voir notice, p. 433).

pour plaire. Outre ce que je viens de dire, il a l'air aisé et agréable, il parle juste et fort à propos, et il connaît si finement toutes les belles choses que ceux qui les font ou qui les disent ne les connaissent pas mieux que lui. Au reste, il a l'inclination naturellement galante et il y a enfin un tel rapport entre sa personne, son humeur et son esprit, qu'on peut dire qu'ils sont véritablement faits l'un pour l'autre.

Pour Thémistogène, il ne lui ressemble point : ce n'est pas qu'il soit mal fait, mais c'est qu'il ne plaît pas et qu'il a l'air contraint. Ce n'est pas non plus qu'il soit absolument sans esprit, mais c'est encore que ce qu'il en a est mal tourné et que Thémistogène n'est presque jamais du parti de la raison quand il ne suit que la sienne et qu'il est si accoutumé à mal choisir qu'on est presque assuré de choisir toujours bien en prenant seulement ce qu'il ne choisit pas. Cependant il fait fort l'empressé à aimer les belles choses et à chercher les honnêtes gens, quoiqu'il ne les sache pas connaître.

Ces deux hommes, étant donc tels que je vous les représente, avaient fait un long voyage, sans avoir fait beaucoup d'amitié et sans avoir eu beaucoup de société ensemble, car, dès qu'ils étaient arrivés en une ville, leur inclination les séparait et ce qui plaisait à l'un ne plaisait jamais à l'autre. Ainsi, ils étaient ensemble par les chemins et n'étaient presque jamais ensemble en nul autre lieu. Suivant donc cette coutume, dès qu'ils furent arrivés à Mytilène, ils se séparèrent, quoiqu'ils n'eussent alors ni l'un ni l'autre ni père ni mère chez qui aller loger, de sorte que je les fus chercher séparément. Mais je ne les trouvai pas, car, durant que je les cherchais, ils me cherchaient, et ce ne fut que le lendemain que je les vis. Mais, comme je connus bientôt la différence qu'il y avait entre Thémistogène et Phaon, je rendis justice au mérite et je changeai comme ils avaient changé, car j'aimai plus Phaon que Thémistogène, pour qui je ne pouvais plus avoir la même estime que j'avais eue en un âge où l'on ne sait pas toujours trop bien la raison de ce qu'on fait.

Cependant, comme je ne fus pas le premier qu'ils virent à Mytilène, je les trouvai déjà instruits de la grande réputation de Sapho. Néanmoins, ils ne l'étaient pas par des gens qui sussent la louer comme elle méritait de l'être, car on leur avait seulement dit qu'elle avait un grand esprit, qu'elle était savante et qu'elle faisait admirablement des vers. Mais ce qu'il y eut de rare* fut que, quoiqu'on eût dit la même chose à Phaon et à Thémistogène, elle produisit des effets bien différents. Car Thémistogène, par l'envie qu'il avait de connaître toutes les personnes extraordinaires, eut une impatience étrange* d'aller chez Sapho ; et Phaon, au contraire, qui avait vu le soir Damophile en une maison où elle avait été au sortir du concert, n'eut nulle curiosité de connaître Sapho. En effet, bien loin d'en avoir envie, lorsque je lui en parlai et que je lui offris de l'y mener, il s'en défendit comme d'une visite qu'il appréhendait, au lieu de la désirer. De sorte que la chose alla à tel point que Thémistogène me tourmentait continuellement pour m'obliger de le mener chez Sapho, sans que je le voulusse faire, parce que je ne l'en trouvais pas digne et que je tourmentais continuellement Phaon pour l'obliger d'y aller, sans qu'il s'y pût résoudre par l'imagination qu'il avait qu'il était presque impossible qu'une femme pût être savante sans être ridicule ou, du moins, incommode ou peu agréable. Joint que, comme Phaon avait encore peu d'expérience de l'amour, il avait une erreur dans l'esprit dont il s'est bien guéri depuis, car il s'imaginait alors qu'il était bien plus agréable d'aimer une belle stupide que d'avoir de l'amour pour une femme de grand esprit.

Si bien qu'un jour que je le pressais chez moi d'aller chez Sapho et qu'il s'en défendait avec opiniâtreté, je me mis à le quereller étrangement* de ce qu'il ne voulait pas ajouter foi à ce que je lui disais. « Car enfin, lui dis-je, quelle raison avez-vous à me dire, pour ne vouloir pas voir Sapho ? – Premièrement, me dit-il, j'ai trouvé des gens qui m'ont dit que Damophile est la copie de Sapho et je vous déclare que, si cela est, il est impossible que l'original m'en puisse jamais plaire, car je la trouve si ridicule et si incommode que je fuirais de province en province pour ne rencontrer pas celle qu'elle a imitée. – Ah, injuste ami, lui dis-je, si vous saviez quel tort vous faites à l'admirable Sapho, vous auriez horreur de votre injustice et vous verriez si bien que Damophile ne lui ressemble point que vous vous repentiriez de l'injure que vous me faites, en m'accusant de ne me connaître point en mérite. – Je ne vous en accuse pas, me dit-il, mais, comme vous le savez, chacun a son goût et son caprice et, pour moi, je vous le dis, comme je ne veux voir des dames que pour me divertir, je les cherche belles et galantes, et de conversation agréable, sans les chercher savantes, car je crains terriblement ces diseuses de grands mots et de petites choses qui sont toujours sur le haut du Parnasse et qui ne parlent aux hommes qu'avec le langage des dieux. Joint que, si vous voulez encore que je vous découvre tout mon secret, je vous avouerai que je me suis si bien trouvé en Sicile d'avoir aimé une belle stupide que je ne veux pas m'exposer à pouvoir aimer une belle savante qui me ferait peut-être désespérer. C'est pourquoi ne me tourmentez donc plus, je vous en conjure, car, si Sapho est comme je me l'imagine, elle me déplairait horriblement et, si elle est telle que vous le dites, elle me plairait peut-être trop pour mon repos.

– Mais est-il possible, lui dis-je, que vous ayez pu aimer la stupidité ? – Je n'ai pas aimé la stupidité, reprit-il en riant, mais j'avoue que je n'ai pas haï la belle stupide. – Je comprends bien, lui dis-je alors, qu'on peut aimer à voir la beauté partout où on la trouve et je comprends bien même qu'on peut avoir une espèce d'amour passagère pour une très belle femme sans esprit, mais je ne comprends point qu'on puisse avoir nul attachement considérable pour une personne qui n'en a pas, quelque belle qu'elle puisse être. Et vous ne connaissez point du tout la délicatesse des plaisirs de cette passion, si vous n'avez jamais aimé qu'une belle stupide. – Je ne sais si j'en connais tous les plaisirs, répliqua Phaon, mais, du moins, n'en connais-je pas les supplices.

– Ah, mon cher ami, lui dis-je, vous n'êtes encore guère savant en amour ! Car on n'y saurait être heureux, si on n'y a été misérable. En effet, ajoutai-je, il faut avoir soupiré douloureusement pour sentir la joie, il faut avoir désiré un bien avec inquiétude pour le posséder avec plaisir et il faut enfin avoir aimé une femme d'esprit pour connaître toutes les douceurs de l'amour. En mon particulier, ajoutai-je, d'abord* que je vois une très belle femme, j'en conçois une si grande idée que je lui donne un esprit proportionné à sa beauté, de sorte que, lorsqu'il arrive que je ne trouve pas que le sien soit tel, j'en suis si étonné et si rebuté tout ensemble que je n'en puis jamais devenir amoureux et j'aime beaucoup mieux une belle peinture qui ne peut dire de sottises qu'une belle femme qui peut faire et dire mille impertinences. »

Comme nous en étions là, Thémistogène arriva qui, étant dans des sentiments bien opposés à ceux de Phaon, me venait encore prier de le mener chez Sapho, me disant qu'il avait une fort grande envie de la connaître, ajoutant que, selon toutes les apparences, il en deviendrait amoureux si elle était telle que son imagination la lui représentait. « Si cela est, lui dis-je pour m'en défaire, il ne faut pas que je vous y mène, car vous seriez trop malheureux si vous deveniez amant d'une personne qui en a tant d'autres. »

Ainsi, sans avoir pu persuader Phaon et sans que Thémistogène m'eût persuadé, nous nous séparâmes. Mais, ce qu'il y eut de rare* fut que l'après-dînée*, étant allé chez Sapho, elle me dit que Nicanor et Phylire, qui avaient vu Phaon, lui en avaient dit tant de bien que, quoiqu'elle n'eût pas accoutumé de souhaiter de nouvelles connaissances, elle ne laissait pas de désirer celle-là. « Il est vrai, madame, lui répliquai-je, que Phaon a beaucoup de mérite. – Comme il est votre ami particulier*, reprit-elle, je veux croire qu'il ne manquera pas de voir Cydnon et qu'ainsi je pourrai le rencontrer chez elle. – Il lui serait fort honteux de ne vous voir pas chez vous, repris-je, devant* que de vous voir ailleurs, si ce n'était qu'il vous appréhende. – Ah, Démocède, me dit-elle, je ne veux point que votre ami me craigne, et, si vous voulez que je vous die* tout ce que je pense, je croirai que vous lui aurez donné mauvaise opinion de moi s'il ne me vient voir. »

Vous pouvez juger, madame, combien ce que Sapho me disait m'embarrassait, sachant les sentiments où était Phaon. Cependant je ne pus jamais me résoudre à nuire à mon ami et j'aimai mieux m'engager de le mener à Sapho, me résolvant de faire une affaire sérieuse de cette visite et de prier Phaon de la donner à mon amitié, s'il ne la voulait pas donner au mérite de Sapho. Et, en effet, dès que je fus hors de chez elle, je fus le chercher pour tâcher de lui persuader ce que je souhaitais de lui, mais ce ne fut pas sans peine. Toutefois, comme il connut que je le désirais et qu'il craignit de me fâcher s'il s'opiniâtrait davantage, il me dit qu'il fallait du moins que je lui tinsse compte de cette complaisance comme d'une grande marque de son amitié. En suite de quoi, il fut résolu que je le mènerais le lendemain chez Sapho. Mais ce qui m'embarrassa fut que je n'osai l'y mener sans y mener aussi Thémistogène, parce qu'il s'en serait fâché, de sorte que pour mener un homme agréable, il en fallut mener un fâcheux. Comme j'avais averti Sapho de cette visite, elle en avait averti ses chères amies, si bien qu'Amithone, Érinne, Athys et Cydnon étaient avec elle, lorsque nous y arrivâmes Phaon, Thémistogène et moi.

Comme Sapho est une des personnes du monde qui a l'abord le plus agréable et le plus obligeant quand elle le veut, elle nous reçut admirablement et d'une manière si galante que je vis bien que Phaon en fut surpris et qu'il ne s'était pas attendu de trouver une fille savante qui eût un air si libre, si aimable et si naturel. Pour Thémistogène, je remarquai qu'il fut aussi étonné que Phaon, mais qu'il l'était d'une manière différente. Néanmoins, comme ils étaient tous deux préoccupés* de l'opinion du savoir de Sapho et qu'ils étaient persuadés qu'il ne lui fallait parler qu'en haut style[1], ils commencèrent la conversation d'un ton fort sérieux. Ce n'est pas que je n'eusse dit à Phaon qu'il ne le fallait pas faire, mais il ne m'avait pas cru, de sorte que, croyant qu'en effet il fallait du moins la louer comme une personne extraordinaire et la louer même avec de grandes et belles paroles, il commença de le faire avec une exagération* fort éloquente. Mais Sapho, l'arrêtant tout court, en se tournant vers moi : « Sans mentir, Démocède, me dit-elle, je me plains étrangement* de vous. – De moi, madame ! repris-je avec étonnement.

– Oui, répliqua-t-elle, c'est de vous dont je me plains, car, comme Phaon ne me connaît pas, je serais injuste de me plaindre de lui. Ainsi, c'est positivement* vous que j'accuse de toutes les louanges qu'il me donne, puisque, si vous l'aviez averti que je n'aime point qu'on me loue de la manière qu'il le fait, je le crois trop honnête homme pour n'avoir pas eu assez de complaisance pour s'empêcher de me dire des flatteries qui ne me peuvent jamais plaire. – Je vous assure, lui répliquai-je, qu'il n'a pas tenu à[2] l'avertir qu'il ne se soit accommodé à la modestie de votre humeur. – Il faut donc qu'il ne me connaisse pas pour ce que je suis, reprit Sapho. Mais, Phaon, ajouta-t-elle en se tournant vers lui, comme je n'aime point à devoir rien à la renommée, je vous demande pour grâce singulière de ne juger de moi que par vous-même et de vouloir vous donner la peine et le temps

---

1. Le « haut style », qui se caractérise par un vocabulaire épuré et une abondance de figures, est en principe réservé aux sujets nobles, qui constituent entre autres la matière des tragédies et des épopées. Il est donc inapproprié à la conversation, qui doit, selon le goût mondain, rechercher le style moyen, caractérisé par sa pureté, sa simplicité et son naturel. La distinction des trois styles (élevé, moyen et bas) trouve son origine dans la rhétorique antique qui, au XVIIe siècle, sert encore de cadre général aux conceptions sur l'activité langagière.

2. Comprendre : « ce n'a pas été faute de ».

de me connaître, car, à mon avis, vous me feriez injustice, si vous jugiez de moi sur le rapport d'autrui.

– Je ne sais, madame, répliqua Phaon en souriant, s'il y a autant de modestie que vous le pensez à ce que vous dites, car enfin avouer que vous méritez plus de louanges que la renommée ne vous en donne, c'est tomber d'accord que vous en méritez plus que personne n'en a jamais mérité. – En effet, ajouta Thémistogène, pensant qu'il allait dire des merveilles, y a-t-il rien de plus beau que d'entendre dire qu'une fille fait mieux des vers qu'Homère n'en a fait et qu'elle est plus savante que tous les sept sages [1] de Grèce ? – Quoi qu'il en soit, dit Sapho, je n'aime nullement qu'on parle de moi en ces termes, et le dernier outrage que je puisse recevoir de mes amis est de me soupçonner d'être bien aise qu'on me loue de cette manière. Car enfin, comme je ne suis point savante, je ne veux pas qu'on me die* que je le suis et, quand je le serais, je ne le voudrais pas non plus. Je ne puis sans doute pas nier que je n'aie fait quelques vers, mais, puisque la poésie est un effet d'une inclination naturelle, aussi bien que la musique, il ne me faut non plus louer de ce que je fais des vers que de ce que je chante. »

Après cela, Sapho, détournant agréablement la conversation, apporta un soin étrange* à ne parler de rien qui approchât de l'esprit savant. Au contraire, toute l'après-dînée* se passa à faire une agréable guerre à ses amies de mille petites choses qui s'étaient passées dans leur cabale* et qu'elle faisait pourtant si bien entendre que Phaon et Thémistogène y prenaient aussi autant de plaisir que celles qui les avaient vues arriver et que moi qui les savais. Ensuite, Alcée et Nicanor étant arrivés, Sapho reprocha au premier une

---

1. Nom donné par la tradition, aux VIIe et VIe siècle avant J.-C, à sept hommes pourvus de sagesse pratique (hommes d'État, législateurs, philosophes). La liste varie selon les auteurs. Elle comprend généralement Solon, Thalès, Pittacos, Cléobule, Chilon, Bias et Périandre. Le « Banquet des sept sages », relaté par Plutarque, a fait l'objet d'une histoire au tome précédent du *Grand Cyrus* [Partie IX, Livre 2].

chose qu'il avait faite chez elle, il y avait quelques jours, et qu'il faisait presque toujours quand l'occasion s'en présentait. En effet, madame, Alcée s'était si bien mis dans la fantaisie qu'il faut qu'une femme soit belle qu'il ne pouvait presque endurer celles qui ne l'étaient pas et il ne manquait guère de changer de place quand le hasard le mettait auprès d'une femme laide. De sorte qu'il était arrivé que, comme il était chez Sapho, il y était venu une femme qui était sans doute fort désagréable, si bien que, suivant son humeur, il était sorti à l'heure même et était sorti si brusquement que cette femme, qui a de l'esprit, s'était aperçue qu'il la fuyait. Ainsi Sapho, qui était alors bien aise de tourner la conversation d'une manière galante, se mit à lui reprocher sa délicatesse [1] et à blâmer en sa personne la plus grande partie des jeunes gens du monde qui font presque tous la même chose [2].

« En vérité, madame, lui dit-il voyant la guerre qu'elle lui faisait, pour ce jour que vous me reprochez, je ne sortis de chez vous que parce que je voulais aller chez la belle Athys, et je vous proteste que ce ne fut pas pour la raison que vous dites. – De grâce, Alcée, reprit Athys, ne vous excusez point sur la visite que vous me vouliez faire, car vous ne m'en fîtes point ce jour-là. – Je fus donc chez Amithone, ajouta-t-il. – Nullement, répliqua cette belle personne, et Érinne, Cydnon et moi, vous vîmes promener plus de deux heures des fenêtres de ma chambre avec un de vos amis qui est un des plus laids hommes du monde et qui est sans doute plus laid que la dame que vous fuyez n'est laide.

---

1. Le terme, ainsi que l'adjectif dont il est issu, sont à la mode, si l'on en croit l'entretien « Sur la langue française » (1671) du père Bouhours. Il apparaîtra à de nombreuses occurrences dans les pages qui suivent.
2. Ici commence une conversation sur la beauté. Elle ne sera pas reprise dans les recueils de conversations que Madeleine de Scudéry publiera dans les années 1680-1690 et dont une partie est directement issue du *Grand Cyrus* ou de *Clélie*.

– Sans mentir, reprit Sapho, il faut être bien bizarre*
pour avoir des sentiments si irréguliers [1], car je voudrais bien savoir pourquoi vos yeux souffrent la laideur en un homme et pourquoi ils ne l'endurent pas
en une femme ? Cependant, il est certain qu'il n'y a
pas un de ces galants délicats pour la beauté des
femmes qui ne passe la plus grande partie de sa vie
avec des hommes qui sont fort laids et qui n'ait même
quelque ami qui ne soit pas beau. Toutefois, par une
bizarrerie* injurieuse à notre sexe, dès qu'une femme
n'est point belle, ils ne la peuvent endurer, ils la fuient
comme si elle avait la peste, et on dirait que les
femmes ne sont au monde que pour avoir le destin des
couleurs, c'est-à-dire pour divertir les yeux seulement.
Il faut pourtant avouer, ajouta-t-elle, que cela est tout
à fait injuste, car si, en général, vous aimez ce qui est
beau et haïssez ce qui est laid, n'ayez donc que de
beaux amis aussi bien que de belles maîtresses et fuyez
aussi soigneusement les hommes qui sont laids que
vous fuyez les laides femmes. Mais si, au contraire,
vos yeux peuvent s'accoutumer à la laideur de ceux de
votre sexe, parce qu'ils ont d'ailleurs des qualités esti-
mables, accoutumez-les aussi au peu de beauté de
quelques femmes qui peuvent avoir mille charmes
dans l'esprit et mille beautés dans l'âme. Véritablement, si on vous obligeait d'être amant de toutes les
dames que vous verriez, vous auriez raison d'être
aussi délicat que vous l'êtes ; mais, ayant le cœur tout
occupé de l'amour d'une des belles personnes du
monde, je ne vois pas qu'il faille avoir une si grande
délicatesse que vous ne puissiez parler un quart
d'heure à une femme, si elle n'est pas belle et que vous
sortiez même d'une visite où il en arrivera quelqu'une
qui sera laide. Cependant, tous les jeunes gens ont
presque cette sorte d'injustice, et il y en a même qui
sont laids de la dernière laideur, qui ne peuvent souffrir celle d'une femme. En effet, ils veulent que les

---

1. Adjectif typique du langage précieux qu'on retrouvera, dans
un contexte similaire, à la scène IV des *Précieuses ridicules* de Molière.

plus beaux yeux du monde les regardent favorablement, et ils veulent de plus quelquefois ne regarder que de belles femmes avec les plus laids yeux de la terre. J'en connais même un qui se regarde aussi souvent dans tous les miroirs qu'il rencontre que s'il était le plus beau de tous les hommes et qui, regardant sa propre laideur avec agrément, ne peut souffrir celle des autres avec patience*.

– Ce que vous dites est si agréablement pensé, reprit Phaon, que je crois qu'Alcée, avec tout son esprit, aura bien de la peine à vous répondre. – Je vous assure, reprit Alcée, que j'aime mieux avouer que j'ai tort que d'entreprendre de me justifier, puisque je ne le pourrais faire sans dire beaucoup de choses contre les dames en général. – Ce que vous dites a tant de malignité, reprit Amithone, que vous mériteriez, pour vous punir de ce que vous fuyez les femmes dès qu'elles ne sont point belles, que toutes les belles évitassent soigneusement votre rencontre. – Pourvu qu'il y en eût quelqu'une qui ne me fuît pas, reprit-il en regardant Athys, je me consolerais de ne voir pas les autres. – Quand je serais belle, répliqua Érinne, je sais bien que je ne serais pas de celles qui vous consoleraient. – Et comme je ne le suis point, ajouta Athys en rougissant, je n'aurais rien à faire qu'à me consoler de n'être pas du nombre de celles qui consoleraient Alcée.

– À mon avis, reprit Nicanor, en regardant cette belle fille dont Alcée était amoureux, vous savez bien la part* que vous avez en cette aventure et il n'y a personne à Mytilène qui ait vu qu'Alcée soit sorti d'une compagnie où vous ayez été. – C'est assurément, reprit-elle, qu'il n'est pas si délicat qu'il ne puisse endurer celles qui, comme moi, ne sont ni belles ni laides. – Ce que vous dites de vous est si injuste, répliqua Alcée, que je ne sais comment la belle Sapho, qui aime tant à rendre justice au mérite, l'endure. – C'est que je ne pensais pas, répliqua-t-elle, qu'il m'appartînt de louer la beauté d'Athys en votre présence, car enfin, comme vous avez les yeux si délicats qu'ils ne peuvent souffrir la laideur aux femmes, je suis persuadée que vous les avez aussi extrêmement fins à connaître la véritable beauté, et que vous la savez mieux louer qu'un autre. Cependant, ajouta-t-elle, je voudrais bien savoir si Phaon et Thémistogène ont la même délicatesse qu'Alcée, car, pour Nicanor et pour Démocède, je sais qu'ils ont des amies qui ne sont point belles.

– Pour moi, reprit Phaon, quoique je sois fortement touché de la beauté, je croirais faire un grand outrage aux dames si je la regardais comme le seul avantage de leur sexe : aussi vous puis-je assurer que, bien loin d'être dans les sentiments d'Alcée, qui ne peut avoir d'amie si elle n'est belle, je suis persuadé qu'il n'est même pas impossible d'être fort amoureux d'une femme qui ne l'est point, pourvu qu'elle ne soit pas horrible, car enfin les yeux s'accoutument aisément à tout et il peut y avoir des femmes qui ont des beautés si surprenantes dans l'esprit et des grâces si engageantes dans l'humeur qu'elles ne laissent pas de plaire et d'être fort aimables et fort aimées. – Pour moi, dit alors Thémistogène, comme je m'attache plus à l'esprit qu'à la beauté du visage, j'aimerais bien mieux une femme qui saurait mille belles et grandes choses, quand même elle serait laide, qu'une belle qui ne saurait rien [1].

– À ce que je vois, reprit Sapho en riant, je ne puis donc jamais être ni amie d'Alcée ni amie de Thémistogène, car je ne suis ni belle comme le premier en veut une, ni savante comme Thémistogène désire la sienne : c'est pourquoi il faut que je cherche à faire

---

1. Alors que Thémistogène énonce une opinion extravagante (la possibilité d'aimer une femme laide, pour autant qu'elle soit savante), l'avis modéré de Phaon, lequel prétend préférer les grâces de l'esprit à celles de l'apparence, à condition que ni les unes ni les autres ne soient démesurées, s'affirme comme équilibré. L'idée selon laquelle la beauté des femmes est secondaire par rapport à leur esprit est reprise dans de nombreuses variations au sein du *Grand Cyrus* : voir, par exemple, l'« Histoire de Timante et de Parthénie » [Partie VI, Livre 1] ou les tribulations d'Amathilde [Partie VIII, Livre 2, « Histoire de Péranius : décision finale de Cléonisbe et manœuvre des rivaux », puis « Le cas d'Amathilde »].

mes amis de Nicanor, de Phaon et de Démocède.
– Mais si, en cherchant des amis, reprit Cydnon en
souriant, vous trouviez quelque amant, vous seriez
bien épouvantée*. – Je le serais sans doute comme le
devrait être une personne qui n'en a jamais trouvé,
répliqua-t-elle, et qui ne souhaite pas trop d'en avoir. »

Comme Nicanor, Phaon et moi allions lui répondre,
Cynégire entra dans sa chambre, de sorte que sa présence fit changer de conversation et nous chassa
bientôt, Nicanor, Phaon, Thémistogène et moi.
Cependant, madame, comme il y avait une assez belle
place devant le logis de Sapho, nous nous mîmes à
nous y promener. Mais à peine y fûmes-nous que
Phaon, me parlant bas parce qu'il ne voulait pas que
Nicanor sût l'opinion qu'il avait eue de Sapho : « Ah,
mon cher ami, me dit-il, que j'étais injuste et que
j'étais ennemi de moi-même quand je ne voulais pas
voir l'admirable Sapho. – Eh bien, lui dis-je, lui avez-
vous trouvé l'air trop savant ? Ressemble-t-elle à
Damophile ? Et lui faut-il dire de ces grandes choses
dont vous vous étiez imaginé qu'il la fallait entretenir ?

– Pour moi, reprit-il, je suis si charmé de l'avoir vue
que je ne pense pas qu'il y ait au monde une personne
si aimable. Car enfin, quand je songe, en voyant
Sapho si douce, si sociable et si galante, que c'est elle
qui fait ces vers que toute la terre admire, et que je
pense que cette même fille, qui se divertit des plus
petites choses, en sait tant de grandes, j'ai tant d'admiration pour son mérite que je commence de craindre
d'en devenir amoureux, si je continue de la voir.
Cependant je ne crois pas qu'il soit possible de m'en
empêcher. – Je vous avais bien dit, lui dis-je alors, que,
dès que vous auriez vu Sapho, vous changeriez de
sentiments.

– Mais encore, me dit-il, voudrais-je bien savoir si
on la voit toujours aussi aimable que je l'ai vue
aujourd'hui et si on ne lui voit jamais nul sentiment de
cette espèce d'orgueil qui est presque inséparable de
tous ceux qui savent quelque chose d'extraordinaire ?
Dites-moi donc, mon cher ami, ce que je m'en vais

vous demander : parle-t-elle toujours avec aussi peu
d'affectation et avec autant d'agrément qu'elle en a eu
tantôt ? – Tout ce que je vous en puis dire, repris-je,
c'est qu'elle est encore quelquefois autant au-dessus
de ce que vous l'avez vue que vous l'avez trouvée au-
dessus de ce que vous vous l'étiez figurée. – Ah,
Démocède, répliqua-t-il, ce que vous dites n'est pas
possible, et je défie la belle Sapho de me paraître plus
aimable qu'elle me l'a paru aujourd'hui. »

Après cela, Nicanor s'étant mis à parler à Phaon,
Thémistogène s'approcha de nous avec assez de froideur. En suite de quoi, m'adressant la parole : « Je
vous avoue, me dit-il, que j'ai été bien étonné après
dîner. – Eh quoi, lui dis-je tout surpris, vous n'êtes pas
satisfait d'avoir vu Sapho ? – Je le suis si peu, reprit-il,
que, si ce n'était que je suis persuadé que c'est qu'elle
a voulu cacher son savoir à cause qu'il y avait trop de
femmes, je serais tout à fait désabusé* de la haute opinion que j'avais conçue d'elle. Car enfin, je ne lui ai
rien ouï dire d'aujourd'hui qu'une autre dame qui
n'aurait rien su eût pu dire. – Du moins m'avouerez-
vous, repris-je froidement, que, si elle a parlé comme
une dame, c'est comme une dame qui parle bien.
– J'avoue, dit-il, qu'elle n'a pas dit de mots barbares,
mais, à vous dire la vérité, je m'étais attendu à tout
autre chose qu'à ce que j'ai ouï. – Vous pensiez donc,
lui dis-je, qu'elle enseignât la philosophie, qu'elle fît
des arguments invincibles, qu'elle résolût des questions difficiles et qu'elle expliquât des passages obscurs d'Hésiode ou d'Homère ? – Je pensais du moins,
dit-il, qu'il ne devait sortir de sa bouche que de belles
et de grandes choses qui faisaient connaître ce qu'elle
savait et, pour moi, je vous dis ingénument* que je
suis persuadé qu'il faut qu'il y ait des jours où elle
montre son savoir, car il ne serait pas possible qu'elle
eût la réputation qu'elle a par toute la Grèce, si elle ne
disait jamais que des bagatelles comme celles que je lui
ai entendu dire aujourd'hui. »

Vous pouvez juger, madame, combien j'étais épouvanté* de voir la différence qu'il y avait entre les sen-

timents de Phaon et ceux de Thémistogène. Cependant, comme il parlait assez haut, Phaon entendit confusément ce qu'il me disait, de sorte que, comme il était déjà devenu un des plus zélés partisans de Sapho, il se mêla à notre conversation et me demanda de quoi Thémistogène me parlait. « Il me dit, repris-je en souriant, qu'il n'a pas trouvé que Sapho mérite les louanges qu'on lui donne et qu'il s'était imaginé qu'elle disait mille belles choses qu'elle n'a pas dites. – À ce que je vois, répliqua froidement Phaon, la belle Sapho ne pouvait acquérir l'estime de Thémistogène et de moi, car je l'estime infiniment après lui avoir entendu dire toutes les bagatelles qu'il lui reproche, mais je ne l'aurais guère estimée si elle avait dit toutes ces grandes choses qu'il s'imagine qu'elle devait dire : ainsi il s'ensuit de nécessité qu'elle ne nous pouvait satisfaire tous deux. – J'en tombe d'accord, reprit brusquement Thémistogène, mais la difficulté est de savoir s'il n'eût pas été plus avantageux à Sapho de me satisfaire que de vous contenter. – Si vous voulez bien que Nicanor et Démocède soient nos juges, reprit Phaon, j'y consens. – Comme je suis tout à fait de votre parti, répliqua Nicanor, je ne puis prendre cette qualité. – Et comme je suis directement opposé à celui de Thémistogène, ajoutai-je, il m'est plus aisé d'être sa partie que son juge.

– Après cela, dit Phaon à Thémistogène, croirez-vous encore que j'ai tort d'estimer plus Sapho de parler comme elle parle, sachant ce qu'elle sait, que je ne l'estimerais si elle étalait continuellement toute sa science comme vous l'entendez et qu'elle passât les journées entières à dire mille choses que ceux qui vont chez elle n'entendraient point et que vous n'entendriez peut-être guère mieux que moi ? Du moins sais-je bien que, quand je les entendrais, je ne les écouterais pas longtemps, car, bien loin de pouvoir souffrir une femme qui fait la savante, je n'endure même qu'avec peine les hommes savants qui se piquent* trop de leur savoir. Mais, à dire la vérité, ajouta-t-il en se tournant vers moi, je ne m'étonne pas trop de ce que pense Thémistogène, car il y a plus de deux ans que nous n'avons été de même avis : ainsi, il m'a été aisé de prévoir, dès que j'ai commencé d'admirer Sapho, qu'il ne l'admirerait pas et qu'il lui préférerait Damophile, que je mets autant au-dessous de toutes les autres femmes que je mets Sapho au-dessus de toutes celles que j'ai connues jusqu'ici ; car enfin, écrire comme elle écrit et parler comme elle parle sont deux qualités si admirables qu'elle mérite l'estime de toute la terre.

– Mais encore, reprit Thémistogène avec un chagrin* qui nous fit rire, qu'a-t-elle dit de grand et de beau ? – Elle a parlé juste et galamment, répliqua Phaon, et elle a parlé avec modestie et d'une manière si naturelle et si judicieuse qu'elle a mérité mon admiration. – Il n'en est pas de même de moi, reprit-il, car je n'admire que les choses extraordinaires. – J'ai connu un homme à Athènes, répliqua Phaon, qui était de l'humeur de Thémistogène, car il ne savait point mettre de différence entre les choses qu'on admire et les choses qui donnent de l'étonnement. – Je ne sais si je suis de ceux que vous dites, répliqua fièrement Thémistogène, mais je sais bien que je ne mets point de différence entre Sapho et toutes les autres femmes de Mytilène, si elle ne dit jamais que des choses pareilles à celles que je lui ai entendu dire. Et, dans les sentiments que j'ai d'elle, après l'avoir ouïe parler, je vous déclare que, si je ne lui entends rien dire de plus élevé que ce qu'elle a dit aujourd'hui, je croirai que quelqu'un lui fait les vers que l'on publie sous son nom [1]. »

Phaon, entendant ce que disait Thémistogène, se mit à en rire d'une manière si injurieuse pour lui qu'il s'en fâcha tout de bon, si bien que, lui parlant fort aigrement et l'autre lui répondant de même, ils se querellèrent tout à fait, et Nicanor et moi eussions bien eu de la peine à les séparer, si Alcée et deux autres ne fussent fortuite-

---

1. Ironie : Thémistogène croit que les textes de Sapho sont l'œuvre d'une autre plume que la sienne, alors que c'est précisément Damophile, qu'il admire, qui recourt à ce procédé.

ment venus à nous. Cependant, comme cette querelle ne put être accommodée [1] sur-le-champ et que ce ne fut que le lendemain que ces deux ennemis s'embrassèrent, elle fit un grand bruit à Mytilène. Mais ce qu'il y eut d'avantageux pour Phaon fut que, comme je contai tout ce qui s'était passé à ma sœur, elle le dit à Sapho. Ainsi, dès le premier jour qu'elle connut Phaon, elle sut qu'elle lui avait de l'obligation.

L'accommodement de ces deux ennemis eut même une circonstance remarquable, car Phaon ne voulut point s'accommoder que* Thémistogène n'avouât qu'il avait eu tort de juger si légèrement du mérite de Sapho et de croire plutôt sa propre opinion que celle de toute la terre. De sorte que cette admirable fille, sachant la chose comme elle s'était passée, s'en tint sensiblement obligée à Phaon : aussi le reçut-elle fort obligeamment lorsqu'il la retourna voir. En effet, à peine le vit-elle entrer dans sa chambre qu'elle fut au devant de lui de la meilleure grâce du monde, et elle lui fit même un compliment si particulier [2] et si galant qu'il mérite de vous être raconté. Car enfin, dès qu'elle fut auprès de Phaon, elle prit la parole la première et le regardant avec un visage souriant : «Vous m'avez tellement louée de ne dire point de grandes choses, lui dit-elle, que je n'ose presque vous faire un grand remerciement de l'obligation que je vous ai, de peur que, contre ma coutume, il ne m'échappât quelqu'une de ces grandes paroles qui pourraient m'acquérir l'estime de Thémistogène et qui me feraient perdre la vôtre. – Ce que vous dites est si plein d'esprit et si galant, répliqua-t-il, que je me repens de m'être

---

1. La querelle de Phaon et Thémistogène est parvenue à la limite du point de non-retour : l'étape suivante est l'affrontement en combat singulier, le duel. On peut encore écarter cette issue terrible par un « accommodement », dont la marque concluante est l'embrassement des adversaires. La même procédure sera appliquée lors de l'altercation entre Oronte et Alceste dans *Le Misanthrope* (1666) de Molière.

2. Adjectif caractéristique du langage précieux également à l'honneur dans la scène IX des *Précieuses ridicules* de Molière.

accommodé avec Thémistogène, car il est vrai qu'un homme qui ne vous admire point mérite que tout ce qu'il y a de gens raisonnables au monde lui déclarent une guerre immortelle. – Quand vous me connaîtrez bien, répliqua Sapho, vous verrez que je ne suis pas si jalouse de ma gloire* et que, tant qu'on ne dira pas que je manque de vertu et de bonté, je ne me mettrai guère en peine de ce qu'on dira de moi. »

Après cela, Sapho ayant fait asseoir Phaon, la conversation fut tout à fait divertissante, car non seulement ses amies particulières* étaient chez elle, mais Phylire, Nicanor, Alcée et moi y étions aussi, joint que la querelle de Phaon et de Thémistogène la tourna d'un côté qui fit dire mille belles et agréables choses à Sapho. En effet, après avoir bien parlé de l'erreur de Thémistogène, qui croyait qu'on ne pouvait rien savoir si on ne parlait continuellement de science, Phylire dit qu'encore que l'ignorance grossière fût un grand défaut, elle pensait pourtant qu'il y avait moins d'inconvénient que la plus grande partie des femmes fussent ignorantes que d'être savantes.

« Car, imaginez-vous, dit-elle, quelle persécution ce serait s'il y avait deux ou trois cents Damophiles à Mytilène. – Mais imaginez-vous au contraire, répliqua précipitamment Phaon, quelle félicité il y aurait, s'il y avait seulement cinq ou six Sapho en toute la terre, et qu'Athènes, Delphes, Thèbes et Argos pussent se vanter d'avoir la leur, aussi bien que Mytilène ? – Eh, de grâce, Phaon, reprit-elle en rougissant, n'effacez point l'obligation que je vous ai par des louanges que je n'aime pas, et souvenez-vous, s'il vous plaît, que je ne veux point passer pour savante, car enfin je suis fortement persuadée que, si je sais quelque chose que toutes les femmes ne savent pas, je ne sais du moins rien que toutes les dames ne dussent savoir.

– En vérité, reprit Cydnon en riant, vous les engagez à bien des choses, car, à parler sincèrement, vous en savez tant que je ne sais comment vous pouvez faire pour les cacher, ni comment nous les pourrions apprendre. – Je vous assure, répliqua Sapho, que j'en sais si peu que, si toutes les femmes voulaient bien employer tout le temps qu'elles emploient à rien, elles en sauraient mille fois plus que moi. – Ce que dit la belle Sapho est si bien dit, quoiqu'il ne soit pas positivement* vrai pour ce qui la regarde, reprit Phaon, que je ne puis m'empêcher de l'en louer, car il est certain qu'il y a lieu de reprocher presque à toutes les dames qu'elles perdent la plus précieuse chose du monde en perdant beaucoup d'heures qu'elles pourraient plus agréablement employer qu'elles ne font.

– En mon particulier, dit Phylire, je ne sais comment les dames pourraient trouver le loisir d'apprendre quelque chose quand elles le voudraient, car, pour moi, je n'ai pas bien souvent celui d'aller au temple et j'ai une amie qui est tous les jours habillée si tard qu'elle ne peut jamais sortir que quand le soleil se couche. – J'avais toujours cru, reprit Amithone, qu'il fallait que Sapho ne dormît point pour avoir le temps de faire tout ce qu'elle fait, jusqu'à ce que j'aie eu fait un voyage à la campagne avec elle. Mais, depuis cela je m'en suis désabusée*, étant certain qu'elle règle si bien toutes ses heures qu'elle a loisir de faire mille choses que je ne ferais point. Car enfin, elle trouve le temps de dormir autant qu'il faut pour avoir le teint reposé et les yeux tranquilles, elle trouve celui de s'habiller aussi galamment qu'une autre, elle trouve, dis-je, celui de lire, d'écrire, de rêver*, de se promener, de donner ordre à ses affaires et de se donner à ses amies, et tout cela sans être empressée et sans embarras. – Je voudrais bien, dit la belle Athys, qu'elle m'eût enseigné son secret, car, si je le savais, je pense que je me résoudrais à tâcher d'apprendre plus que je ne sais.

– Mais [1], avant que de l'obliger à dire un si grand secret, répliqua Érinne, je voudrais bien que toutes les

---

1. Ici commence une conversation sur la « science des dames », qui ne sera pas reprise dans les recueils des années 1680-1690. Voir, dans *Le Grand Cyrus*, la conversation sur la parole féminine [Partie VII, Livre 3, « Histoire de Thrasyle : Lysidice la cyclothymique »].

personnes qui sont ici examinassent si, en effet*, il serait bien que les femmes en général sussent plus qu'elles ne savent. – Ah, pour cette question, reprit Sapho, je pense qu'elle est aisée à résoudre, car enfin il faut que j'avoue aujourd'hui que je ne suis plus en colère comme je l'étais il y a quelques jours, qu'encore que je sois ennemie déclarée de toutes femmes qui font les savantes, je ne laisse pas de trouver l'autre extrémité fort condamnable et d'être souvent épouvantée* de voir tant de femmes de qualité avec une ignorance si grossière que, selon moi, elles déshonorent notre sexe. En effet, ajouta-t-elle, la difficulté de savoir quelque chose avec bienséance ne vient pas tant à une femme de ce qu'elle sait que de ce que les autres ne savent pas, et c'est sans doute la singularité qui fait qu'il est très difficile d'être comme les autres ne sont point, sans être exposée à être blâmée, car, à parler véritablement, je ne sache rien de plus injurieux à notre sexe que de dire qu'une femme n'est point obligée de rien apprendre. Mais, si cela est, ajouta Sapho, je voudrais donc en même temps qu'on lui défendît de parler et qu'on ne lui apprît point à écrire [1], car, si elle doit écrire et parler, il faut qu'on lui permette toutes les choses qui peuvent lui éclairer l'esprit, lui former le jugement et lui apprendre à bien parler et à bien écrire.

Sérieusement, poursuivit-elle, y a-t-il rien de plus bizarre* que de voir comment on agit pour l'ordinaire en l'éducation des femmes ? On ne veut point qu'elles soient coquettes ni galantes, et on leur permet pourtant d'apprendre soigneusement tout ce qui est propre à la galanterie, sans leur permettre de savoir rien qui puisse fortifier leur vertu ni occuper

---

1. Contrairement à l'apprentissage de la lecture, celui de l'écriture ne fait en principe pas partie de l'éducation féminine au XVIIe siècle (voir R. Chartier, « Les pratiques de l'écrit », in *Histoire de la vie privée*, Seuil, 1986, p. 117). Les lacunes s'en font sentir jusque chez certaines femmes auteurs, contemporaines de Madeleine de Scudéry (voir N. Grande, *Stratégies de romancières*, *op. cit.*, chap. VIII).

leur esprit. En effet, toutes ces grandes réprimandes qu'on leur fait dans leur première jeunesse, de n'être pas assez propres*, de ne s'habiller point d'assez bon air et de n'étudier pas assez les leçons que leurs maîtres à danser et à chanter leur donnent, ne prouvent-elles pas ce que je dis ? Et ce qu'il y a de rare* est qu'une femme, qui ne peut danser avec bienséance que cinq ou six ans de sa vie, en emploie dix ou douze à apprendre continuellement ce qu'elle ne doit faire que cinq ou six et, à cette même personne, qui est obligée d'avoir du jugement jusqu'à la mort et de parler jusqu'à son dernier soupir, on ne lui apprend rien du tout qui puisse ni la faire parler plus agréablement, ni la faire agir avec plus de conduite. Et, vu la manière dont il y a des dames qui passent leur vie, on dirait qu'on leur a défendu d'avoir de la raison et du bon sens, et qu'elles ne sont au monde que pour dormir, pour être grasses, pour être belles, pour ne rien faire et pour ne dire que des sottises ; et je suis assurée qu'il n'y a personne dans la compagnie qui n'en connaisse quelqu'une à qui ce que je dis convient. En mon particulier, ajouta-t-elle, j'en sais une qui dort plus de douze heures tous les jours, qui en emploie trois ou quatre à s'habiller ou, pour mieux dire, à ne s'habiller point, car plus de la moitié de ce temps-là se passe à ne rien faire ou à défaire ce qui avait déjà été fait. Ensuite, elle en emploie bien encore deux ou trois à faire divers repas et tout le reste à recevoir des gens à qui elle ne sait que dire ou à aller chez d'autres qui ne savent de quoi l'entretenir. Jugez après cela si la vie de cette personne n'est pas bien employée.

– Il est vrai, répliqua Alcée en riant, qu'il y a beaucoup de dames qui font ce que vous dites. – Pour moi, reprit Cydnon, je n'ai point de part à cette réprimande indirecte, car, puisque je passe presque toute ma vie auprès de Sapho, on n'a rien à me reprocher. – Ah, Cydnon, reprit Amithone, que vous m'avez obligée de trouver une si agréable et si puissante raison pour rendre mon ignorance excusable !

– Comme j'y ai autant de droit que vous, ajouta la belle Athys, il ne me doit pas être défendu de m'en servir. – Si je savais ce que vous savez, reprit Érinne, je ne croirais pas en avoir besoin comme j'en ai. – Pour ce qui me regarde, ajouta Phylire, je n'ai rien qui me puisse défendre, car je ne vois pas assez souvent Sapho pour me pouvoir vanter d'employer bien une partie de mon temps : ainsi il faut que j'avoue ingénument* que je passe quelquefois des jours entiers où je n'ai pas un moment de loisir, sans que je puisse pourtant dire que j'ai eu nulle occupation considérable*.

– Pour moi, dit Sapho, je suis persuadée que la raison de ce peu de temps qu'ont toutes les femmes, à en parler en général, est sans doute* que rien n'occupe davantage qu'une longue oisiveté, joint qu'elles se font presque toutes de grandes affaires de fort petites choses et qu'une boucle de leurs cheveux mal tournée leur emporte plus de temps à la mieux tourner que ne ferait une chose fort utile et fort agréable tout ensemble. Il ne faut pourtant pas qu'on s'imagine, ajouta-t-elle, que je veuille qu'une femme ne soit point propre* et qu'elle ne sache ni danser, ni chanter, car, au contraire, je veux qu'elle sache toutes les choses divertissantes. Mais, à dire la vérité, je voudrais qu'on eût autant de soin d'orner son esprit que son corps et qu'entre être savante ou ignorante, on prît un chemin entre ces deux extrémités qui empêchât d'être incommode par une suffisance impertinente* ou par une stupidité ennuyeuse. – Je vous assure, reprit Amithone, que ce chemin est bien difficile à trouver. – Si quelqu'un le peut enseigner, répliqua Phaon, ce ne peut être que Sapho.

– En mon particulier, reprit Phylire, je lui serais fort obligée si elle me voulait dire précisément ce qu'une femme doit savoir. – Il serait sans doute assez difficile, répliqua Sapho, de donner une règle générale de ce que vous demandez, car il y a une si grande diversité dans les esprits qu'il ne peut y avoir de loi universelle qui ne soit injuste. Mais ce que je pose pour fondement est qu'encore que je voulusse que les femmes sussent plus de choses qu'elles n'en savent pour l'ordinaire, je ne veux pourtant jamais qu'elles agissent ni qu'elles parlent en savantes. Je veux donc bien qu'on puisse dire d'une personne de mon sexe qu'elle sait cent choses dont elle ne se vante pas, qu'elle a l'esprit fort éclairé, qu'elle connaît finement les beaux ouvrages, qu'elle parle bien, qu'elle écrit juste et qu'elle sait le monde, mais je ne veux pas qu'on puisse dire d'elle : « C'est une femme savante », car ces deux caractères sont si différents qu'ils ne se ressemblent point. Ce n'est pas que celle qu'on n'appellera point savante ne puisse savoir autant et plus de choses que celle à qui on donnera ce terrible nom, mais c'est qu'elle se sait mieux servir de son esprit et qu'elle sait cacher adroitement ce que l'autre montre mal à propos.

– Ce que vous dites est si bien démêlé, reprit Nicanor, qu'il est aisé de comprendre cette différence. – Mais, à ce que je vois, dit alors Phylire, il y a donc des choses, ou qu'il ne faut pas savoir ou qu'il ne faut pas montrer quand on les sait. – Il est constamment* vrai, répliqua Sapho, qu'il y a certaines sciences que les femmes ne doivent jamais apprendre et qu'il y en a d'autres qu'elles peuvent savoir, mais qu'elles ne doivent pourtant jamais avouer qu'elles sachent, quoiqu'elles puissent souffrir qu'on le devine.

– Mais à quoi leur sert de savoir ce qu'elles n'oseraient montrer, reprit Phylire ? – Il leur sert, répliqua Sapho, à entendre ce que de plus savants qu'elles disent et à en parler même à propos sans en parler pourtant comme les livres en parlent, mais seulement comme si le simple sens naturel leur faisait comprendre les choses dont il s'agit. Joint qu'il y a mille agréables connaissances dont il n'est pas nécessaire de faire un si grand secret : en effet, on peut savoir quelques langues étrangères, on peut avouer qu'on a lu Homère, Hésiode et les excellents ouvrages de

l'illustre Aristhée [1] sans faire trop la savante, on peut
même en dire son avis d'une manière si modeste et si
peu affirmative que, sans choquer la bienséance de
son sexe, on ne laisse pas de faire voir qu'on a de
l'esprit, de la connaissance et du jugement. On peut
et on doit savoir tout ce qui peut servir à écrire juste,
car, selon moi, c'est une erreur insupportable à
toutes les femmes de vouloir bien parler et de vouloir
mal écrire, et le privilège qu'elles prétendent en avoir
est si honteux à tout le sexe en général, si elles
l'entendaient bien, qu'elles en devraient rougir.

   – Il est vrai, dit Nicanor, que la plupart des dames
semblent écrire pour n'être pas entendues, tant il y a
peu de liaison en leurs paroles et tant leur orthographe est bizarre*. – Cependant, ajouta Sapho en
riant, ces mêmes dames qui font si hardiment* des
fautes si grossières en écrivant et qui perdent tout
leur esprit dès qu'elles commencent d'écrire, se
moqueront des journées entières d'un pauvre étranger qui aura dit un mot pour un autre. Il y a toutefois
bien plus de sujet de trouver étrange* de voir une
femme de beaucoup d'esprit faire mille fautes en
écrivant en sa langue naturelle que de voir un
Scythe [2] qui ne parlera pas bien grec. – Hélas, dit
alors Phylire en riant, que j'ai de part* à ce que vous
dites ! – Vous parlez pourtant si juste, repris-je, que je

───────────

   1. Nom très répandu dans l'Antiquité grecque, Aristhée ne
désigne pourtant aucun écrivain réel, contrairement à Homère et à
Hésiode. Il s'agit sans doute d'une dénomination de convention,
représentative de l'auteur mondain moderne en général (voir une
première occurrence du nom, p. 4420 de l'édition en ligne), ou
peut-être, recouvrant de manière cryptée un individu précis. Les
Chroniques du samedi (*op. cit.*, p. 310) comportent une note manuscrite qui indique qu'Aristhée était parfois utilisé comme pseudonyme pour Jean Chapelain, grande figure intellectuelle du
XVIIᵉ siècle français, proche des Scudéry. Le personnage portant ce
nom avait en tout cas fait l'objet d'un portrait élaboré dans *Le
Grand Cyrus* [Partie VII, Livre 1, p. 4629-4636].
   2. Vus de Lesbos, les Scythes, résidant au-delà du Pont-Euxin
(mer Noire), dans une zone dépourvue d'influence grecque, comp-
tent parmi les peuples les plus étrangers qu'on puisse imaginer.

ne sais comment il est possible que vous n'écriviez pas de même. – Je veux croire, reprit Sapho, que Phylire écrit aussi bien qu'elle parle, mais, après tout, il est certain qu'il y a des femmes qui parlent bien qui écrivent mal et qui écrivent mal purement par leur faute.

– Mais encore voudrais-je bien savoir d'où cela vient, dit la belle Athys. – Cela vient sans doute, répliqua Sapho, de ce que la plupart des femmes n'aiment point à lire ou de ce qu'elles lisent sans aucune application et sans faire même nulle réflexion sur ce qu'elles ont lu : ainsi, quoiqu'elles aient lu mille et mille fois les mêmes paroles qu'elles écrivent, elles les écrivent pourtant tout de travers et, en mettant des lettres les unes pour les autres, elles font une confusion qu'on ne saurait débrouiller à moins que d'y être fort accoutumé. – Ce que vous dites est tellement vrai, reprit Érinne, que je fis hier une visite à une de mes amies qui est revenue de la campagne, à qui je reportai toutes les lettres qu'elle m'a écrites, pendant qu'elle y était, afin qu'elle me les lût.

– Jugez donc, poursuivit Sapho, si j'ai tort de souhaiter que les femmes aiment à lire et qu'elles lisent avec quelque application. Cependant, il s'en trouve, qui ont naturellement beaucoup d'esprit, qui ne lisent presque jamais, et ce qu'il y a selon moi de plus étrange*, c'est que ces femmes qui ont infiniment de l'esprit aiment mieux s'ennuyer quelquefois horriblement, lorsqu'elles sont seules, que de s'accoutumer à lire et à se faire une compagnie telle qu'elles la pourraient souhaiter en choisissant une lecture enjouée ou sérieuse, selon leur humeur. Il est pourtant certain que la lecture éclaire si fort l'esprit et forme si bien le jugement que la conversation toute seule ne peut le faire aussi tôt, ni aussi parfaitement. En effet, la conversation ne vous donne que les premières pensées de ceux qui vous parlent, qui sont bien souvent des pensées tumultueuses que ceux mêmes qui les ont eues condamnent un quart d'heure après. Mais la lecture vous donne le dernier effort de l'esprit de ceux qui ont fait les livres que vous lisez, de sorte que, quand même on ne lit simplement que pour son plaisir, il en demeure toujours quelque chose, dans l'esprit de la personne qui lit, qui le pare et qui l'éclaire et qui empêche cette personne de tomber dans des ignorances grossières qui choquent terriblement tous ceux qui n'en sont pas capables.

– Pour moi, dit Alcée, je connais une de ces ignorantes hardies qui ne laissent pas de parler de tout, quoiqu'elles ne sachent rien, qui, parlant l'autre jour à un étranger qui était chez elle et qui lui racontait ses voyages, fit connaître qu'elle croyait que la mer Caspie était plus grande que la mer Égée, que le Pont-Euxin [1] était au-delà de la mer Caspie et que la mer Égée était moins grande que toutes les autres mers.

– Ce que je voudrais principalement apprendre aux femmes, reprit Sapho, serait de ne parler point trop de ce qu'elles sauraient bien et de ne parler jamais de ce qu'elles ne savent point du tout, et, à parler raisonnablement, je voudrais qu'elles ne fussent ni fort savantes, ni fort ignorantes, et qu'elles voulussent ménager* un peu mieux les avantages que la nature leur a donnés. Je voudrais, dis-je, qu'elles eussent autant de soin, comme je l'ai déjà dit, de parer leur esprit que leur personne.

– Mais encore une fois, dit Phylire, où trouver le temps de lire et d'apprendre quelque chose ? – Je ne demande pour cela, répliqua Sapho, que celui que les dames perdent à ne rien faire ou à faire des choses inutiles, et il y en aura de reste pour en savoir assez, pour avoir besoin d'en cacher [2]. De plus, il ne faut pas qu'on s'imagine que je veuille que cette femme que j'introduis soit une liseuse éternelle qui ne parle jamais : au contraire, je veux qu'elle ne lise que pour apprendre à bien parler et, s'il était impossible de joindre la lecture et la conversation, je conseillerais encore plutôt la dernière que l'autre à une dame. Mais comme cela n'est nullement incompatible et qu'il y a mille agréables connaissances qu'une femme peut avoir sans sortir de la modestie de son sexe, pourvu qu'elle en use bien, je souhaiterais de tout mon cœur que toutes les femmes fussent moins paresseuses qu'elles ne le sont et que j'eusse moi-même profité des conseils que je donne aux autres.

– Ah, madame, s'écria Phaon, vous portez la modestie trop loin ! Et vous devez vous contenter de ce qu'on n'ose vous dire ce que l'on pense de vous, sans vouloir dire de vous ce que personne n'en pense et ce que vous n'en pensez pas vous-même. – Il est vrai, ajouta Nicanor, que la belle Sapho est fort injuste pour son propre mérite – Elle est si équitable pour celui des autres, reprit Athys, qu'il est fort étrange* qu'elle ne le soit pas pour le sien. – Ce qu'il y a d'avantageux pour elle, répliqua Cydnon, c'est qu'on lui rend la justice qu'elle se refuse et qu'encore qu'elle se cache autant qu'elle peut, elle ne laisse pas d'être connue pour ce qu'elle est par toute la Grèce. – Vous donnez des ailes trop faibles à la renommée [1], reprit Phaon en souriant, car je suis assuré que le nom de Sapho est célèbre par toute la terre.

– De grâce, interrompit cette admirable fille en rougissant, ne parlez jamais de moi en ma présence, car je ne puis souffrir qu'on me puisse soupçonner de prendre plaisir à des louanges si extraordinaires, puisqu'il est vrai qu'à parler avec toute la sincérité de mon cœur, je suis fortement persuadée que je ne les mérite pas. – Si ce que vous dites était vrai, reprit Athys, vous seriez bien malheureuse de savoir tant

_____

1. Allusion à la représentation allégorique de la Renommée : une femme ailée portant une trompette et une banderole. Voir, à titre d'exemple, le frontispice du premier tome du *Grand Cyrus* sur le site « Artamène » (barre de menu de gauche, option « Illustrations », puis « Frontispices »).

de choses et d'ignorer votre propre mérite. – Sérieusement, reprit Sapho, avec un fort agréable chagrin*, si vous ne vous désaccoutumez de me louer, je
pense que je ne vous verrai plus. – Ah, madame,
nous écriâmes-nous tous à la fois, Phaon, Nicanor,
Alcée et moi, ne nous menacez pas d'un si grand
malheur. »

Après cela, Sapho, continuant de parler avec sa
modestie accoutumée, nous dit mille agréables choses
et sut si bien charmer toute la compagnie qu'elle ne se
sépara que le soir. Au sortir de chez Sapho, nous
vîmes Thémistogène qui menait Damophile, et nous
sûmes le lendemain, par un de ses amis, qu'il la mettait mille degrés au-dessus de Sapho. De sorte que, ne
pouvant assez nous étonner de son extravagance,
nous nous promîmes tous deux de le fuir autant que
Damophile.

Cependant, je commençai de m'apercevoir dès ce
jour-là que Phaon, selon toutes les apparences,
deviendrait amoureux de Sapho, s'il ne l'était déjà.
D'autre part, je sus par ma sœur que Sapho l'estimait
infiniment et qu'il lui plaisait plus que tous les
hommes qui la voyaient. Alcée, qui était espion du
prince Tisandre, s'aperçut aussi bientôt de l'amour
naissante de Phaon et de l'inclination de Sapho, car il
en dit quelque chose à la belle Athys dont il était
amoureux. Nicanor, qui était amant de Sapho, en eut
aussi quelque léger soupçon et Amithone et Érinne
s'en aperçurent comme les autres. Pour Sapho, elle
n'attendit pas à savoir que Phaon était amoureux
d'elle qu'il le lui dît, car elle a un esprit de discernement pour ces sortes de choses si fin et si délicat
qu'elle connaît précisément tous les sentiments qu'on
a pour elle et elle les connaît même quelquefois
devant* que ceux qui les ont les connaissent bien eux-
mêmes. Quelque ardente que soit l'amitié qu'on a
pour cette charmante personne, elle ne la prend
jamais pour amour et, quelque faible que soit cette
passion dans le cœur de certaines gens qui n'en peuvent jamais avoir de force, à cause de la tiédeur de leur

tempérament, elle ne la prend jamais aussi pour amitié. De sorte qu'on est assuré qu'elle sait précisément de quelle manière on l'aime et il y a tant d'impossibilité de se cacher à elle qu'il y aurait de la folie à l'entreprendre, car enfin elle sait si bien discerner des regards d'amitié d'avec des regards d'amour qu'elle ne s'y trompe jamais. Au reste, elle ne connaît pas seulement de quelle nature est l'affection qu'on a pour elle, car elle connaît encore tous les sentiments que ceux qui vont chez elle ont les uns pour les autres, si bien que cette connaissance parfaite qu'elle a du cœur de tous ceux qui la voient fait qu'elle sait les ménager* avec tant d'adresse qu'elle fait vivre les rivaux en paix et qu'elle augmente ou affaiblit l'affection qu'on a pour elle presque comme bon lui semble. Cette dernière chose lui est pourtant plus difficile à faire que l'autre, car elle est si aimable qu'il n'est pas aisé de l'aimer moins qu'on ne l'a aimée, mais toujours fait-elle en sorte qu'on ne lui dit guère souvent que ce qu'elle veut bien entendre.

Sapho, étant donc telle que je vous la représente, connut bientôt que Phaon était amoureux d'elle, mais elle le connut sans s'en irriter, et elle sentit dans son cœur une si douce agitation qu'elle connut bien que, si elle voulait se défendre contre Phaon, il fallait qu'elle commençât de bonne heure. Aussi prit-elle la résolution de le vaincre, mais elle ne put prendre celle de faire ce qu'elle pourrait pour empêcher Phaon de continuer de l'aimer, et elle se contenta de se résoudre à ne reconnaître jamais son affection par une semblable. Cependant, comme elle vivait dans une entière confiance avec Cydnon, elles eurent une conversation ensemble sur ce sujet, qu'il faut que je vous redie*, afin que vous connaissiez mieux l'assiette* de l'âme de Sapho.

Comme ma sœur était donc un soir avec elle et qu'elles étaient toutes deux appuyées sur un balcon qui donnait du côté de la pleine mer, elle vit au clair de la lune quelques vaisseaux qui paraissaient, et qui

venaient à Mytilène, si bien que, prenant la parole en
souriant : « Je ne voudrais pas, lui dit-elle, que ces
vaisseaux que je vois fussent ceux du prince Thrasybule qui nous ramenassent Tisandre, car, comme ce
prince a beaucoup de mérite, je dois souhaiter pour
son repos qu'il ne revienne pas en un lieu où il serait
encore plus malheureux qu'il n'était quand il partit.
– Je ne vois pas, reprit alors Sapho, qu'il soit arrivé
grand changement ici depuis son départ, car j'ai toujours pour lui la même estime que j'avais et il y a aussi
toujours dans mon cœur la même impossibilité de
l'aimer. – S'il n'y avait que cela, répliqua Cydnon, il ne
serait qu'aussi malheureux qu'il l'était et il ne le serait
pas davantage ; cependant, je sais bien qu'il y a
quelque chose de plus.

   – Mais encore, reprit Sapho, qu'est-il arrivé qui
puisse vous obliger à parler comme vous parlez ?
– Puisque vous voulez que je vous le die*, répliqua
Cydnon en riant, Phaon est arrivé à Mytilène. – Vous
êtes si malicieuse, répliqua Sapho en rougissant, que
je devrais n'être jamais surprise de vos malices ; toutefois je ne m'en saurais défendre et je m'y trouve toujours attrapée. – Je vous assure, répondit Cydnon,
qu'il n'y a malice aucune à ce que je viens de dire, car
il est si visible que Phaon est amoureux de vous qu'il
n'est pas possible de le voir une heure sans s'en apercevoir. En effet, quand il est au lieu où vous êtes, il
faudrait être aveugle pour ne voir pas qu'il vous aime,
et quand il est en lieu où vous n'êtes pas, il faudrait
être sourd pour ne connaître point par ses paroles
qu'il est amoureux de vous, car il en parle toujours, et
en parle avec tant d'empressement qu'on ne peut
douter de ses sentiments.

   – Du moins, reprit Sapho, ne voit-on pas que c'est
avec la même ardeur. – Vous savez si bien régler toutes
vos actions, répliqua Cydnon, qu'on ne connaît guère
ce que vous pensez, mais, pour moi qui vous connais
mieux que les autres, je suis persuadée que vous ne
haïssez pas Phaon et que, si le destin a résolu que vous
aimiez quelque chose, ce sera lui que vous aimerez.

– À ce que je vois, Cydnon, répliqua-t-elle en souriant, vous prétendez m'avoir dérobé l'art de connaître les sentiments d'autrui par de simples conjectures et de deviner l'avenir par le présent. Mais, à mon avis, vous vous tromperez en votre prédiction. Il est vrai, ajouta-t-elle, que je connais bien que Phaon, qui s'était imaginé de voir une fille savante en me voyant et de la voir telle qu'il se l'était figurée en voyant Damophile, a été agréablement surpris de trouver que je ne lui ressemble pas et, si vous voulez que je vous die* sincèrement tout ce que je pense, je connais bien encore que, s'il ne m'aime, il a du moins quelque disposition à m'aimer. Mais, après tout, je vous déclare que je n'ai nulle intention de répondre à son amour. Car enfin, comme l'acte de bienséance ne se contente pas de défendre les amours criminelles et qu'elle [1] défend même les plus innocentes, il faut la suivre et ne s'exposer pas légèrement à la médisance, quoique je sois fortement persuadée qu'il serait possible d'aimer fort innocemment.

– Je crois en effet, répliqua Cydnon, qu'il ne serait pas impossible, mais, à dire la vérité, vu comme la plupart des hommes ont le cœur fait, il est un peu dangereux de s'engager avec eux. – Il est si dangereux, ajouta Sapho, que, depuis que je suis au monde, je n'en ai pas connu deux que je puisse croire capables d'un attachement de la nature de celui que j'imagine. Car enfin, à vous parler comme à une autre moi-même, quoique je trouve que la bienséance qui veut que les femmes n'aiment jamais rien ait été judicieusement établie, à cause des fâcheuses suites que l'amour peut avoir, quand elle est dans des esprits mal faits et dans des cœurs qui n'ont que des sentiments grossiers, brutaux et terrestres, je ne laisse pas de dire qu'à parler positivement* elle est injuste, et de croire [2] ensuite que, sans s'éloigner des véritables sentiments

---

1. Le pronom « elle » se rapporte ici à « bienséance ».
2. Le verbe « croire » est également complément de « je ne laisse pas ».

d'une vertu solide, on peut faire quelque distinction entre les gens qu'on voit et lier une affection toute pure avec quelqu'un qu'on peut choisir. En effet, les dieux, qui n'ont jamais rien fait en vain, n'ont pas mis inutilement en notre âme une certaine disposition aimante qui se trouve encore beaucoup plus forte dans les cœurs bien faits que dans les autres. Mais, Cydnon, la difficulté est de régler cette affection, de bien choisir celui pour qui on la veut avoir et de la conduire si discrètement que la médisance ne la trouble pas. Mais, à cela près, il est certain que je conçois bien qu'il n'y a rien de si doux que d'être aimée par une personne qu'on aime. Je condamne sans doute* tous les dérèglements de l'amour, mais je ne condamne pourtant pas la passion qui les cause, joint qu'à parler véritablement, ils viennent plutôt du tempérament de ceux qui sont amoureux que de l'amour même. Et il faut enfin avouer que qui ne connaît point ce je ne sais quoi, qui redouble tous les plaisirs et qui sait même l'art de donner quelque douceur à l'inquiétude, ne connaît pas jusqu'où peut aller la joie, car, pour ces dames qui trouvent du plaisir à être aimées sans aimer, elles n'ont point d'autre satisfaction que celle que la vanité leur donne. Mais je comprends bien qu'il y a mille douceurs toutes pures et toutes innocentes dans une affection mutuelle. En effet, cet agréable échange de pensées et de pensées secrètes qui se font entre deux personnes qui s'aiment est un plaisir inconcevable et, pour juger de l'amour par l'amitié, je vous assure, ma chère Cydnon, que j'ai présentement plus de joie à vous dire sans déguisement ce que je pense que je n'en ai lorsque nous sommes ensemble aux fêtes les plus magnifiques.

– Mais, pour avoir ce plaisir-là tout entier, répliqua Cydnon en riant, dites-moi donc, je vous en conjure, vos plus secrètes pensées, et avouez-moi sincèrement que, si vous croyiez trouver en Phaon tout ce que vous pourriez désirer pour lier une affection avec lui de la nature que vous l'imaginez, vous auriez quelque peine à vous en défendre et, pour porter la confiance aussi loin qu'elle peut aller, dites-moi bien précisément la nature de cette affection et de quelle manière vous la concevez. – Ah, Cydnon, lui dit-elle, vous m'engagez à bien des choses. Néanmoins, comme je ne vous puis jamais rien refuser, je veux bien vous dire les deux que vous me demandez. Mais, pour commencer par la dernière, je vous dirai que je ne suis nullement dans le sentiment de ceux qui parlent de l'amour comme d'une chose qui ne peut être innocente si l'on n'a le dessein de s'épouser ; car, pour moi, je vous avoue que, dans la délicatesse que j'ai dans l'esprit et dans l'imagination, et dans l'idée que j'ai conçue de cette passion, je ne trouve pas cette sorte d'amour assez pure, ni assez noble et, si je surprenais dans mon cœur un simple désir d'épouser quelqu'un, j'en rougirais comme d'un crime, je me le reprocherais comme une chose indigne de moi et j'en aurais plus de confusion que les autres femmes n'ont accoutumé d'en avoir d'une galanterie criminelle.

– Vous voulez donc, répliqua Cydnon, qu'on vous aime sans espérance ? – Je veux bien qu'on espère d'être aimé, répliqua-t-elle, mais je ne veux pas qu'on espère rien davantage, car enfin c'est, selon moi, la plus grande folie du monde de s'engager à aimer quelqu'un, si ce n'est dans la pensée de l'aimer jusqu'à la mort. Or est-il [1] que, hors d'aimer de la manière que je l'entends, c'est s'exposer à passer bientôt de l'amour à l'indifférence et de l'indifférence à la haine et au mépris. – Mais encore, reprit Cydnon, dites-moi un peu plus précisément comment vous entendez qu'on vous aime et comment vous entendez aimer ?

– J'entends, dit-elle, qu'on m'aime ardemment, qu'on n'aime que moi, et qu'on m'aime avec respect. Je veux même que cette amour soit une amour tendre et sensible, qui se fasse de grands plaisirs de fort petites choses, qui ait la solidité de l'amitié et qui soit fondée sur l'estime et sur l'inclination. Je veux, de

---

1. Voir p. 369, note 1.

plus, que cet amant soit fidèle et sincère. Je veux
encore qu'il n'ait ni confident, ni confidente de sa passion et qu'il renferme si bien dans son cœur tous les
sentiments de son amour que je puisse me vanter
d'être seule à les savoir. Je veux aussi qu'il me dise tous
ses secrets, qu'il partage toutes mes douleurs, que ma
conversation et ma vue fassent toute sa félicité, que
mon absence l'afflige sensiblement*, qu'il ne me dise
jamais rien qui puisse me rendre son amour suspecte
de faiblesse et qu'il me dise toujours tout ce qu'il faut
pour me persuader qu'elle est ardente et qu'elle sera
durable. Enfin, ma chère Cydnon, je veux un amant,
sans vouloir un mari, et je veux un amant qui, se contentant de la possession de mon cœur, m'aime jusqu'à
la mort, car si je n'en trouve un de cette sorte, je n'en
veux point [1].

– Mais, après m'avoir dit comment vous voulez être
aimée, répliqua Cydnon, il faut me dire encore comment vous voulez aimer. – En vous disant l'un,
répliqua Sapho, je vous ai dit l'autre, car, en matière
d'amour innocente, à parler sincèrement, il ne doit y
avoir autre différence dans les sentiments du cœur que
ceux que l'usage a établis, qui veut que l'amant soit
plus complaisant, plus soigneux et plus soumis ; car,
pour la tendresse et la confiance, elles doivent sans
doute être égales et, s'il y a quelque différence à faire,
c'est que l'amant doit toujours témoigner toute son
amour, et que l'amante doit se contenter de lui permettre de deviner toute la sienne.

– Si Phaon est jamais assez heureux, répliqua
Cydnon, pour vous en donner et pour faire que vous
lui permettiez de la deviner, il sera sans doute le plus
digne d'envie d'entre les hommes. – Je craindrais fort,

---

1. La conception exigeante de l'amour que développe ici Sapho
complète et précise celle de Doralise, personnage présent tout au
long du *Grand Cyrus* : la jeune fille prétend ne pouvoir aimer
qu'un homme qui n'aura jamais éprouvé de l'amour pour une
autre qu'elle-même [Partie V, Livre 1, « Histoire de Panthée et
d'Abradate : de Clasomène à Sardis », puis « Conversation sur le
mariage »].

répliqua Sapho, s'il était digne d'envie, que je ne fusse digne de pitié, car, de la manière dont j'ai le cœur, si j'aimais, j'aimerais si tendrement et si fortement qu'il serait difficile qu'on me rendît l'amour avec usure [1]. Cependant, je suis persuadée que pour être heureuse en aimant, il faut croire qu'on est pour le moins autant aimée qu'on aime, car, autrement, on a de la honte de sa propre faiblesse et du dépit de la tiédeur d'autrui. C'est pourquoi, Cydnon, bien que je sois persuadée qu'on peut aimer innocemment et que je le sois aussi que Phaon est aimable et qu'il a quelque disposition à m'aimer, je ne laisse pas d'être résolue de faire ce que je pourrai pour ne l'aimer point. [...]

De son côté, Phaon se confie à Démocède et lui avoue la passion qu'il éprouve désormais pour Sapho. Il essaie en vain de deviner les sentiments de cette dernière et ne sait comment déclarer les siens. L'occasion se présente à la fin d'une conversation « sur la conversation » qui s'est tenue dans le salon de la poétesse [2].

[...] Phaon, qui était encore devenu plus amoureux ce jour-là qu'il ne l'était auparavant, demeura le dernier chez Sapho pour l'entretenir encore une demi-heure, et il se trouva si pressé de sa passion qu'il se résolut de ne la quitter point, qu*'il ne lui en eût donné quelques marques. De sorte qu'après que nous fûmes tous sortis, il lui demanda pardon de l'importuner si longtemps : « Mais, enfin, madame, lui dit-il, quand je ne vous vois qu'en compagnie, je ne vous vois point assez. J'ai sans doute ma part* à toutes les

---

1. Voir p. 250, note 1.
2. Le passage non reproduit s'étend entre les pages 6989 et 7005. La conversation « Sur la conversation » sera reprise par Madeleine de Scudéry dans son recueil *Conversations sur divers sujets* de 1680. Elle a fait l'objet d'une édition critique dans *« De l'air galant »...* de D. Denis (*op. cit.*, p. 62-75).

belles choses que vous dites, ajouta-t-il, et je les entends et les admire avec plus de plaisir que qui que ce soit, mais, après tout, je sens encore plus de joie lorsque je suis seul à vous écouter, et trois ou quatre paroles qui ne seront entendues que de moi me donneront plus de satisfaction et plus de transport, si vous me les voulez dire, que toutes les belles choses que vous avez dites aujourd'hui ne m'en ont donné, quoique j'en aie été charmé.

– Si vous étiez amoureux de moi, répliqua-t-elle en souriant, ce que vous venez de dire serait obligeamment pensé et fort galamment dit, mais, comme je n'ai que des amis et que je ne veux point avoir d'amants, il faut que je vous reproche de n'avoir pas bien profité de ce que j'ai eu l'audace de dire aujourd'hui touchant la conversation, puisque enfin vous placez mal à propos une chose qui serait fort jolie, si elle était dite à quelque personne que vous aimassiez, et qui ne l'est point du tout, puisque vous ne la dites qu'à une amie.

– Mais, madame, ajouta-t-il, m'assurez-vous que ce que je viens de vous dire serait effectivement joli, s'il était dit à une personne dont je serais amoureux ? – Comme vous savez que je suis sincère, répliqua-t-elle, vous devez croire ce que je vous en ai dit. – Croyez donc, madame, répliqua-t-il en la regardant, que ce que je viens de vous dire est la plus jolie chose que je dis jamais, puisque, bien loin de la dire à une amie, je la dis à une personne de qui je suis éperdument amoureux, mais amoureux d'une manière si respectueuse qu'elle ne s'en doit pas offenser.

– Si la bienséance permettait, répliqua Sapho en souriant, qu'on ne s'offensât point d'une déclaration d'amour, je pense que je pourrais effectivement ne m'offenser pas de celle que vous venez de me faire, tant elle est galamment faite ; mais, Phaon, cela n'est pas ainsi, et il n'y a autre chose à mon choix que de me mettre en colère ou de ne vous croire point. – Ah, madame, s'écria Phaon, je ne balance pas entre ces deux choses : j'aime beaucoup mieux être maltraité que de n'être point cru.

– Comme vous ne m'avez jamais vue en colère, répliqua-t-elle galamment, vous ne savez ce que vous demandez : c'est pourquoi, comme je sais mieux ce qui vous est propre que vous ne le savez vous-même, je ne me fâcherai pas, mais je ne vous croirai point. – Eh, de grâce, madame, lui dit-il, fâchez-vous et me [1] croyez, s'il est vrai que vous ne puissiez croire que je vous aime sans vous fâcher, car, je vous le dis encore une fois, j'aime mieux vous voir en colère qu'incrédule.

– Comme on n'est pas maître de sa croyance, répliqua-t-elle, on ne croit pas ce que l'on veut : ainsi, lorsque j'ai dit que j'avais en mon choix de vous croire ou de me fâcher, je pense que j'ai parlé improprement et que je ferai mieux de vous dire que, m'étant impossible de vous croire, il m'est impossible de me mettre en colère. – Mais, madame, lui dit-il, pourquoi ne croirez-vous pas que je vous aime ? Est-ce que vous n'êtes point assez belle et assez charmante pour m'avoir donné de l'amour ? Est-ce que je n'ai pas assez d'esprit pour connaître ce que vous valez ? Est-ce que j'ai l'âme dure, et le cœur incapable d'être possédé d'une tendre passion ? Est-ce que mes yeux n'ont jamais rencontré les vôtres, et ne vous ont jamais dit ce que ma bouche vient de vous dire ? Et est-ce, enfin, que l'admirable Sapho trouve le malheureux Phaon si indigne d'être chargé de ses chaînes qu'elle aime mieux le croire insensible que de lui permettre de les porter ? Mais, madame, quoi que vous me puissiez dire, je ne croirai jamais qu'une personne qui sait tant de choses ne sache point que je l'adore.

– Je vous assure, répliqua galamment Sapho, que, bien loin de le savoir, je suis persuadée que vous ne le savez pas vous-même : c'est pourquoi, pour vous faire toute la grâce que je puis, je vous donne trois mois à

---

1. L'antéposition d'un pronom complément d'un verbe à l'impératif est encore usuelle dans la langue du XVIIᵉ siècle (voir G. Spillebout, *Grammaire de la langue française du XVIIᵉ siècle, op. cit.*, p. 146-147).

bien examiner vos sentiments sans m'en rien dire et si, après cela, vous croyez encore que vous m'aimez, j'aviserai si je devrai vous croire et me fâcher. Cependant*, nous vivrons, s'il vous plaît, tous deux comme à l'ordinaire. »

Sapho dit cela avec tant d'adresse et d'un air si galant que Phaon, ne pouvant douter qu'elle ne crût qu'il l'aimait, se tint bien heureux d'en avoir tant dit sans être plus maltraité et, comme Sapho ne voulait pas qu'il la forçât à se mettre en colère, elle le congédia et elle garda un si juste tempérament* en toutes ses paroles que, si ses beaux yeux n'eussent un peu trahi le secret de son cœur, Phaon n'eût pu en tirer nul avantage. Mais, comme elle avait sans doute* pour lui une très violente inclination, il y eut quelques-uns de ses regards qui assurèrent à Phaon que sa passion ne lui déplaisait pas, de sorte qu'il se retira très satisfait et très amoureux.

Il n'en fut pas de même de Sapho, car ma sœur m'a dit qu'elle fut fort inquiète : ce n'est pas qu'elle n'eût pour Phaon tous les sentiments avantageux qu'elle était capable d'avoir, mais c'est que, connaissant la tendresse de son cœur, elle craignait de s'engager à aimer quelque chose et elle le craignait d'autant plus qu'elle sentait dans son âme une disposition si favorable à cet amant qu'elle appréhendait que sa raison ne fût plus faible que son inclination. Ce qui lui fit encore connaître combien elle se devait craindre fut qu'elle remarqua que tout ce qu'Alcée lui disait à l'avantage du prince Tisandre l'irritait plus qu'il ne faisait auparavant et elle connut aussi qu'elle se divertissait moins avec ses amies, quand Phaon n'y était pas, qu'elle ne faisait avant sa connaissance. Elle ne pouvait même s'empêcher, quand la fantaisie lui prenait de faire des vers, de penser à Phaon, quoiqu'elle n'en fît pas alors pour lui, et il occupait déjà si fort sa mémoire, son cœur et son imagination qu'elle disait bien souvent son nom pour celui d'un autre. De sorte que Cydnon, lui en faisant la guerre, lui demandait de temps en temps en riant quel progrès elle faisait dans le cœur de Phaon et quel progrès Phaon faisait dans le sien. Au commencement, Sapho lui répondait en riant aussi bien qu'elle, après elle lui répondait plus sérieusement, ensuite elle ne lui répondit plus et, à la fin, elle lui répondit avec chagrin*, si bien que Cydnon cessa de lui en parler durant quelque temps.

Mais, après un silence d'un mois sur ce sujet, cette même personne, qui n'avait plus voulu répondre à ma sœur lorsqu'elle lui avait parlé de Phaon, lui en parla la première. Il est vrai que cette conversation ne fut qu'en suite d'une aventure que je m'en vais vous dire. Vous saurez donc qu'étant arrivé un excellent peintre à Mytilène, qui se nommait Léon, toutes les amies de Sapho la persécutèrent tellement de souffrir qu'il la peignît, afin qu'elles pussent avoir son portrait, qu'elle fut contrainte de s'y résoudre. Elle s'y résolut même d'une façon particulière, car vous saurez que non seulement il fut résolu que toutes ses amies auraient chacune un portrait d'elle, mais que ses amis en auraient aussi, de sorte que ses amants, profitant de cette occasion, s'empressèrent fort à ne vouloir passer que pour amis en cette rencontre, et la chose se fit d'une manière si galante qu'elle ne la put éviter.

[...] [1]

Sapho, dans la violente inclination qu'elle avait pour Phaon, n'était pas trop marrie que le hasard lui eût donné une innocente voie de lui donner sa peinture, car il vivait avec elle d'une manière si obligeante qu'il n'était pas possible qu'elle ne fût pas bien aise de l'obliger. En effet, il était demeuré dans les termes qu'elle lui avait prescrits, puisqu'il ne lui parlait point de sa passion, mais il la lui faisait pourtant connaître par tant de choses différentes et il savait si bien l'art de parler d'amour sans en parler que jamais personne ne l'a si bien su : étant certain que, quoiqu'il parût agir sans affectation, il ne faisait pas une action, aux lieux où était Sapho, qu'il n'en tirât quelque avantage. Car, si le hasard le mettait auprès d'elle, il lui faisait voir si

---

1. Le passage supprimé va de la p. 7010 à la p. 7015. Il relate les disputes des amis de Sapho pour obtenir le portrait de celle-ci.

clairement la joie qu'il en avait que, jugeant de son amour par sa satisfaction, elle en jugeait équitablement. Au contraire, si son malheur faisait qu'il en fût éloigné, il lui montrait si adroitement la douleur qu'il en avait que Sapho, jugeant encore de son amour par son chagrin*, ne la pouvait croire que grande. Enfin, s'il lui parlait sans être entendu, il lui parlait d'un air si adroit, si galant et si passionné tout ensemble, quoiqu'il ne lui parlât pas ouvertement de sa passion, qu'il ne laissait pas d'en tirer beaucoup d'avantage. S'il la regardait, ses yeux lui découvraient toute la tendresse de son amour, et j'ai remarqué cent et cent fois, par une aimable rougeur qui paraissait sur le visage de Sapho, qu'elle trouvait que les regards de Phaon lui en disaient trop. Ce n'est pas qu'en n'y voulant point répondre, ses beaux yeux n'y répondissent quelquefois malgré elle, sans y répondre rigoureusement.

En effet, pendant qu'on fit sa peinture et que nous regardions travailler le peintre qui la faisait, l'admirable Sapho, rêvant* assez profondément, arrêta ses beaux yeux sur le visage de Phaon qu'elle ne voyait pourtant pas, parce que sa rêverie l'occupait. Mais, ce qu'il y eut d'étrange* fut qu'elle avoua après à ma sœur que, lorsqu'elle regardait Phaon sans le voir, il était toutefois l'objet de la rêverie qui l'en empêchait. Cependant, comme ce qu'elle pensait de lui ne lui était pas désavantageux, il y avait un air si languissant et si amoureux dans ses yeux, quoiqu'il n'y eût nulle affectation, que Nicanor, ne pouvant souffrir que son rival fût si favorablement regardé, lui dit qu'elle ne regardait pas assez le peintre pour qu'il pût bien faire son portrait et que, si elle continuait de rêver comme elle faisait, il la peindrait trop mélancolique. À peine Nicanor eut-il dit cela que Sapho en rougit, car elle s'aperçut bien par quel sentiment il avait parlé ; elle sut pourtant lui répondre si à propos qu'elle persuada à toute la compagnie qu'il était impossible de se faire peindre sans être surpris de ces sortes de rêveries, qui venaient, disait-elle, de la contrainte où elle était de n'oser changer de place.

Mais, pour Phaon, il fut si irrité contre Nicanor qu'il le contredit cent fois le reste du jour : en effet, s'il disait qu'il croyait que ce peintre rencontrerait heureusement à faire ressembler les yeux de Sapho, Phaon disait que ce n'était pas son avis et qu'il lui semblait qu'il avait bien mieux attrapé l'air de sa bouche. Si Nicanor trouvait que cette peinture était trop pâle, Phaon disait au contraire qu'elle était plutôt un peu trop vive et, si le peintre eût voulu s'arrêter aux divers sentiments de ces deux rivaux, ils eussent eu un mauvais portrait de leur maîtresse. Mais ce qu'il y eut de plus plaisant, dans l'humeur contredisante de Phaon, fut qu'après que cette ébauche fut achevée, Nicanor dit qu'elle faisait tort à Sapho, parce qu'elle était mille fois plus belle que son portrait, de sorte que Phaon, n'osant pas le contredire, puisqu'il ne l'eût pu sans dire que cette peinture était plus belle que celle pour qui elle était faite, il ne le contredit pas, mais il fit du moins voir dans ses yeux qu'il avait dépit de ne le pouvoir contredire et il voulut même flatter le peintre que Nicanor blâmait, afin de lui être opposé en quelque chose. C'est pourquoi il dit qu'il ne fallait nullement s'étonner si on ne pouvait avoir un portrait tout à fait ressemblant de l'admirable Sapho, parce qu'elle avait un feu dans les yeux qui était inimitable et qu'il était persuadé que Léon avait fait ce que nul autre peintre n'eût pu faire. Comme toute la compagnie savait par quel motif ces deux hommes se contredisaient, nous en eûmes bien du plaisir, car, comme leur dispute n'était pas fort aigre, parce qu'ils respectaient tous deux trop Sapho pour se quereller en sa présence, nous nous en divertîmes admirablement et Sapho elle-même n'était pas trop marrie de recevoir une nouvelle marque de l'amour de Phaon, par l'opiniâtreté qu'il avait à contredire Nicanor.

Sur la fin de la conversation, nous eûmes encore un autre divertissement, car, comme on voulut obliger le peintre à dire précisément le jour qu'il retoucherait ce portrait et le temps où il commencerait celui de toutes ces autres dames qui voulaient donner leur peinture à

Sapho comme elle leur donnait la sienne, il dit que ce
ne pouvait être ni le lendemain ni le jour suivant,
parce qu'il était occupé à faire un grand portrait de
Damophile, où il y avait beaucoup de travail. « Mais
pourquoi, lui dit Sapho, y a-t-il plus à travailler à son
portrait qu'au mien ? – C'est, madame, lui dit-il,
qu'elle veut que je représente auprès d'elle une grande
table où il y ait quantité de livres, des pinceaux, une
lyre, des instruments de mathématique et mille autres
sortes de choses qui puissent marquer son savoir. Je
pense même qu'elle veut être habillée comme on peint
les Muses, si bien qu'il ne sera pas aisé que l'ébauche
de ce portrait soit bientôt faite. – Eh, de grâce, Léon,
s'écria Sapho en riant, habillez-moi comme on habille
la bergère Œnone [1], afin que mon portrait n'ait rien
qui ressemble à celui de Damophile. » Et, en effet, il
fallut que le peintre, qui avait ébauché l'habillement
comme devant être celui d'une nymphe, lui promît de
l'habiller en bergère pour la contenter, après quoi elle
fit une si plaisante et si innocente raillerie du portrait
de Damophile que nous achevâmes de passer le jour
fort agréablement.

Mais enfin, madame, pour accourcir mon récit
autant que je le pourrai, vous saurez que le portrait de
Sapho, étant achevé, fut une des plus admirables
choses du monde : l'habit de bergère était même si
avantageux à l'air du visage de Sapho qu'il n'y avait
rien de plus aimable que cette peinture, si bien que
toutes les copies qu'elle en devait donner à ses amies
et à ses amis étant faites et les portraits d'Amithone,

---

1. Il s'agit de l'épouse de Pâris, héros de l'*Iliade*. Leur union s'est
formée dans le cadre bucolique du mont Ida, où Pâris passe ses
jeunes années. Abandonnée au profit d'Hélène, Œnone refusera de
soigner Pâris blessé, ce qui provoquera la mort de ce dernier.
L'amante délaissée se suicidera alors de désespoir. Comme Sapho,
Œnone doit sa renommée à une héroïde d'Ovide (épître VI). Toutefois, elle y est présentée comme nymphe et non comme bergère,
de même que dans le tableau peint par Claude Lorrain sur ce sujet
en 1648. Georges et Madeleine de Scudéry avaient attribué à
Œnone, ainsi qu'à Sapho, une harangue dans *Les Femmes illustres*.

d'Athys, d'Érinne et de Cydnon étant achevés, la distribution de toutes ces peintures se fit. Sapho donna la sienne à ses amies et elles lui donnèrent les leurs, mais, pour Nicanor, Phaon, Alcée et moi, qui étions au rang des amis, nous ne fîmes que la remercier d'un présent qui nous était si précieux. Il est vrai que ce fut d'une manière différente, car Nicanor, qui n'osait lui parler de sa passion, ne la remercia que comme un ami qui n'osait lui dire qu'il était son amant, mais, pour Phaon, il le fit avec des paroles si passionnées qu'encore qu'il ne prononçât point le mot d'amour, Sapho ne pouvait écouter son compliment comme un compliment d'amitié ; pour Alcée, comme il voulait toujours rendre office* au prince Tisandre, il lui dit à demi bas qu'il ne serait pas seul à la remercier d'une si précieuse libéralité et qu'elle le serait un jour par une personne qui valait mieux que lui ; de sorte que je fus le seul qui lui rendis grâce par un pur sentiment d'amitié et de reconnaissance ordinaire.

Cependant, comme Phaon était toujours le plus opiniâtre en ses visites, le jour qu'il la remercia de sa peinture, il fut le dernier chez elle, si bien que, regardant l'original de ce portrait qui était encore sur sa table, il vint à parler de l'extravagance de Damophile qui avait voulu se faire peindre avec tout ce grand attirail de savante et, ensuite, de ce qu'avait dit Sapho lorsqu'elle avait prié le peintre de l'habiller comme on peint la bergère Œnone. « Du moins, madame, lui dit-il, êtes-vous bien assurée que vous n'aurez jamais son destin, comme vous avez son habillement, car il n'est pas possible que, si vous aimez jamais quelqu'un, celui que vous aimerez vous abandonne. – Quand les déesses auraient tous les jours une nouvelle contestation pour leur beauté [1], répliqua-t-elle en souriant, il pourrait être que, quand je serais d'humeur à aimer un berger, aussi bien qu'Œnone, il ne serait pas leur juge, et que

---

1. Pâris est également célèbre, dans la mythologie, pour avoir dû prononcer, lorsqu'il était encore berger, un jugement départageant trois déesses rivales en beauté.

sa constance ne serait pas mise à une aussi difficile
épreuve que celle de son berger.

– Ah, madame, s'écria-t-il, pourvu que cet heureux
berger que vous choisiriez eût le cœur de Phaon, il ne
serait guère sensible aux promesses de la plus belle de
ces trois déesses quand elle lui montrerait la même
beauté qui fit Pâris infidèle, car enfin, madame, vous
êtes pour moi l'unique beauté de toute la terre. En
effet, je n'y trouve rien d'aimable que vous et vous
possédez si absolument mon cœur que vous en
défendez l'entrée à tout ce qu'il y a d'autres dames au
monde. Je pense même, ajouta-t-il, que vous en chas-
serez mes amis et, qu'à force d'être sensible pour
vous, je deviendrai insensible pour tout autre. – De
grâce, lui dit alors Sapho en l'interrompant, pensez
bien à ce que vous dites, car, si vous m'êtes quelque
chose au-delà d'un ami, il faut me rendre mon portrait, puisque je ne prétends pas qu'on me puisse
reprocher de l'avoir donné à un amant.

– Non, non, madame, lui dit-il, la chose n'est pas en
termes que je puisse vous rendre votre peinture et il
faudrait m'ôter la vie pour me la pouvoir arracher
d'entre les mains. Aussi ai-je voulu attendre que je
l'eusse à [1] vous dire que je m'ennuie tellement de ne
vous dire jamais ce que je pense, que je ne vous puis
plus obéir, de sorte que, quand vous devriez vous
irriter, me bannir et me maltraiter horriblement, il faut
que je vous die* que je vous aime, toutes les fois que
je vous le pourrai dire sans témoins, et il faut même
que je vous conjure de ne m'en haïr point. Car enfin,
je ne puis vivre sans vous aimer, je ne puis vous aimer
sans vous le dire et je ne puis vous le dire sans vous
conjurer de rendre justice à la grandeur et à la fidélité
de ma passion en la préférant à la qualité et au mérite
de mes rivaux. Je vois bien, madame, ajouta-t-il, que
vous vous préparez à me dire beaucoup de choses

---

1. Comprendre : « pour ». Il s'agit d'un archaïsme, bien attesté
dans les dictionnaires et les grammaires de la langue du siècle précédent.

fâcheuses, mais je suis résolu de les endurer toutes avec un profond respect et de ne vous obéir pourtant point quand vous me défendrez de vous dire que je vous aime.

– C'est une chose assez nouvelle, répliqua Sapho, que de protester qu'on désobéira, devant* que d'avoir reçu le commandement où l'on prétend désobéir.

– Quoi qu'il en soit, madame, lui dit-il, la chose en est arrivée au point que je ne puis plus vivre comme j'ai vécu et il faut absolument que vous me permettiez de vous aimer, ou que vous me commandiez de mourir.

– Comme je ne prétends avoir aucun droit de régler votre amour ni votre haine, répliqua-t-elle, je n'ai rien à vous défendre ni à vous commander et, comme vous êtes un trop honnête homme pour en désirer la mort, je ne vous ferai pas de commandement qui vous oblige à la chercher, mais je vous dirai que, quand je serais persuadée que, sans offenser la bienséance, je pourrais souffrir d'être aimée de vous, je devrais par générosité* vous avertir que je serais la plus difficile personne du monde à contenter. En effet, je voudrais tant de choses différentes, en celui dont je voudrais être aimée, qu'il serait assez difficile de les pouvoir rencontrer en une seule personne : c'est pourquoi il vaut mieux ne s'engager pas mal à propos en une affection qui ne serait peut-être pas durable, quand même elle serait présentement très violente, car enfin il y a dans le cœur de tous les hommes une pente si naturelle à l'inconstance que, quand je serais mille fois plus aimable que je ne le suis, il y aurait de l'imprudence à croire qu'il s'en pût trouver un tout à fait fidèle. Cependant, si je voulais un amant, j'en voudrais un sur qui le temps et l'absence n'eussent aucun pouvoir et j'en voudrais un enfin comme on n'en trouve point au monde : c'est pourquoi je vous conseille de vous contenter d'être de mes amis, car si j'avais souffert que vous m'aimassiez, vous seriez peut-être très malheureux, ou vous ne seriez pas longtemps mon amant.

– Ah, madame, lui dit-il, je le serai toute ma vie, quoi que vous puissiez faire, et il ne s'agit d'autre

chose que de savoir si vous souffrirez que je vous die*
que je vous aime et si je pourrai espérer d'être aimé.
– Comme il n'est pas défendu d'être curieuse, répliqua
Sapho, je ne serai pas marrie de savoir de quelle
manière vous êtes capable d'aimer : c'est pourquoi,
sans m'engager à rien, je consens seulement que vous
me disiez quels sentiments cette passion vous peut
donner, car, jusqu'à cette heure, je n'ai point connu
d'hommes qui n'eussent mille sentiments grossiers de
cette passion, que je conçois, ce me semble, d'une
manière plus pure et plus délicate. – Tout ce que je
vous puis dire, madame, lui dit-il, est que vous êtes si
absolument maîtresse de mon cœur, de mon esprit et
de ma volonté que vous n'avez pas un sentiment que
vous ne me puissiez inspirer : oui, madame, vous
n'avez qu'à me faire connaître de quelle façon vous
voulez qu'on vous aime et vous trouverez en moi une
obéissance aveugle pour toutes vos volontés, car, dans
les sentiments où je suis, je mets la perfection de
l'amour à vouloir tout ce que veut la personne aimée. »

Mais enfin, madame, sans m'amuser à vous redire
toute cette conversation, je vous dirai en deux mots
que Sapho, sans rien accorder à Phaon, ne le désespéra pourtant point, et que Phaon, sans avoir rien
obtenu de Sapho, se sépara toutefois d'avec elle l'esprit
rempli de beaucoup d'espérance, car, si sa bouche ne
lui avait rien dit de bien favorable, elle ne lui avait rien
dit de fâcheux, et ses yeux lui avaient même parlé si
doucement qu'il ne pouvait pas s'estimer malheureux
en la conjoncture où il se trouvait.

Il se serait pourtant encore trouvé bien plus heureux, s'il eût pu savoir une conversation que Sapho
eut le lendemain avec ma sœur ; car enfin, comme je
l'ai déjà dit, cette personne, qui avait témoigné à
Cydnon ne trouver pas bon qu'elle lui fît la guerre de
Phaon, lui en parla la première et lui en parla avec une
si grande confiance qu'elle lui découvrit tout ce qui se
passait dans son cœur. « Ah Cydnon, lui dit-elle, que
je veux de mal à Démocède de m'avoir fait connaître
Phaon ! Car enfin, selon toutes les apparences, il s'opi-

niâtrera à m'aimer et je ne pourrai peut-être m'opiniâtrer à refuser son affection. Je sens déjà que ma raison ne défend mon cœur que faiblement et que mon cœur lui-même est si peu à moi que, si celui de Phaon n'y était pas davantage, je serais bien malheureuse. Au reste, je ne sais quel dessein est le mien en vous avouant ma faiblesse, car il y a des instants où je crois que c'est afin que vous la condamniez et que je m'en repente et il y en a d'autres où je crois au contraire que c'est afin que vous la flattiez*. Cependant, je ne laisse pas d'être au désespoir de sentir tout ce que je sens dans mon âme : ce n'est pas que je ne trouve quelque chose de doux dans mon inquiétude, mais c'est que, ma raison n'étant pas encore tout à fait préoccupée*, je vois le péril où je suis exposée en m'engageant à souffrir l'affection de Phaon. En effet, il est presque impossible qu'il m'aime comme je le veux être et il ne l'est guère moins que je ne l'aime pas plus que je ne voudrais. – Il est vrai, reprit Cydnon, que, si vous voulez qu'on vous aime sans songer jamais à vous épouser, il sera difficile que Phaon vous obéisse. – Il faudra pourtant qu'il le fasse, s'il veut que je l'aime, répliqua-t-elle, et qu'il se contente de l'espérance de pouvoir être aimé, sans prétendre rien davantage. »

Voilà donc, madame, en quels sentiments était Sapho. Néanmoins, quoiqu'elle eût une très grande inclination pour Phaon, elle se défendit encore quelque temps sans souffrir qu'il lui dît qu'il l'aimait et sans lui permettre d'espérer d'être aimé. Elle vivait pourtant avec lui fort civilement et il en vint enfin au point qu'elle ne lui faisait plus de secret des choses qu'elle avait écrites ou de celles qu'elle écrivait, de sorte que, nous étant un jour lui et moi trouvés seuls avec elle, nous la pressâmes tant d'avoir la bonté de nous vouloir montrer tous les vers qu'elle avait faits qu'enfin elle se résolut de nous en faire voir une partie. Mais, comme elle avait une modestie qui ne pouvait souffrir qu'elle nous les lût, elle nous les bailla* et s'en alla dans son cabinet* pour écrire deux

ou trois lettres pressées qu'elle avait à faire pour
quelques-unes de ses parentes à qui il fallait qu'elle
répondît. Mais, madame, je suis au désespoir de
n'être pas en état de vous faire voir ce que nous
vîmes, non seulement parce que vous auriez le plaisir
de voir les plus belles choses du monde, mais encore
parce que vous comprendriez mieux le bizarre* et
surprenant effet de cette agréable lecture dans le
cœur de Phaon.

Cependant, puisque je n'ai pas ces admirables vers,
il faut que je tâche pourtant de vous faire entendre la
chose autrement. Imaginez-vous donc, madame,
qu'après que Sapho nous eut remis entre les mains
plusieurs magnifiques tablettes*, dans quoi les vers
qu'elle voulait que nous vissions étaient écrits, et
qu'elle fut entrée dans son cabinet*, Phaon se mit diligemment à en ouvrir une et à lire une élégie [1] qu'elle
avait autrefois faite pour ma sœur pendant une
absence. Mais, madame, il y trouva des choses si touchantes, si tendres et si passionnées qu'il en eut le
cœur ému en les lisant et il s'arrêta cent et cent fois
pour les admirer. Mais, à la fin, l'ayant forcé de lire
d'autres vers, il lut une chanson qu'elle avait faite sur
le retour de ma sœur, où il y avait en peu de paroles
tous les transports de joie que l'amour la plus ardente
peut causer dans un cœur amoureux lorsqu'on revoit
ce qu'on aime, après en avoir été éloigné. Ensuite,
Phaon lut un autre petit ouvrage que Sapho avait fait
pour exprimer la joie qu'on a de rencontrer d'improviste une personne qu'on aime. Mais, madame, cette
joie était dépeinte avec des paroles si puissantes
qu'elle faisait voir ce qu'elle décrivait : elle dépeignait
admirablement la douceur des regards, le battement
de cœur qu'une agréable surprise donne, l'émotion du

---

1. L'élégie, bénéficiant d'une prestigieuse tradition classique,
figurait également parmi les genres prisés des mondains. Habituellement consacrée à déplorer les malheurs de l'amour, elle constitue
le genre « touchant » par excellence.

visage, l'agitation de l'esprit et tous les mouvements d'une âme passionnée [1].

Mais, madame, après que Phaon eut achevé de lire ces vers tout haut, il les relut tout bas [2], et, après avoir achevé de les relire, il les regarda attentivement sans rien dire, et sans se mettre en état d'en lire d'autres. De sorte que, voulant satisfaire ma curiosité, je le fis revenir de la rêverie que je croyais que la seule admiration lui causait et je le forçai de lire des vers que Sapho avait faits sur une jalousie d'amitié qui avait été entre Athys et Amithone. Mais, madame, cette jalousie avait le véritable caractère de l'amour et tout ce que cette tyrannique passion peut inspirer de plus violent dans un cœur amoureux y était exprimé si merveilleusement qu'il était impossible de le faire mieux. Pour moi, je ne fis autre chose que faire des exclamations continuelles à la louange de Sapho tant que Phaon lut cet ouvrage, mais, pour lui, il le lisait avec une attention pleine de chagrin* qui commença de me surprendre. Néanmoins, pour ne perdre point de temps à lui en demander la cause, je me mis à lire certains vers que Sapho avait faits à la campagne, durant un petit voyage de huit jours où elles avaient été seules, elle et ma sœur, à une fort agréable maison qui est à Sapho. De sorte que, par ces vers, elle représentait la félicité de deux personnes qui s'aiment et prouvait par là qu'elles n'avaient besoin que d'elles-mêmes pour vivre heureuses, décrivant ensuite la tendresse de leur affec-

---

1. Les « mouvements d'une âme passionnée » forment le sujet du plus célèbre poème de Sapho, l'« Ode à une amie », qui sera abondamment imité dans l'histoire de la littérature française (voir P. Brunet, *L'Égal des dieux. Cent versions d'un poème de Sappho*, Allia, 2001). Les élégies et les chansons faisaient partie, quant à elles, des genres pratiqués par la poétesse grecque, comme on pouvait l'apprendre par les sources connues au XVIIe siècle.

2. La pratique de la lecture sociale à haute voix représente encore au XVIIe siècle la norme pour ce qui concerne les genres poétiques. Voir R. Chartier, « Loisir et sociabilité : lire à haute voix dans l'Europe moderne », *Littératures classiques* 12, 1990, p. 127-147, et P. Dumonceaux, « La lecture à haute voix des œuvres littéraires au XVIIe siècle : modalités et valeurs », *ibid.*, p. 118-125.

tion, leur sincérité l'une pour l'autre, leurs plaisirs, leurs promenades, leurs entretiens sur la douceur de l'amitié, et mille autres choses semblables. Mais, madame, tout ce que l'amour la plus délicate peut inventer de délicieux était décrit dans ces vers, quoiqu'il ne s'agît que d'exagérer* la douceur de l'amitié, et je ne vis de ma vie rien de si beau, de si galant et de si passionné.

Cependant, quelque beaux que fussent ces vers, je ne pus achever de les lire, car Phaon, qui les avait écoutés avec une attention extraordinaire, m'interrompit brusquement par ces paroles : « Ah, Démocède, me dit-il, Sapho est la plus admirable personne du monde, mais je suis le plus malheureux amant de la terre et vous êtes le moins fin de tous les hommes. – Pour la première chose que vous dites, répliquai-je, j'en tombe d'accord, mais je n'entends point ni la seconde, ni la troisième, car pourquoi êtes-vous le plus malheureux amant de la terre et pourquoi suis-je le moins fin de tous les hommes ? – Je suis le plus malheureux amant de la terre, répliqua-t-il, parce que Sapho aime infailliblement quelqu'un, et vous êtes le moins fin de tous les hommes, puisque vous m'avez assuré qu'elle n'aimait rien. – Mais encore, lui dis-je, sur quoi fondez-vous l'opinion où vous semblez être qu'elle aime quelque chose ? – Je la fonde, reprit-il, sur ce que je viens de lire, car enfin, Démocède, il est absolument impossible d'écrire des choses si tendres et si passionnées sans les avoir senties. »

Comme Phaon disait cela avec une agitation d'esprit étrange*, Sapho revint où nous étions et elle y revint dans la pensée d'aller recevoir mille louanges de Phaon. Mais, madame, si je ne l'eusse louée, elle ne l'eût pas été autant qu'elle le méritait, car Phaon avait l'esprit si agité de cette jalousie sans objet qui commençait de naître dans son cœur qu'à peine pouvait-il parler. Néanmoins, après que je lui eus donné le temps de se remettre pendant que je louais Sapho, cette même jalousie qui avait causé son silence le lui fit rompre afin de tâcher de découvrir dans les yeux de cette admirable fille si les soupçons étaient bien fondés. « Ce que je viens de voir, madame, lui dit-il, est si surprenant que vous ne devez pas trouver étrange* que je ne puisse vous témoigner mon admiration. – Comme il y a déjà assez longtemps que vous me connaissez, répondit-elle, pour savoir que je n'aime pas trop qu'on me loue en ma présence, vous me feriez plaisir si vous vouliez bien ne me dire rien davantage de ce que vous venez de voir. – Ah, madame, lui dit-il avec précipitation, il faut que je vous en dise encore quelque chose et que je vous demande hardiment* ce que vous faites de toute la tendresse dont votre cœur est rempli. Car enfin, il y a des choses si touchantes dans ce que j'ai lu qu'il faut du moins qu'il soit capable de pouvoir être touché. – Il l'est aussi du mérite de mes amies, répliqua-t-elle en rougissant, et l'amitié que j'ai pour elles a quelque chose de si tendre que si j'avais autant d'esprit que d'amitié, j'écrirais encore plus tendrement que je ne fais. »

Phaon, qui regardait Sapho attentivement, ne manqua pas de remarquer sa rougeur, mais il ne devina pourtant point qu'elle lui était avantageuse et que Sapho n'avait changé de couleur en lui répondant que parce qu'elle se reprochait en secret à elle-même qu'elle avait des sentiments trop tendres pour lui. Au contraire, expliquant cette rougeur d'une autre façon, il crut qu'assurément Sapho avait une passion dans l'âme pour quelqu'un de ses rivaux et cette croyance excita un si grand trouble dans son esprit qu'au lieu de continuer de lui faire galamment la guerre comme il en avait eu le dessein, afin de tâcher de découvrir ses véritables sentiments, il se tut tout d'un coup et, s'il ne fût arrivé du monde, son silence eût sans doute paru fort bizarre* à la belle Sapho. Mais, comme Nicanor, Phylire et quelques autres dames arrivèrent, Sapho se hâta de cacher les vers qu'elle nous avait montrés, si bien que, durant cela, elle ne prit pas garde au silence de Phaon. Cependant, comme il sentit qu'il avait l'esprit fort inquiet, il me fit signe que nous nous en allassions, et, en effet, durant que Sapho recevait ces dames, nous sortîmes sans lui dire adieu et nous fûmes nous promener au bord de la mer.

Mais, madame, nous n'y fûmes pas plus tôt que Phaon se mit à se plaindre de moi : « Car enfin, dit-il, comment peut-il être possible que vous soyez frère de la meilleure amie de Sapho et que vous ne sachiez pas qui elle aime ? – Il est pourtant constamment* vrai, ajouta-t-il, qu'il faut de nécessité absolue qu'elle ait de l'amour, ou qu'elle en ait eu, car on ne saurait jamais toucher [1] si délicatement la tendresse des passions qu'elle exprime sans les avoir éprouvées. En effet, me disait-il encore, il y a certains sentiments bizarres*, tendres et passionnés dans ce que Sapho nous a fait voir, que l'amitié toute seule ne pourrait lui avoir suggérés, et il faut absolument qu'elle aime ou qu'elle ait aimé.

– Pour moi, lui dis-je, qui connais Sapho dès le berceau, qui connais de plus tous ceux qui l'ont vue, ou qui la voient et qui suis frère d'une fille qui sait tout le secret de son cœur, je vous proteste que je suis fortement persuadé que, quoique Sapho ait presque été aimée de tous ceux qui l'ont vue, elle n'a pourtant point encore eu d'amour ; mais je le suis en même temps qu'elle est fort capable d'en avoir et que, si cette passion s'emparait de son cœur, elle aimerait avec plus de tendresse et plus de fidélité que personne n'aimera jamais. – Ah, Démocède, me dit-il, vous me trompez ou vous êtes trompé, et il faut que Sapho aime quelqu'un pour écrire ce que j'ai vu aujourd'hui.

– Mais, lui dis-je pour tâcher de soulager son esprit, si vous aviez vu un ouvrage que Sapho fit pour une victoire que Pittacus remporta, vous verriez qu'elle parle aussi bien de guerre que d'amour et vous en tireriez cette conséquence avantageuse pour vous et pour elle que, comme elle parle admirablement de guerre sans y avoir été, elle peut aussi parler admirablement d'amour sans en avoir eu. – Ah, Démocède, me dit-il,

---

1. Sur l'usage du terme « toucher » dans le vocabulaire esthétique, voir p. 376, note 1.

ce n'est pas la même chose, car la seule lecture d'Homère peut lui avoir appris à parler de guerre, mais l'amour seulement peut lui avoir appris à parler d'amour.

– Pour moi, lui répliquai-je, je ne sais comment vous raisonnez, mais je sais bien qu'Homère parle d'amour aussi bien que de guerre et que Sapho peut y avoir appris comment il en faut parler [1]. – Eh, Démocède, me dit-il avec un chagrin* étrange*, ce que vous me dites m'épouvante* tellement qu'il y a des moments où j'ai presque envie de croire que c'est vous qui avez appris à Sapho à écrire tendrement comme elle fait, car enfin, si vous n'y entendiez pas quelque finesse, vous diriez ce que je dis et vous soutiendriez hardiment*, comme je le soutiens, qu'on ne peut bien écrire d'amour sans en avoir eu. En effet, ajouta-t-il, si vous comparez les sentiments d'amour qui sont dans Homère à ceux qui sont dans les vers de Sapho, vous y trouverez une grande différence, et le bon Homère a bien mieux représenté l'amitié de Patrocle et d'Achille que l'amour d'Achille et de Briséis [2]. Encore, si Sapho n'avait parlé que des grands sentiments que l'amour donne, et qu'elle n'eût dit que ce que font dire les violentes passions en certaines rencontres extraordinaires, je dirais comme vous qu'elle aurait pu les comprendre et les écrire, sans avoir eu d'amour. Mais, Démocède, ce n'est pas cela, car les sentiments qui me

---

1. L'argument peut s'appliquer à la composition du *Grand Cyrus* même, dont nombre de passages comportent des scènes de guerre et des récits de bataille fort détaillés. On peut ainsi fort bien considérer que Madeleine de Scudéry (et non son frère) a rédigé ces passages sur la seule expérience de lectures – dont les sources, du reste, ont parfois pu être produites (voir V. Cousin, *La Société française au XVIIᵉ siècle d'après « Le Grand Cyrus » de Mlle de Scudéry*, Didier, 1858, t. I, chap. III et IV).

2. Achille, fils de Pélée, roi de Thessalie, et de Thétis, divinité marine, fut le principal héros grec durant la guerre de Troie. Célèbre pour son tempérament passionné et colérique, il tue Hector pour venger Patrocle, son compagnon favori. Briséis est une esclave concubine d'Achille, dont l'enlèvement par Agamemnon provoque également la colère du héros.

persuadent que Sapho a de l'amour, ou en a eu, sont certains sentiments délicats, tendres et passionnés que l'on ne saurait deviner et qu'on a même peine à croire qui soient dans le cœur des autres quand on ne les a point dans le sien. En effet, ajouta-t-il, mon expérience vous prouve ce que je dis, car, quand je suis revenu à Mytilène, je vous avoue ingénument* que je ne connaissais l'amour que d'une manière si grossière que je n'eusse pas connu la beauté des vers de Sapho, et la belle stupide que j'avais aimée en Sicile ne m'avait inspiré que des sentiments proportionnés à son esprit. Ainsi, Démocède, c'est l'amour que j'ai pour Sapho qui m'a appris à connaître celle qu'elle a infailliblement dans le cœur et il ne s'agit plus de savoir autre chose sinon qui est ce bienheureux qui a pu être assez aimé de cette admirable fille, ou qui l'est encore, pour lui avoir inspiré des sentiments si tendres. C'est pourquoi, mon cher Démocède, ajouta-t-il, si ce n'est point vous qui avez appris à aimer à la belle Sapho, aidez-moi à découvrir qui elle a aimé, afin que je fasse de deux choses l'une : ou que je me guérisse, ou que je perde mon rival.

– Sérieusement, lui dis-je encore une fois, je ne crois point que Sapho ait rien aimé, car enfin, ajoutai-je, il est constamment* vrai qu'elle n'aime pas le prince Tisandre et qu'elle n'aime pas Nicanor, et il est vrai encore que ces deux amants qui l'ont observée d'assez près ne l'ont jamais soupçonnée de rien aimer. C'est pourquoi je ne vois pas que vous ayez raison de vous mettre une si bizarre* jalousie dans l'esprit et si mal fondée. – Je ne sais, Démocède, me dit-il assez brusquement, comment il est possible que vous pensiez ce que vous dites que vous pensez, car, pour moi, quand j'aurais vu de mes propres yeux et entendu de mes propres oreilles mille choses à me faire connaître que Sapho a de l'amour, ou qu'elle en a eu, je ne le croirais pas plus fortement que je le crois : c'est pourquoi, s'il est vrai que vous n'aimiez pas cette belle personne et que vous n'ayez nul intérêt caché à dire ce que vous dites, je vous conjure d'employer toute votre adresse à découvrir ce que je veux savoir.

– Cydnon vous aime si tendrement, et vous avez tant d'esprit, ajouta-t-il en me flattant*, que, si vous le voulez, vous m'apprendrez bientôt qui est ce bienheureux qui règne dans le cœur de Sapho et qui lui inspire des sentiments si tendres. Eh, dieux, disait-il, que j'eusse trouvé mon sort digne d'envie, si l'admirable Sapho eût pensé pour moi ce que je vois qu'elle a pensé pour un autre ! Ce qui m'épouvante*, ajoutait-il sans me donner le temps de lui rien dire, c'est qu'il y ait un homme qui ait la gloire d'avoir donné de l'amour à cette merveilleuse fille, sans que la joie qu'il en a découvre leur intelligence*, car le moyen [1] de cacher une félicité si sensible ? »

Après cela, il me dit encore cent choses qui faisaient voir également et son amour et sa jalousie, en suite de quoi je lui promis de m'informer aussi soigneusement de ce qu'il voulait savoir que si j'en eusse été aussi persuadé que lui. Cependant, il est certain que je savais bien que Sapho n'avait rien aimé, si elle ne l'aimait, et que ce qui lui faisait écrire des choses si tendres était qu'elle avait en effet* l'âme naturellement très passionnée. Je ne laissai pourtant pas, pour la satisfaction de mon ami, de m'en informer à ma sœur, comme si j'en eusse douté, mais je m'en informai inutilement, car elle ne me dit pas que Sapho commençait d'aimer Phaon et elle ne m'eût pu dire sans mentir qu'elle eût aimé avant que l'avoir connu. Si bien que, disant à Phaon que je ne découvrais rien, il était en une inquiétude étrange*, et il m'a avoué depuis qu'il y avait eu des jours où il avait cru que Sapho m'aimait et que l'amitié qu'elle témoignait avoir pour ma sœur n'était que pour cacher celle qu'elle avait pour moi. Néanmoins, comme il ne voyait rien d'ailleurs qui pût le confirmer dans cette croyance, il n'osait m'en rien témoigner ; il ne pouvait pourtant si bien se contraindre que je ne m'aperçusse qu'il avait l'âme à la géhenne*.

---

[1]. Pour le sens de cette expression, voir p. 477, note 2.

Et, en effet, cette bizarre* jalousie le tourmenta
d'une si cruelle manière que tout le monde s'aperçut
aussi bien que moi qu'il avait quelque inquiétude.
Sapho même lui demanda la cause du changement de
son humeur, mais il n'osa la lui dire, et il n'osait même
plus m'en parler à cause des soupçons qui lui pas-
saient par la fantaisie, de sorte qu'il menait une vie
fort mélancolique. Au reste, comme il n'était pas possible qu'il n'entendît très souvent réciter des vers de
Sapho, ce lui était tous les jours un nouveau supplice,
car il ne pouvait en entendre parler sans une émotion
étrange*. De plus, il observait non seulement tous les
hommes qui allaient souvent chez Sapho, mais il
observait même ceux qui n'y allaient guère, et la
jalousie n'a jamais plus tourmenté personne qu'elle
tourmenta Phaon, quoiqu'il n'en eût aucun sujet et
qu'il fût le seul aimé de tous les amants de Sapho. Car
enfin il ne savait que faire ni qu'imaginer pour
s'éclaircir des soupçons qu'il avait. Aussi l'inutilité de
ses soins lui donna-t-elle un si grand chagrin* que,
sentant bien qu'il ne le pouvait plus cacher, il se
résolut de s'en aller quelque temps à la campagne ¹,
pour tâcher de guérir de sa jalousie et de son amour
tout ensemble, et il s'y résolut même sans m'en parler,
de sorte que je fus fort surpris de son départ. Sapho
murmura* aussi extrêmement de ce qu'il était parti
sans lui dire adieu, aussi bien que toutes ses autres
amies qui ne cessaient de m'en demander la cause.

Cependant, comme le hasard fit que j'eus une
affaire qui m'appela à la campagne, je partis deux
jours après que Phaon fut parti. Mais, à peine fus-je
hors de Mytilène que le prince Thrasybule y aborda,
pour y laisser le prince Tisandre, que l'invincible
Cyrus, qui se nommait encore alors Artamène, avait

---

1. C'est-à-dire dans sa maison de campagne, en pratiquant une
forme de « retraite » prisée des mondains du xviiᵉ siècle. Le motif est
récurrent tout au long du *Grand Cyrus*, qu'il s'agisse d'échapper
aux désagréments de la cour dans la logique du *contemptus mundi*,
ou de tenter d'oublier un amour malheureux.

blessé en deux endroits, lorsque, étant tous deux tombés dans la mer, ils firent un combat si admirable et si extraordinaire que le prince Thrasybule, qu'on appelait alors le Fameux Pirate, n'eut pas moins d'envie de sauver la vie à un ennemi qui lui avait si opiniâtrement résisté qu'à un ami qui lui était alors infiniment cher [1]. Mais enfin, madame, pour passer cet endroit légèrement, le prince Tisandre revint à Mytilène encore plus malade des blessures que les beaux yeux de Sapho avaient faites dans son cœur que de celles qu'il avait reçues de l'illustre Artamène, qui honora cette admirable fille de quelques-unes de ses visites, dont elle fut si satisfaite qu'elle ne parla que de lui durant très longtemps.

Mais enfin, le prince Thrasybule étant parti et l'ayant emmené, je revins à Mytilène, et Phaon, qui sut le retour de son rival, y revint aussi. Mais il y revint poussé par sa jalousie, s'imaginant que peut-être était-ce le prince Tisandre que Sapho aimait, quoiqu'on ne le dît pas. Lorsqu'il fut revenu, tout le monde lui fit la guerre de son départ précipité, mais il entendit si peu raillerie là-dessus qu'on fut contraint de ne lui en dire plus rien. Sapho même le vit si chagrin* qu'elle ne lui en parla guère. Joint qu'étant persuadée que son chagrin était un effet de l'amour qu'il avait pour elle, cette admirable fille en eut pitié et ne voulut plus lui en parler. Cependant, Alcée ne cessait de lui dire tous les jours quelque chose de la part du prince Tisandre, mais quoi qu'il lui pût dire, elle ne lui dit rien de favorable pour lui et, en effet, les choses n'étaient pas en termes de cela, car il est vrai que Sapho aimait déjà tendrement Phaon, ou que, du moins, elle avait beaucoup de disposition à l'aimer. Néanmoins, le mérite et la qualité de Tisandre l'obligeant à garder quelque mesure avec lui, elle lui refusait son cœur sans incivilité et sans lui refuser son estime. Elle eut pourtant un

---

1. L'épisode est raconté au premier livre [Partie I, Livre 2, « Histoire d'Artamène : pérégrinations de Cyrus », puis « Le combat contre les pirates »].

assez grand démêlé avec Alcée, parce qu'elle sut qu'il avait baillé* au prince Tisandre le portrait qu'elle lui avait donné ; il sut néanmoins si bien s'excuser qu'elle lui pardonna dans son cœur, quoiqu'elle lui dît toujours qu'elle ne lui pardonnerait jamais. D'autre part, comme Sapho avait des envieuses, il y eut des dames qui dirent à Tisandre, dès qu'elles le virent, qu'elle n'avait donné sa peinture à tant de gens que pour la donner avec plus de bienséance à Phaon, et on lui parla enfin si avantageusement de ce nouvel amant de Sapho que la jalousie se joignit à l'amour pour le tourmenter. Mais ce qui la rendit plus forte fut que Tisandre trouva, en effet, que Phaon était si aimable qu'il fut tout disposé à croire qu'il était aimé, de sorte qu'il n'eut alors guère moins de jalousie que lui. Nicanor, de son côté, n'en fut pas exempt, puisqu'il en eut de celui qui était aimé et de celui qui ne l'était pas, car il craignait toujours que la condition de Tisandre ne portât enfin Sapho à le rendre heureux, mais il appréhendait encore davantage que le mérite extraordinaire de Phaon ne le rendît misérable.

Cependant, cet amant aimé qui rendait ses rivaux si malheureux l'était encore plus qu'ils ne l'étaient, car, comme il voyait très souvent des vers de Sapho, et des vers tendres et passionnés, son inquiétude et sa jalousie redoublaient de moment en moment. En effet, il n'en pouvait lire qu'il ne fît l'application de ce qu'il y avait de plus amoureux à ce prétendu amant aimé qui lui donnait tant de jalousie, qu'il n'enviât son bonheur et qu'il ne s'imaginât quelle devait être sa joie, en voyant des sentiments si tendres.

« Hélas, disait-il quelquefois, quelle félicité serait la mienne, si, en lisant tant de choses passionnées, je pouvais espérer d'être aimé d'une personne qui sait si bien aimer et qui, par la tendresse de son cœur, donne assurément mille félicités à ceux qu'elle aime, que les autres ne connaissent pas et que les plus grandes beautés de la terre ne sauraient donner ? Car enfin, les yeux s'accoutument à la beauté, et ce qu'on a vu longtemps n'a plus la grâce que la nouveauté donne, mais la tendresse d'un cœur amoureux et passionné est une source inépuisable de nouveaux plaisirs, qui naissent en foule de moment en moment et qui augmentent l'amour avec le temps, au lieu que, pour l'ordinaire, le temps la diminue. Mais le mal est que, la tendresse de Sapho étant pour un autre, elle me rend aussi infortuné qu'elle rend quelqu'un de mes rivaux heureux, et tant de belles et touchantes choses qu'elle écrit et qui me donneraient tant de joie si j'en étais aimé, m'affligent horriblement, parce que je ne le suis point. »

Phaon étant donc en cette inquiétude, ne sachant que faire et ne se fiant même plus à moi, il crut que, s'il pouvait venir à bout de pouvoir voir tout ce que Sapho avait écrit, il pourrait peut-être tirer quelque connaissance de ce qu'il voulait savoir et venir enfin à connaître qui était celui qu'il s'imaginait avoir inspiré des sentiments si tendres à la personne qu'il aimait. De sorte que, depuis cela, il ne faisait autre chose que demander à tout le monde des vers de Sapho et que la presser elle-même, quand elle était seule, de lui en montrer. De plus, quand il était chez elle, il regardait soigneusement sur sa table s'il ne trouverait point quelques tablettes* oubliées, et il se résolut enfin, sur le prétexte de la curiosité de voir de si beaux vers, de tâcher de suborner la fidélité d'une fille qui était à Sapho, afin qu'elle en dérobât, si elle pouvait, dans le cabinet* de sa maîtresse. Mais, quoi qu'il pût faire, il n'en put venir à bout.

Cependant, madame, le hasard fit une chose, qui lui en [1] fit voir qu'il n'eût peut-être jamais vus, sans l'accident qui arriva, et qui causèrent un grand désordre et une grande inquiétude dans son esprit. Vous saurez donc, madame, que, dès que le prince Tisandre fut guéri, il fut voir Sapho et qu'il y fut suivi de beaucoup de monde, de sorte que cette visite, n'étant pas propre à lui donner moyen de faire ses plaintes ordinaires à la belle Sapho, elle se passa à parler de choses indifférentes. Si bien que, comme Cynégire, chez qui elle

---

1. Le pronom se rapporte à « vers », dans la phrase précédente.

demeurait, avait fort embelli sa maison depuis le départ
de ce prince, on parla extrêmement des choses qu'elle y
avait faites et principalement du cabinet* de Sapho, qui
avait été peint depuis le départ de Tisandre. Ce prince,
demandant donc à le voir, et cette belle personne,
n'osant le lui refuser, elle l'ouvrit et toute la compagnie y entra ; de sorte que Phaon, y entrant comme les
autres, prit garde que Sapho, ayant vu des tablettes*
sur sa table, en avait rougi et s'était hâtée de les mettre
diligemment dans un tiroir à demi ouvert, qu'elle ne
put même refermer tout à fait parce qu'elle le fit avec
trop de précipitation et que, de plus, Tisandre, l'ayant
tirée vers les fenêtres sur le prétexte de la belle vue,
afin de lui pouvoir parler un moment en particulier,
lui en ôta le moyen. Si bien que Phaon, qui avait toujours dans l'esprit sa bizarre* jalousie, eut une envie
étrange* de voir les tablettes que Sapho avait serrées* si
diligemment et qui l'avaient fait rougir.

   Ainsi, sans perdre temps, durant que Tisandre parlait à Sapho et que les autres regardaient les peintures
de ce cabinet, il tira le tiroir tout doucement, prit les
tablettes que Sapho y avait mises et le remit comme il
était auparavant. Après quoi, ne pouvant plus durer*
en ce lieu-là, il repassa dans la chambre pour voir s'il
devait garder ou remettre ce qu'il avait pris. Mais à
peine eut-il ouvert ces tablettes qu'il vit qu'il y avait
des vers écrits dedans et des vers écrits de la main de
Sapho ; de sorte que, ne jugeant pas qu'il pût avoir le
temps de les lire en ce lieu-là sans être interrompu, et
jugeant, par les premières paroles qu'il en voyait,
qu'ils méritaient la curiosité qu'il avait de les voir, il
sortit de chez Sapho et fut se promener seul dans un
jardin qui est au bord de la mer et qui est toujours
ouvert à tout le monde. Mais à peine y fut-il qu'ouvrant diligemment ces tablettes, il y lut les vers que je
m'en vais vous montrer, car je les ai tels qu'il les eut,
c'est-à-dire sans que le nom de celui pour qui ils
étaient faits y soit, comme vous le pourrez voir par la
copie que je vous en montre. »

À ces mots, Démocède donnant des tablettes à la reine de Pont, elle y lut tout haut les vers qui suivent.

Ma peine est grande, et mon plaisir extrême,
Je ne dors point la nuit, je rêve tout le jour,
Je ne sais pas encor si j'aime,
Mais cela ressemble à l'amour.

Un même objet occupe ma pensée,
Nul des autres objets ne m'en peut divertir,
Si c'est avoir l'âme blessée,
Je sens tout ce qu'il faut sentir.

Certains rayons pénètrent dans mon âme,
Et l'éclat du soleil me plaît moins que le leur ;
L'on ne voit pas encor ma flamme,
Mais j'en sens pourtant la chaleur.

Voyant **** *mon âme est satisfaite,*
Et ne le voyant point la peine est dans mon cœur,
J'ignore encore ma défaite,
Mais peut-être est-il mon vainqueur.

Tout ce qu'il dit me semble plein de charmes ;
Tout ce qu'il ne dit pas n'en peut avoir pour moi,
Mon cœur, as-tu mis bas les armes ?
Je n'en sais rien, mais je le crois [1].

Après que la reine de Pont eut lu ces vers, elle les rendit à Démocède, le conjurant de lui dire promptement ce que cette lecture avait fait dans l'esprit de Phaon.

---

1. Ces quatre strophes hétérométriques constituent des stances, « genre lyrique mondain » (voir A. Génétiot, *Les Genres lyriques mondains, op. cit.,* p. 51-53) au même titre que le madrigal, l'églogue ou l'élégie. Il s'agit, selon toute probabilité, d'un poème composé par Madeleine de Scudéry, dont la production versifiée est également abondante (pour une édition de ces textes, voir R. Kroll, *Femme poète…, op. cit.*). On ne trouve, en tout cas, aucun équivalent de ces vers parmi les créations de la Sapho historique. De manière générale, les poèmes insérés sont rares dans *Le Grand Cyrus* (un autre exemple consiste dans l'énigme proposée aux sept sages, édition en ligne, p. 6196).

« J'ai su depuis par lui-même, répliqua Démocède
en continuant son récit, que ces vers excitèrent un si
grand trouble dans son cœur qu'il fut un quart
d'heure sans les pouvoir relire, bien qu'il en eût envie.
Car enfin, quoiqu'il eût cru que Sapho aimait, ou avait
aimé, il ne l'avait pas cru si fortement qu'il ne fût
encore étrangement* surpris de le voir écrit de sa
propre main. Mais, à la fin, s'étant mis à relire ces
vers, et les trouvant encore plus amoureux la seconde
fois que la première, il en fut si transporté de fureur
qu'il pensa rompre ces tablettes* et les jeter dans la
mer. Comme il était donc tout prêt de le faire, il lui
vint en fantaisie de ne le faire pas et de chercher soigneusement quel nom de tous ceux qui voyaient
Sapho pouvait convenir à la mesure du vers où celui
de cet amant aimé devait être, car il jugeait bien,
malgré son désespoir, que, si Sapho eût voulu lui
donner un autre nom que le sien, elle l'aurait écrit
dans ses vers. Ainsi, il concluait avec raison que le
nom qui n'était pas rempli était la juste place de celui
pour qui les vers étaient faits, si bien que, regardant
encore une fois ces quatre vers où il y a :

> Voyant **** mon âme est satisfaite,
> Et ne le voyant point la peine est dans mon cœur,
> J'ignore encore ma défaite,
> Mais peut-être est-il mon vainqueur.

il se mit à regarder quel nom pouvait remplir ce premier vers, mais il s'y trouva bien embarrassé, car celui
de Tisandre était trop long d'une syllabe, celui de
Nicanor l'était trop d'une aussi et le mien était plus
long que celui de Tisandre. Phaon trouvait bien que
celui d'Alcée était de la longueur qu'il fallait pour
achever ce vers, mais son amour pour la belle Athys
était si connue de tout le monde, et on savait si bien
qu'il était confident de Tisandre, que cela ne fît nulle
impression dans son esprit. Ensuite, il chercha les
noms de tout ce qu'il y avait de gens de qualité qui
voyaient Sapho, sans en trouver aucun qui convînt à

ce vers qu'il fallait remplir, parce qu'ils étaient tous trop longs, et il chercha même les noms de ceux qui ne la voyaient point, sans songer que le sien était tel qu'il fallait pour cela. Car, comme il savait bien que Sapho avait fait les vers qui lui avaient donné sa première jalousie avant que de l'avoir connu, il n'avait garde de penser que ceux qui lui donnaient alors tant d'inquiétude lui eussent donné beaucoup de joie s'il en eût su la cause, et il était si éloigné de ce sentiment-là qu'il ne s'était pas seulement avisé de regarder si son nom y convenait, lorsque j'arrivai fortuitement auprès de lui [1].

Mais, madame, ce qu'il y eut de rare*, fut que Phaon qui, depuis sa bizarre* jalousie, vivait assez froidement avec moi et qui ne m'avait jamais voulu croire tout à fait, lorsque je lui avais juré que je n'avais nulle intelligence* avec Sapho, se tint si assuré que je n'y en avais point, parce que mon nom ne pouvait convenir à ce vers qui n'était pas rempli, et il se sentit si accablé de sa douleur qu'il m'aborda avec son ancienne franchise et qu'il me redonna sa confiance tout entière, comme si je n'eusse eu aucune part à sa jalousie. En effet, il ne me vit pas plus tôt que, s'en venant à moi : « Comme nous avons tous deux tort, me dit-il en m'embrassant, il faut, mon cher Démocède, que nous oubliions le passé, et que notre amitié recommence, car enfin, je connais aujourd'hui que j'avais effectivement tort de croire que c'était vous qui aviez appris à Sapho à connaître toutes les délicatesses de l'amour, et je vous ferai connaître à vous-même que vous n'avez pas raison de croire qu'elle n'en a point. – Est-il possible, lui dis-je, que vous en ayez des marques si claires que je n'en puisse douter ? – Vous le verrez bientôt, me dit-il, en lisant les vers que je vous baille* et que je lui

---

1. Le motif du jaloux amoureux qui, confronté à un écrit tronqué, l'interprète en sa défaveur, alors même que ce texte est à son avantage, avait été illustré par la comédie italienne des *Gelosie fortunate* (vers 1640, publication en 1654) de G.A. Cicognini. Ce texte, dont la notoriété passa les Alpes – il fut adapté par Molière dans *Don Garcie de Navarre* en 1661 –, semble avoir été connu de Madeleine de Scudéry.

ai dérobés sans qu'elle le sache, car enfin vous connaissez son style et son écriture, et vous devinerez
même peut-être aisément le nom de celui pour qui ils
sont faits, car, comme j'ai l'esprit étrangement* troublé,
je ne suis pas en état de le deviner. »

Après cela, je me mis à lire les vers de Sapho, mais,
en les lisant, je trouvai d'abord* que le nom de Phaon
remplissait si justement le vers qui n'était pas rempli et
je me souvins de tant de choses qui m'avaient fait
croire que Sapho ne haïssait pas Phaon que je ne
doutai presque plus qu'ils n'eussent été faits pour lui.
Et je le crus d'autant plus tôt que je ne trouvai effectivement pas un nom d'homme de qualité qui vît
Sapho, ou qui l'eût vue, qui y convînt, excepté celui
d'Alcée, pour qui ces vers ne pouvaient être. De sorte
que, prenant la parole pour le consoler : « Pour moi,
lui dis-je, j'avoue que je ne vois pas grande difficulté à
trouver le nom qui manque à ce vers, car enfin je suis
assuré que, pour suivre l'intention de la belle Sapho, il
faut qu'il y ait :

> *Voyant Phaon mon âme est satisfaite,*
> *Et ne le voyant point la peine est dans mon cœur,*
> *J'ignore encore ma défaite,*
> *Mais peut-être est-il mon vainqueur.*

– Ah, Démocède, s'écria-t-il, mon nom convient à
ce vers, mais ce vers ne me convient point et je ne sais
comment vous avez pu avoir la pensée de chercher si
mon nom était de la longueur qu'il fallait, car, pour
moi, je ne me suis pas seulement souvenu que je me
nommais Phaon. Cependant ce cas fortuit ne me
console pas, car enfin toutes ces belles choses tendres,
amoureuses et passionnées que nous avons vues de la
belle Sapho, sont écrites devant* que je la connusse :
ainsi, il est à croire que les vers que je vous montre ont
été faits pour celui qui a eu le bonheur de lui apprendre
toute la tendresse de l'amour, en s'en faisant aimer.
– Pour moi, répliquai-je, je ne sais si je me trompe,
mais il me semble que les caractères qui sont dans ces

tablettes* ne sont pas comme ceux qu'il y a longtemps
qui sont faits, et je suis enfin le plus trompé de tous les
hommes si ces vers ne sont faits pour vous et si, au
lieu d'être le plus malheureux amant du monde, vous
n'êtes le plus heureux amant de la terre. – Quoi, dit-il,
vous croiriez que Sapho pût m'aimer sans que je m'en
aperçusse ? Et qu'un homme qui la regarde à tous les
moments, qui observe toutes ses actions et toutes ses
paroles, et qui fait même tout ce qu'il peut pour deviner ses pensées, ne connût point qu'elle l'aimerait ?
Ah, Démocède, cela n'est pas possible, et il n'est que
trop vrai que ces vers ne sont point faits pour moi. »

  Comme il disait cela, nous entendîmes un assez
grand bruit de plusieurs personnes qui parlaient, si
bien que, tournant la tête, nous vîmes tout contre
nous le prince Tisandre qui menait Sapho, qui avait
avec elle toutes ses amies, Nicanor, Alcée et plusieurs
autres, si bien que, rendant diligemment à Phaon les
tablettes que je tenais, il les mit dans sa poche avec
assez de précipitation. Mais, comme Sapho avait pris
garde que Phaon était sorti assez brusquement de
chez elle, elle lui en fit la guerre et lui reprocha si
galamment d'avoir préféré la solitude à une fort agréable
compagnie qu'il se trouva engagé à faire la promenade
que toute cette belle troupe allait faire. Et, en effet,
Phaon et moi la suivîmes, quoique nous n'en eussions
pas grande envie, car il avait son chagrin*, et j'avais
une affaire.

  Mais, enfin, nous fûmes au bout d'une allée de ce
jardin qui aboutit à la mer, où nous trouvâmes une
barque dans quoi nous nous mîmes, et où nous étions
si pressés qu'il n'était pas aisé de changer de place, de
sorte que, comme le hasard plaça Phaon fort près de
Tisandre et de Sapho, il lui fut aisé de connaître que
ce n'était pas pour ce prince que les vers qu'il avait
avaient été faits, car Sapho ne répondait à pas un des
regards de Tisandre, et elle vivait avec lui avec une
civilité si concertée et si froide qu'il était facile de voir
que l'amour n'unissait pas leurs cœurs. Cependant, il
était si occupé de ce qu'il avait alors dans l'esprit qu'il

ne prit aucune part à la conversation générale. Ce que
je lui avais dit lui passant quelquefois dans l'imagination, il s'en sentait assez doucement flatté*, mais, un
moment après, venant à penser que les choses amoureuses que Sapho avait écrites l'étaient devant* qu'il la
connût, sa jalousie recommençait. Ainsi, passant de
l'espérance à la crainte, il s'entretenait lui-même sans
entretenir personne, et il vint à rêver si profondément
qu'il s'appuya sur le bord de la barque et se mit à
regarder attentivement ce bouillonnement d'écume
qui paraît toujours à la proue des vaisseaux et des
barques qui vont avec rapidité. De sorte que, comme
Phaon était trop cher à Sapho pour faire qu'elle ne
s'aperçût pas de son chagrin*, elle y prit garde et y fit
prendre garde aux autres, mais, entre les autres,
Tisandre, qui avait su que Phaon était amoureux de
Sapho et que Sapho ne haïssait pas Phaon, apporta un
soin extrême à l'observer, voulant tâcher de deviner
pourquoi il était si mélancolique, et de pénétrer, s'il
était possible, si son chagrin venait de ce qu'il était mal
avec Sapho ou si ce n'était seulement que parce qu'il
était trop amoureux d'elle. Si bien que, ne le regardant
guère moins qu'il regardait Sapho, il arriva malheureusement que Phaon, en tirant quelque chose de sa
poche, sans savoir ce qu'il en voulait faire et sans
interrompre sa rêverie, tira aussi, sans s'en apercevoir,
les tablettes* où étaient les vers de Sapho, qui, glissant
le long de la barque, tombèrent sans faire presque
aucun bruit jusqu'aux pieds de Tisandre, qui, les
ayant vu tomber, se baissa et les prit sans qu'on s'en
aperçût.

Mais, madame, depuis qu'il les eut, il ne fut guère
moins rêveur que Phaon, car, dans la pensée qu'il était
son rival, il craignait de trouver ce qu'il ne cherchait
que pour ne le trouver point. Cependant Cydnon, qui
voyait bien que la rêverie de Phaon inquiétait Sapho,
se mit à lui parler et à lui en demander la cause, qu'il
ne lui voulut pas dire, comme vous pouvez penser.
Mais, comme il n'avait alors dans l'esprit que les vers
de Sapho, il mit la main dans sa poche pour voir s'il ne

les avait pas encore, quoiqu'il n'en doutât point, car c'est la coutume de ceux qui aiment de faire souvent de ces choses inutiles qu'ils ne feraient pas si leur raison était libre. Phaon, ayant donc mis la main dans sa poche pour voir s'il n'avait pas toujours les tablettes* de Sapho, fut étrangement* étonné de voir qu'il ne les avait plus. Cependant il n'osait témoigner son étonnement, ni dire ce qu'il avait perdu, car, s'il l'eût dit, il eût fait savoir à Sapho le larcin qu'il lui avait fait et il l'eût couverte d'une confusion étrange*. De plus, ne pouvant savoir avec certitude s'il les avait perdues dans le jardin ou dans la barque, ou si elles ne seraient point tombées dans la mer, il n'osait faire aucun bruit de sa perte, principalement pour l'intérêt de Sapho, car, encore qu'il eût beaucoup de jalousie, il avait pourtant encore beaucoup de respect, et l'intérêt de la gloire* de cette admirable fille lui était aussi considérable que son propre repos. De plus, ce que je lui avais dit, remettant quelquefois quelque agréable doute dans son esprit, faisait qu'il était encore plus retenu, si bien qu'il se contenta de chercher tout doucement à l'entour de lui, sans dire ce qu'il cherchait. Mais, comme il le faisait fort soigneusement, quoiqu'il tâchât de le faire sans nulle affectation, Tisandre connut bien que ce que son rival avait perdu lui tenait au cœur et que ce qu'il avait trouvé lui donnerait peut-être quelque fâcheux éclaircissement de ses doutes.

Mais, à la fin, notre promenade maritime étant faite, nous ramenâmes les dames chez elles, et nous conduisîmes même le prince Tisandre chez lui, qui n'y fut pas si tôt qu'entrant diligemment dans son cabinet*, il ouvrit les tablettes qu'il avait trouvées et y lut les vers que vous avez lus et qui avaient donné tant d'inquiétude à son rival. Mais, madame, il ne se trouva pas aussi embarrassé que lui à deviner le nom qui devait remplir ce vers imparfait qui était marqué par de petites étoiles, car, dès qu'il le lut, il ne douta point que le nom de Phaon ne fût celui qui y devait être et il crut même que Sapho avait donné ces vers de

sa propre main à son rival, et que c'était enfin une
affection si solidement liée que rien ne la pouvait
rompre. Vous pouvez juger, madame, combien cette
pensée lui en donna de fâcheuses : aussi a-t-il dit
depuis qu'il n'avait jamais tant souffert et qu'il avait
passé la nuit sans dormir.

D'autre part, Phaon n'était pas en repos, et il me dit
des choses si touchantes sur la perte qu'il avait faite de
ces vers de Sapho et il me témoigna avoir une si forte
appréhension que cette aventure ne lui nuisît que je
connus qu'en effet il était aussi amoureux qu'on pouvait l'être, puisque, malgré sa jalousie, il songeait si
fort à la réputation de Sapho qui était encore plus en
peine que lui. Car enfin, madame, imaginez-vous que
cette admirable fille avait senti une si grande inquiétude lorsqu'elle avait serré* diligemment ces tablettes*
dans le tiroir où Phaon les avait prises, et qu'elle s'était
si fort repentie de s'être mise en état que ces vers pussent être vus, que dès qu'elle fut retournée chez elle,
elle entra dans son cabinet* avec intention de les brûler
et de n'en faire jamais de pareille nature. Mais,
madame, elle fut bien surprise et bien affligée lorsqu'elle ne les trouva plus au lieu où elle les avait mises.
Elle ne se fia pourtant pas alors à sa mémoire et elle
chercha dans tous les autres lieux où il n'eût pas été
impossible qu'elles eussent été. Mais, à la fin, ne pouvant plus douter que ces vers ne lui eussent été
dérobés, elle en eut une douleur si sensible* qu'elle
n'en avait jamais senti de pareille. Cependant, dans
cet étrange* embarras d'esprit, elle ne trouvait point
de souhait plus doux à faire, sinon que ce fût Phaon
qui eût pris ses vers, quoiqu'elle eût pourtant une
grande confusion qu'il les eût vus. Car, comme elle ne
savait pas sa bizarre* jalousie, elle s'imaginait qu'il
s'en serait fait l'application ; mais, encore qu'elle le
souhaitât, elle ne pouvait pas espérer que ce fût Phaon
qui les eût, parce qu'elle l'avait vu si triste qu'elle ne
l'en soupçonna pas ; joint que, se souvenant qu'il était
sorti de chez elle un moment après que Tisandre avait
été dans son cabinet, elle ne pensa pas qu'il eût pu

avoir le loisir de faire ce larcin, si bien que, ne sachant qui en soupçonner, elle était en une peine étrange*.

D'autre part, Tisandre, qui était un aussi [1] homme d'honneur qu'il y en ait jamais eu, voyant par ces vers que Sapho aimait Phaon, voyant de plus que Phaon était digne de Sapho, et ne doutant nullement que son rival n'eût reçu ces vers des mains de sa maîtresse et que leur affection ne fût tout à fait liée, se résolut de vaincre sa passion. Et il porta même le respect qu'il avait pour Sapho aussi loin qu'il pouvait aller, car, encore qu'Alcée fût son confident, il ne lui montra point les vers de cette merveilleuse fille – il est vrai qu'il fut trois jours entiers à prendre une résolution décisive, pendant lesquels il ne vit point Sapho, qui, de son côté, évita avec adresse de voir compagnie, de peur d'ouïr dire quelque chose de ces vers qui lui déplût. Ce n'est pas qu'elle n'eût fait la résolution de dire, si on lui en parlait, que c'étaient des vers faits sans sujet, par la seule curiosité de voir s'il était possible de faire parler d'amour à une femme sans choquer la bienséance. Mais, après tout, comme elle savait dans le fond de son cœur qu'ils avaient une cause véritable, elle en avait une confusion étrange. D'ailleurs, Phaon n'osait chercher à la voir, car il sentait bien qu'il lui serait impossible de ne lui donner pas de trop grandes marques de son chagrin*, de son inquiétude et de sa jalousie : ainsi, durant trois jours, on ne voyait en nulle part, ni le prince Tisandre, ni Sapho, ni Phaon, et Nicanor était si embarrassé à tâcher de deviner pourquoi deux de ses rivaux et sa maîtresse étaient solitaires en même temps, qu'il n'était guère moins inquiet qu'ils l'étaient.

Mais, à la fin, Tisandre, ayant fait un grand effort sur lui-même, se surmonta et envoya demander une audience particulière à Sapho, pour l'entretenir d'une

---

1. Formulation apparemment idiotique, qui s'explique par l'impossibilité de placer *aussi* entre *homme* et *d'honneur*, alors que ce dernier terme est perçu comme un prédicat de valeur (sur le modèle « un homme aussi vertueux »).

affaire très importante. De sorte que Sapho, n'osant la
lui refuser à cause de sa condition, elle la lui accorda.
Mais elle l'attendit avec une inquiétude étrange*, par
la crainte où elle était que ce ne fût pour lui parler de
ses vers qu'il venait chez elle. Ce n'est pas qu'elle ne
sût bien qu'il était impossible que ce fût lui qui les eût
pris dans son cabinet*, car elle l'avait toujours vu,
mais elle craignait que quelque autre ne les lui eût
baillés*. Cependant, l'heure de cette audience étant
arrivée, Tisandre fut chez Sapho sans être suivi de
personne. Mais, au lieu de l'aborder comme à l'ordinaire, il la salua avec une civilité sérieuse et froide,
quoique pleine de beaucoup de respect, qui lui fit
connaître qu'il avait quelque chose de fâcheux à lui
dire. Comme il n'y avait alors dans sa chambre qu'une
fille qui était à elle, Tisandre fut d'abord dans la liberté
de l'entretenir, de sorte que, sans perdre de temps :
« Je viens, madame, lui dit-il, vous rendre la plus
grande marque d'amour que personne ait jamais
rendue, en vous rendant des vers que Phaon a perdus
et que vous lui avez donnés. Car enfin, madame, tout
autre que moi se vengerait de votre cruauté en les
montrant à toute la terre. Le respect que je vous porte
est pourtant si grand que, toute rigoureuse que vous
m'êtes, je ne laisse pas de craindre de vous déplaire et
de vouloir du moins conserver votre estime, puisque je
ne puis acquérir votre affection. »

En disant cela, Tisandre rendit à Sapho les tablettes*
où étaient les vers qu'elle avait faits pour son rival,
mais il les lui rendit ouvertes et lui fit voir qu'il avait
écrit le nom de Phaon à l'endroit où il devait être. Vous
pouvez juger, madame, que Sapho ne prit pas ces
tablettes sans rougir. Néanmoins, après s'être un peu
remise, elle entreprit de faire deux choses tout à la
fois : la première, d'achever de dégager Tisandre de
son affection, et la seconde, de lui persuader que ces
vers n'avaient point été faits pour Phaon en particulier, ni pour nul autre. Mais, quoiqu'elle dît tout ce
qu'on pouvait dire d'adroit et de spirituel en une
conjoncture si délicate, elle ne fit que la moitié de ce

qu'elle voulait faire, car elle acheva de dégager Tisandre de son amour, mais elle ne put lui faire croire que ces vers n'avaient pas été faits pour Phaon. Elle ne put même lui persuader qu'elle ne les lui eût pas donnés de sa propre main, quoiqu'elle dît vrai lorsqu'elle assurait qu'il les avait dérobés.

« Non, non, madame, lui dit alors Tisandre, vous ne me persuaderez pas, car enfin quiconque a donné son cœur peut bien donner des vers. – On peut quelquefois donner son cœur tout entier, répliqua Sapho, sans donner nulle autre chose, et cette circonstance que vous voulez compter pour rien est si considérable pour moi que je ne mets nulle comparaison entre avoir fait ces vers pour Phaon ou les lui avoir donnés de ma main. En effet, présupposé que j'eusse pour lui une inclination très puissante, il ne serait pas si étrange* que je me disse à moi-même ce que je sentirais malgré moi dans mon cœur et, si c'était une faiblesse, elle ne choquerait du moins pas la modestie, puisqu'elle ne serait sue que de moi. Mais, seigneur, en m'accusant d'avoir donné ces vers à Phaon, vous me faites un si grand outrage et vous pensez de moi une si étrange chose que je suis étonnée que vous ne les avez montrés à toute la terre. Car, en effet, je serais indigne que vous eussiez nulle discrétion, si j'avais été assez indiscrète pour donner ces vers à Phaon. Cependant, je ne laisse pas de vous rendre grâce de me les avoir rendus et de vous conjurer de me dire positivement* de quelle façon vous les avez eus, car, comme je n'ai nulle intelligence* particulière* avec Phaon, je ne le puis savoir que de vous.

– Ah, madame, que ce que vous me dites est outrageant, répliqua Tisandre, et que ce que je sais mérite peu ce que vous faites ! Cependant, comme il peut être que Phaon n'a osé vous dire qu'il a perdu des vers qu'il devait conserver si soigneusement, je vous dirai que je les vis tomber de sa poche le soir que nous fûmes nous promener sur la mer et que je les ramassai sans savoir que j'y trouverais l'arrêt de ma mort.

– Phaon était si triste ce soir-là, répliqua-t-elle, que

vous devez, ce me semble, être persuadé que je ne lui
avais pas donné ces vers et qu'il ne croyait pas même
qu'ils fussent faits pour lui, car, à dire la vérité, le cœur
de Sapho n'est pas une conquête si facile à faire qu'il
ne dût tirer quelque vanité de l'avoir faite et qu'il n'en
dût même avoir quelque joie. – Quoi qu'il en soit, dit
alors Tisandre, je suis persuadé que Phaon est autant
aimé que je suis haï et, si je n'avais pour vous des sentiments de respect que nul amant maltraité n'a jamais
eus, étant ce que je suis à Mytilène, je trouverais bien
moyen de renvoyer Phaon en Sicile. Mais, comme je le
chasserais en vain de cette île, puisque je ne le puis
chasser de votre cœur, je ne veux pas être votre tyran,
après avoir été votre esclave. Vous m'avez persuadé
autrefois avec tant d'adresse, ajouta-t-il, qu'il ne tenait
même pas à vous que vous ne m'aimassiez, que je
veux vous savoir gré de ce que vous avez fait contre
vous-même. Mais, madame, pour reconnaître mon
respect, il faut avoir de la sincérité et m'avouer ingénument* le véritable état de votre âme, comme je vous
avoue l'état de la mienne, afin qu'après cela je vous
laisse en repos et que je tâche de m'y mettre.

– Seigneur, répliqua Sapho en rougissant, si je pouvais vous donner toute mon affection comme je vous
donne toute mon estime, je le ferais sans doute pour
reconnaître votre générosité*. Mais, à vous parler sincèrement, il y a toujours eu dans mon cœur un si puissant obstacle au dessein que vous avez eu d'être aimé
de moi que je ne l'ai jamais pu surmonter, quelque
effort que j'aie fait. Après cela, seigneur, ne m'en
demandez pas davantage, car, puisque je ne vous puis
aimer, il ne vous importe guère si j'aime Phaon ou si
je ne l'aime pas. – Je ne vous le demande pas,
madame, reprit-il, pour m'éclaircir de la chose, car je
n'en doute point du tout, mais je vous le demande afin
d'avoir du moins l'avantage de me pouvoir louer de
vous une fois en ma vie.

– De grâce, seigneur, reprit Sapho, ne vous obstinez pas à vouloir une chose injuste et inutile, et contentez-vous que je vous die* seulement que je ne vous

puis aimer et que je ne sens pas pour Phaon la même impossibilité d'avoir quelque affection pour lui.

– C'en est assez, madame, lui dit-il en se levant, pour me rendre le plus malheureux de tous les hommes. Cependant, comme je me suis résolu de vous respecter toujours, je m'en vais faire tout ce que je pourrai pour dénouer les liens qui m'attachent à vous sans les rompre avec violence, et je souhaite seulement en vous quittant que vous connaissiez un jour que, si vous avez donné votre cœur au plus honnête homme de vos amants, vous ne l'avez pas donné au plus fidèle ni au plus amoureux. »

Après cela, madame, Tisandre s'en alla, mais avec tant de tristesse sur le visage que Sapho, toute insensible qu'elle était pour lui, en eut le cœur un peu touché. Mais, comme il y avait alors des choses qui le touchaient encore plus sensiblement, elle pensa plus à Phaon qu'à Tisandre et elle eut même un nouveau sujet d'y penser par une visite que lui fit ma sœur. Car vous saurez, madame, que voyant Phaon dans un si grand désespoir et ayant moi-même une assez grande curiosité de savoir si effectivement ces vers, qui causaient tant de désordre, avaient été faits pour Phaon comme je le croyais, je fus trouver Cydnon avec qui je vivais non seulement comme avec une sœur qui m'était très chère, mais encore comme avec une amie très fidèle. Si bien qu'après lui avoir fait un grand secret de ce que j'avais à lui dire, je lui contai la jalousie de mon ami et l'aventure des vers, et je la conjurai de me dire s'ils étaient faits pour Phaon.

« S'ils sont faits pour quelqu'un, reprit-elle, ils sont assurément faits pour lui, mais, mon frère, je n'en sais rien et Sapho ne m'a point montré les vers dont vous me parlez. – Cependant, lui dis-je, le pauvre Phaon, qui croit qu'ils sont faits pour un autre, en a une jalousie si forte et une douleur si violente que je crois qu'il en mourra si vous ne m'aidez à le secourir. – En vérité, mon frère, répliqua-t-elle, il ne me sera pas aisé, car enfin Sapho, qui ne m'a jamais fait secret d'aucune chose, ne m'a rien dit de cette aventure, et je

ne vois pas que je lui en puisse parler si elle ne m'en
parle. – Il est vrai, ajouta-t-elle, que je ne l'ai vue
qu'un moment depuis notre promenade sur la mer :
ainsi, tout ce que je puis est de vous promettre de voir
Sapho et de rendre office* à Phaon si elle me donne
lieu de le pouvoir faire. »

Après cela, je lui exagérai* autant que je pus la
jalousie de cet amant, afin de lui faire pitié de son malheur. Mais plus je lui parlais, plus je lui voyais d'envie
de rire, car, comme elle savait les véritables sentiments
de Sapho pour Phaon, elle trouvait quelque chose de
si plaisant à penser qu'il était lui-même ce rival aimé
qui l'affligeait si fort, qu'elle ne pouvait s'empêcher
d'en rire. « Mais, cruelle sœur, lui dis-je alors, je ne
vous représente pas les maux de mon ami pour vous
en divertir, et ce n'est pas en riant qu'il le faut
plaindre. – Si je croyais qu'il fût fort à plaindre, reprit-
elle, je n'en userais pas ainsi ; mais, comme je ne vois
pas que Phaon ait de rivaux qu'il doive craindre, je
vous avoue que je ne puis m'empêcher de me divertir
de son chagrin*, car je ne trouve rien de si plaisant à
observer, quand on a le cœur entièrement libre, que
tout ce que font les gens les plus sages, quand ils ont
un engagement de cette nature. C'est pourquoi pardonnez à un enjouement naturel que j'ai dans l'esprit
pour ces sortes de choses, dont je ne suis pas la maîtresse, et croyez que je rendrai tout l'office que je
pourrai à Phaon. »

Et, en effet, madame, dès que je fus parti, elle fut
chez Sapho, et elle y arriva un quart d'heure après que
le prince Tisandre l'eut quittée, si bien qu'ayant alors
l'esprit rempli de trop de choses pour en pouvoir faire
un secret à Cydnon, elle la fit passer dans son cabinet*
et, donnant ordre qu'on dît qu'on ne la voyait point si
on la demandait, elle la conjura de lui pardonner si elle
lui avait fait un secret durant trois jours d'une aventure qui lui était arrivée.

« Car enfin, ma chère Cydnon, lui dit Sapho après
la lui avoir racontée, elle est si cruelle qu'il ne m'est
jamais rien arrivé de si fâcheux en ma vie. En effet, y

a-t-il rien de plus insupportable que de voir que
Tisandre ait vu des vers de la nature de ceux qu'il a
vus ? Et y a-t-il rien de si terrible que de penser que
Phaon lui-même les a lus ? Pour moi, ajouta-t-elle, je
ne pense pas que je puisse me résoudre à le voir et il
y a trois jours que je ne vois personne pour éviter sa
rencontre. Ce n'est pas qu'il n'y ait eu quelques instants où j'ai souhaité que ce fût lui qui eût trouvé ces
vers, mais je le souhaitais quand je ne pensais pas
qu'il les eût. Cependant il n'en est pas de même
aujourd'hui et je ne sais si je ne voudrais point que
cent autres personnes les eussent lus et que Phaon
ne les eût pas eus en sa puissance, car comment
oserai-je le voir, après une si fâcheuse aventure ? En
effet, ne dois-je pas craindre que, se fiant à la
passion qu'il sait que j'ai pour lui, il n'ait l'audace de
me parler avec moins de respect ? Et ne dois-je pas
appréhender encore qu'il ne me regarde comme une
conquête si facile qu'elle ne lui est pas fort glorieuse ?

– Si vous avez quelque chose à craindre, reprit
Cydnon, ce n'est nullement ce que vous dites. Et, pour
vous témoigner que je vous suis absolument acquise,
ajouta-t-elle, il faut que je trahisse un secret que mon
frère m'a confié et que je vous apprenne que Phaon
est le plus malheureux et le plus jaloux de tous les
hommes. – Il n'est donc pas amoureux de moi, reprit
brusquement Sapho en rougissant. – Il est plus
amoureux de vous, répliqua Cydnon, qu'on ne le fut
jamais de personne, mais il est si jaloux, et jaloux
d'une si bizarre* manière, que je ne sais comment
vous l'en pourrez guérir. – Cette énigme est si obs-
cure pour moi, répondit Sapho, que je n'y puis rien
comprendre.

– Quand je vous l'aurai expliquée, répliqua-t-elle,
vous la comprendrez mieux, mais vous n'en serez pas
moins étonnée. Car enfin, le jour que vous montrâtes
des vers à Phaon et à Démocède, ce premier y trouva
des choses si passionnées qu'il conclut qu'il fallait de
nécessité que vous eussiez aimé, ou que vous aimas-

siez encore, et qu'il était impossible que vous pussiez écrire des choses si tendres sans avoir eu de l'amour. Si bien que, s'étant mis cette bizarre* fantaisie dans la tête, il a depuis cela souffert des maux incroyables et il n'a fait autre chose que chercher ce prétendu rival qu'il croit vous avoir inspiré toute la tendresse de vos vers.

– Mais, de grâce, Cydnon, interrompit Sapho, dites-moi sincèrement si ce que vous dites n'est point un jeu de votre esprit ? – Nullement, reprit-elle, et ce que je vous dis est si positivement* vrai que rien ne l'est davantage. En effet, le malheureux Phaon est si préoccupé* de cette imagination qu'après avoir pris les vers dont il s'agit présentement, au lieu de se les attribuer et de jouir de sa bonne fortune, il n'a fait autre chose que chercher des noms qui convinssent à ce vers qui n'était pas rempli ; et pour moi, je vous avoue que je conçois cela d'une si plaisante manière que, si ce n'était que je vous en vois en chagrin*, j'en rirais de tout mon cœur. Cependant, je ne laisse pas de vous prier sérieusement de chercher les voies de guérir le pauvre Phaon de sa jalousie, car mon frère me l'a représenté si misérable qu'il mérite d'être secouru.

– Mais, à ce que je vois, répliqua Sapho, Démocède a vu ces terribles vers qui me donnent tant de confusion et, après avoir dit cent fois que, si je voulais un amant, je ne voudrais pas qu'il eût de confident, je me vois exposée à avoir autant de confidents de ma faiblesse qu'il y a d'hommes à Mytilène. Ce n'est pas que je ne sache bien, ajouta-t-elle obligeamment, que Démocède est discret, mais, après tout, Cydnon, avouez la vérité, il devine mieux que Phaon. – Il ne me l'a pas dit, répliqua-t-elle, mais je lui ai assuré que ces vers n'étaient faits pour personne ou qu'ils l'étaient pour Phaon, car, comme il est son ami particulier*, j'ai cru par là l'engager à plus de discrétion et l'empêcher de s'aller informer à d'autres d'une chose dont je lui ai promis de lui rendre compte.

– Mais, Cydnon, quel compte lui pourrez-vous rendre, répliqua brusquement Sapho, qui ne me soit point désavantageux ? Car, de lui dire que j'aime Phaon, c'est une chose effroyable ; de lui jurer que je ne l'aime pas, il croira donc que j'en aime un autre ; de lui protester que je n'aime rien, dans la folie que Phaon a dans la tête, c'est augmenter sa jalousie sans me justifier. Cependant, je voudrais trouver un expédient qui l'empêchât d'être jaloux, qui me conservât son affection, qui cachât la mienne à Démocède et qui permît seulement à Phaon d'en deviner une partie.

– Pour moi, reprit Cydnon, vu comme mon frère m'a parlé, je crois qu'il sera difficile de guérir Phaon de sa jalousie si vous ne lui montrez toute la tendresse que vous avez pour lui. – Ah, Cydnon, répliqua Sapho, j'aime mieux qu'il soit éternellement jaloux que de lui faire voir toute ma faiblesse. – Vous ne vous souciez donc pas de conserver son cœur ? répondit Cydnon, car enfin vous savez mieux que moi que les longues jalousies détruisent l'amour. – Le fondement de celle de Phaon, reprit Sapho, a si peu de solidité que je ne crois pas qu'elle puisse durer longtemps.

– Au contraire, répondit ma sœur, c'est parce qu'elle n'a point de fondement qu'elle est difficile à chasser, car, si par exemple Phaon était positivement* jaloux de Nicanor, vous n'auriez qu'à le maltraiter et à ne le voir plus, pour faire cesser la jalousie. Mais, n'étant jaloux que parce que vous écrivez avec des sentiments si tendres et si passionnés qu'il s'est imaginé qu'il faut que vous aimiez quelqu'un, il n'est pas possible de le guérir qu'en lui donnant lieu de penser que vous n'aimez que lui et qu'en lui permettant de croire que les vers qu'il a vus lui appartiennent. – Comme j'ai bien deviné la passion qu'il a pour moi devant* qu'il me l'ait dite, répondit-elle, qu'il devine, s'il peut, la tendresse que j'ai pour lui, car, s'il ne le fait, il ne la saura jamais.

– Mais encore, dit alors Cydnon, faut-il lui dire précisément quelque chose de ces vers, où il n'y a point de nom : ne suffit-il pas qu'il voie, reprit-elle, que les

noms de tous les hommes qui pourraient être amoureux de moi n'y conviennent point, et que le sien y
convient, pour lui faire comprendre, ou qu'ils ne sont
faits pour personne, ou qu'ils sont faits pour lui ? – S'il
n'avait pas l'imagination préoccupée*, répliqua Cydnon,
ce que vous dites suffirait sans doute, mais, dans les
sentiments où il est, si la conservation de Phaon vous
est chère, il faut faire quelque chose davantage et souffrir du moins que mon frère le console dans sa douleur et lui donne quelque espérance. – Pourvu qu'il ne
puisse pas soupçonner que ce soit de mon consentement, reprit Sapho, Démocède peut lui dire ce qu'il
voudra pour lui persuader que je n'ai jamais rien aimé,
car, après tout, malheur pour malheur, je souffrirais
plus volontiers que Phaon crût que je l'aimasse que de
croire que j'eusse seulement souffert l'amour d'un
autre. »

Après cela, Sapho raconta à Cydnon tout ce que
Tisandre lui avait dit. « Ainsi vous voyez, lui dit-elle,
que le rival de Phaon est bien mieux informé de
l'affection que j'ai pour lui qu'il ne l'est lui-même. En
vérité, Cydnon, ajouta-t-elle, mon aventure est bien
bizarre*, car enfin Tisandre sait que j'aime Phaon et il
le sait avec tant de certitude qu'il m'en abandonne, et
Phaon, au contraire, est tout prêt de me quitter parce
qu'il croit que je ne l'aime point et que j'en aime un
autre. Ainsi, étant lui-même son propre rival, s'il faut
ainsi dire, il se fait plus de mal que tous ses rivaux ne
lui en font et il me réduit dans la plus fâcheuse
conjoncture où une personne de mon humeur se
puisse trouver. Car enfin les femmes ne doivent jamais
dire qu'elles aiment qu'en souffrant seulement d'être
aimées : c'est pourquoi, Cydnon, il faut laisser le soin
de cette aventure à la fortune.

– Mais prenez garde, répliqua-t-elle, que vous ne
vous repentiez de ce que vous dites. – Si je me repens
de ce que je dis, reprit Sapho, je ne ferai que ce que
j'ai déjà fait cent fois depuis que je connais Phaon,
puisqu'il est vrai que je me suis repentie d'avoir
demandé sa connaissance à Démocède et que je me

repens encore, de l'heure que je parle, de l'avoir aimé
et d'avoir fait les vers qui causent ce dernier désordre.
Et, pour vous découvrir tout ce que je pense, je sens
bien que, quoi que je vous puisse dire et que quoi que
je puisse faire, je m'en repentirai toute ma vie. En
effet, si je conserve Phaon par des soins indignes de
moi, j'en aurai un repentir éternel, et si je le perds par
une sévérité trop scrupuleuse, je m'en repentirai
jusqu'à la mort. »

Voilà donc, madame, en quelle assiette* Sapho avait
l'esprit lorsque ma sœur lui parla, de sorte que, connaissant bien qu'elle consentait qu'elle fît, pour guérir
Phaon de sa jalousie, tout ce qui ne l'engagerait point
trop, elle ne voulut pas la presser davantage et elle me
dit, après l'avoir vue, que Phaon avait tort, que je devais
lui conseiller de voir Sapho le plus tôt qu'il pourrait et
qu'assurément il n'avait point de rivaux qu'il dût
craindre. Mais, madame, ce qu'il y avait de rare* en
cette rencontre, c'est que Sapho avait l'esprit si
occupé des divers sentiments qui l'agitaient qu'elle ne
s'avisa point de se mettre en colère de la hardiesse
qu'avait eue Phaon de prendre ses vers dans son
cabinet*. Cependant, Cydnon agit si bien avec moi et
j'agis si adroitement avec Phaon que, quoiqu'il ne crût
pas positivement* tout ce que je lui disais, il ne laissa
pas de se résoudre d'aller chez Sapho et d'y aller avec
le dessein de lui dire tout ce qu'il avait dans l'âme.

Cependant, il arriva encore du changement dans
son esprit ; car, comme les grands ne peuvent jamais
se cacher, il y eut un bruit si universel dans Mytilène
que Tisandre avait résolu de ne voir plus Sapho, que
Phaon, s'imaginant que ce prince ne la quittait que
parce qu'il avait découvert qu'elle aimait quelqu'un, il
en eut un redoublement de jalousie qui rompit son
premier dessein. Ce n'est pas qu'en effet* il n'eût
raison de croire de Tisandre ce qu'il en croyait, mais,
comme il ne savait pas que c'était lui qui dégageait ce
prince de l'amour de Sapho, il tirait des conséquences
du changement de cet amant qui le rendaient très malheureux. Mais, à la fin, après avoir passé deux jours

dans cette incertitude, il se détermina tout d'un coup d'aller chez Sapho pour lui découvrir toute la grandeur de son amour et toute la violence de sa jalousie. Et en effet il fut le jour suivant de si bonne heure chez elle qu'il n'y trouva encore personne. De vous dire, madame, ce qu'ils sentirent en se revoyant, il ne serait pas aisé, car Sapho eut de la confusion de sa propre faiblesse et de la pitié de celle de Phaon, et cet amant eut tant de sentiments différents qu'on ne les saurait représenter, car il me dit qu'il avait senti redoubler son amour et sa jalousie et qu'il avait pourtant aussi senti renaître son espérance.

Mais enfin, après s'être salués presque avec une égale agitation d'esprit, Phaon demanda pardon à Sapho d'avoir été si longtemps sans la voir. « Mais, madame, ajouta-t-il, je ne sais si, après vous avoir demandé pardon de ne vous avoir pas vue, je ne dois pas encore vous le demander de ce que je viens vous revoir, car j'y viens avec la résolution de vous dire tant de choses différentes que je ne sais si je ne serai point assez malheureux pour vous en dire quelqu'une qui vous déplaise, quoique je sois résolu de ne vous dire rien qui ne soit digne de l'amour et du respect que j'ai pour vous. – Nous avons eu si peu de chose à démêler ensemble depuis que nous nous connaissons, répliqua-t-elle, que je ne sais ce que vous pouvez avoir tant à me dire. – J'ai à vous demander, madame, répliqua-t-il, si j'ai tort d'être le plus jaloux de tous les hommes ? J'ai à vous conjurer de me parler avec sincérité, j'ai à vous supplier d'avoir compassion de ma faiblesse, d'examiner bien la passion qui la cause, de peser toutes les raisons qui peuvent excuser ma jalousie et de vouloir, s'il est possible, ne me désespérer pas.

– Tout ce que vous me dites, répliqua Sapho, marque qu'il y a un si grand dérèglement dans votre esprit que je veux faire par pitié ce que je ne devrais pas faire par raison, si je n'écoutais que l'exacte justice et l'exacte bienséance. C'est pourquoi je veux bien écouter vos plaintes et souffrir même que vous me parliez de votre jalousie, quoique je n'aie guère enduré que vous m'ayez parlé de votre amour. Parlez donc, Phaon, lui dit-elle encore, et dites-moi de qui vous êtes jaloux ? – Je n'en sais rien, madame, lui dit-il, mais je sais bien qu'il y a des instants où je crois en avoir tous les sujets imaginables. Car enfin, madame, vous écrivez des choses si tendres qu'il faut que vous les ayez senties et vous avez fait des vers que j'ai eu l'audace de vous dérober qui me coûtent mille soupirs et qui me coûteront peut-être la vie, si vous n'avez la bonté de me dire des choses qui me guérissent.

– Mais encore, lui dit Sapho que faudrait-il vous dire pour vous guérir ? – Il faudrait, reprit-il, me pouvoir persuader qu'en effet* vous n'avez jamais rien aimé et que, si vous avez à aimer quelque chose, ce sera le malheureux Phaon. Mais, madame, comme cela n'est pas possible, je ne vous le demande point et je vous demande positivement* le véritable état de votre âme, quel qu'il puisse être, et je vous demande le nom de celui pour qui vous avez fait les vers que je pris dans votre cabinet*.

– Pour répondre en général à tout ce que vous me demandez, répliqua-t-elle, je vous dirai que j'écris tendrement, parce que naturellement j'ai l'âme tendre, et je vous assurerai ensuite que, si je dois donner de la jalousie à quelqu'un, ce ne doit pas être à vous. Car enfin, je vous le dis pour ma propre gloire, autant que pour votre repos : je n'avais rien aimé le jour que vous arrivâtes à Mytilène et je puis encore vous assurer que je n'ai rien fait depuis cela qui vous doive donner de la jalousie. Mais, pour témoigner que je dis vrai, je consens que vous observiez toutes mes actions, toutes mes paroles et même tous mes regards, et si, après les avoir observés, vous trouvez que vous deviez être jaloux, soyez-le jusqu'à la fureur et soyez persuadé qu'en vous permettant d'avoir de la jalousie, je fais pour vous ce que je n'ai jamais fait pour personne.

– Comme vous ne pouvez me permettre d'être jaloux, reprit-il, sans me permettre d'être amoureux, il faut, madame, que je vous remercie de cette permission, comme de la plus grande faveur du monde. Cependant, ajouta-t-il, je vous serais bien plus obligé de me dire précisément que vous voulez bien que j'aie de l'amour, que de m'assurer que vous souffrirez que j'aie de la jalousie : dites-moi donc, madame, je vous en conjure, s'il me peut être permis d'espérer que vous aurez un jour pour moi une partie de la tendresse que vous savez si admirablement exprimer ? Et n'aurais-je point trop de présomption de prétendre que vous puissiez un jour m'attribuer les vers qui m'ont donné une si cruelle jalousie ? Mais, madame, pour me rendre croyable une assurance si glorieuse, il faudrait avoir de la sincérité, il faudrait me dire ce que vous ne me dites pas, il faudrait me montrer votre cœur comme je vous montre le mien et ne me faire pas un secret de tout ce qui s'est passé dans votre âme, avant que je vous connusse. Car enfin, quand vous auriez aimé quelqu'un avant que j'eusse eu l'honneur d'être connu de vous, je n'aurais pas raison de m'en plaindre : ce n'est pas que je ne souhaitasse avec une passion étrange* d'avoir la gloire d'être le premier qui eût un peu attendri votre cœur, mais si cela n'est pas possible, je ne laisserai pas de m'estimer très heureux d'être le successeur d'un heureux rival. Parlez donc, divine Sapho, et dites-moi si je dois être jaloux, si je dois être heureux ou misérable, et, pour le dire en deux mots, si je dois vivre ou mourir ? »

Phaon dit toutes ces choses avec une action* si pleine de respect, il y avait dans le son de sa voix je ne sais quoi de si persuasif, et il regardait Sapho d'une manière si soumise et si passionnée, qu'enfin cette belle personne, ne pouvant se résoudre de maltraiter un amant qu'elle voulait conserver, lui parla avec tant d'adresse que, sans lui dire d'abord* qu'elle l'aimait, elle ranima son espérance, dissipa entièrement sa jalousie, augmenta sa passion et remit la joie dans son âme.

Enfin, madame, ces deux personnes qui, en commençant cette conversation, ne savaient que se dire et qui avaient dans le cœur mille sentiments qu'ils croyaient qu'ils ne se diraient jamais, se dirent, à la fin, toutes choses, et firent un échange si sincère de leurs plus secrètes pensées qu'on peut dire que tout ce qui était dans l'esprit de Sapho passa dans celui de Phaon et que tout ce qui était dans celui de Phaon passa dans celui de Sapho. Ils convinrent même des conditions de leur amour, car Phaon promit solennellement à Sapho, qui le voulut ainsi, de ne désirer jamais rien d'elle que la possession de son cœur, et elle lui promit aussi de ne recevoir jamais que lui dans le sien. Ils se dirent ensuite tout ce qui leur était arrivé de plus particulier* en leur vie, et, depuis cela, madame, il y eut durant très longtemps une union si admirable entre ces deux personnes qu'on n'a jamais rien vu d'égal. En effet, l'amour de Phaon augmenta avec son bonheur et l'affection de Sapho devint encore plus violente par la connaissance qu'elle eut de la grandeur de l'amour de son amant. Jamais l'on n'a vu deux cœurs si unis, et jamais l'amour n'a joint ensemble tant de pureté et tant d'ardeur. Ils se disaient toutes leur pensées, ils les entendaient même sans se les dire, ils voyaient dans leurs yeux tous les mouvements de leurs cœurs, et ils y voyaient des sentiments si tendres que, plus ils se connaissaient, plus ils s'aimaient. La paix n'était pourtant pas si profondément établie parmi eux que leur affection en pût devenir tiède et languissante, car, encore qu'ils s'aimassent autant qu'on peut aimer, ils se plaignaient pourtant quelquefois tour à tour de n'être pas assez aimés, et ils avaient enfin assez de petits démêlés pour avoir toujours quelque chose de nouveau à souhaiter, mais ils n'en avaient jamais d'assez grands pour troubler essentiellement leur repos [...] [1].

L'harmonie de cette union est toutefois altérée par quelques légers désaccords : Sapho souffre de ce que Phaon se montre curieux de ses moindres pensées ;

---

1. Le passage supprimé va de la p. 7076 à la p. 7135 ; il comprend l'« Histoire de Sapho : bonheur de Sapho et de Phaon ».

Phaon est attristé par la réticence de Sapho à l'encontre du mariage. Mais surtout, l'héroïne apprend, du lieu de villégiature où elle s'est retirée [1], que son amant ne semble pas particulièrement affecté par leur éloignement. Elle succombe alors à la jalousie. Heureusement, quand Phaon la rejoint, il parvient à la rassurer en lui révélant que la sérénité dont il a fait preuve en son absence n'avait d'autre origine que le bonheur que lui procurait le souvenir de leur amour.

Une fois que Sapho est de retour à Lesbos, les réunions de la petite société reprennent.

[…] D'abord Athys, Amithone et Érinne parlèrent de leur voyage et de leur retour, ce qui ne plaisait pas trop à Phaon, et elles en eussent même parlé beaucoup davantage, si Phylire ne fût arrivée et n'eût amené un étranger de fort bonne mine qu'elle présenta à Sapho, et que j'ai su aujourd'hui être frère de ce vaillant prisonnier qui s'appelle Méréonte, que l'invincible Cyrus sauva du milieu des flammes après l'avoir vaincu [2]. Mais, madame, cet étranger le parut si peu que personne ne douta qu'il ne fût d'une des plus polies villes de la Grèce et on ne soupçonna point du tout qu'il fût Scythe [3]. Il n'avait pourtant pas le teint ni les cheveux comme les ont ordinairement les Grecs, car il avait le teint assez blanc et il était même assez blond, mais, comme cela n'a pas de règle générale, personne, comme je l'ai déjà dit, ne douta qu'il ne fût d'une ville grecque, car non seulement il avait l'air d'un Grec, mais il parlait aussi notre langue avec beaucoup d'éloquence.

---

1. C'est dans cette maison de campagne que, lors d'une visite faite à Sapho, se déroule une conversation sur « l'air galant ». On trouvera une édition critique de ce texte dans le recueil procuré par D. Denis (« *De l'air galant* »…, *op. cit.*, p. 43-75).

2. L'épisode s'est déroulé au livre précédent [Partie X, Livre 1, « Cyrus passe à l'attaque », puis « Le combat dans l'incendie »].

3. Voir p. 504, note 2.

Sa personne même plaisait infiniment : sa taille n'est pourtant pas fort haute, mais elle est noble et bien faite ; il a l'action* libre et aisée ; tous les traits du visage beaux et agréables ; les yeux un peu languissants et la mine d'un homme de fort haute condition. De plus, il a l'esprit brillant et sage tout ensemble et il a même l'air galant et spirituel. Au reste, il pense les choses finement et les dit de même. Et cet illustre Scythe est enfin un des hommes du monde le plus aimable et le plus accompli.

Comme Sapho a toujours apporté un soin particulier de faire honneur aux étrangers qui l'ont été visiter quand ils ont eu du mérite, elle reçut celui-là avec cette civilité galante qui lui est si naturelle et, pour lui témoigner combien elle était agréablement surprise de le voir, elle se plaignit de toute la compagnie de ne lui avoir pas appris qu'il y eût un étranger aussi honnête homme que celui-là à Mytilène. « Il n'eût pas été aisé que personne vous l'eût pu apprendre, répliqua Phylire, car ce n'est que d'hier qu'un frère que j'ai, qui vient d'un très long voyage, me l'a amené, de sorte que, comme il ne s'est pas trouvé en état de vous le présenter, parce qu'il se trouve un peu mal et qu'il a lui-même besoin que je vous le présente quand il sera guéri, sachant que je venais ici, il a voulu que ce fût par mon moyen que Clirante [1] connût cette admirable personne, dont il a entendu parler avec tant d'estime dans toutes les villes de Grèce où il a séjourné.

– Si j'aimais plus la gloire que ma propre satisfaction, reprit Sapho, je devrais être marrie de voir un homme qui m'estime sans doute plus sans me connaître qu'il ne m'estimera après m'avoir connue, mais, comme je n'aime pas trop une estime mal acquise, j'aime mieux me voir en danger de perdre une partie de la sienne et me voir aussi en état de pouvoir acquérir quelque part à son amitié. – Ce

---

1. C'est le nom de l'« illustre Scythe », mentionné ici pour la première fois dans le texte du roman.

serait une assez mauvaise voie d'acquérir mon amitié, répliqua cet agréable étranger en souriant, que de détruire une partie de l'estime que j'ai pour vous. Mais, madame, vous êtes si assurée de ne le faire pas que, si la modestie ne permettait point de faire quelquefois d'innocents mensonges contre soi-même, vous n'auriez pas dit ce que vous venez de dire, car enfin, quoique vous n'ayez encore guère parlé, je ne laisse pas de croire que vous parlez toujours bien.

– Attendez du moins à me louer, répliqua galamment Sapho, qu'il puisse y avoir quelque vraisemblance aux louanges que vous me donnerez. C'est pourquoi faites-moi, s'il vous plaît, la grâce de ne me rien dire de flatteur, jusqu'à ce que vous ayez eu loisir de connaître si je suis digne des flatteries d'un aussi honnête homme que vous. – Vous êtes bien hardie, madame, reprit Clirante, de donner si promptement cette glorieuse qualité à un Scythe. – Je suis tellement en réputation de connaître bientôt le mérite des honnêtes gens, répliqua-t-elle, que j'ai une amie qui me dit quelquefois que je ne les connais pas, mais que je les devine. C'est pourquoi ne me soupçonnez point de juger des choses avec trop de précipitation, puisque c'est un talent particulier que j'ai que celui de ne me tromper guère au choix que je fais de ceux que je trouve dignes d'être loués. »

Après cela, toute la compagnie prenant part à cette conversation, elle fut fort agréable. Mais, comme Sapho ne pouvait assez s'étonner de la politesse de Clirante, elle lui demanda encore comment il était possible qu'on ne parlât pas plus de la politesse des Scythes que de celle des Grecs, s'ils étaient tous faits comme lui. « Le pays dont je suis, madame, reprit-il, est véritablement si près de la Scythie que quelques-uns nous confondent avec les Scythes, mais, si vous saviez quel il est, vous seriez aussi étonnée de ce que je ne suis pas plus poli que je ne le suis, que vous le paraissez être de ce que vous me le trouvez peut-être un peu plus que la plupart des Scythes ne le sont.

Cependant, je ne suis pas seulement scythe, mais je suis sauromate [1] d'origine, qui est encore quelque chose de plus rustique, car les mœurs des Sauromates sont tout à fait étranges. Il est vrai, pourtant, qu'encore que je sois sauromate, je suis d'un pays qui ne tient rien de leurs coutumes : aussi, nous appelons-nous les Nouveaux Sauromates, à la distinction des autres. Nous n'avons toutefois guère de commerce* avec eux, car, comme notre politique est de n'avoir point de voisins et de ne laisser pas corrompre nos mœurs par des mœurs étrangères, nous faisons ce que nous pouvons pour nous passer de toutes les choses que notre pays ne nous donne pas, afin de n'avoir pas besoin du commerce des autres nations.

– Ce que vous me dites, reprit Sapho, me semble fort beau et a même quelque rapport avec la conduite des Lacédémoniens [2] qui apportent un soin particulier à ne vouloir pas souffrir que les coutumes étrangères s'introduisent dans leur ville. Mais, lorsque vous me dites que vous n'avez point de voisins, j'avoue que je ne le comprends pas, et vous ferez sans doute plaisir à toute la compagnie, si vous vous voulez donner la peine de me le faire entendre et de me dire quelque chose de l'origine d'un peuple, et des coutumes d'un pays qui doit être fort agréable, s'il a beaucoup de gens qui vous ressemblent.

---

1. Les Sauromates sont mentionnés à plusieurs reprises par Hérodote. Habitant une contrée partiellement recouverte de déserts (IV, 21), située au-delà du fleuve Tanaïs qui marque la frontière avec le pays des Scythes, ils représentent une des peuplades les plus éloignées dans le monde connu des Grecs. Leurs coutumes sont présentées comme barbares, en particulier en ce qui concerne le comportement extrêmement viril de leurs femmes (IV, 116-117). Cette singularité s'explique par leur origine : les Sauromates sont des descendants de Scythes ayant pris pour femmes des Amazones. Les Scudéry, comme à leur habitude, reprennent certaines des données hérodotiennes et les mêlent à d'autres, totalement imaginaires.

2. La réputation d'autonomie des Lacédémoniens (ou Spartiates) est soulignée explicitement chez Strabon (VIII, 6, 18).

– De grâce, madame, répliqua Clirante, ne jugez
pas de mon pays par ce que je suis et, pour lui rendre
la justice que je lui dois, je veux bien vous dire quelque
chose de ce qu'il est. Vous saurez donc, madame, que
les Sauromates en général, que quelques-uns confondent avec les Scythes, comme je l'ai déjà dit, et que
d'autres en distinguent, ont toujours eu des coutumes
si bizarres* que leurs sacrifices mêmes ont quelque
chose qui marque la férocité de leur naturel ; car, au
lieu de bâtir des temples au dieu Mars qu'ils adorent,
ou de lui élever des statues, ils font un grand bûcher
où ils mettent le feu et puis, quand il est consumé, ils
plantent une épée au milieu de ce grand monceau de
cendre, devant laquelle ils sacrifient les prisonniers
qu'ils ont faits à la guerre ; encore est-ce ce qu'ils ont
de moins féroce et de moins extraordinaire. Ces
peuples ont même encore été plus cruels et plus sauvages qu'ils ne sont présentement, car le prince qui les
gouverne aujourd'hui les a, en quelque sorte, civilisés.

Mais enfin, dans le temps qu'ils étaient les plus sauvages, la fortune ayant mené parmi eux quelques-uns
de ces Grecs dont les Callipides [1] se disent être des-
cendus, ils s'habituèrent* en un endroit qui est le long
du fleuve Tanaïs et apprivoisèrent si bien quelques-
uns des principaux de ces Sauromates qu'ils leur
firent horreur de leurs coutumes en leur enseignant les
leurs ; de sorte qu'insensiblement ces Grecs acquirent
une telle autorité dans une assez grande étendue de
pays que ces peuples reconnurent un d'entre eux pour
leur chef, et la chose alla enfin si loin que, lorsque le
prince qui régnait alors sur les Sauromates voulut
s'opposer à cette faction, il s'y trouva fort embarrassé,
car il se fit un soulèvement si grand et si subit parmi
ces peuples qu'il fallut en venir aux armes. Mais,
comme ce Grec était vaillant et prudent* tout
ensemble, il ne put être vaincu par le prince des Sauromates. Au contraire, il fut contraint de laisser former

---

1. Autre peuplade établie dans les régions situées au-delà du Pont-
Euxin (voir Hérodote, IV, 17).

un petit État au milieu du sien, sans qu'il le pût empêcher. Car enfin, madame, cet illustre Grec ayant
ramassé tous ceux qui volontairement voulurent être
tout à la fois, et ses disciples, et ses sujets, il planta des
bornes aux lieux qu'il choisit pour leur habitation et,
non seulement il défendit ce petit pays contre ceux qui
l'en voulurent chasser, mais il fit même un dégât* si
grand à l'entour des terres qu'il avait choisies pour sa
demeure qu'il fit un grand désert de tous les lieux qui
environnaient son État, de sorte que, par ce moyen, il
n'était pas aisé de lui faire la guerre. Ainsi, après
l'avoir soutenue cinq ou six ans avec beaucoup de
gloire, le prince des Sauromates fut contraint de faire
la paix et de souffrir, dans le cœur de son État, un autre
petit État, environné d'un désert. Mais une des conditions de cette paix fut qu'il serait également défendu
aux sujets de l'ancien prince des Sauromates, et à
ceux de ce nouveau souverain, de cultiver les terres
que ce dernier avait fait laisser en friche, ni d'y bâtir
seulement des cabanes. Et, en effet, madame, cela a
été si rigoureusement observé par nos pères que, de
l'heure que je parle, il y a tout au moins trois grandes
journées de déserts à passer, de quelque côté qu'on
arrive au lieu où j'ai pris ma naissance : ainsi, on voit
un des pays du monde le mieux cultivé enfermé dans
un autre qui ne l'est point du tout, et l'on peut dire
que votre île n'est pas si absolument sans voisine que
mon pays, quoiqu'il soit en terre ferme, car il est bien
plus aisé de passer de Mytilène en Phrygie que de
mon pays aux autres qui l'environnent [1].

– Ce que vous me dites du lieu qui vous a donné la
naissance, répliqua Sapho, me semble si particulier et
si beau, et l'idée de ce petit État qui n'a point de voisins me plaît tellement que, si les femmes voyageaient

---

1. Cette description est à mettre en parallèle avec celle de Lesbos,
dans les premières lignes de l'« Histoire de Sapho ». Les conditions
géographiques de l'utopie sont encore renforcées dans le pays des
Nouveaux Sauromates qui, à l'exemple de celui de Thomas More
(*L'Utopie*, 1516), a été coupé de tout contact avec ses voisins par la
volonté humaine.

aussi souvent que les hommes, je pense que j'aurais la curiosité d'y aller.

– Votre curiosité, madame, répliqua Clirante, serait encore plus satisfaite que vous ne vous le sauriez imaginer [1], car cet illustre Grec qui fut notre premier prince n'enferma son État dans un désert que pour y renfermer toutes les vertus et toutes les sciences qu'il voulait inspirer dans l'âme de ses sujets et que pour empêcher les vices de leurs voisins de s'opposer à son dessein. En effet, madame, comme il avait beaucoup d'habiles gens avec lui, il établit un si bel ordre parmi ceux qui lui obéissaient qu'en fort peu de temps leurs mœurs furent entièrement changées, de sorte que, comme ce prince ne mourut qu'en la dernière vieillesse et qu'il eut loisir d'affermir ses lois et de laisser un fils assez avancé en âge et assez prudent pour les maintenir, il eut la satisfaction de voir tous les arts et toutes les sciences fleurir dans son État, et sa mémoire est encore si chère parmi nous que, lorsqu'on veut affirmer quelque chose, on l'affirme par le premier de nos rois.

– Mais, de grâce, lui dit alors Sapho, dites-moi encore quelques particularités de vos coutumes. – Comme elles sont presque toutes grecques, reprit Clirante, je vous ennuierais si je vous disais ce que vous savez mieux que moi, et il suffira que je vous die* ce que nous avons de particulier. Je ne vous dirai donc pas, madame, que nous pensons des dieux ce que vous en pensez, qu'à la réserve de quelques restes de cérémonies des anciens Sauromates que notre premier roi ne voulut pas abolir par politique, nos sacrifices se font comme les vôtres, et que notre ville, nos villages et nos maisons sont à peu près semblables à celles qu'on voit ici. Mais je vous dirai que notre État n'est pas fort grand, car il n'y a qu'une grande ville, cinquante bourgs, et deux cents villages. Bien est-il

---

1. La description des mœurs des Sauromates, développée dans les lignes qui suivent, ne trouve aucun fondement, ni chez Hérodote ni dans aucune source antique.

vrai que cette ville est une des plus agréables du monde et, s'il était permis aux étrangers d'y venir librement ou, quand ils y sont, d'en ressortir, sa réputation irait par toute la terre. Mais, comme c'est une de nos coutumes de ne souffrir presque jamais qu'un étranger qui vient parmi nous sorte de notre pays, notre réputation est renfermée dans les déserts qui nous environnent et nous, nous trouvant si heureux de n'envier point les autres et de n'être enviés de personne que nous, ne nous soucions pas de ce qu'on ne parle point de nous.

– Quoi, reprit Amithone, quand on va dans votre pays, on n'en sort point ? – On n'y est reçu qu'à cette condition, répliqua Clirante, car, comme il y a des gardes tout à l'entour et que, de quelque côté qu'on y arrive, on est toujours arrêté, on ne fait pas là ce que l'on veut et l'on n'y entre même pas si l'on n'en est jugé digne. En effet, quand il se trouve quelqu'un à qui l'envie prend de vouloir s'habituer* dans notre pays, les gardes l'arrêtent et le mènent au prince qui le donne durant trois mois [1] à examiner à des gens destinés à cela, afin de connaître ses mœurs et de voir s'il sait quelque chose qui le rende digne d'être reçu parmi nous. Et puis, quand cela est fait, on le fait jurer de ne sortir jamais du pays sans la permission du prince qui ne la donne que rarement, et on lui fait promettre aussi d'observer inviolablement toutes nos coutumes, en suite de quoi on lui donne du bien à proportion de sa qualité et de son mérite.

– Mais, quand il arrive que quelqu'un de votre pays veut voyager, reprit Sapho, faut-il aussi avoir la permission du prince ? – Oui, madame, répliqua Clirante, et on a bien de la peine à l'obtenir. Mais enfin, quand on l'a obtenue et qu'on retourne après en son pays, il faut subir le même examen que si on n'en était pas et il faut être examiné durant trois mois, afin de voir si les mœurs de celui qui revient ne se sont point

---

1. Les trois mois d'épreuves font écho aux trois mois imposés par Sapho à Phaon afin de lui prouver son amour.

corrompues durant son absence. Cette contrainte est sans doute un peu fâcheuse, ajouta-t-il, aussi fit-elle il y a environ un siècle qu'il y eut un soulèvement qui ne finit pas sans une petite guerre civile. Mais, à la fin, le prince qui régnait alors bannit tous les rebelles de son État et cette grande colonie fut s'habituer* vers un fleuve qui s'appelle le Danube, où ils ont pourtant établi les mêmes coutumes qui avaient fait leur rébellion, car ils ont fait un désert à l'entour de leur État, comme il y en a un à l'entour du nôtre.

Mais, madame, pour ne vous ennuyer pas par un trop long récit des choses qui regardent la politique et le gouvernement de mon pays, il faut que je vous die* seulement quelque chose de l'état présent de notre cour. Car enfin, madame, nous sommes gouvernés par une jeune reine [1] qui n'a qu'un fils et qui est une des plus accomplies princesses du monde. Comme tous les arts et toutes les sciences se trouvent parmi nous, ajouta-t-il, il ne faut pas s'imaginer que notre cour soit sans politesse. Au contraire, comme nous sommes presque toujours en paix, la galanterie y est en son plus grand lustre. On y a même fait des lois particulières pour l'amour et il y a des punitions pour les amants infidèles, comme il y en a pour de rebelles sujets. Enfin, la fidélité est en si grande vénération parmi nous qu'on veut même qu'on la garde aux morts. En effet, ceux qui se sont mariés par amour n'ont point la liberté de se remarier ; aussi leur en fait-on faire une déclaration publique. De plus, on va consoler un amant absent comme on console ici une personne en deuil, et on lui ferait un si grand reproche, si on le voyait en quelque lieu de divertissement

---

1. Pour d'autres exemples de gouvernement féminin dans *Le Grand Cyrus*, voir les passages relatifs à la reine Nitocris, mère du roi d'Assyrie [Partie II, Livre 2, « Histoire de Mandane : Nitocris et le roi d'Assyrie »], et à Tomyris, reine des Massagettes (p. 167-213 de ce volume), ainsi que l'« Histoire de Cléobuline, reine de Corinthe » [Partie VII, Livre 2].

durant l'absence de sa maîtresse, qu'il n'y en a point qui s'y expose.

– Nous en connaissons quelques-uns ici, interrompit Sapho en rougissant, qui auraient bien de la peine à garder cette coutume [1]. – Elle est si générale, répliqua Clirante, que, s'ils étaient parmi nous, il faudrait bien qu'ils l'observassent. Car enfin, comme celui qui fonda notre État voulut attacher ses sujets dans leur pays, il les y voulut enchaîner par l'amour : ainsi, la galanterie qui s'est conservée parmi nous étant un effet de sa politique, toutes les coutumes des amants sont aussi vieilles que notre État et sont presque aussi inviolables que celles de la religion. Ainsi, on ne peut changer de maîtresse sans aller dire les causes de son inconstance et la maîtresse aussi ne peut abandonner son amant sans avoir déclaré le sujet de son changement. De sorte que, comme la paix, l'oisiveté et l'abondance sont toujours parmi nous, on ne parle que d'amour dans toutes nos conversations, si bien que, comme ceux qui viennent en notre pays n'y peuvent venir sans passer par celui des anciens Sauromates, ils sont si épouvantés*, après avoir vu des peuples si sauvages et si brutaux, d'en trouver un si civilisé et si galant qu'ils ne peuvent se lasser de témoigner leur étonnement. De plus, comme notre fondateur était grec, la langue grecque s'est conservée parmi nous avec assez de pureté. Ce n'est pourtant pas le langage du peuple, mais il n'y a pas une personne de qualité qui ne le sache [2], et nous avons même des gens dans notre cour qui font des vers que la belle Sapho pourrait ne trouver pas indignes de ses louanges.

---

1. Allusion à l'« infidélité » de Phaon, lequel s'est montré peu affecté par l'absence de Sapho (voir le résumé, p. 563-564).

2. L'idée selon laquelle c'est auprès des élites que la langue trouve son état parfait et se conserve dans sa pureté connaît une grande faveur dans les milieux mondains du XVIIe siècle. Formulée par Vaugelas (*Remarques sur la langue française*, 1647), elle sera réaffirmée, entre autres, par D. Bouhours (« Sur la langue française », *Entretiens d'Ariste et d'Eugène*, 1671).

– Vous me dépeignez votre pays d'une si agréable manière, reprit Sapho, et vous autorisez* si bien, par votre présence, tout ce que vous en dites d'avantageux que, s'il n'était pas aussi éloigné qu'il est, je pense que je quitterais le mien pour y aller demeurer. »

Après cela, toute la compagnie se mêlant à cette conversation, Clirante s'en démêla si admirablement qu'il acquit l'estime de tout ce qu'il y eut de gens qui le virent. Mais, comme Sapho connaissait avec une promptitude étrange ce qui se passait dans le cœur de ceux qu'elle voulait observer, elle prédit dès cette première visite que Clirante aimerait Phylire et que Phylire ne haïrait pas Clirante, s'il faisait quelque séjour en leur île. Et, en effet, ce qui arriva ensuite fit bien voir qu'elle ne s'était pas trompée [...] [1].

Sapho, quant à elle, souffre de l'infidélité de Phaon, qui continue à se divertir en son absence. Elle tente de provoquer sa jalousie en favorisant Nicanor, qui n'a pas perdu tout espoir. Le stratagème ne fonctionne que trop bien : les deux rivaux se battent en duel. Condamné par le souverain Pittacus à l'exil pour une année, Phaon se réfugie en Sicile, où il renoue avec la belle stupide. Sapho, à cette nouvelle, décide d'écrire à son indigne amant une lettre de rupture.

[...] Cette lettre était sans doute fort propre à mettre la douleur dans le cœur de Phaon, mais, à dire

---

1. Le passage supprimé va de la p. 7147 à la p. 7163 et comprend : « Histoire de Sapho : la Scythie », puis « La vengeance de Sapho », « Exil et séparation » et « Nombreuses peines de Sapho ».

la vérité, je [1] lui en écrivis une autre qui acheva de l'affliger, car je lui faisais de si grands reproches de sa légèreté et je lui faisais si bien comprendre qu'il était exposé à perdre l'affection de Sapho que, dès qu'il eut vu, et sa lettre et la mienne, il changea de sentiments. En effet, quand il vint à penser que, peut-être, Sapho lui ôterait son cœur, il ne trouva plus de difficulté à quitter de médiocres* plaisirs pour en conserver un fort grand, si bien que, comme il ne pouvait imaginer nulle autre voie de guérir l'esprit de Sapho qu'en quittant la Sicile et qu'en se rendant auprès d'elle, il prit la résolution de venir déguisé à Lesbos, et, en effet, il se mit dans un vaisseau marchand et, se faisant descendre à un port qui est à la pointe de notre île, il fut se cacher chez un de ses amis qui avait une maison assez près de celle que Sapho avait à la campagne. Mais, dès qu'il y fut, s'étant informé du lieu où elle était et du lieu où j'étais, il sut que j'étais allé faire un voyage de quinze jours et que Sapho était chez elle sans autre compagnie que sa chère Agélaste [2] ; de sorte que, ne perdant pas une occasion si favorable et sachant les heures où elle avait accoutumé d'aller au bord de cette agréable fontaine* dont je vous ai fait la description, il fut se cacher dans ce petit bocage [3] qui l'environne jusqu'à ce qu'elle y vînt, laissant son cheval à cinquante pas de là sous la garde d'un esclave.

Mais, madame, à peine eut-il attendu un quart d'heure qu'il vit paraître Sapho avec son amie, mais il la vit si triste que, tout incapable qu'il était d'être sensible à la douleur, il en eut le cœur touché. Il est vrai

---

1. Ce *je* est toujours celui de Démocède, narrateur de l'« Histoire de Sapho ».

2. Le personnage a fait son apparition dans le passage résumé, *supra*, p. 574. C'est la nouvelle amie de Sapho. On trouve son portrait p. 7157-7158 de l'édition en ligne.

3. La dissimulation au sein du « bocage », qui permet de voir sans être vu, est un motif topique des romans baroques. Il est fréquent dans *Le Grand Cyrus* ; voir par exemple l'« Histoire d'Aglatidas et d'Amestris : méprise d'Aglatidas », puis « La méprise dans le bocage » [Partie I, Livre 3].

que je pense que la certitude d'être aimé si tendrement par la plus admirable personne du monde lui donna pour le moins autant de joie que la mélancolie de Sapho lui donna de douleur. Cependant, il voulut lui donner le temps de s'asseoir devant* que de se montrer, afin de se remettre un peu de l'agitation que cette vue lui donnait. Mais, le hasard ayant fait que ces deux filles s'assirent sur un siège de gazon qui était disposé de sorte qu'elles tournaient le dos à Phaon, il put s'approcher assez près d'elles pour ouïr ce qu'elles disaient, car le bocage est fort épais en cet endroit, et il marcha si doucement qu'elles ne le purent entendre. À peine furent-elles assises que Sapho, prenant la parole :

« Mais, ma chère Agélaste, lui dit-elle, je trouve si peu d'apparence* à ce que vous me dites que je ne sais si je vous dois croire : c'est pourquoi je voudrais bien savoir toutes les particularités de cette aventure. – Elles sont bien aisées à savoir, répliqua-t-elle, car enfin c'est de la bouche de Phylire que j'ai su après-midi, en partant de Mytilène pour revenir ici, que Clirante, qui est d'une si grande qualité qu'il est parent de la reine des Nouveaux Sauromates, est assez amoureux d'elle pour la vouloir épouser, pourvu qu'elle veuille suivre sa fortune et s'en aller à son pays ; de sorte que Phylire, qui aime pour le moins autant qu'elle est aimée et qui n'a personne à qui elle doive rendre compte de ses actions si ce n'est à son frère, qui veut bien qu'elle épouse Clirante, s'y résout et est prête de suivre cet illustre Sauromate. Mais, comme elle ne veut pourtant pas que la chose éclate qu*'elle ne soit partie, parce qu'elle a quelques parents qui s'y voudraient opposer, elle m'a confié tout son secret et m'a chargée de vous prier de lui prêter votre maison pour épouser Clirante, d'où elle partira aussitôt après pour s'en aller à cet aimable pays où il y a des lois si sévères contre les amants infidèles.

– Plût aux dieux, répliqua Sapho, que l'inconstant Phaon y fût pour y être puni de sa légèreté. Mais, Agélaste, ajouta-t-elle en soupirant, comme je sais que vous n'avez nul attachement à Mytilène et que diverses aventures de votre vie vous ont mise en état de n'avoir point de lieu au monde qui vous engage plus qu'un autre, ne pourrions-nous point suivre Phylire dans ce bienheureux pays de Clirante ? Car je vous avoue que je ne puis plus souffrir le séjour de Mytilène.

– Tant que Phaon sera dans votre cœur, répliqua Agélaste, je ne vous conseillerai pas d'aller en un lieu où il ne pourrait être reçu. – Tant que je ne serai pas dans celui de Phaon, reprit Sapho, je dois être bien aise d'être en lieu où je n'entende jamais parler de lui ; c'est pourquoi, ma chère Agélaste, si vous êtes capable de suivre ma fortune, nous suivrons celle de Phylire, car enfin il n'y a plus rien à Mytilène qui ne me déplaise : Charaxe y va revenir pour me persécuter ; tout le monde que j'y vois m'ennuie ; je n'y verrai jamais Phaon ou, si je l'y vois, je le verrai inconstant et je le verrai aussi digne de ma haine que je l'ai cru digne de mon affection.

– Ah, madame, s'écria-t-il en sortant du lieu où il était caché et en se mettant à genoux devant elle, ne traitez pas avec tant d'injustice le plus fidèle de tous les hommes ; et, pour vous témoigner que je dis vrai, ajouta-t-il en lui prenant la main sans qu'elle s'en pût défendre tant elle était surprise de le voir, souffrez, madame, que j'aille avec vous dans ce bienheureux pays où les amants infidèles sont si rigoureusement punis ; car, comme je ne serai jamais absent de vous en ce lieu-là, je n'y craindrai pas les lois qui sont faites contre ceux qui se divertissent en l'absence de leurs maîtresses.

– Quoi, Phaon, lui dit Sapho en retirant sa main d'entre les siennes, vous avez l'audace de parler comme vous faites, après votre dernier crime* ? – Oui, madame, lui dit-il, l'amour que j'ai dans l'âme me rend si hardi que j'ose vous conjurer de faire pour moi ce que je viens d'apprendre que Phylire veut faire pour Clirante. Car enfin, n'est-il pas vrai que, tant que je suis auprès de vous, je suis le plus fidèle amant de la terre ? Menez-moi donc en un lieu d'où je ne puisse sortir et où je ne puisse vous perdre de vue, et vous trouverez en moi le plus constant amant du monde. Ce n'est pas, ajouta-t-il, que je tombe d'accord que mes faiblesses me puissent faire mériter le nom d'inconstant, car il est vrai, madame, que je n'ai jamais été un moment sans vous adorer depuis que je vous connais. J'avoue que j'ai une âme qui s'attache au plaisir et qui fuit la douleur, mais, après tout, dès que j'ai su que je pouvais craindre de vous perdre, j'ai quitté tout ce que vous vous imaginez qui vous dérobait mon cœur et je suis revenu vous demander à genoux la grâce de ne vous abandonner plus. Je sais bien que je n'oserais paraître à Mytilène et que j'en suis exilé encore pour longtemps, mais, s'il est vrai que vous m'aimiez, vous vous en exilerez pour l'amour de moi. Car enfin, madame, je vous le dis comme je le sens, je ne veux plus m'éloigner de vous et j'y suis si fortement résolu que, quand je saurais que Pittacus me devrait faire arrêter demain, je ne m'en irais pas aujourd'hui. En effet, j'aimerais bien mieux être son prisonnier que de n'être plus votre esclave, et il n'y a enfin aucun supplice que je ne choisisse plutôt que de m'exposer à vous perdre. Voyez donc, madame, lui dit-il, si vous êtes capable de prendre une résolution hardie : j'ai quitté la Sicile sans peine dès qu'il s'est agi de me justifier auprès de vous, quittez donc Lesbos sans répugnance afin que vous puissiez être assurée de moi. Je ne vous prescris aucun lieu de la terre, madame, ajouta-t-il, puisqu'il n'y en a aucun où je ne puisse vivre heureux pourvu que je vous y voie et que vous soyez pour moi ce que vous étiez autrefois et ce que je veux espérer que vous êtes encore, malgré toutes mes faiblesses.

– Mais, Phaon, est-il possible, lui dit alors Sapho, que vous sentiez ce que vous dites ? Et puis-je croire qu'un homme qui est capable de lier quelque commerce* avec une aussi stupide personne qu'est celle dont je vous ai renvoyé un billet [1] puisse encore avoir

---

1. La « belle stupide » sicilienne avait envoyé à Phaon un billet dont la formulation était ridicule ; Sapho en avait eu connaissance. L'épisode est relaté p. 7160-7163 de l'édition en ligne.

de la tendresse pour une autre qui ne lui ressemble pas ? Parlez donc, Phaon, m'avez-vous aimée ? Avez-vous cessé de m'aimer ? M'aimez-vous encore ? Ou avez-vous recommencé d'avoir de l'affection pour moi ? Et dois-je enfin regarder l'amour que je vois dans vos yeux comme une amour fidèle, comme une amour feinte ou comme une amour ressuscitée ? – Regardez-la, madame, reprit-il, comme une amour immortelle, qui peut quelquefois se cacher quand vous ne me voyez pas, mais qui ne peut jamais finir. C'est pourquoi, pour vous mettre en repos et pour me rendre heureux, voyez-moi toujours et rendons, s'il vous plaît, notre fortune inséparable. »

Après cela, Sapho lui dit encore beaucoup de choses, où Agélaste se mêla aussi, et elle voulut même qu'il lui avouât ingénument* sa dernière faiblesse en lui racontant ce qui lui était arrivé en Sicile. Mais il le fit avec tant de sincérité que Sapho en fut satisfaite. « Oui, madame, lui dit-il, j'avoue que, trouvant en ce lieu-là une personne que j'avais aimée avant vous, et ne la trouvant pas plus insensible la seconde fois que la première, je lui ai donné quelques heures et que je n'ai pu lui dire que j'avais changé de sentiments pour elle. Mais, après tout, madame, elle ne m'a jamais donné que des joies imparfaites et mon cœur n'a jamais été engagé. J'ai même reçu quelquefois avec chagrin* des marques d'affection assez tendres et je me suis toujours vu tout prêt à la quitter sans peine dès que vous me rappelleriez. Enfin, madame, j'ai été faible, sans être infidèle : mes yeux ont sans doute* trouvé que vous n'êtes pas seule belle au monde, mais mon cœur n'a rien trouvé qu'il pût aimer véritablement que l'admirable Sapho. Revenez donc à moi, madame, comme je reviens à vous et redonnez-moi cet illustre cœur dont vous m'aviez fait un présent si précieux, mais redonnez-le-moi, je vous en conjure, avec toute sa tendresse, et, pour vous assurer contre la faiblesse du mien, choisissez, si vous le voulez, une île déserte où nous allions vivre ensemble et où je ne puisse rien aimer que le bruit des fontaines*, le chant des oiseaux et l'émail des prairies [1], car, pour moi, je vous déclare que vous m'êtes toutes choses et que, pourvu que je vous voie, je n'aurai rien à désirer. Je pourrais même être aveugle, ajouta-t-il, que je pourrais encore être heureux : en effet, quand je ne ferais que vous entendre parler, ma félicité serait encore assez grande et les seuls charmes de votre esprit, sans être secondés de ceux de votre beauté, pourraient encore me rendre heureux.

Jugez donc, madame, si, vous voyant et vous entendant, je n'aurai pas sujet d'être le plus heureux amant du monde, pourvu que vous veuillez que je vous voie et que je vous entende toujours. Toutes les autres personnes que j'ai pratiquées savent si mal l'art d'obliger que leurs plus grandes faveurs ont moins de douceur que les plus petites que vous faites. En effet, vous savez si admirablement comment il faut faire sentir les grâces à ceux à qui vous les voulez faire que jamais nulle autre que vous ne l'a su comme vous le savez. Vous préparez les cœurs à la joie par de légères inquiétudes, vous faites connaître avec adresse la difficulté que vous avez à faire ce que vous faites pour en redoubler l'obligation, et vous savez même pour quelques moments ôter l'espérance d'un bien que vous voulez accorder, afin qu'on en soit plus agréablement surpris. Aussi est-ce dans cette pensée, madame, que je veux croire que vous ne m'avez pas encore dit que vous me pardonnez, afin de me surprendre plus doucement par un oubli général de ma faiblesse. »

Après cela Phaon dit encore beaucoup de choses tendres et touchantes à l'admirable Sapho, qui y répondit durant longtemps comme une personne qui ne voulait pas lui pardonner, mais, à la fin, sa colère l'abandonnant malgré elle, il ne lui fut pas possible de le désespérer tout à fait. De sorte que, prenant un milieu entre ces deux extrémités, elle lui permit d'espérer qu'il la pourrait apaiser et elle lui promit que, le lendemain à la même heure, il la pourrait voir

---

1. Éléments de décor caractéristiques de l'églogue, genre lyrique prisé des mondains.

au même lieu. Mais, enfin, madame, pourquoi vous tenir plus longtemps en peine de la fin de cette aventure ? Sapho passa la nuit à examiner avec Agélaste la résolution qu'elle devait prendre et, après l'avoir bien examinée, elle conclut qu'elle ne pouvait vivre heureuse sans être aimée de Phaon et qu'elle ne pouvait jamais être assurée de son affection tant qu'elle serait éloignée de lui. Si bien qu'après avoir encore considéré l'état de ses affaires et celui de Mytilène, elle se résolut de tirer de Phaon une grande preuve d'amour en l'obligeant de la suivre dans le dessein qu'elle avait d'aller avec Phylire, et en l'obligeant d'y aller même avec la certitude de ne l'épouser jamais et de se contenter de toutes les innocentes marques d'affection qu'elle lui avait données dans le temps où ils étaient tout à fait bien ensemble.

De sorte que, comme la chose pressait, parce que Phylire devait se marier chez elle dans huit jours et partir dès le lendemain de ses noces, Sapho dit le jour suivant à Phaon tout ce qu'elle avait à lui dire. Il accepta d'abord avec joie la proposition d'aller avec elle au pays des Nouveaux Sauromates, mais il ne lui promit qu'avec beaucoup de répugnance de ne la presser jamais de l'épouser. Néanmoins, comme elle lui permettait de l'aimer tendrement et qu'elle lui promettait de l'aimer de même, il lui promit à la fin tout ce qu'elle voulut, si bien qu'après cela Sapho s'estima la plus heureuse personne du monde et Phaon se crut aussi le plus heureux amant de la terre. Comme Agélaste n'avait ni père ni mère et qu'elle avait perdu tout ce qui lui pouvait rendre Lesbos agréable, elle suivit la fortune de Sapho, qui quitta son pays avec autant de joie que Phaon en eut aussi à l'abandonner, car ils se donnaient tous deux une si grande marque d'amour en cette occasion, par la résolution qu'ils prenaient, que la joie qu'ils avaient de connaître combien ils s'aimaient fit qu'ils quittèrent leur patrie sans aucune peine (du moins le vaillant Méréonte me l'a-t-il assuré ainsi en me racontant les dernières choses que je viens de vous raconter et que je ne pourrais avoir sues sans lui). En effet, je n'étais pas à Mytilène lorsque cela se passait, ma sœur était en Phrygie, et, quand même nous eussions été auprès de Sapho, je pense qu'elle ne nous aurait pas dit son dessein, de peur que nous ne nous y fussions opposés. Ce qui l'y porta le plus fortement fut que, sachant qu'il n'y avait qu'une ville dans ce petit État des Nouveaux Sauromates, elle comprit qu'il ne serait pas aisé que Phaon fût souvent éloigné d'elle, si bien qu'étant satisfaite de son amour tant qu'il la voyait, elle espéra qu'elle serait toujours contente de lui en ce lieu-là, puisqu'il ne pourrait en être longtemps absent.

Cependant, Agélaste ayant dit le dessein de Sapho et de Phaon à Phylire et à Clirante, ils en eurent une joie extrême, car, comme cet illustre Sauromate savait qu'il n'y avait aucune de toutes ces personnes qui n'eût tout ce qu'il fallait pour être reçue en son pays, et que, de plus, il savait le crédit qu'il avait auprès de la reine qui gouvernait alors cet État, il ne douta point qu'il ne fît recevoir toute cette belle troupe d'une manière fort avantageuse. De sorte que Clirante, allant chez Sapho pour achever de lier cette grande partie*, Phaon, qui était toujours chez cet ami qu'il avait dans le voisinage de cette admirable fille, s'y rendit, et il se fit une si belle amitié entre ces deux amants, et entre Sapho, Phylire et Agélaste, qu'il n'y a jamais rien eu de plus tendre. Ce qu'il y avait de commode au voyage qu'ils entreprenaient était qu'ils n'avaient que faire de songer à leur établissement, car, outre que Clirante les assurait qu'il avait plus de bien qu'il n'en fallait pour les faire subsister avec éclat et qu'il ne pouvait être soupçonné de mensonge, parce que le frère de Phylire savait de certitude qu'il disait vrai, c'est encore que la coutume de ce pays est, comme je l'ai déjà dit, que le prince donne aux étrangers qu'il reçoit dans son État autant de bien qu'il leur en faut pour leur subsistance, selon leur condition et leur mérite.

Cependant, comme Sapho partait avec le dessein de ne revenir jamais, elle disposa de son bien comme

si elle eût dû mourir et laissa les tablettes* dans quoi sa
volonté était expliquée entre les mains d'un vieux
parent qu'elle avait, avec ordre de ne les ouvrir que
dans un mois. Après quoi, les noces de Clirante et de
Phylire se firent secrètement. Mais, dès le lendemain,
cette belle troupe s'embarqua avec intention d'aller
passer le Bosphore de Thrace et d'entrer après dans le
Pont-Euxin pour aller prendre terre au-dessus du
Palud Méotide [1]. Mais à peine se furent-ils embarqués
qu'il se leva une tempête qui changea bien leur route,
car après les avoir ballottés de cap en cap et de rivage
en rivage, elle les jeta en Épire, au pied d'un grand
rocher qui est battu de la mer Leucadienne [2] et sur
lequel est bâti un temple d'Apollon. Ce rocher a
même encore une chose fort remarquable, car on dit
que ce fut de là que Deucalion, quand il était amoureux en Thessalie, se jeta dans la mer et qu'il y guérit
de sa passion. Cependant, après que cette belle troupe
eut rendu grâce au dieu qu'on adorait en ce lieu-là et
que le vaisseau qui la portait fut radoubé, elle se rem-
barqua et continua sa route heureusement, comme me
l'a dit Méréonte.

Mais, madame, avant que j'achève de vous dire ce
que j'ai appris de lui, il faut que je vous représente
l'étonnement de tout ce qu'il y avait d'honnêtes gens à
Mytilène lorsque ce parent de Sapho ouvrit les
tablettes dans quoi elle avait déclaré ce qu'elle voulait
qu'on fît de son bien. Car enfin, lorsqu'elle était
partie, elle avait prétexté son voyage de l'accomplisse-

---

1. Il s'agit de l'actuelle mer d'Azov (voir, à la rubrique
« Iconographie » du site « Artamène », la carte de l'Empire perse
que propose l'édition de 1659 de l'Hérodote de Du Ryer). Pour y
parvenir depuis Lesbos, on doit effectivement passer le Bosphore,
puis traverser la mer Noire (Pont-Euxin).

2. L'île de Leucade et l'Épire sont situées sur la mer Ionienne, de
l'autre côté de la péninsule grecque, donc extrêmement loin de
Lesbos et du Bosphore. Le rocher de Leucade était célèbre dans
l'Antiquité pour avoir été le théâtre de plusieurs suicides amoureux.
La mention de l'existence d'un temple à son sommet, ainsi que
l'histoire de Deucalion, figurent dans l'héroïde « De Sapho à
Phaon » d'Ovide (v. 163-172).

ment d'un vœu qu'elle disait avoir fait à Neptune qui avait un temple à trois journées de Lesbos. Mais, lorsqu'on vit qu'elle disposait de son bien comme une personne qui n'y prenait plus de part*, on ne sut plus qu'en penser. Cependant, pour marquer sa générosité, elle le laissa presque tout entier à Charaxe, quoiqu'ils fussent très mal ensemble. Mais, pour toutes les choses qui étaient dans son cabinet*, elle les donna à ses amies et à ses amis, sans rien dire, ni du dessein qu'elle avait, ni du lieu où elle allait, si bien que chacun en pensa et en dit ce que bon lui sembla. Comme il s'était épandu quelque petit bruit qu'elle n'était pas contente de Phaon, parce qu'il était devenu amoureux en Sicile et qu'on ne savait point qu'il fût revenu auprès d'elle, les uns crurent qu'elle était allée le trouver et les autres dirent qu'elle s'était précipitée. Et, en effet, cette dernière croyance a été la plus générale, quoiqu'elle ne soit pas vraisemblable, de la manière qu'on la raconte à Mytilène. Car, comme on avait su que Sapho avait été à sa maison de la campagne, avant que de s'embarquer, le peuple, qui aime les choses extraordinaires et merveilleuses et qui les croit même quelquefois plus facilement que les vraisemblables, dit que, comme elle était au bord de cette agréable fontaine* que je vous ai décrite et qu'elle y était pour se plaindre de l'infidélité de Phaon, une naïade [1] lui apparut, qui lui dit qu'elle s'en allât en Épire, qu'elle se jetât dans la mer à l'endroit même où Deucalion s'était autrefois jeté et qu'elle y guérirait de sa passion comme il avait été guéri de la sienne, ajoutant ensuite que Sapho avait, à l'instant même, obéi à la naïade, qu'elle était allée en Épire, qu'elle s'y était précipitée, et que la mort l'avait en effet guérie de son amour [2].

Mais, à dire la vérité, les gens un peu éclairés n'ont pas cru une histoire si éloignée de toute vraisemblance, car nous connaissons Sapho pour être trop

---

1. Nymphe des sources, des rivières et des lacs.
2. Voir Ovide, *Héroïdes*, v. 175 *sq.*

sage pour faire une pareille chose. Joint qu'après que
je fus retourné à Mytilène, je fis une perquisition si
exacte qu'enfin cet ami de Phaon chez qui il avait été
caché durant quelques jours me découvrit confidem-
ment qu'il avait été chez lui, qu'il avait vu Sapho très
souvent et qu'il était parti avec elle, mais, comme il
n'en savait davantage, je n'étais guère plus savant du
dessein de mon ami. J'avais pourtant toujours la satisfaction de savoir que Sapho n'était pas morte et que
Phaon était heureux, car je jugeais bien qu'ils ne s'en
seraient pas allés ensemble sans avoir fait une grande
réconciliation. Mais ce qu'il y avait de rare* était
qu'encore que Phylire, son frère et Agélaste eussent
disparu aussi bien que Sapho, on n'en parlait presque
point, et son aventure occupait tellement tous les
esprits qu'on ne parlait que d'elle seulement. Cependant, le pauvre Nicanor profita de cette conjoncture,
car, lorsqu'on lui dit que Sapho s'était précipitée
parce qu'elle avait su que Phaon était infidèle, il guérit
de sa passion, lui semblant qu'il ne devait plus aimer
la mémoire d'une personne qui avait eu une amour si
forte pour un autre. Damophile, de son côté, fut la
seule qui se réjouit de la perte de Sapho, et elle s'en
réjouit parce qu'elle se crut alors seule savante à Mytilène.

Mais, enfin, madame, après que ma sœur fut
revenue de Phrygie, nous découvrîmes encore que
Clirante avait épousé Phylire avant que de partir, si
bien que, comme nous nous souvenions d'avoir
entendu faire une description admirable à Clirante des
lois de son pays, nous pensâmes que c'était là que
Sapho, Phaon et Agélaste étaient allés, et nous en dou-
tâmes si peu que je pris la résolution de m'en éclaircir
moi-même et d'entreprendre le voyage que j'ai fait
avec Léontidas que je rencontrai. Cependant, je puis
dire que ce voyage m'a bien et mal réussi, car enfin
j'ai su par le vaillant Méréonte que Sapho et Phaon
ont été reçus par la reine des Sauromates avec des
honneurs qu'on n'avait jamais rendus à nuls autres
étrangers, que cette admirable fille est logée dans le

palais de cette reine, que Phaon l'est dans celui de Clirante, qu'ils font tous deux les délices de cette cour et
qu'Agélaste y a acquis le cœur de tous les honnêtes
gens. Mais ce qui est le plus considérable, c'est que
Phaon est présentement le plus fidèle amant du
monde et que Sapho est la plus heureuse personne de
la terre, car enfin, elle est adorée dans cette cour, c'est
elle qui distribue toutes les grâces que la reine des
Sauromates fait aux autres et elle voit Phaon avec une
passion ardente et durable.

Ils ont pourtant eu un petit démêlé* depuis qu'ils
sont là, car, comme il y a des lois pour l'amour et des
juges qui ne connaissent que des choses qui regardent
cette passion, Phaon prétendit devoir les obliger à
condamner Sapho à lui permettre d'espérer de
l'épouser un jour, si bien qu'il fallut, selon les lois du
pays, que Sapho plaidât sa cause et que Phaon soutînt
la sienne, ce qu'ils firent tous deux admirablement.
Mais, à la fin, Sapho fit connaître si adroitement que,
pour s'aimer toujours avec une égale ardeur, il fallait
ne s'épouser jamais, que les juges ordonnèrent que
Phaon ne l'en presserait point, déclarant que c'était
une grâce qu'il devait attendre d'elle seulement et que
cependant il s'estimerait le plus heureux et le plus glorieux amant de la terre d'être aimé de la plus parfaite
personne du monde, et d'une personne encore qui ne
lui refusait sa possession que parce qu'elle voulait toujours posséder son cœur ; de sorte que, depuis cela, ils
ont vécu dans la plus douce paix qu'on se puisse imaginer et ils jouissent enfin de tout ce que l'amour
galante, délicate et tendre, peut inspirer de plus doux
dans les cœurs qui en sont possédés.

Mais ce qu'il y a de cruel pour moi est que Méréonte
m'a dit que Sapho et Phaon ont eu tant de peur que
quelqu'un de Mytilène n'allât troubler leur repos qu'ils
ont obligé la reine à faire une défense exacte de recevoir
nuls étrangers dans ce pays-là durant dix ans, de sorte
que, cela étant ainsi, il me serait inutile d'achever mon
voyage, et je m'en retournai sans pouvoir même faire
croire à Mytilène que Sapho n'est pas morte. Joint

que, dans le dessein qu'elle a de n'être pas troublée dans sa félicité, je pense que je dois ne dire pas ce que je sais de son dessein, de peur que quelques-uns de ses anciens amants n'allassent la chercher jusqu'au lieu où elle est, ou qu'on ne dît des choses contre elle qui seraient pires que ce qu'on en dit [1]. Ainsi, durant que Sapho jouira de la bonne fortune qu'elle mérite, on la croira morte par toute la Grèce et on l'y croira toujours, car j'ai su que le vaisseau qui la porta périt en s'en revenant, de sorte que, durant que cette admirable lesbienne écrit sans doute tous les jours des choses galantes et passionnées, tout ce qu'il y a d'hommes illustres en Grèce font des épitaphes à sa gloire [2].

1. Allusion probable à la réputation d'homosexualité de Sapho (voir notice, p. 434).

2. Sapho, à l'époque de Madeleine de Scudéry, est connue avant tout par les nombreux commentaires de sa poésie que proposent d'« illustres » Grecs – en fait, des compilateurs de l'époque alexandrine. Le phénomène est particulièrement flagrant dans l'édition d'Henri Estienne publiée en 1566 : les deux poèmes et les divers fragments présentés le sont toujours au travers de citations élogieuses d'autres auteurs antiques.

SYNOPSIS [1]

Partie I

LIVRE 1

Cyrus-Artamène recherche désespérément Mandane dans la ville de Sinope en flammes. Il retrouve bientôt le ravisseur de la jeune fille, qui n'est autre que son rival, le roi d'Assyrie. Mais ce dernier s'est à son tour fait ravir Mandane par un autre soupirant dénommé Mazare. Ce deuxième ravisseur, qui s'est enfui par la mer, est retrouvé mourant sur le rivage à la suite du naufrage de son vaisseau. Mandane passe pour morte (**p. 60-99**). Cyaxare, roi de Médie et père de la jeune fille, fait arrêter Cyrus-Artamène.

LIVRE 2

Les amis de Cyrus-Artamène s'efforcent de trouver les moyens de le libérer. Ils font le récit de l'histoire du héros aux officiers de l'armée de Cyaxare.

---

1. Les passages mis en évidence par la surimpression indiquent les extraits sélectionnés dans ce volume. Rappelons que l'on trouve, sur le site « Artamène », un résumé du roman à deux niveaux, immédiatement disponible, « par défaut », une fois sélectionnés la partie et le livre désirés [barre de menu de gauche]. On peut également consulter le résumé que procure R. Godenne (*Les Romans de Mlle de Scudéry*, Genève, Droz, 1983, p. 68-82), ainsi que le répertoire des conversations proposé dans le même ouvrage (p. 345-350).

Histoire d'Artamène

Cyrus, héritier du trône de Perse, cache sa véritable identité sous le nom d'Artamène. À Sinope, il tombe amoureux de Mandane et se découvre un rival, Philidaspe (on apprendra plus tard qu'il s'agit du roi d'Assyrie). Les deux vaillants guerriers se mettent au service de Cyaxare pour délivrer la princesse enlevée par le roi de Pont. Après avoir fortement contribué à la victoire, Cyrus et le roi d'Assyrie se battent en duel. C'est Cyrus qui l'emporte.

LIVRE 3

Pour divertir Cyrus-Artamène lors de son séjour en prison, Aglatidas lui raconte son histoire.

Histoire d'Aglatidas et d'Amestris

Aglatidas est contraint de s'éloigner d'Amestris qu'il était sur le point d'épouser. Il succombe alors à une jalousie maladive qui l'amène à croire à l'infidélité de sa maîtresse. En représailles, Amestris se résout à épouser Otane, un soupirant pour lequel elle éprouve de l'aversion.

PARTIE II

LIVRE 1

Les officiers de l'armée de Cyaxare écoutent la suite de l'histoire du héros.

Suite de l'Histoire d'Artamène

Disparu lors de la bataille victorieuse contre le roi de Pont, Cyrus est recueilli et soigné par une inconnue qui le prend pour un certain Spitridate. Il est ensuite envoyé en émissaire auprès de Tomyris, reine des Massagettes, qui tombe amoureuse de lui. Quand il revient à Sinope, c'est pour apprendre l'enlèvement de Mandane par le roi d'Assyrie. Cyrus, à qui la princesse avait auparavant laissé entrevoir ses sentiments, conquiert Babylone dans l'espoir d'y retrouver les fugitifs. En vain. Rentré à Sinope, il découvre la ville en feu (le récit rétrospectif rejoint ainsi la première scène du roman).

LIVRE 2

On apprend que Mandane est en vie. Martésie, sa suivante, fait le récit de ce qui est arrivé à sa maîtresse.

Histoire de Mandane

Mandane a été enlevée par le roi d'Assyrie, puis – comme on l'a appris dans la Partie I, Livre 1 – par Mazare. Elle n'est pas morte dans le naufrage du vaisseau de ce dernier, mais a été recueillie par le roi de Pont, qui la tient enfin entre ses mains. Ce troisième ravisseur semble l'avoir emmenée en Arménie.

LIVRE 3

Toujours emprisonné, Cyrus écoute l'histoire de Philoxipe et de Polycrite.

Histoire de Philoxipe et de Polycrite

Philoxipe, personnage en vue de la cour de Chypre, tombe amoureux d'une mystérieuse bergère dénommée Polycrite. Malgré plusieurs difficultés, il demeure fidèle à son amour secret. Finalement il découvre que la jeune fille est fille de Solon. Il peut ainsi l'épouser.

Cyaxare, qui a appris que Cyrus-Artamène est amoureux de sa fille Mandane, ordonne son exécution.

PARTIE III

LIVRE 1

L'armée de Cyaxare se révolte. À cette occasion, les amis de Cyrus parviennent à le faire échapper. Le souverain, capturé, puis libéré par son ancien prisonnier, lui confie les pleins pouvoirs après avoir reconnu ses erreurs.

Histoire des amants infortunés

L'évocation des malheurs amoureux de Cyrus amène quelques amis de ce dernier à débattre de la plus grande adversité en ce domaine. On écoute quatre amants défendre chacun leur point de vue, à partir du récit de leurs propres infortunes : l'« Amant absent », l'« Amant non aimé », l'« Amant en deuil », l'« Amant jaloux » (**p. 228-432**).

LIVRE 2

Cyrus se rend avec son armée en Arménie, où on lui a signalé la présence d'une princesse étrangère captive. Elle est délivrée, et l'on s'aperçoit alors qu'il s'agit non de Mandane, mais d'Araminte, qui raconte à Cyrus son histoire.

Histoire de la princesse Araminte et de Spitridate

Araminte, sœur du roi de Pont, et Spitridate, héritier du trône de Bithynie et sosie de Cyrus, sont issus de deux familles ennemies. Leur relation se développe dans le tumulte des péripéties résultant de l'enlèvement de Mandane.

LIVRE 3

Cyrus assiège le roi d'Arménie. Entre deux escarmouches, il trouve l'occasion d'écouter l'histoire de Thrasybule.

Histoire de Thrasybule et d'Alcionide

Thrasybule, héritier exilé du trône de Milet, est tombé amoureux d'Alcionide. Il doit bientôt la quitter. Quand il la retrouve, elle est mariée à son meilleur ami, Tisandre, qui ignorait tout de leur relation.

La campagne d'Arménie s'est révélée inutile : Mandane et son ravisseur, le roi de Pont, ne sont jamais passés dans ce pays. Cyrus reprend ses recherches.

PARTIE IV

LIVRE 1

Par le biais d'Ortalque, Cyrus obtient des informations sur Mandane : le roi de Pont, allié à Crésus, roi de Lydie, l'aurait emmenée à Éphèse. Cyrus et son armée se rendent dans ce pays. Ils y apprennent que Mandane est détenue dans le même lieu que la princesse Palmis.

Histoire de la princesse Palmis et de Cléandre

Palmis et Cléandre s'aiment malgré l'opposition de Crésus, père de la jeune fille. En effet, le roi de Lydie a découvert que le prétendant s'appelle en réalité Artamas et qu'il est fils du roi ennemi de Phrygie. Il fait emprisonner Cléandre et détenir sous bonne garde Palmis.

LIVRE 2

Cyrus déclare la guerre à Crésus et projette de délivrer Mandane lors d'un transfert de la prisonnière. Dans l'attente du moment propice, il écoute la suite de l'histoire d'Aglatidas et d'Amestris.

Suite de l'Histoire d'Aglatidas et d'Amestris

Otane, qu'Amestris a épousé par dépit du comportement de son ancien amant Aglatidas, est un mari jaloux à l'extrême. Par bonheur, il meurt lors d'une bataille. Aglatidas renoue alors avec Amestris, mais se trouve bientôt accusé, sur de fausses apparences, d'avoir lâchement tué Otane au combat. Les accusations se révèlent infondées quand celui-ci refait apparition. Finalement, le mari jaloux disparaît définitivement lors d'un duel.

LIVRE 3

La guerre bat son plein. Cyrus fait de nombreux prisonniers, parmi lesquels Ligdamis, qui raconte son histoire.

Histoire de Ligdamis et de Cléonice

Ligdamis et Cléonice, tous deux réticents à l'amour, finissent par tomber amoureux l'un de l'autre.

Cyrus est fait prisonnier au cours d'une embuscade. Non reconnu par les ennemis, il est heureusement libéré.

PARTIE V

LIVRE I

Dans l'attente du résultat de ses négociations diplomatiques avec Crésus, Cyrus écoute l'histoire d'Abradate et de Panthée.

Histoire d'Abradate et de Panthée

Panthée, fille du prince de Clasomène, a fait choix d'Abradate parmi ses nombreux prétendants. Leur amour rencontre l'obstacle de l'opposition de Crésus, puis est entravé par les menées de deux rivaux, le riche Mexaris et le manipulateur Périnthe.

LIVRE 2

La guerre de Lydie reprend. Les premières opérations sont favorables au camp de Cyrus. Un soldat du camp ennemi se révèle particulièrement valeureux : on découvre qu'il s'agit de Mazare (le ravisseur de Mandane lors de l'incendie de Sinope, qui avait été laissé pour mort après le naufrage de son vaisseau). Cyrus écoute son histoire.

Histoire de Mazare

Après avoir vécu en ermite pour faire pénitence, Mazare s'est efforcé de racheter sa faute en s'enrôlant dans l'armée perse afin de délivrer Mandane.

LIVRE 3

Une nouvelle trêve donne l'occasion à Cyrus d'écouter une histoire impliquant certains de ses compagnons.

Histoire de Bélésis, d'Hermogène, de Cléodore et de Léonise

Bélésis est amoureux de la fière Cléodore, qui le dédaigne. Il fait alors la cour à la coquette Léonise. Après plusieurs péripéties, l'histoire se termine par le dépit et la retraite de Cléodore et de Bélésis, chacun de son côté.

PARTIE VI

LIVRE 1

Cyrus apprend par une lettre de Mandane que celle-ci l'accuse d'infidélité. Il vit ensuite une expérience pénible en étant témoin du suicide de Panthée, dont le mari Abradate a été tué à la guerre.

Histoire de Timante et de Parthénie

Parthénie, devenue très méfiante à l'égard des hommes à la suite d'un premier mariage malheureux, met son nouveau soupirant à l'épreuve : il doit accepter de l'aimer sans l'avoir vue.

LIVRE 2

Durant les préparatifs de la bataille de Sardis, ville dans laquelle se sont réfugiés Crésus et le roi de Pont, Cyrus écoute l'histoire de Sésostris et de Timarète.

Histoire de Sésostris et de Timarète

Sésostris et Timarète sont deux enfants qui s'aiment inno-cemment dans le cadre bucolique d'une île retirée sur le cours du Nil. Leur amour résiste aux caprices de la fortune qui les fait apparaître à tour de rôle comme héritiers du trône d'Égypte.

LIVRE 3
Le premier assaut de Sardis est un échec. On amène un prisonnier, dont la captivité suscite des réactions diverses. Cyrus se fait raconter son histoire.

Histoire d'Arpalice et de Thrasimède
Arpalice a été dédaignée par Ménécrate à qui elle est promise. Thrasimède a pris la place dans son cœur. Ménécrate tente en vain de reconquérir la jeune fille.

Cyrus parvient à prendre Sardis, en vain : Mandane a disparu avec le roi de Pont. Cyrus se lance à leur poursuite et ne parvient pas à les retrouver. Il en apprend bientôt la raison : le ravisseur détient la pierre héliotrope, qui le rend invisible (**p. 101-155**). Cyrus, de retour à Sardis, empêche le roi d'Assyrie de faire exécuter Crésus sur un bûcher.

PARTIE VII

LIVRE I
Cyrus, après avoir procédé au jugement de Ménécrate et de Thrasimède, apprend que le roi de Pont et Mandane sont signalés à Cume. Un ambassadeur de Phénicie vient lui réclamer une statue de femme volée. C'est la statue d'Élise dont Cyrus apprend l'histoire.

Histoire d'Élise
Élise, adulée par une infinité de soupirants, ne parvient pas à trouver l'amour. Elle est finalement empoisonnée par une rivale.

LIVRE 2
Après plusieurs batailles victorieuses, Cyrus est sur le point de s'emparer de Cume. La princesse Cléobuline propose son aide. C'est l'occasion pour Cyrus d'entendre son histoire.

Histoire de Cléobuline, reine de Corinthe
Cléobuline est amoureuse de Myrinthe, qui lui préfère Philimène. Ayant vaincu cet amour, elle décide de ne jamais se

marier. Elle demeure ferme sur sa résolution, même lorsque Myrinthe tente de lui revenir.

LIVRE 3

Cyrus parvient à s'emparer de Cume et à délivrer Mandane, qui reconnaît que sa jalousie était infondée. Les amants réunis écoutent l'histoire de Thrasyle.

Histoire de Thrasyle

Thrasyle est jugé comme « inconstant sans inconstance » après avoir été amoureux malheureux successivement d'une coquette, d'une inconstante, d'une indifférente et d'une cyclothymique.

Sur le chemin du retour, Cyrus et le roi d'Assyrie, conformément à ce qu'ils ont convenu, décident de se battre en duel.

PARTIE VIII

LIVRE I

Le duel de Cyrus et du roi d'Assyrie est différé en raison des blessures reçues par le second dans un autre combat singulier qui l'a opposé à Intapherne. Pour comprendre la raison de cet affrontement, Cyrus se fait raconter l'histoire de son rival.

Histoire du roi d'Assyrie, d'Intapherne, d'Atergatis, d'Istrine et de la princesse de Bythinie

Le roi d'Assyrie dédaigne Istrine, qui lui est promise. Ce mépris entraîne une série de péripéties impliquant Intapherne, frère d'Istrine, et Atergatis, amant de celle-ci.

LIVRE 2

Cyrus et Mandane visitent les tombeaux de Ménestée, où ils apprennent que le roi de Pont, en fuite et blessé, s'est réfugié. Dans l'attente de son duel avec le roi d'Assyrie, Cyrus écoute l'histoire de Péranius.

Histoire de Péranius, prince de Phocée, et de la princesse Cléonisbe

Péranius, prince de Phocée exilé, fonde la ville de Marseille. Élu pour épouser la princesse gauloise Cléonisbe, il doit auparavant démontrer sa qualité de prince.

LIVRE 3

Un obstacle sur le chemin contraint à une halte forcée. On fait à Cyrus et à Mandane le récit de l'histoire d'Artaxandre et de Télamire.

Histoire d'Artaxandre et de Télamire

Après avoir dédaigné Télamire, Artaxandre en tombe amoureux. La jeune fille répond à cet amour, au grand dam de sa rivale Clorélise. Cette dernière se résout à épouser le père de Télamire, avec l'intention de faire obstacle au mariage. Des rivaux tentent également de s'opposer. Finalement, l'union des amants peut être célébrée.

Cyrus et le roi d'Assyrie, guéris, peuvent enfin se battre en duel. Mais leur combat est interrompu par l'annonce d'un nouvel enlèvement de Mandane. Cette fois, c'est Anaxaris qui est le ravisseur (**p. 156-167**).

PARTIE IX

LIVRE 1

On apprend qu'Anaxaris, le nouveau ravisseur de Mandane, s'appelle en fait Aryante et qu'il est frère de Tomyris, reine des Massagettes. Il a emmené Mandane dans le royaume de sa sœur. Dans sa fuite, il a tué le roi d'Assyrie, qui l'avait rattrapé. Pendant les préparatifs de la poursuite, Cyrus écoute son histoire.

Histoire du prince Aryante, d'Élybésis, d'Adonacris et de Noromate

Aryante déclare la guerre à sa sœur Tomyris, dans l'espoir d'obtenir le titre de roi qui lui procurera les faveurs de l'ambitieuse Élybésis. Diverses péripéties le conduisent à la défaite et le contraignent à la fuite. Il se fera désormais appeler Anaxaris.

LIVRE 2

Arrivé au pays des Massagettes, Cyrus entreprend des négociations avec Tomyris. Dans l'attente de la réponse de la reine, il écoute l'histoire du Banquet des sept sages.

Le Banquet des sept sages

Lors de cette réunion des plus grands sages de Grèce, on en vient à se demander s'il est possible d'aimer deux fois la même personne. On écoute alors deux histoires exemplaires, celle de « Philidas et d'Anaxandride » et celle d'« Aglatonice et d'Iphicrate ».

La guerre est déclarée. Cyrus, lors de la traversée d'une forêt, se trouve soudain confronté à Tomyris et à son frère. Ils les vainc, non sans avoir été blessé dans le combat, mais leur laisse la vie sauve.

LIVRE 3
Pendant sa convalescence, Cyrus apprend la mort du roi de Pont et écoute l'histoire de Pisistrate.

Histoire de Pisistrate
Pisistrate prend le pouvoir à Athènes en même temps qu'il fait son choix amoureux en faveur de Cléorante, jeune fille qui se distingue par un mélange équilibré de mélancolie et de gaîté.

Le suicide de Spargapyse, fils de Tomyris, que Cyrus avait fait prisonnier, exacerbe l'animosité des deux camps. La reine menace d'exécuter Mandane si Cyrus ne se livre pas dans un délai de trois jours.

PARTIE X

LIVRE 1
Durant une trêve, Mandane, prisonnière de Tomyris, écoute l'histoire d'Arpasie.

Histoire d'Arpasie
Promise à Astidamas, mais délaissée par celui-ci, Arpasie est aimée du galant Méliante. Les relations entre le prétendant officiel et son concurrent s'enveniment au point que les deux se battent en duel. Mais Arpasie découvre que Méliante lui est infidèle. Elle lui refuse désormais tout amour.

LIVRE 2
L'attaque contre les Massagettes est décidée. Avant de partir au combat, Cyrus trouve encore le temps d'écouter l'histoire de Sapho.

Histoire de Sapho

Sapho, poétesse prestigieuse de Mytilène, règne sur la cour de Lesbos. Elle est amoureuse de Phaon, qui doit s'absenter à plusieurs reprises, ce qui occasionne plusieurs malentendus entre les amants. Pour vivre pleinement leur amour, Sapho et Phaon s'exilent au pays des Nouveaux Sauromates (**p. 444-587**).

Des circonstances malheureuses amènent à une défaite de Cyrus, qui est fait prisonnier, sans toutefois être reconnu. Sur le champ de bataille, Spitridate a été tué. Son cadavre est pris pour celui de Cyrus. Tomyris, après l'avoir fait décapiter, trempe la tête dans un vase de sang (**p. 167-182**).

LIVRE 3

Lors de sa détention dans le camp de Tomyris, Cyrus écoute l'histoire de Méréonte et de Dorinice.

Histoire de Méréonte et de Dorinice

Méréonte est amoureux de Dorinice qui est incapable d'éprouver autre chose que de l'amitié. De guère lasse, il finit par se résoudre à l'exil.

Mandane et Tomyris, chacune de son côté, apprennent que Cyrus est vivant. La reine des Massagettes donne alors l'ordre d'exécuter sa rivale. Mais, en raison d'une méprise, cette issue fatale est évitée. L'assaut final est donné au camp des Massagettes. La victoire échoit au parti de Cyrus (**p. 182-213**). Le héros retrouve Mandane vivante. Le mariage des amants est célébré (**p. 213-218**).

INDEX DES PERSONNAGES

Cet index procure une entrée pour chacun des noms de person-nages du Grand Cyrus *mentionnés dans les extraits qui compo-sent ce volume. Il n'a d'autre ambition que de favoriser un repé-rage immédiat, facilitant la compréhension de certains passages.*

La graphie usitée dans la dernière édition du roman (Paris, Augustin Courbé, 1656), reproduite sur le site « Artamène », est indiquée entre crochets lorsqu'elle diffère de celle que nous avons proposée [1].

ABRADATE : mari de Panthée, héros de l'« Histoire d'Abradate et de Panthée » [Partie V, Livre 1].

ACASTE : amie d'Alcidamie dans l'« Histoire de l'amant jaloux ». C'est à elle que Théanor vole le portrait d'Alcidamie.

ADUSIUS : capitaine de l'armée perse, au service du roi Cyaxare.

AGATHYRSE : capitaine de l'armée des Massagettes, au service de la reine Tomyris. Rival amoureux d'Aryante-Anaxaris pour la main d'Élybésis [« Histoire du prince Aryante, d'Élybésis, d'Adonacris et de Nauromate », Partie IX, Livre 1].

AGÉLASTE [AGELASTE] : protagoniste de l'« Histoire de Sapho » ; amie de l'héroïne.

AGLATIDAS : ami et confident de Cyrus, au même titre que Hidaspe, Chrysante, Araspe et Phéraulas. Héros d'une histoire seconde,

---

1. Rappelons que la version disponible sur le site offre des fiches de personnages plus détaillées, immédiatement accessibles à l'écran (sur la barre de menu située au-dessus du texte, choisir, à la rubrique « Fiches », l'option « Afficher les fiches »).

l'« Histoire d'Aglatidas et d'Amestris » [Partie I, Livre 3, et Partie IV, Livre 2].

ALASIS : père de Philiste, héroïne de l'« Histoire de l'amant non aimé ».

ALCÉE [ALCÉ] : protagoniste de l'« Histoire de Sapho ». Poète, ami de l'héroïne.

ALCIDAMIE : héroïne de l'« Histoire de l'amant jaloux ». Aimée de Léontidas, l'amant jaloux, de Théanor et de Timésias.

ALCIONIDE : amante de Thrasybule, héroïne de l'« Histoire de Thrasybule et d'Alcionide » [Partie III, Livre 3].

AMASIS : roi d'Égypte, protagoniste de l'« Histoire de Sésostris et de Timarète » [Partie VI, Livre 2].

AMITHONE : protagoniste de l'« Histoire de Sapho ». Amie de l'héroïne au même titre qu'Athys, Cydnon et Érinne.

ANACHARSIS : un des sept sages de Grèce, protagoniste du « Banquet des sept sages » [Partie IX, Livre 2]. Il fait office d'intermédiaire et de négociateur entre Cyrus et Tomyris, reine des Massagettes.

ANAXARIS : voir ARYANTE.

ANDRAMITE : commandant des troupes de Crésus, roi de Lydie.

ANDROCLIDE : prétendant de Télésile, héroïne de l'« Histoire de l'amant absent ». Rival de Timocrate et de Ménécrate. Frère d'Atalie.

ANTIGÈNE [ANTIGENE] : rival du héros Philoclès auprès de Philiste, dans l'« Histoire de l'amant non aimé ».

ARAMINTE : sœur du roi de Pont, amante de Spitridate [« Histoire de la princesse Araminte et de Spitridate », Partie III, Livre 2]. Elle est retenue prisonnière par Tomyris, en compagnie de Mandane.

ARASPE : compagnon d'armes de Cyrus, régulièrement mentionné en compagnie de Chrysante, de Phéraulas et d'Hidaspe.

ARIANITE : suivante de Mandane.

ARIBÉE : gouverneur de Sinope, tué en combat singulier par Cyrus.

ARION : célèbre chanteur, évoqué dans l'« Histoire de l'amant non aimé ». C'est lui qui prend en charge la formation musicale de Philoclès.

ARIPITHE : ancien soupirant éconduit de Tomyris, reine des Massagettes. Ennemi personnel de Cyrus.

ARPASIE : jeune fille aimée de Méliante [« Histoire d'Arpasie », Partie X, Livre 1]. Compagne de captivité de Mandane.

CLIRANTE : protagoniste de l'« Histoire de Sapho ». Étranger originaire du pays des « Nouveaux Sauromates ». Amant de Philyre.

CRANTOR : oncle de Télésile, héroïne de l'« Histoire de l'amant
absent ». Il possède une fortune qui rend sa nièce attrayante aux
yeux de quantité de soupirants. Il ruine les prétentions de ceux-
ci en épousant Atalie, sœur de l'un d'entre eux, Androclide.

CRÉSUS [CRESUS] : roi de Lydie, père de la princesse Palmis et du
prince Myrsile. Il accueille le roi de Pont, en fuite avec Mandane.
Après sa défaite face à Cyrus dans la guerre qui s'ensuit, il se joint
au parti du vainqueur.

CYAXARE [CIAXARE] : roi des Mèdes, père de Mandane.

CYDNON : protagoniste de l'« Histoire de Sapho ». Amie de l'héroïne
au même titre qu'Amithone, Athys et Érinne. Sœur de Démocède, narrateur de l'histoire.

CYNÉGIRE [CYNEGIRE] : parente de Sapho. Elle a pourvu à l'éducation de la jeune fille après la mort de ses parents.

CYRUS : fils de Cambyse, roi de Perse. Il est contraint, en raison
d'un oracle, de cacher, durant une partie de sa jeunesse, sa véritable identité sous le nom d'« Artamène ». Amant de Mandane.

DAMOPHILE : protagoniste de l'« Histoire de Sapho ». Rivale et imitatrice maladroite de l'héroïne.

DÉMOCÈDE [DEMOCEDE] : narrateur et protagoniste de l'« Histoire
de Sapho ». Ami de l'héroïne. Frère de Cydnon.

DIOPHANTE : oncle de Télésile et, à ce titre, protagoniste de
l'« Histoire de l'amant absent ».

DORALISE : amie de Panthée, qui se joint bientôt au groupe de
dames entourant Mandane. Après une vie amoureuse riche en
rebondissements, elle épouse le prince Myrsile.

ÉLYBÉSIS [ELYBESIS] : héroïne de l'« Histoire du prince Aryante,
d'Élybésis, d'Adonacris et de Noromate » [Partie IX, Livre 1].
Aimée d'Agathyrse et amoureuse d'Aryante.

ÉRÉNICE [ERENICE] : fille d'Artucas, amie de Martésie. Elle est l'une
des animatrices du salon qui se réunit à Sinope autour de cette
dernière et qui sert de cadre aux récits constituant l'« Histoire des
amants infortunés ».

ÉRINNE : protagoniste de l'« Histoire de Sapho ». Amie de l'héroïne
au même titre qu'Amithone, Athys et Cydnon.

EUMÉTIS [EUMETIS] (OU CLÉOBULINE) : princesse des Lindes. Sa
suivante est Philiste, l'héroïne de l'« Histoire de l'amant non
aimé ».

MARTÉSIE [MARTESIE] : suivante de Mandane.

MAZARE : prince des Saces, deuxième ravisseur de Mandane. Cru mort lors du naufrage de son vaisseau, il réapparaît (Partie V, Livre 2), ce qui donne l'occasion de raconter son histoire. Repenti, il devient un compagnon de Cyrus.

MÉGABYSE [MEGABISE] : rival d'Aglatidas et, à ce titre, protagoniste de l'« Histoire d'Aglatidas et d'Amestris » [Partie I, Livre 3].

MÉLÉSANDRE [MELESANDRE] : ami et conseiller de Timocrate, héros de l'« Histoire de l'amant absent ».

MÉLIANTE [MELIANTE] : amoureux d'Arpasie et rival d'Hidaspe [« Histoire d'Arpasie », Partie X, Livre 1]. Passé dans le camp de Tomyris, il contribuera néanmoins à la libération de Cyrus et à la défaite de la reine.

MÉLISSE [MELISSE] : reine de Corinthe, épouse de Périandre et mère de Cléobuline.

MÉNÉCLIDE [MENECLIDE] : amie d'Alcidamie, héroïne de l'« Histoire de l'amant jaloux ». Elle est aimée en secret du souverain Polycrate.

MÉNÉCRATE [MENECRATE] : amant de Télésile et, par conséquent, rival de Timocrate, le héros de l'« Histoire de l'amant absent ».

MÉNESTÉE [MENESTEE] : personnage épisodique apparaissant Partie VIII, Livre 2. Il vit dans un tombeau.

MÉRÉONTE [MEREONTE] : capitaine sauromate. Après s'être battu vaillamment contre Cyrus, il devient son ami.

MEXARIS : frère de Crésus, amoureux richissime de Panthée. Il détiendra pendant quelque temps l'anneau de Gygès.

MYRSILE : fils de Crésus. Il se joint au parti des Perses après la défaite de son père et devient un des fidèles compagnons de Cyrus. Amant de Doralise.

NICANOR : protagoniste de l'« Histoire de Sapho ». Amoureux malheureux de l'héroïne et, à ce titre, rival de Phaon.

OCTOMASADE : haut dignitaire des Issedons, peuple sujet des Massagettes.

ONÉSILE [ONESILE] : épouse de Tigrane, prince d'Arménie. Elle fait partie des dames qui entourent Mandane.

ORTALQUE : compagnon de Cyrus, chargé de plusieurs missions.

OTRYADE : capitaine des Massagettes. Il s'engage contre Tomyris, puis se rétracte.

PACTIAS : dignitaire de la cour de Crésus, qui accompagne et aide le roi de Pont.

REINE DE PONT : voir ARAMINTE.

ROI D'ASSYRIE [ROI D'ASSIRIE] (de son vrai nom LABINET) : amoureux de Mandane et, par conséquent, rival de Cyrus. Il est le premier ravisseur de la princesse. Avant cet enlèvement, il s'était déjà signalé par d'autres méfaits à la cour d'Assyrie [« Histoire du roi d'Assyrie, d'Intapherne, d'Atergatis, d'Istrine et de la princesse de Bithynie », Partie VIII, Livre 1], d'où il s'était enfui en se dissimulant sous le nom de Philidaspe.

ROI D'HYRCANIE [ROI D'HIRCANIE] : ami de Cyrus, qui lui apportera son aide tout au long du roman.

ROI DE PHRYGIE [ROI DE PHRIGIE OU ROI DE PHRYGIE] : ami de Cyrus, au même titre que le roi d'Hyrcanie.

ROI DE PONT : amoureux de Mandane et rival de Cyrus. Prétendant à la main de la princesse, il déclare la guerre à Cyaxare, quand celui-ci refuse le mariage. Lorsque, par un heureux hasard, il recueille Mandane, à la suite du naufrage de Mazare, il enlève à son tour la jeune fille et devient ainsi son troisième ravisseur.

SAPHO : poétesse, héroïne de l'histoire éponyme. Amante de Phaon.

SCAMANDROGINE : père de Sapho.

SÉSOSTRIS [SESOSTRIS] : prince égyptien, amant de Timarète, héros de l'« Histoire de Sésostris et de Timarète » [Partie VI, Livre 2].

SILAMIS : Athénien, narrateur de l'« Histoire de Pisistrate » [Partie IX, Livre 3].

SPITRIDATE : héritier légitime du trône de Bythinie, usurpé par le père du roi de Pont. Amant d'Araminte [« Histoire de la princesse Araminte et de Spitridate », Partie III, Livre 2]. Sa ressemblance parfaite avec Cyrus occasionne plusieurs méprises.

STÉSILÉE [STESILÉE] : rivale de Philiste et, à ce titre, protagoniste de l'« Histoire de l'amant non aimé ». Confidente de Philoclès, l'amant non aimé de Philiste, elle en tombe amoureuse.

TAXILE : femme de Diophante, protagoniste de l'« Histoire de l'amant absent ».

TÉLAGÈNE [TELAGENE] : parente d'Onésile. Elle fait son apparition tardivement dans le roman [Partie IX] et ne joue qu'un rôle tout à fait mineur.

TÉLÉSILE [TELESILE] : héroïne de l'« Histoire de l'amant absent ». Aimée de Timocrate. Nièce et héritière potentielle du richissime Crantor.

THÉANOR [THEANOR] : amant d'Alcidamie, rival de Léontidas ainsi que de Timésias et, à ce titre, protagoniste important de l'« Histoire de l'amant jaloux ».

THÉMISTOGÈNE [THEMISTOGENE] : protagoniste de l'« Histoire de Sapho ». C'est le double négatif de Phaon, amant de l'héroïne.

THRASYBULE [THRASIBULE] : héritier du trône de Milet, condamné à l'exil et, pour survivre, à la piraterie. Il affronte Cyrus en tentant d'arraisonner son vaisseau. De ce combat naît une amitié indéfectible. Amoureux d'Alcionide [« Histoire de Thrasybule et d'Alcionide », Partie III, Livre 3].

TIGRANE : fils du roi d'Arménie, combattant aux côtés de Cyrus, dans l'armée perse.

TIMARÈTE [TIMARETE] : princesse égytienne, amante de Sésostris, héroïne de l'« Histoire de Sésostris et de Timarète » [Partie VI, Livre 2].

TIMÉSIAS [TIMESIAS] : amant d'Alcidamie, rival de Léontidas ainsi que de Théanor et, à ce titre, protagoniste important de l'« Histoire de l'amant jaloux ».

TIMOCRATE : héros de l'« Histoire de l'amant absent ». Amant de Télésile, rival d'Androclide et de Ménécrate.

TIMONIDE : compagnon du roi de Pont.

TISANDRE : ami et rival de Thrasybule [« Histoire de Thrasybule et d'Alcionide », Partie III, Livre 3]. Avant d'épouser Alcionide, il sera un soupirant malheureux de Sapho.

TOMYRIS [THOMIRIS] : reine des Massagettes, sœur d'Aryante. Amoureuse éconduite de Cyrus.

GLOSSAIRE

À : par (complément d'agent ; voir G. Spillebout, *Grammaire de la langue française du XVIIe siècle*, Paris, Picard, 1985, p. 254).

ABORD : affluence.

ABORD (D') : aussitôt, tout de suite.

ABUSER : tromper.

ACCABLER : écraser.

ACTION : expression orale, prononciation (par référence à la cinquième partie de la rhétorique).

ADMIRABLE : étonnant.

AINS : au contraire (archaïsme).

AMENDEMENT : amélioration.

AMUSER : perdre du temps (sans idée de jeu).

APPARENCE : vraisemblance.

APRÈS-DÎNÉE : après-midi.

ASSIETTE : disposition.

AUTORISER : accréditer, cautionner.

AVOUER : reconnaître.

BAILLER : donner (archaïsme).

BIENTÔT : tout de suite.

BIZARRE : extravagant au point de heurter violemment les normes.

BIZARRERIE : extravagance heurtant violemment les normes.

CABALE : « société de personnes qui sont dans la même confidence ou dans les mêmes intérêts ; mais il se prend ordinairement en mauvaise part » (Furetière).

CABINET : pièce retirée réservée à l'étude.

CARESSER : traiter avec amabilité.

CÉLÈBRE : solennel.

CEPENDANT : pendant ce temps.

CHAGRIN : mauvaise humeur, dépit provenant d'une frustration (le terme ne comporte généralement pas de nuance d'affliction ou de tristesse). Ce terme peut avoir un emploi adjectival : « être chagrin ».

CHANCELANT : instable.

CHIFFRE : « caractère mystérieux composé de quelques lettres entrelacées ensemble, qui sont d'ordinaire les lettres initiales du nom de la personne pour qui il est fait » (Furetière).

COMME : comment. Cette tournure est fréquente dans la langue du XVIIe siècle (voir G. Spillebout, *Grammaire de la langue* *française du XVIIᵉ siècle*, Picard, 1985, p. 388-389).

COMMERCE : relation, échange.

COMPLIMENTS : politesses, manières.

CONSIDÉRABLE : digne d'intérêt.

CONSTAMMENT : certainement.

CONSTANCE : force d'âme.

CONTENTION : discussion, dispute.

CONTRIBUER : le verbe se construit de manière transitive dans la langue du XVIIᵉ siècle : « contribuer quelque chose à un succès » (et non « contribuer en quelque chose à un succès »).

CRIME : faute (sens moins fort que le sens actuel).

DÉBILE : faible.

DÉGÂT : débroussaillage, éclaircissement dans une zone végétale.

DÉMÊLER : discerner.

DÉSABUSER : détromper.

DÉSOLER : rendre désert.

DEVANT : avant.

DIE : forme du subjonctif présent du verbe *dire*. Vers 1650, les deux formes *die* et *dise* coexistent (voir Vaugelas, *Remarques sur la langue française*, 1647, p. 349).

DISGRÂCE : malheur.

DOUTE (SANS) : sans aucun doute (exprime la certitude).

DURER : demeurer.

ÉCLATER : briller.

EFFECTIVEMENT : en réalité.

EFFET : réalisation ; (EN –) : en réalité.

EFFORT : assaut.

ENNUYER (S') : éprouver un sentiment de dépit profond (sens plus fort que le sens actuel).

ÉPOUVANTER : étonner (usage apparemment idiolectal).

ÉQUIPAGE : « provision de tout ce qui est nécessaire pour voyager et s'entretenir honorablement, soit de valets, chevaux, carrosses, habits, armes, etc. » (Furetière).

ÉTONNER : abasourdir (sens plus fort que le sens actuel) ; par extension, « effrayer ».

ÉTRANGE : outrepassant toute norme ; par conséquent, « extraordinaire » et souvent « choquant ».

ÉTRANGEMENT : au-delà de toute norme ; par conséquent, « de manière extraordinaire », et souvent « de manière choquante ».

ÉVÉNEMENT : issue, résultat.

EXAGÉRATION : développement.

EXAGÉRER : exposer.

EXCÈS : degré élevé (le terme ne comporte pas l'idée de dépassement).

EXCESSIF : extrême (le terme ne comporte pas l'idée de dépassement).

EXPÉDIENT : capacité de trouver une solution aux problèmes.

FIER : agressif, sauvage.

FIÈREMENT : agressivement.

FLATTER : favoriser, encourager ; bercer d'illusions.

FLATTEUR : complaisant.

FONTAINE : source.

FRANCHISE : liberté.

GARDE-ROBE : « appartement où on met les habits du roi ou des princes et tout ce qui sert à leur personne, et où se retirent les officiers qui y servent » (Furetière).

GÉHENNE : torture.

GÉNÉREUX : magnanime, noble.

GÉNÉROSITÉ : magnanimité, grandeur d'âme.

GLOIRE : réputation, honneur.

GLORIEUX : attaché à sa réputation, orgueilleux.

GROS : troupe nombreuse.

HABITUDE : fréquentation.

HABITUER (S') : s'établir.

HARDIMENT : « on le dit aussi quand on veut lever le scrupule ou la timidité de quelqu'un. Dites hardiment ce que vous avez sur le cœur, confessez hardiment la vérité, c'est-à-dire sincèrement et sans crainte » (Furetière).

IMPERTINENT : inadapté aux circonstances.

INGÉNUITÉ : franchise.

INGÉNUMENT : franchement (sans nuance de naïveté).

INTELLIGENCE : complicité.

INTERDIRE : faire perdre ses moyens à quelqu'un.

MAGNIFICENCE : prodigalité.

MAGNIFIQUE : qui ne lésine pas sur la dépense.

MAGNIFIQUEMENT : somptueusement.

MALICIEUSEMENT : avec malveillance.

MALICIEUX : malveillant, retors.

MÉDIOCRE : moyen.

MÉDIOCRITÉ : juste mesure.

MÉNAGER : gérer, gouverner (le terme est un des mots à la mode, selon le père Bouhours ; voir *Entretiens d'Ariste et d'Eugène*, éd. B. Beugnot et G. Declercq, Champion, 2003, p. 137).

MODESTE : pudique.

MURMURE : tumulte (le terme, contrairement à son sens actuel, implique un fort volume sonore).

MURMURER : protester.

NOURRIR : élever.

OBLIGER : rendre service.

OBSÉDER : assiéger, fréquenter sans relâche.

OFFICE : service.

OFFICIEUX : serviable.

OÙ : alors que (exprime l'opposition).

PART : (PRENDRE –) : prendre intérêt ; (AVOIR – À) : s'associer, être d'accord.

PARTICULIER : privé, intime.

PARTIE : « se dit aussi de tous les autres divertissements où on engage certaines personnes et à certains jours [...]. C'est un galant qui est de toutes les belles parties, qui est de toutes les parties de divertissement » (Furetière).

PATIENCE : capacité de souffrir l'adversité sans se plaindre.

PENSER (+ verbe infinitif) : faillir (+ verbe infinitif) [voir G. Spillebout, *Grammaire de la langue française du XVIIe siècle, op. cit.*, p. 196].

PIQUER DE (SE) : faire vanité de.

POSITIVEMENT : adverbe indiquant une certitude fondée sur les faits.

POUR CE QUE : parce que (archaïsme).

POUVOIR : savoir (emploi rare, attesté par E. Huguet, *Dictionnaire de la langue française du XVIe siècle*, Paris, 1925).

PRÉOCCUPATION : idée obsédante empêchant l'exercice de la raison.

PRÉOCCUPER : absorber totalement, obnubiler, au point de faire perdre le discernement.

PRESSE : foule.

PRÉSUPPOSÉ QUE : en admettant que.

PRÉVENIR : précéder, devancer.

PROFUSIONS : dépenses inconsidérées.

PRONONCER : donner son avis.

PROPRE : élégant, bien mis.

PRUDENCE : sagesse.

PRUDENT : avisé, sage.

PUBLIER : rendre publique une information (sans forcément recourir à l'imprimé).

QUE : avant que ; sans que.

RARE : extraordinaire.

RÉCOMPENSE (EN) : en compensation.

RENCONTRE : circonstance.

RENDRE (SE) : être convaincu.

RÉSOUDRE : décider.

RÊVER : se livrer à la réflexion.

SÉDUIRE : tromper.

SENSIBLE : qui procure un sentiment ou une sensation intense ; douloureux.

SENSIBLEMENT : douloureusement.

SERRER : ranger.

SOIN : souci.

SOURDEMENT : « secrètement et sans bruit » (Furetière).

SUBTIL : « se dit de ce qui est le plus épuré ou séparé de ses parties grossières [...] se dit aussi de ce qui agit fort promptement, qui pénètre dans des organes délicats » (Furetière).

SUCCÉDER : réussir.

SUCCÈS : issue.

SUPPOSER : opérer une fraude (par substitution ou par invention).

TABLETTES : support de l'écriture utilisé dans la civilisation antique, selon les conceptions du XVIIe siècle. Les lettres et les poèmes des Grecs et des Romains ne sont pas rédigés sur du papier, mais sur divers supports naturels : écorce, papyrus, cire, etc. Dans la mesure où le cadre des romans est fréquemment antique, les tablettes y remplacent systématiquement les « billets », les « lettres », les « feuilles ».

TEMPÉRAMENT : modération.

TOUT À L'HEURE : tout de suite.

TRAVERSE : obstacle.

TRAVERSER : contrecarrer.

	REPÈRES HISTORIQUES ET CULTURELS	VIE ET ŒUVRE DE MADELEINE ET GEORGES DE SCUDÉRY
1601		Naissance, au Havre, de Georges de Scudéry, d'une famille de petite noblesse ruinée.
1605	Cervantès, *Don Quichotte*.	
1607		Naissance de Madeleine de Scudéry.
1607-1620	Publication de *L'Astrée* d'Honoré d'Urfé.	
1610	Assassinat d'Henri IV.	
1615	Traduction des derniers livres des *Amadis*. Traduction des *Nouvelles exemplaires* de Cervantès.	
1619-1637	Gomberville, *Polexandre*.	
1623	Charles Sorel, *Histoire comique de Francion*. Publication, en France, de l'*Adone* de G.B. Marino, avec une préface de Chapelain.	
1624	Guez de Balzac, *Lettres*.	

C H R O N O L O G I E

1629		Georges de Scudéry quitte le métier des armes et entame une carrière littéraire essentiellement théâtrale (une quinzaine de tragédies et tragi-comédies) qui en fera un protagoniste important de la « Querelle du Cid » (1636-1637).
Vers 1630	Période faste du salon de Mme de Rambouillet (Madeleine de Scudéry y fait ses premières apparitions).	
1634	Fondation de l'Académie française.	
1637	Descartes, *Discours de la méthode*.	
1637-1638		Madeleine de Scudéry fréquente le salon de l'hôtel de Rambouillet.
1642	Mort de Richelieu	

CHRONOLOGIE	REPÈRES HISTORIQUES ET CULTURELS	VIE ET ŒUVRE DE MADELEINE ET GEORGES DE SCUDÉRY
1642		Georges de Scudéry met un terme à sa production théâtrale. Il fait paraître cette même année *Les Femmes illustres*, recueil de harangues héroïques. L'année précédente, il a publié le roman *Ibrahim ou l'Illustre Bassa* (3 000 pages). Il est vraisemblable que Madeleine a contribué à la composition de ces deux œuvres.
1643	Mort de Louis XIII.	
1642-1645	La Calprenède, *Cassandre*.	
1646-1658	La Calprenède, *Cléopâtre*.	
1647	Vaugelas, *Remarques sur la langue française*.	Georges et Madeleine de Scudéry quittent Marseille, où ils résidaient périodiquement depuis 1644 (Georges y était chargé du commandement du fort de Notre-Dame-de-la-Garde), pour s'installer à Paris dans le Marais.

1648	Madeleine commence à réunir autour d'elle, pour des réunions bientôt hebdomadaires (le samedi), un salon où se mêlent nobles, bourgeois et figures intellectuelles de premier plan : Ménage, Chapelain, Corneille, Pellisson, Furetière.
1649-1653	Publication échelonnée, en dix tomes, d'*Artamène ou le Grand Cyrus* (13 095 pages). Le roman est signé du nom de Georges, mais Madeleine est réputée en avoir assumé la responsabilité principale.
1650	Publication posthume des *Œuvres* de Vincent Voiture.
1650-1653	Troubles de la Fronde.
1650-1653	Les Scudéry soutiennent le parti des frondeurs en la personne de Condé et celle de la duchesse de Longueville.
1651-1657	Scarron, *Le Roman comique*.

CHRONOLOGIE	REPÈRES HISTORIQUES ET CULTURELS	VIE ET ŒUVRE DE MADELEINE ET GEORGES DE SCUDÉRY
1654-1660		Publication d'un deuxième roman de dimension hors normes, *Clélie* (dix tomes et plus de 7 000 pages).
1656	Segrais, *Les Nouvelles françaises*. Pascal, *Les Provinciales*.	
1657		Madeleine de Scudéry bénéficie d'un soutien financier du surintendant Fouquet.
1659	Molière, *Les Précieuses ridicules*.	
1660	Mariage de Louis XIV avec Marie-Thérèse d'Autriche.	
1660-1663		*Almahide*, le nouveau grand roman des Scudéry, reste inachevé après 6 500 pages. Il s'agit vraisemblablement d'une entreprise personnelle de Georges.

1661	Mort de Mazarin et début du règne personnel de Louis XIV.	L'arrestation de Fouquet entraîne celle de son secrétaire Pellisson, l'ami de cœur de Madeleine et le principal animateur du salon ; il restera emprisonné jusqu'en 1666. Madeleine de Scudéry publie pour la première fois un texte narratif court, la nouvelle *Célinte*.
1661-1670	La Calprenède, *Faramond ou l'Histoire de France*.	
1662	Madame de Lafayette, *La Princesse de Montpensier*.	
1665	La Rochefoucauld, *Maximes*.	
1666	Molière, *Le Misanthrope*. Furetière, *Le Roman bourgeois*.	
1667	Racine, *Andromaque*.	Mort de Georges de Scudéry. Publication de *Mathilde*, de Madeleine de Scudéry.

CHRONOLOGIE	REPÈRES HISTORIQUES ET CULTURELS	VIE ET ŒUVRE DE MADELEINE ET GEORGES DE SCUDÉRY
1668	La Fontaine, premier recueil des *Fables*.	
1669	La Fontaine, *Les Amours de Psyché et de Cupidon*. Anonyme, *Les Lettres portugaises*.	*La Promenade de Versailles*, de Madeleine de Scudéry.
1671		*Discours de la Gloire* (ce texte vaut à Madeleine de Scudéry le premier prix d'éloquence française).
1672	Molière, *Les Femmes savantes*. Saint-Réal, *Dom Carlos*. Fondation du *Mercure galant* par Donneau de Visé.	
1674	Boileau, *L'Art poétique*.	
1677	Racine, *Phèdre*.	
1678	Madame de Lafayette, *La Princesse de Clèves*.	

1680		Publication des *Conversations sur divers sujets* ; désormais, Madeleine de Scudéry consacrera l'essentiel de son activité créatrice à des recueils du même genre.
1682	Installation permanente de la cour à Versailles. Du Plaisir, *La Duchesse d'Estramène*.	
1683		Madeleine de Scudéry reçoit une pension royale. Elle jouit d'une réputation européenne qui amène de nombreux étrangers de passage à Paris à lui rendre visite.
1684		Élection de Madeleine de Scudéry à l'académie padouane des Ricovrati. *Conversations nouvelles sur divers sujets*.
1686		*Conversations morales*.
1687	Début de la « Querelle des Anciens et des Modernes ».	

CHRONOLOGIE	REPÈRES HISTORIQUES ET CULTURELS	VIE ET ŒUVRE DE MADELEINE ET GEORGES DE SCUDÉRY
1688	La Bruyère, *Les Caractères.*	*Nouvelles Conversations de morale.*
1692		*Entretiens de morale.*
1690	Dictionnaire de Furetière.	
1693		Mort de Pellisson.
1696	Catherine Bernard, *Inès de Cordoue.*	
1701		Mort de Madeleine de Scudéry à Paris.

BIBLIOGRAPHIE

ÉDITIONS D'*ARTAMÈNE OU LE GRAND CYRUS*

Édition originale

Paris, Courbé, 1649-1653, 10 volumes (13 095 pages).
[Cette édition comporte les gravures qui sont reproduites
sur le site « Artamène » à la rubrique « Illustrations ».]

Éditions postérieures

Paris, Courbé, 1654.
Paris, Courbé, 1656, 10 volumes (7 485 pages). [C'est l'édition qui a servi de base au site « Artamène » ainsi qu'à ce
volume.]
*Madeleine de Scudéry. Le Grand Cyrus. Clélie histoire
romaine : épisodes choisis*, éd. R. Santa Celoria, Turin,
Giappichelli, 1973.

AUTRES ROMANS DE MADELEINE
ET GEORGES DE SCUDÉRY

Ibrahim ou l'Illustre Bassa, Paris, 1641, 4 volumes (3 024 pages)
[voir ci-après éd. moderne].
Clélie, histoire romaine, Paris, 1654-1660, 10 volumes (7 316 pages)
[voir ci-après éd. moderne].

Almahide ou l'Esclave reine, Paris, 1660-1663, 8 volumes (environ 6 516 pages), inachevé.

ŒUVRES DE MADELEINE ET GEORGES DE SCUDÉRY DISPONIBLES EN ÉDITION MODERNE

Œuvres attribuées à Madeleine

Les Femmes illustres (1644), extraits choisis par C. Maignien, Paris, Côté-femmes Éditions, 1991.
Chroniques du samedi, suivies de pièces diverses (1653-1654), éd. critique par A. Niderst, D. Denis et M. Maître, Paris, Champion, 2002.
« *De l'air galant* » *et autres conversations* (1653-1684), éd. critique par D. Denis, Paris, Champion, 1998.
Clélie, histoire romaine (1654-1660), éd. critique par C. Morlet-Chantalat, Paris, Champion, 2001-2006.
Clélie, histoire romaine (1654-1660), extraits par D. Denis, Paris, Gallimard, « Folio », à paraître (2006).
Célinte, nouvelle première (1661), éd. critique par A. Niderst, Paris, Nizet, 1979.
Mathilde (1667), éd. critique par N. Grande, Paris, Champion, 2002.
La Promenade de Versailles (1669), éd. critique par M.-G. Lallemand, Paris, Champion, 2002.
Choix de conversations, éd. par Ph.J. Wolfe, Ravenne, Longo, 1977.

Correspondance

RATHERY ET BOUTRON, *Mademoiselle de Scudéry, sa vie et sa correspondance*, Paris, Téchenet, 1873 (disponible en ligne sur le site « Early French Women Writers » sous http ://etrc. lib. umn. edu/dynaweb/french/ScudLett/).

Œuvres attribuées à Georges

La Comédie des comédiens (1635), éd. critique par I. Cedro, Fasano, Schena, 2002.

Le Prince déguisé. La Mort de César (1636), éd. critique par E. Dutertre et D. Moncond'huy, Paris, Société des textes français modernes, 1992.

Didon (1637), in C. Delmas, *Didon à la scène, pièces de Scudéry et Boisrobert,* Toulouse, Société de littératures classiques, 1992.

Ibrahim ou l'Illustre Bassa (roman, 1641), éd. critique de R. Galli Pellegrini et A. Arrigoni, Presses de la Sorbonne Nouvelle, 2004.

Ibrahim ou l'Illustre Bassa (tragédie, 1642), éd. critique par E. Dutertre, Paris, Société des textes français modernes, 1998.

Le Cabinet de Monsieur de Scudéry (1646), éd. critique par C. Biet et D. Moncond'huy, Paris, Klincksieck, 1991.

Poésies diverses (1646), éd. critique par R. Galli Pellegrini, Fasano, Schena, 1984.

Alaric ou Rome vaincue (épopée, 1654), éd. critique par R. Galli Pellegrini, Paris, Didier, 1998.

Autres œuvres, éd. critique par R. Galli Pellegrini, Fasano, Schena, 1990.

Sur Madeleine et Georges de Scudéry

Sur Madeleine de Scudéry

Bibliographie

MORLET-CHANTALAT Chantal, *Madeleine de Scudéry,* Paris, Memini, « Bibliographie des écrivains français », 1997.

Biographies et recherches documentaires

ARONSON Nicole, *Madeleine de Scudéry ou le Voyage au pays de Tendre,* Paris, Fayard, 1986.

COUSIN Victor, *La Société française au XVIIe siècle d'après « Le Grand Cyrus » de Mlle de Scudéry,* Paris, Didier, 1858.

MONGRÉDIEN Georges, *Madeleine de Scudéry et son salon,* Paris, Tallandier, 1946.

NIDERST Alain, *Madeleine de Scudéry, Paul Pellisson et leur monde,* Paris, PUF, 1976.

Études littéraires

DENIS Delphine, *La Muse galante : poétique de la conversation dans l'œuvre de Madeleine de Scudéry*, Paris, Champion, 1997.

GODENNE René, *Les Romans de Mademoiselle de Scudéry*, Genève, Droz, 1983.

KROLL Renate, *Femme poète. Madeleine de Scudéry und die « poésie précieuse »*, Tübingen, Max Niemeyer, 1996.

LALLEMAND Marie-Gabrielle, *La Lettre dans le récit : étude de l'œuvre de Mlle de Scudéry*, Tübingen, Gunter Narr, 2000.

MORLET-CHANTALAT Chantal, *La « Clélie » de Mademoiselle de Scudéry : de l'épopée à la gazette. Un discours féminin de la gloire*, Paris, Champion, 1994.

PENZKOFER Gerhard, *« L'Art du mensonge ». Erzählen als barocke Lügenkunst in den Romanen von Mademoiselle de Scudéry*, Tübingen, Gunter Narr Verlag, 1998.

SPICA Anne-Élisabeth, *Savoir peindre en littérature. La description dans le roman au XVIIe siècle : Georges et Madeleine de Scudéry*, Paris, Champion, 2002.

Recueils d'articles

DENIS Delphine et SPICA Anne-Élisabeth (dir.), *Madeleine de Scudéry : une femme de lettres au XVIIe siècle*, actes du colloque international de Paris, Arras, Artois Presses Université, 2002.

NIDERST Alain (dir.), *Les Trois Scudéry*, actes du colloque du Havre, Paris, Klincksieck, 1993.

Sur Georges de Scudéry

DUTERTRE Évelyne, *Scudéry dramaturge*, Genève, Droz, 1988.

–, *Scudéry théoricien du classicisme*, Tübingen, Biblio 17, 1991.

SUR *ARTAMÈNE OU LE GRAND CYRUS*

Ouvrages et articles sur Artamène ou le Grand Cyrus

BOURSIER Nicole, « Le renouvellement des *topoi* d'ouverture et le passage du *grand roman* à la nouvelle chez Madeleine de Scudéry », in P. Rodriguez et M. Weil (éd.), *Vers un thesaurus informatisé. Topique des ouvertures narratives avant 1800*, actes du quatrième colloque international de la SATOR, Montpellier, Université Paul-Valéry, 1991, p. 125-129.

CHAMBEFORT Pierre, « Les histoires insérées dans les romans de Madeleine de Scudéry : *Artamène ou le Grand Cyrus* (1649-1653) », in C. Lachet, *Les Genres insérés dans le roman*, Université de Lyon III, 1993, p. 285-294.

DEJEAN Joan, « La Fronde romanesque : de l'exploit à la fiction (Madeleine de Scudéry) », in R. Duchêne et P. Ronzeaud (éd.), *La Fronde en questions*, actes du dix-huitième colloque du Centre méridional de rencontres sur le XVIIᵉ siècle, Publications de l'Université de Provence, 1989, p. 181-192.

–, « De Scudéry à Lafayette : la pratique et la politique de la collaboration littéraire dans la France du XVIIᵉ siècle », *Dix-septième siècle* 181 (1993), p. 673-685.

GOLDWIN Henriette, « Types de rapports amoureux dans *Le Grand Cyrus* », in A. Selma Zebouni (éd.), *Actes de Bâton Rouge*, Tübingen, Biblio 17, 1986, p. 320-330.

–, « Désir, fantasme et violence. Les enlèvements de Mandane dans *Le Grand Cyrus* de Mlle de Scudéry », in M. Debaisieux et G. Verdier (éd.), *Violence et fiction jusqu'à la Révolution*, Tübingen, Gunter Narr, 1998, p. 227-235.

GUICHEMERRE Roger, « Une situation dramatique traitée par Corneille et Mlle de Scudéry : l'ultime entrevue entre une femme mariée contre son gré et un amant toujours cher », in N. Ferrier-Caverivière (éd.), *Thèmes et genres littéraires aux XVIIᵉ et XVIIIᵉ siècles. Mélanges en l'honneur de Jacques Truchet*, Paris, PUF, 1992, p. 393-400.

HINDS Leonard, « Literary and Political Collaboration : The Prefatory Letter of Madeleine de Scudéry's *Artamène ou le Grand Cyrus* », *Papers on French Seventeenth Century Literature* 45, 1996, p. 491-500.

KUIZENGA Donna, « "Les autres *incipit*" : ouverture des récits intercalés chez Lafayette, Scudéry et d'Urfé », in P. Rodriguez et M. Weil (éd.), *Vers un thesaurus informatisé. Topique des ouvertures narratives avant 1800*, Montpellier, Université Paul-Valéry, 1991, p. 199-215.

LÉTOUBLON Françoise, « Cyrus le Grand et le Grand Cyrus. L'Histoire comme Orient romanesque », *Recherches et Travaux* 49, 1995, p. 49-62.

MAÎTRE, Myriam, « Les escortes mondaines de la publication », in C. Jouhaud et A. Viala (éd.), *De la publication. Entre Renaissance et Lumières*, Paris, Fayard, 2002, p. 249-265.

SAIVE-HAWKINS Sherrie L., « L'imagerie de la lumière et des ténèbres dans *Le Grand Cyrus* de Mademoiselle de Scudéry », *Travaux de linguistique et de littérature* 23, 1985, p. 25-43.

Ouvrages et articles sur le XVIIᵉ siècle intéressant Artamène ou le Grand Cyrus

BAUMGÄRTEL Bettina et NEYSTERS Silvia, *Die Galerie der starken Frauen*, Münich, Klinkhardt et Bielmann, 1995.

BEUGNOT, Bernard, « Œdipe et le Sphinx : le problème des clés au XVIIᵉ siècle », in *Le Statut de la littérature. Mélanges offerts à Paul Bénichou*, Genève, Droz, 1982, p. 71-86.

BURY Emmanuel, *Littérature et politesse. L'invention de l'honnête homme 1580-1750*, Paris, PUF, 1996.

DEJEAN, Joan, *Sapho : les fictions du désir (1546-1937)*, trad. F. Lecercle, Paris, Hachette, 1994.

ESCOLA Marc et BOMBART Mathilde (éds), *Lectures à clés*, numéro spécial de *Littératures classiques* 54, 2005.

GÉNÉTIOT Alain, *Poétique du loisir mondain, de Voiture à La Fontaine*, Paris, Champion, 1997.

LATHUILLIÈRE Roger, *La Préciosité. Étude historique et linguistique*, Genève, Droz, 1966.

MAGENDIE, Maurice, *La Politesse mondaine et les théories de l'honnêteté en France au XVIIᵉ siècle de 1600 à 1660*, Paris, PUF, 1925.

VIALA Alain, « De Scudéry à Courtil de Sandras : les nouvelles historiques et galantes », *Dix-septième siècle* 215, 2002, p. 287-296.

–, *La Naissance de l'écrivain. Sociologie de la littérature à l'âge classique*, Paris, Minuit, 1985.

Sur le roman baroque français

Bannister Mark, *Privileged Mortals. The French Heroic Novel 1630-1660*, Oxford University Press, 1983.

Berger Günter, *Pour et contre le roman. Anthologie du discours théorique sur la fiction narrative en prose du XVIIe siècle*, Tübingen, Biblio 17, 1996.

–, « Legitimation und Modell. Die *Aethiopica* als Prototyp des französischen heroisch-galanten Romans », *Antike und Abendland* 30, 1984, p. 177-189.

Coulet Henri, *Le Roman jusqu'à la Révolution*, Paris, Armand Colin, 1967.

Denis Delphine, « Le roman, genre polygraphique ? », *Littératures classiques* 49, 2003, p. 339-366.

Esmein Camille, *Poétiques du roman. Scudéry, Huet, Du Plaisir et autres textes théoriques et critiques du XVIIe siècle sur le genre romanesque*, Paris, Champion, 2004.

Lever Maurice, *Le Roman français au XVIIe siècle*, Paris, PUF, 1981.

Magendie, Maurice, *Le Roman français au XVIIe siècle, de « L'Astrée » au « Grand Cyrus »*, Paris, Droz, 1932.

Molinié Georges, *Du roman grec au roman baroque. Un art majeur du genre narratif en France sous Louis XIII*, Publications de l'université de Toulouse, 1982.

Plazenet Laurence, *L'Ébahissement et la délectation. Réception comparée et poétiques du roman grec en France et en Angleterre au XVIIe siècle*, Paris, Champion, 1997.

Sgard Jean, *Le Roman à l'âge classique*, Paris, Le Livre de Poche, 2000.

Sur les femmes et les lettres au XVIIe siècle en France

Baader Renater, *Dames de lettres : Autorinnen des preziösen, hocharistokratischen und « modernen » Salons (1649-1698)*, Stuttgart, Metzler, 1986.

Dejean Joan, *Tender Geographies : Women and the Origin of the Novel in France*, New York, Columbia University Press, 1991.

Duchêne Roger, *Les Précieuses, ou Comment l'esprit vint aux femmes*, Paris, Fayard, 2001.

GRANDE Nathalie, *Stratégies de romancières. De « Clélie » à « La Princesse de Clèves » (1654-1678)*, Paris, Champion, 1999.

MACLEAN Ian, *Woman triumphant : Feminism in French literature (1610-1652)*, Oxford, Clarendon Press, 1977.

MAÎTRE Myriam, *Les Précieuses. Naissance des femmes de lettres en France au XVIIe siècle*, Paris, Champion, 1999.

TIMMERMANS Linda, *L'Accès des femmes à la culture (1598-1715)*, Paris, Champion, 1993.

SUR LE FRANÇAIS AU XVIIe SIÈCLE

FOURNIER Nathalie, *Grammaire du français classique*, Paris, Belin, 1998.

FURETIÈRE Antoine, *Dictionnaire universel*, La Haye, Arnout et Reinier Leers, 1690.

HAASE Albert, *Syntaxe française du XVIIe siècle*, Paris, Delagrave, 1969.

SPILLEBOUT Gabriel, *Grammaire de la langue française du XVIIe siècle*, Paris, Picard, 1985.

TABLE

Achevé d'imprimer par Dupli-Print (95)
en août 2020
N° d'impression : 2020081757

N° éditeur : L.01EHPNFG1179.A004
Dépôt légal : octobre 2005

Imprimé en France